银领工程——计算机项目案例与技能实训丛书

计算机应用基础

（第2版）

（累计第4次印刷，总印数20000册）

九州书源　编著

清华大学出版社

北　京

内容简介

随着计算机应用的不断普及，会使用计算机已经成为现代人必须具备的技能之一。本书主要对计算机的基础操作进行讲解，内容包括计算机基础知识、Windows XP 的基本操作、输入法与文件管理、Windows XP 常用附件的使用、Word 2003 基本操作、美化与丰富 Word 文档、Excel 2003 基本操作、Excel 2003 的高级应用、常用工具软件的使用、计算机常用硬件设备的使用、计算机网络基础与应用和系统安全与维护等知识。

本书采用了基础知识、应用实例、项目案例、上机实训、练习提高的编写模式，力求循序渐进、学以致用，并切实通过项目案例和上机实训等方式提高应用技能，适应工作需求。

本书提供了配套的实例素材与效果文件、教学课件、电子教案、视频教学演示和考试试卷等相关教学资源，读者可以登录 http://www.tup.com.cn 网站下载。

本书适合作为职业院校、培训学校、应用型院校的教材，也是非常好的自学用书。

图书在版编目（CIP）数据

计算机应用基础/九州书源编著. —2 版. —北京：清华大学出版社，2011.12

银领工程——计算机项目案例与技能实训丛书

ISBN 978-7-302-26924-3

I. ①计…　II. ①九…　III. ①电子计算机-教材　IV. ①TP3

中国版本图书馆 CIP 数据核字（2011）第 194527 号

责任编辑：赵洛育　刘利民
版式设计：文森时代
责任校对：张兴旺
责任印制：李红英
出版发行：清华大学出版社　　**地　　址**：北京清华大学学研大厦 A 座
http://www.tup.com.cn　　**邮　　编**：100084
社 总 机：010-62770175　　**邮　　购**：010-62786544
投稿与读者服务：010-62776969，c-service@tup.tsinghua.edu.cn
质 量 反 馈：010-62772015，zhiliang@tup.tsinghua.edu.cn
印 装 者：北京鑫海金澳胶印有限公司
经　　销：全国新华书店
开　　本：185×260　**印　张**：17.5　**字　数**：404 千字
版　　次：2011 年 12 月第 2 版　**印　次**：2011 年 12 月第 1 次印刷
印　　数：1～6000
定　　价：32.80 元

产品编号：042654-01

丛书序

Series Preface

本丛书的前身是“电脑基础·实例·上机系列教程”。该丛书于2005年出版，陆续推出了34个品种，先后被500多所职业院校和培训学校作为教材，累计发行**100余万册**，部分品种销售在50000册以上，多个品种获得**“全国高校出版社优秀畅销书”一等奖**。

众所周知，社会培训机构通常没有任何社会资助，完全依靠市场而生存，他们必须选择最实用、最先进的教学模式，才能获得生存和发展。因此，他们的很多教学模式更加适合社会需求。本丛书就是在总结当前社会培训的教学模式的基础上编写而成的，而且是被广大职业院校所采用的、最具代表性的丛书之一。

很多学校和读者对本丛书耳熟能详。应广大读者要求，我们对该丛书进行了改版，主要变化如下：

- 建立完善的立体化教学服务。
- 更加突出“应用实例”、“项目案例”和“上机实训”。
- 完善学习中出现的问题，更加方便学生自学。

一、本丛书的主要特点

1．围绕工作和就业，把握“必需”和“够用”的原则，精选教学内容

本丛书不同于传统的教科书，与工作无关的、理论性的东西较少，而是精选了实际工作中确实常用的、必需的内容，在深度上也把握了以工作够用的原则，另外，本丛书的应用实例、上机实训、项目案例、练习提高都经过多次挑选。

2．注重“应用实例”、“项目案例”和“上机实训”，将学习和实际应用相结合

实例、案例学习是广大读者最喜爱的学习方式之一，也是最快的学习方式之一，更是最能激发读者学习兴趣的方式之一，我们通过与知识点贴近或者综合应用的实例，让读者多从应用中学习、从案例中学习，并通过上机实训进一步加强练习和动手操作。

3．注重循序渐进，边学边用

我们深入调查了许多职业院校和培训学校的教学方式，研究了许多学生的学习习惯，采用了基础知识、应用实例、项目案例、上机实训、练习提高的编写模式，力求循序渐进、学以致用，并切实通过项目案例和上机实训等方式提高应用技能，适应工作需求。唯有学以致用，边学边用，才能激发学习兴趣，把被动学习变成主动学习。

二、立体化教学服务

为了方便教学，丛书提供了立体化教学网络资源，放在清华大学出版社网站上。读者登录 http://www.tup.com.cn 后，在页面右上角的搜索文本框中输入书名，搜索到该书后，单击“立体化教学”链接下载即可。“立体化教学”内容如下。

- **素材与效果文件**：收集了当前图书中所有实例使用到的素材以及制作后的最终效果。读者可直接调用，非常方便。
- **教学课件**：以章为单位，精心制作了该书的 PowerPoint 教学课件，课件的结构与书本上的讲解相符，包括本章导读、知识讲解、上机及项目实训等。
- **电子教案**：综合多个学校对于教学大纲的要求和格式，编写了当前课程的教案，内容详细，稍加修改即可直接应用于教学。
- **视频教学演示**：将项目实训和习题中较难、不易于操作和实现的内容，以录屏文件的方式再现操作过程，使学习和练习变得简单、轻松。
- **考试试卷**：完全模拟真正的考试试卷，包含填空题、选择题和上机操作题等多种题型，并且按不同的学习阶段提供了不同的试卷内容。

三、读者对象

本丛书可以作为职业院校、培训学校的教材使用，也可作为应用型本科院校的选修教材，还可作为即将步入社会的求职者、白领阶层的自学参考书。

我们的目标是让起点为零的读者能胜任基本工作！

欢迎读者使用本书，祝大家早日适应工作需求！

九州书源

前 言

Preface

随着计算机在各行各业的普及，熟练操作计算机和使用现代化办公软件及设备进行工作和管理已成为现代人必备的能力。本书顺应时代趋势，针对目前想提升计算机能力但却无法找到正确学习方法的读者的现状，介绍了学习计算机必须掌握的各种操作，使读者能由浅入深地学习计算机，从而使操作能力快速提升。

本书的内容

本书共12章，可分为8个部分，各部分具体内容如下：

章节	内容	目的
第1部分（第1~2章）	计算机的分类和软/硬件组成、Windows XP操作系统的基本操作、键盘鼠标的使用方法	了解计算机的基本知识，掌握Windows XP的基本操作
第2部分（第3~4章）	汉字输入法和管理文件的操作、Windows XP附件的使用	掌握各种汉字输入法的使用方法，文件的管理技巧，并能熟练使用Windows XP附件
第3部分（第5~6章）	认识Word工作界面、Word基本操作、美化与编辑Word文档	掌握Word操作，能够制作简单的文档
第4部分（第7~8章）	Excel的基本操作、使用Excel高级功能编辑表格及数据	掌握使用Excel制作表格的方法并学会编辑表格中的数据
第5部分（第9章）	认识并使用压缩软件、ACDSee看图软件、有道词典	掌握计算机常用软件的使用方法并利用它们进行相关问题的处理
第6部分（第10章）	打印机、扫描仪、摄像头以及移动存储设备的使用和注意事项	掌握常见办公设备的安装与使用方法
第7部分（第11章）	网络的连接、访问Internet网页、使用立体化教学	使用计算机连接网络并能有效利用立体化教学
第8部分（第12章）	计算机的使用注意事项、计算机安全防护和病毒的防御	正确设置计算机的安全选项、使用工具软件保护计算机不被攻击、磁盘的维护

本书的写作特点

本书图文并茂、条理清晰、通俗易懂、内容翔实，在读者难于理解和掌握的地方给出了提示或注意，并加入了许多计算机操作的使用技巧，使读者能快速提高软件的使用技能。另外，本书中配置了大量的实例和练习，以便读者在实际操作中强化书中讲解的内容。

本书每章按“学习目标+目标任务&项目案例+基础知识与应用实例+上机及项目实训+练习与提高”结构进行讲解。

- **学习目标**：以简练的语言列出本章知识要点和实例目标，使读者对本章将要讲解的内容做到心中有数。
- **目标任务&项目案例**：给出本章部分实例和案例结果，让读者对本章的学习有一个具体的、看得见的目标，不至于感觉学了很多却不知道干什么用，以至于失去学习兴趣和动力。
- **基础知识与应用实例**：将实例贯穿于知识点中讲解，使知识点和实例融为一体，让读者加深理解思路、概念和方法，并模仿实例的制作，通过应用举例强化巩固小节知识点。
- **上机及项目实训**：上机实训为一个综合性实例，用于贯穿全章内容，并给出具体的制作思路和制作步骤，完成后给出一个项目实训，用于进行拓展练习，还提供实训目标、视频演示路径和关键步骤，以便于读者进一步巩固。
- **项目案例**：为了更加贴近实际应用，本书给出了一些项目案例，希望读者能完整了解整个制作过程。
- **练习与提高**：本书给出了不同类型的习题，以巩固和提高读者的实际动手能力。

另外，本书还提供有素材与效果文件、教学课件、电子教案、视频教学演示和考试试卷等相关立体化教学资源，立体化教学资源放置在清华大学出版社网站（http://www.tup.com.cn），进入网站后，在页面右上角的搜索引擎中输入书名，搜索到该书，单击“立体化教学”链接即可。

☺ 本书的读者对象

本书主要供各大中专院校、职业院校和各类培训学校作为计算机基础教材使用，也可供不同层次的国家公务员、文秘和各行各业涉及计算机操作的用户作为自学参考书使用。

本书的编者

本书由九州书源编著，参与本书资料收集、整理、编著、校对及排版的人员有：羊清忠、陈良、杨学林、卢炜、夏帮贵、刘凡馨、张良军、杨颖、王君、张永雄、向萍、曾福全、简超、李伟、黄沄、穆仁龙、陆小平、余洪、赵云、袁松涛、艾琳、杨明宇、廖宵、牟俊、陈晓颖、宋晓均、朱非、刘斌、丛威、何周、张笑、常开忠、唐青、骆源、宋玉霞、向利、付琦、范晶晶、赵华君、徐云江、李显进等。

由于作者水平有限，书中疏漏和不足之处在所难免，欢迎读者朋友不吝赐教。如果您在学习的过程中遇到什么困难或疑惑，可以联系我们，我们会尽快为您解答。联系方式是：

E-mail：book@jzbooks.com。

网　址：http://www.jzbooks.com。

编　者

导读

Introduction

章　名	操作技能	课时安排
第 1 章　计算机基础知识	1. 了解计算机基础知识 2. 了解计算机系统的组成 3. 掌握 Windows XP 的登录与退出 4. 掌握鼠标与键盘的使用方法	2 学时
第 2 章　Windows XP 的基本操作	1. 认识 Windows XP 的桌面 2. 了解窗口的基础知识 3. 了解对话框的基础知识 4. 掌握计算机的常见设置	2 学时
第 3 章　输入法与文件管理	1. 了解汉字输入法 2. 了解文件与文件夹的基础知识 3. 掌握文件与文件夹的管理方法和技巧	2 学时
第 4 章　Windows XP 常用附件的使用	1. 掌握写字板的使用 2. 掌握画图程序的使用 3. 掌握计算器的使用 4. 了解娱乐工具的使用	3 学时
第 5 章　Word 2003 基本操作	1. 掌握 Word 2003 的启动与退出 2. 认识 Word 2003 的工作界面 3. 掌握文档的基本操作 4. 掌握输入与编辑文本的方法	2 学时
第 6 章　美化与丰富 Word 文档	1. 掌握设置字符、段落格式 2. 掌握表格的使用 3. 掌握美化文档的方法 4. 掌握模板与样式的使用 5. 掌握打印文档的方法	3 学时
第 7 章　Excel 2003 基本操作	1. 认识 Excel 2003 的工作界面 2. 掌握工作簿、工作表和单元格的基本操作 3. 掌握数据输入的方法 4. 掌握数据的编辑	2 学时
第 8 章　Excel 2003 的高级应用	1. 掌握美化工作表的方法 2. 掌握使用公式与函数 3. 学会图表的使用 4. 掌握数据管理的方法 5. 掌握打印工作表的方法	3 学时

续表

章　名	操作技能	课时安排
第9章　常用工具软件	1. 掌握WinRAR压缩软件的使用 2. 掌握千千静听的使用 3. 掌握ACDSee看图软件的使用 4. 掌握有道词典的使用	3学时
第10章　计算机常用硬件设备	1. 掌握打印机的使用 2. 掌握扫描仪的使用 3. 掌握摄像头的使用 4. 掌握移动存储设备的使用	2学时
第11章　网络基础与应用	1. 了解连接Internet的方法 2. 学会访问Internet中的网页 3. 学会搜索与下载网上资源 4. 了解网络资源的应用	3学时
第12章　系统安全与维护	1. 了解计算机的注意事项与故障处理 2. 掌握磁盘维护的方法 3. 掌握计算机病毒防御的方法	2学时

目录

Contents

第 1 章　计算机基础知识

学习目标

- ☑ 了解各种不同的计算机类型和用途
- ☑ 认识计算机的硬件设备并了解其功能
- ☑ 了解计算机的软件系统
- ☑ Windows XP 和最简单的操作——进入和退出系统
- ☑ 正确地使用鼠标键盘

目标任务&项目案例

计算机主机箱内部组成

计算机设备外观

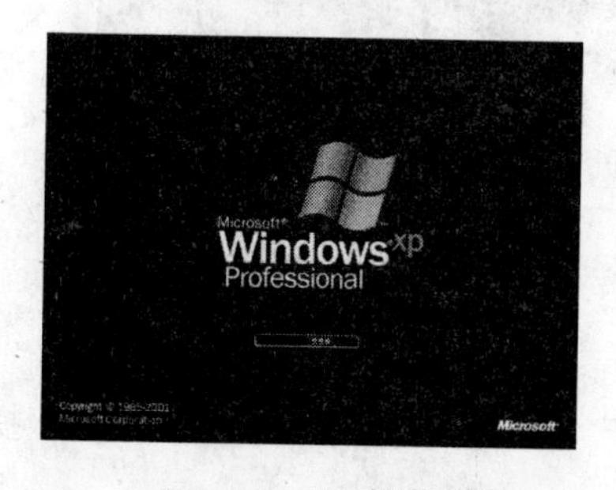

Windows XP 操作系统

鼠标和键盘

要对计算机进行各种应用，首先应对计算机有一个全面的了解。本章将对计算机的类型、应用、组成和计算机简单操作等基础知识进行讲解，让读者对计算机有一个初步的了解，为后面的学习打下坚实的基础。

1.1 计算机概述

计算机是人类历史上最伟大的发明之一，它的出现与普及在全世界掀起了一场具有深远意义的数字化革命浪潮，被认为是21世纪信息社会的基本应用工具。

1.1.1 计算机的分类

根据计算机的体积、功能和价格等因素，可将计算机分为 4 类，即巨型计算机、大/中型计算机、小型计算机和微型计算机，下面将对它们分别进行介绍。

1．巨型计算机

巨型计算机体积庞大，运算速度高达每秒万亿次，其精度高、容量大，常用于军事、国防等尖端领域，如图 1-1 所示。

2．大/中型计算机

这类计算机通用性好、综合负载处理能力和外部负载能力较强，价格昂贵，支持几十个大型数据库，常用于规模较大的科学计算，在国家政府、银行等机构得到广泛应用，如图 1-2 所示。

图 1-1　巨型计算机

图 1-2　大型计算机

3．小型计算机

小型计算机是 20 世纪 60 年代中后期发展起来的产物，它结构简单、易于维护、操作方便，常用于自动控制和企业管理等领域。

4．微型计算机

微型计算机也称为个人计算机，即 PC。它是目前最为普及的一类计算机，具有价格低、体积小、结构紧凑等特点。随着微型计算机的不断发展，它又被分为如图 1-3 所示的台式机和如图 1-4 所示的笔记本电脑。

图 1-3　台式机

图 1-4　笔记本电脑

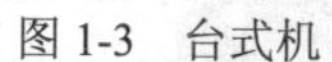

世界上第一台计算机诞生于 1946 年 2 月，由美国宾夕法尼亚大学研制成功，取名为“埃尼亚克”（ENIAC）。

1.1.2　计算机的应用

随着计算机在生活、学习和工作中的普及，它的应用范围也越来越广泛，总的来说可归纳为以下几类。

- **科学计算**：计算机凭借其运算速度快、运算精度高和容量大等优点，可以完成人工难以完成的各种科学计算工作。
- **数据处理**：计算机可以对各种数据进行存储、收集、分类、整理、统计、加工和传送等操作。
- **过程检测与控制**：利用计算机可以对任何生产过程进行检测与控制，从而实现生产自动化，减轻人类的劳动强度和人工不能避免的错误，提高产品质量。
- **计算机辅助工程**：计算机辅助工程是指利用计算机帮助人们进行各种设计和处理等过程，如利用绘图软件绘制机械零件、利用幻灯片软件播放课件等。
- **人工智能**：人工智能是指利用计算机模拟人类的一些活动，如智能机器人等，从而实现利用计算机代替人类来完成一些基础工作的目的。

1.2　计算机系统的组成

计算机主要由硬件和软件两部分组成，两者缺一不可。硬件是计算机的载体，是看得见摸得着的物体，而软件是计算机的“思想”，它看不见也摸不着。

1.2.1　计算机硬件系统

计算机硬件系统包括计算机内部硬件和外部硬件，内部硬件主要集中在计算机的主机机箱中，如图 1-5 所示，包括主板、CPU、显卡、内存、硬盘、光驱和电源等，外部硬件主要包括显示器、鼠标和键盘等，下面将对它们分别进行介绍。

图 1-5　计算机内部硬件

1．电源和机箱

电源也称为电源供应器，如图 1-6 所示，它是计算机的心脏，提供了计算机正常运行时所需要的动力，是计算机运行的保障。机箱是安装放置各种计算机设备的装置，如图 1-7 所示，它将计算机设备整合在一起，起到保护计算机部件的作用，此外也能屏蔽主机内的电磁辐射，保护计算机使用者。

图 1-6　电源

图 1-7　机箱

2．主板

主板是计算机的主体躯干，通过它才能将各种设备紧密地连接在一起，使它们能相互传递信息，CPU 也只有通过它才能发号施令。计算机能否正常、稳定、快速地运行，关键就在主板。

主板是一块电路板，它为计算机中其他部件提供插槽和接口，主要包括 CPU 插座、内存插槽、显卡插槽、总线扩展插槽以及各种串行和并行端口等，如图 1-8 所示。各部件都是通过各种不同的插槽安装在主板上并进行相互通信的。

图 1-8　主板的外观

3．CPU

中央处理器（CPU）的体积较小，它由控制器和运算器两个部分组成。目前市场上主要有英特尔和 AMD 两种品牌的 CPU，高端 CPU 有英特尔的酷睿 i7 系列以及酷睿 2 四核系列、AMD 的弈龙四核心系列；中端 CPU 有英特尔酷睿 2 双核系统以及 AMD 的弈龙 3 核；低端 CPU 有英特尔的奔腾双核系列以及 AMD 的速龙双核系列。如图 1-9 和图 1-10 所示为 Core 2 CPU 和 Core i5 CPU。

图 1-9　Core 2 CPU

图 1-10　Core i5 CPU

4．内存储器

内存储器（也称内存）是计算机的记忆中心，主要用于存放当前计算机运行所需的临时程序和数据，内存的容量大小直接影响电脑的运行速度。目前市场上主要有金士顿、金邦、宇瞻和威刚等主流品牌的内存，其容量主要有 1G、2G 和 4G 等几种类型，如图 1-11 所示为内存储器。

提示：

内存的种类和运行频率对性能有一定影响，不过相比之下，容量的影响更大。在其他配置相同的条件下内存越大，计算机的性能越高。

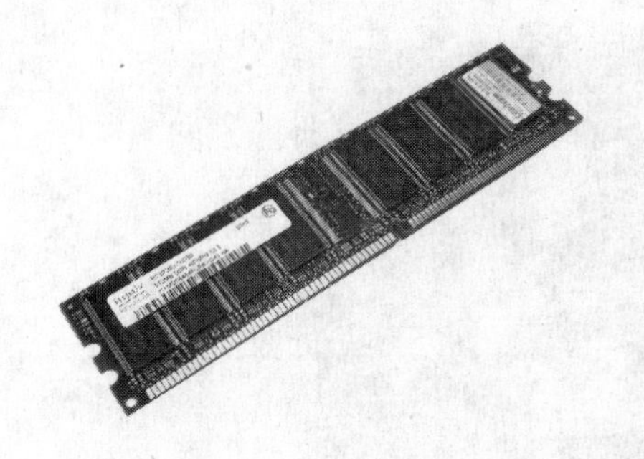

图 1-11　内存储器

5．硬盘

硬盘是计算机中最重要的数据存储设备，计算机中的文件都存储在硬盘中。硬盘通常也被固定在主机内部，其容量一般有 250GB、320GB、500GB 和 1TB 等，容量越大，存储的信息也越多，价格也就越贵。如图 1-12 所示为两款不同型号的硬盘。

图 1-12　不同型号的硬盘

6．光驱和光盘

光盘驱动器（也称光驱）主要用于读取光盘的数据，目前，市场上光驱主要有 CD 光驱（CD-ROM）、DVD 光驱（DVD-ROM）、康宝（COMBO）和刻录机等，光盘主要有 CD 和 DVD 盘。如图 1-13 所示为光驱，图 1-14 所示为用于储存数据的光盘。

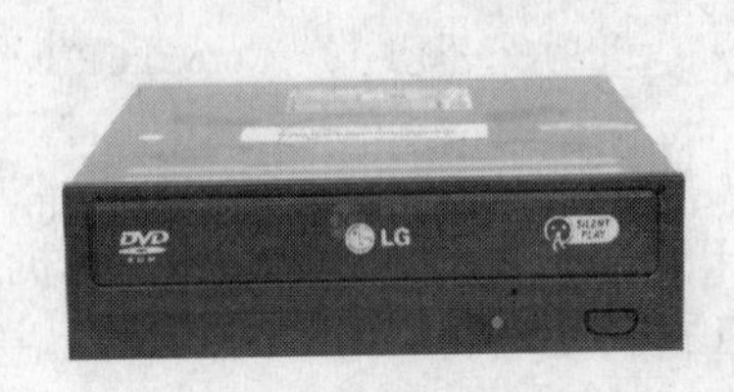

图 1-13　光驱的外观

图 1-14　光盘的外观

7．显卡

显示器与主机相连需配置适当的显示适配卡（也称显卡），它主要用于将主机的数字信号转换为显示器的模拟信号。由于显示器有多种类型，因此显卡的类型也有多种，一般用户可以使用集成在主板上的显卡，对显示质量要求较高的用户可选择质量较好的独立显卡，如七彩虹和小影霸等。如图 1-15 所示为两款不同类型的显卡。

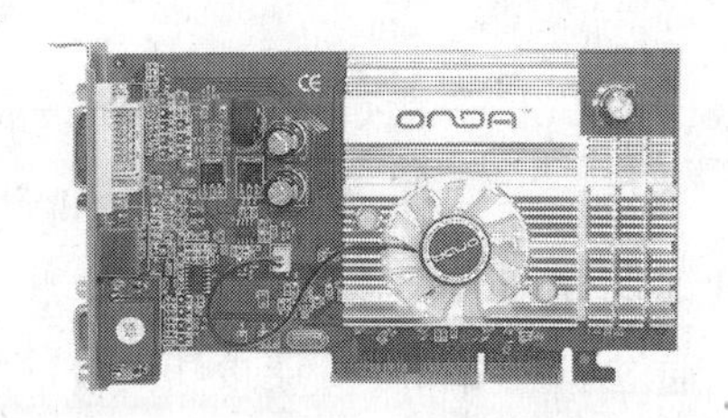

图 1-15　显卡的外观

8．显示器

显示器是计算机必不可少的输出设备，用户通过显示器能方便地查看输入的内容和经过计算机处理后的各种信息。目前市场上常见的显示器有两种：一种是 CRT（阴极射线管）显示器，失真小，用于图形图像设计；另一种是 LCD（液晶）显示器，辐射相对较小。两种显示器分别如图 1-16 和图 1-17 所示。

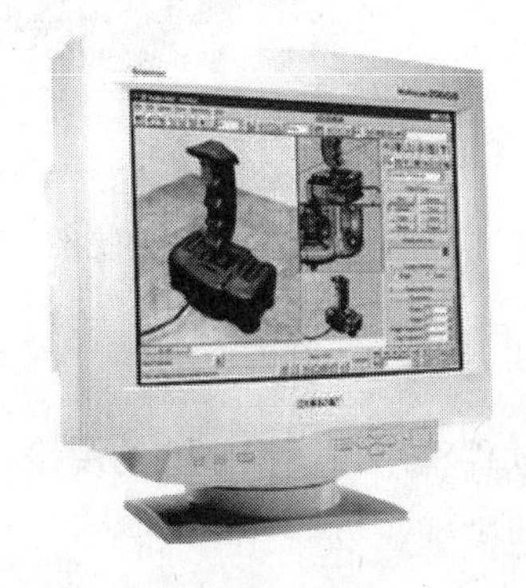

图 1-16　CRT（阴极射线管）显示器

图 1-17　LCD（液晶）显示器

9．鼠标和键盘

鼠标是计算机必不可少的输入设备之一，可分为有线鼠标和无线鼠标键盘，通过它可以方便快捷地选取需要的信息并执行各种命令。键盘也是计算机的输入设备，用户通过键盘向计算机发出指令，计算机根据指令进行工作。目前的键盘也可分为有线和无线两类。鼠标和键盘外观分别如图 1-18 和图 1-19 所示。

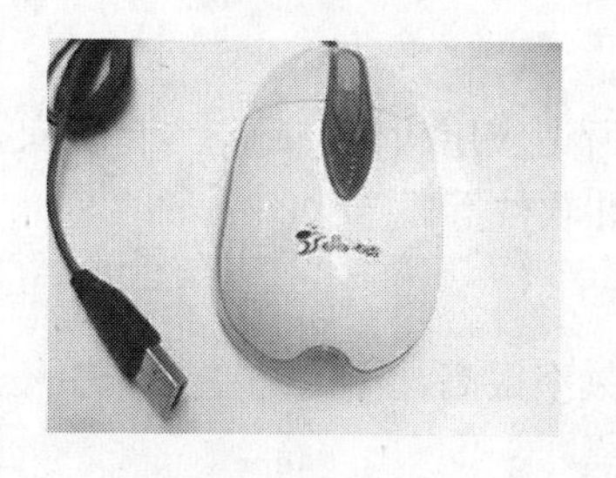

图 1-18　鼠标

图 1-19　键盘

注意：

除上述硬件设备以外，常用的计算机硬件还包括音箱和声卡等设备，其中音箱用于输出声音，声卡可使声音效果更加理想。

10．外部设备

计算机通过一些端口还可连接其他外部设备，使计算机的应用更加广泛。如连接打印机后可利用计算机打印文档；连接扫描仪后可利用计算机扫描图片等。目前，常用的外部设备种类繁多，除打印机、扫描仪和传真机之外，还包括一些流行的数码产品和移动存储设备，如图1-20所示的数码相机、图1-21所示的U盘和图1-22所示的移动硬盘。

图1-20　数码相机

图1-21　U盘

图1-22　移动硬盘

1.2.2　计算机软件系统

计算机软件系统是指运行在计算机硬件上的各种软件程序，根据软件的用途，可将软件分为系统软件和应用软件两大类，下面将对它们分别进行介绍。

1．系统软件

系统软件主要包括操作系统和语言处理程序，其作用如下。

- **操作系统**：操作系统（简称OS）是计算机系统的指挥调度中心，它为各种软件或程序提供了最基本的运行平台。常见的操作系统有Windows、UNIX和Linux等。
- **语言处理程序**：这类软件主要用于编译、解释和处理各种程序所使用的计算机语言，是人与计算机相互交流的一座桥梁。常用的语言处理程序包括汇编程序、编译程序和解释程序等。

2．应用软件

计算机具有的各种功能都是通过应用软件实现的。所谓应用软件，是指专门为某一应用领域而编制的软件，如办公软件和图像处理软件及设计软件等。

1）办公软件

办公软件是电脑系统中的应用软件之一，它的使用频率很高，不论是在工作中还是在生活中，已成为一种必不可少的工具，下面进行简单介绍。

- **Word程序**：有储存和展示图文的功能，可以将网上的图文粘贴在其中，还可以改变文字大小，甚至更改字体，如图1-23所示为Word制作的一个文档。

- **Excel 程序**：可以用于数据统计、数据分析、汇总、查询、筛选、分类汇总、数据透视表、根据数据制作分析图表和利用函数自动计算等功能。基于数据的一切功能它基本上都能实现，如图 1-24 所示为 Excel 的一个数据图表。

商务经典 H·P 6910p 笔记本电脑

光鲜而不浮夸，迅捷而不急进，稳健而不迟滞，速流而不随波，谁能给你带来这样的挑战与征服兼顾的领袖感觉，惟有——

商务可以感受，6910p 是一种信任。在这个信息危机四伏的时代，每个人的私秘几乎都无处可藏。6910p 却能让你智者千虑，万无一失，时刻都能感受到全面的商务体贴。在商业活动中，数据的安全性至关重要，在全新英特尔迅驰 4 平台上，6910p 实现了更为高效的数据吞吐与处理。对于硬盘信息的安全，HP ProtectTools 的全新驱动器加密技术，可对磁盘卷上的所有信息进行加密，未经授权的用户无法进行读取；同时，运用 HP Disk Sanitizer 技术，可以快速永久性破坏和销毁数据，并确保数据难以恢复，从而不被他人利用。此外，可选配的防窥膜技术，在缩窄屏幕视角的同时，保证不会出现模糊或图像变形，使得只有屏幕正前方的用户才能看到屏幕上的内容，确保你在处理敏感的信息时屏幕不被他人窥查……通过多重防护，6910p 时刻体贴入微，令你的商业机密固若金汤。

图 1-23　产品宣传单

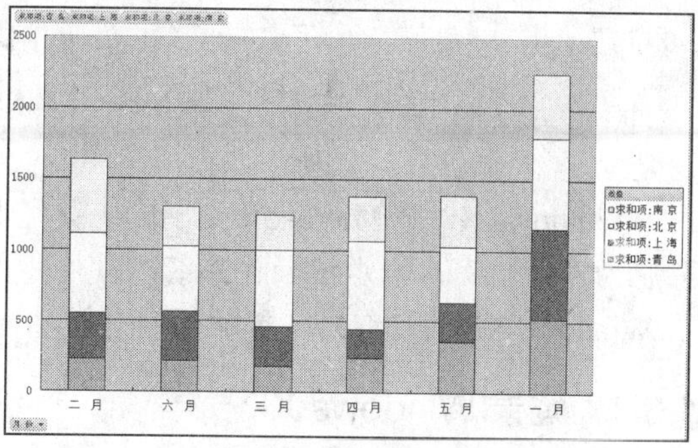

图 1-24　销售统计图表

2）图像处理及设计软件

目前各种处理和设计软件的使用已成为电脑应用的潮流，这里将以图像处理软件 Photoshop 和网页设计软件 Dreamweaver 为例进行介绍。

- **Photoshop**：是目前公认最好的平面美术设计软件，它具有功能完善，性能稳定的特点，专门用来进行图像处理。通过它可以对图像进行修饰、对图形进行编辑，以及对图像的色彩进行处理，另外，还有绘图和输出功能等。如图 1-25 所示为 Photoshop 的工作界面。
- **Dreamweaver**：是唯一一款提供 Roundtrip HTML、视觉化编辑与原始码编辑同步的网页设计软件。帧(frames)和表格的制作速度快，Dreamweaver 支援精准定位，利用可轻易转换成表格的图层以拖拉置放的方式进行版面配置。如图 1-26 所示为 Dreamweaver 的工作界面。

图 1-25　Photoshop 工作界面

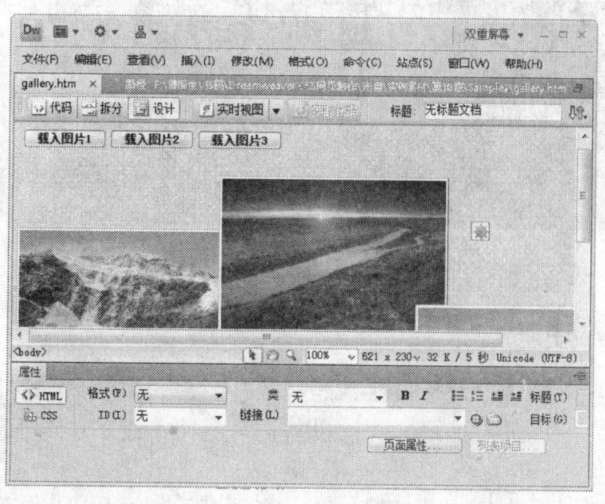

图 1-26　Dreamweaver 工作界面

注意：

计算机的硬件系统和软件系统之间是相互依存的关系。若没有软件支持，即使配置最好的硬件，计算机也无法正常工作。

1.3 登录与退出 Windows XP

Windows XP 是 Microsoft 推出的一款经典的操作系统，其中 XP 是 Experience 的缩写，意思为“体验”，表示该操作系统在使用中将给用户带来更多的新体验。在计算机中安装了 Windows XP 后，首先需了解如何登录和退出该操作系统，下面将对它们分别进行介绍。

1.3.1 登录 Windows XP

要了解 Window XP 的界面和功能，首先应登录系统，下面将对登录 Windows XP 的操作进行讲解。

【例 1-1】 启动计算机，登录 Windows XP 的操作界面。

（1）依次按下显示器开关和主机电源开关，此时显示器将显示系统自动对计算机中的硬件设备进行检测的画面（此过程称为计算机自检），稍后将显示如图 1-27 所示的加载画面。

（2）若计算机中只设置了一个没有登录密码的用户账户，系统会自动进入如图 1-28 所示的 Windows XP 操作界面。

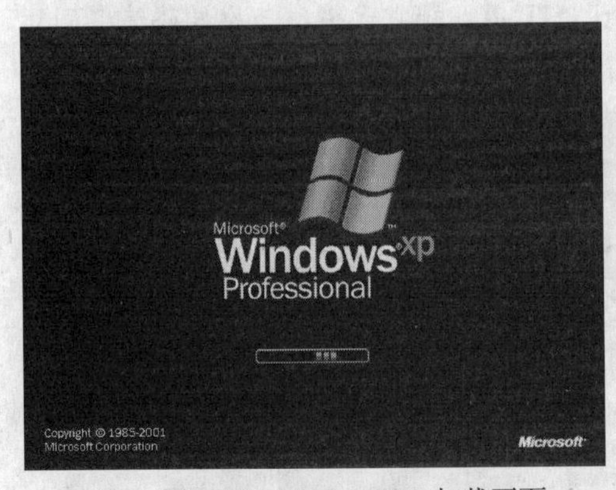

图 1-27 Windows XP 加载画面

图 1-28 Windows XP 的桌面

注意：

所谓计算机自检，是指在开机时，系统自动对计算机中的一些重要硬件设备，如显卡、内存和键盘等进行检测，确认设备正常后将系统的引导权交给操作系统的过程。

（3）当用户设置了多个登录 Windows XP 的账户时，将显示如图 1-29 所示的界面，单击相应的账户图标即可以该账户的身份登录 Windows XP。

（4）如果用户设置了账户密码，则在单击账户图标时弹出如图 1-30 所示的文本框，在其中输入密码后按“Enter”键或单击→按钮即可登录系统。

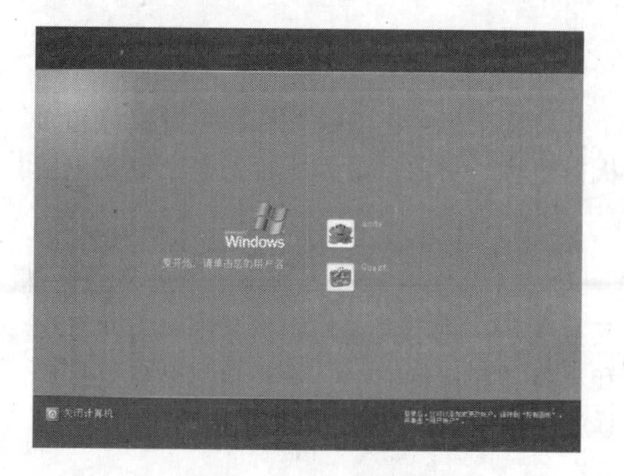

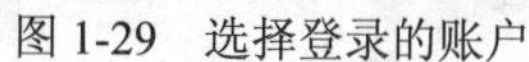
图 1-29 选择登录的账户

图 1-30 输入正确的登录密码

1.3.2 退出 Windows XP

当用户进入操作系统操作完毕后不需要使用计算机时，就应该退出 Windows XP 操作系统，关闭计算机。下面将对退出 Windows XP 的操作进行讲解。

【例 1-2】 在操作系统中通过选择相关命令退出 Windows XP

（1）单击 Windows XP 界面左下角的 开始 按钮，在弹出的“开始”菜单中单击 关闭计算机(U) 按钮，如图 1-31 所示。

（2）打开如图 1-32 所示的“关闭计算机”界面，单击“关闭”按钮即可退出 Windows XP 操作系统并关闭计算机。

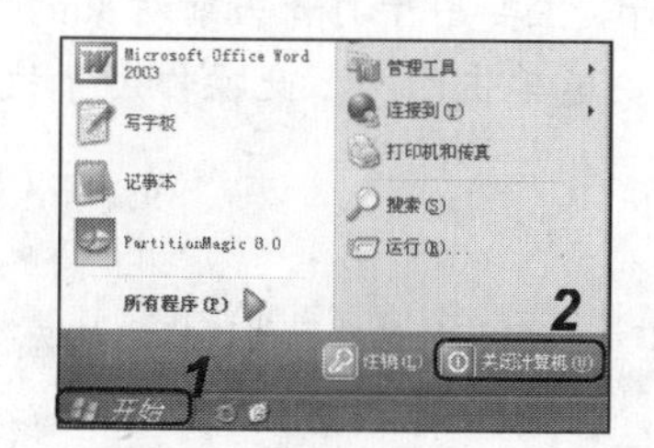

图 1-31 单击“关闭计算机”按钮

图 1-32 “关闭计算机”界面

技巧：

单击“关闭计算机”界面中的“重新启动”按钮将在关闭计算机后自动重启计算机；单击“待机”按钮将保存当前正在进行的所有操作并退出操作系统，此后按键盘中的任意键即可恢复到待机前的工作状态。

1.4 鼠标与键盘的使用

鼠标与键盘是操作计算机最为重要的输入设备，在前面已经了解二者的外观，本节将对它们的使用方法进行详细讲解。

1.4.1 使用鼠标

鼠标以其外观酷似老鼠而得名。按其按键个数可将鼠标分为双键鼠标、三键鼠标和多键鼠标；按工作原理可将鼠标分为光电鼠标和机械鼠标。目前，最为流行的是三键光电鼠标，如图1-33所示。

1．操作鼠标的正确方法

使用鼠标之前应学习如何正确握住鼠标。其方法是：右手食指与中指分别轻放在鼠标的左键和右键上，拇指侧握鼠标左侧，无名指和小指放在鼠标右侧，掌心自然贴住鼠标后部，利用拇指、无名指和小指移动鼠标，手腕垂放在桌面上，如图1-34所示。

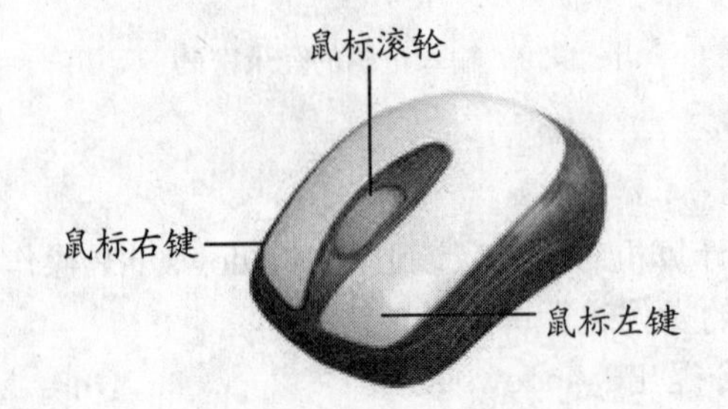

图1-33　三键光电鼠标

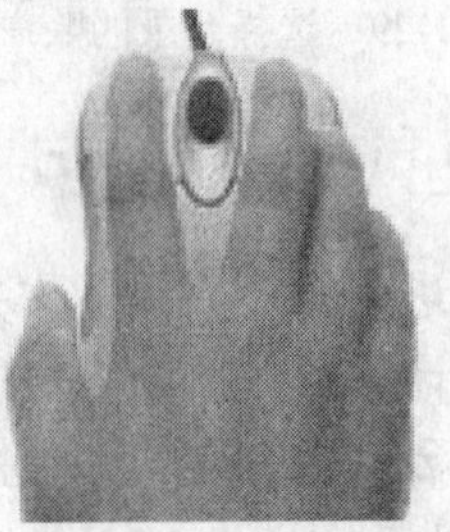

图1-34　手握鼠标的方法

虽然软件和程序的种类繁多，但操作鼠标的方法主要有如下几种。

- **单击鼠标左键**：用右手食指按下鼠标左键并快速松开，此操作用于选择对象。
- **右击**：用右手中指按下鼠标右键并快速松开，主要用于打开当前对象的快捷菜单。
- **双击鼠标左键**：用右手食指在鼠标左键上快速单击两次，此操作用于执行命令或打开文件等。

技巧：

用右手食指向前或向后滑动三键鼠标的滚轮可显示屏幕上未显示的信息，或选择当前选项的下一个选项等操作。

2．鼠标指针

在使用鼠标进行操作或系统处于不同工作状态时，显示器中的鼠标指针也会呈现出不同的形态，如表1-1中列举了几种常见的鼠标指针形态及其表示的含义。

表1-1　鼠标指针形态与含义

鼠标指针	表示的状态	鼠标指针	表示的状态	鼠标指针	表示的状态
	准备状态	↕	调整对象垂直大小	＋	精确调整对象
	帮助选择	↔	调整对象水平大小	I	文本输入状态
	后台处理	↘	等比例调整对象1	⊘	禁用状态
	忙碌状态	↗	等比例调整对象2		手写状态
	移动对象	↑	其他选择		链接选择

1.4.2　使用键盘

在使用键盘时，首先应了解键盘的结构。按照键盘各键位的功能，可划分为功能键区、主键盘区、编辑键区、小键盘区和状态指示灯区等 5 个区域，如图 1-35 所示。

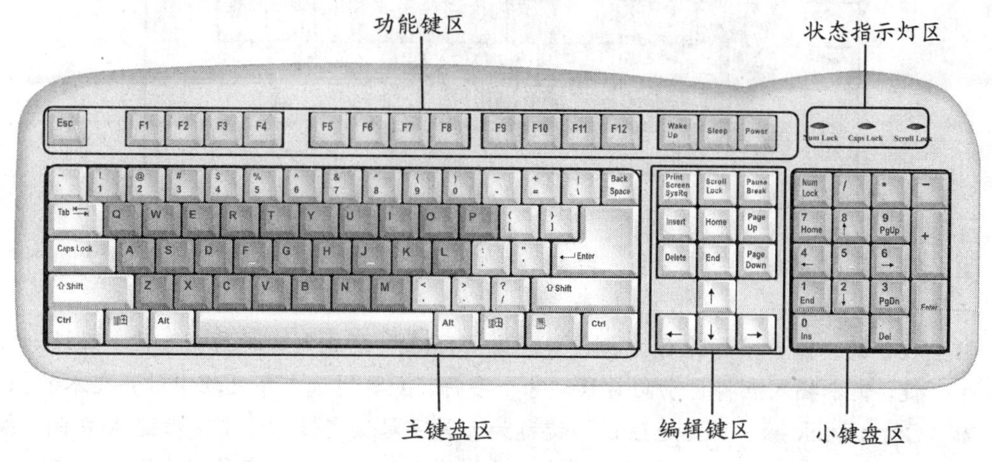

图 1-35　键盘的结构与分区

1．功能键区

功能键区位于键盘顶端，由 Esc 键、F1～F12 键、Wake Up 键、Sleep 键和 Power 键组成，如图 1-36 所示，各键位的作用分别如下。

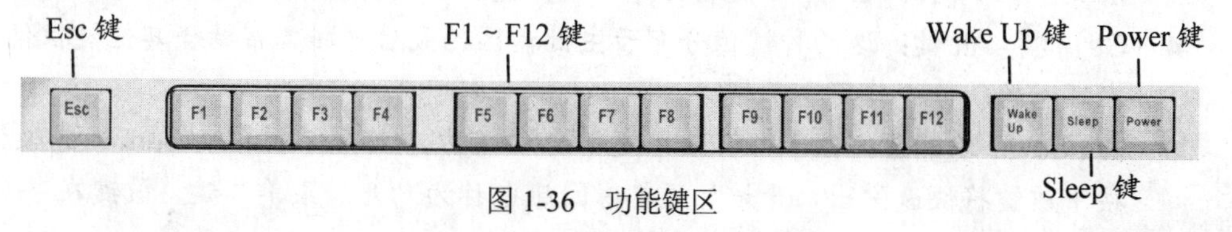

图 1-36　功能键区

- **Esc 键**：该键位主要用于将已输入的命令或字符取消。另外，也起到退出软件或程序的作用。
- **F1～F12 键**：这 12 个键位称为功能键，即按下相应的键位可快速执行特定的操作，如在 Office 组件的程序中按 F1 键可以获取该程序的帮助信息。
- **Wake Up 键**：按下该键可唤醒系统的睡眠状态。
- **Sleep 键**：按下该键将使计算机转入睡眠状态。
- **Power 键**：按下该键将关闭正在运行的计算机。

2．主键盘区

主键盘区是输入各种文本和数据的区域。该键位区由字母键、数字符号键、控制键和 Windows 功能键等 61 个键位组成，如图 1-37 所示。各键位的作用分别如下。

- **字母键**：以 26 个英文字母显示的键位，其中 F 键和 J 键下方有一根突起的横杠，用于定位手指在键盘上的位置，常常被称为“基准键”。
- **数字键**：位于主键盘区的第一排，因其键位上有两种字符，所以又称为双字符键。

主要用于输入相应的数字和符号，当按住Shift键的同时按相应的键位可输入相应键位上方的符号；直接按键位则输入相应键位下方的数字。

图1-37　主键盘区

- **符号键**：分布于主键盘区，共11个键，也是由两种不同的符号组成，主要用于输入符号，如“，”、“。”等。
- **Tab键**：位于字母键Q左侧，是英文“Table”的缩写，称为制表键。每按一次该键，文本插入点将自动向右移动8个字符，主要用于文字处理中对齐文本的操作。
- **Caps Lock键**：“Caps Lock”键称为大写字母锁定键，位于字母键A左侧，按下该键后，状态指示灯区中中间的指示灯将亮起，此时按字母键将输入相应的大写字母；再次按下该键，指示灯将熄灭，此时按字母键将输入相应的小写字母。
- **Shift键**：“Shift”键称为上档键，在主键盘区该键位有两个，分别位于字母键Z左侧和符号键“/”右侧，主要用于输入双字符键的上档字符以及转换中英文输入法等。在不同的软件中该键还具有一些特定的快捷功能。
- **Ctrl键和Alt键**：这两种键位分布于主键盘区的最后一排，常结合其他键位使用，在不同的软件中作用也不相同。
- **Windows功能键**：位于“Shift”键和Z键下方，上面标示了Windows的徽标，按下该键将快速弹出“开始”菜单，因此也称为“开始菜单”键。该键在“/”键下方也有一个。
- **快捷菜单键**：位于右侧的Windows功能键右侧，按下该键将弹出当前选择对象的快捷菜单。
- **空格键**：位于主键盘区的下方，是键盘上长度最长的键位，主要用于输入空字符。
- **Back Space键**：位于主键盘区右上角，主要用于删除左侧的字符，又称退格键。
- **Enter键**：主键盘区中高度最高的键位，又称回车键，主要用于确认并执行输入的命令以及在输入文本时将文本插入换行。

3．编辑键区

编辑键区主要用于控制和定位编辑过程中的文本插入点的位置，如图1-38所示。各键位的作用分别如下。

- **屏幕复制键（Print Screen SysRq键）**：位于编辑键区左上角，按下该键位将把当前屏幕内容以图片的形式复制到剪贴板中以备使用。
- **滚屏锁定键（Scroll Lock键）**：位于屏幕复制键右侧，按下该键位将禁止屏幕滚动，再次按下该键位可重新滚动屏幕。

- **屏幕暂停键（Pause Break 键）**：位于滚屏锁定键右侧，按下该键位将使屏幕暂停显示，按"Enter"键可取消暂停。
- **插入键（Insert 键）**：位于屏幕复制键下方，主要用于在文本输入时转换插入和改写的状态，在后面讲解 Word 时将详细介绍。
- **删除键（Delete 键）**：位于插入键下方，主要用于删除文本插入点右侧的字符。
- **Home 键和 End 键**：位于滚屏锁定键下方，主要用于将文本插入点快速定位至当前行的行首或行尾。
- **向前翻页键和向后翻页键（Page Up 键和 Page Down 键）**：位于屏幕暂停键下方，主要用于将当前屏幕显示的内容翻至上一页或下一页。

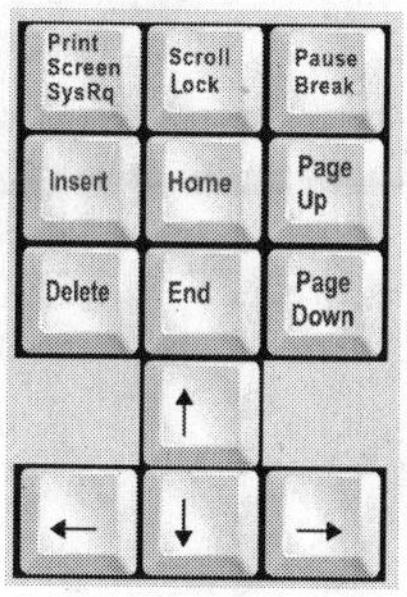

图 1-38　编辑键区

- **方向键**：位于编辑键区下方，主要用于移动当前文本插入点的位置，其中"→"、"←"、"↑"和"↓"键分别可使文本插入点向右、向左、向上和向下移动。

4．小键盘区

小键盘区中的键位主要用于快速输入数字和常用的运算符号。其中的数字键为双字符键，如图 1-39 所示。

按下小键盘区左上角的"Num Lock"（数字锁定）键，此时状态指示灯区中最左侧的灯将亮起，表示此时按相应键将输入小键盘区中的上档字符；再次按下该键将使灯熄灭，此时将输入相应键位的下档字符。

5．状态指示灯区

该区中包含 3 个指示灯，从左到右依次表示小键盘区的工作状态、大小写状态和滚屏锁定状态，如图 1-40 所示。

图 1-39　小键盘区

图 1-40　状态指示区

6．基准键位与指法分区

键盘上的"F"键和"J"键上各有一个突起的小横杠，称该键为基准键位。在使用键盘时，每个手指都有负责的输入区域，正确的击键方法是将左右手的食指分别放在"F"和"J"键上，其余的 6 个手指就依次按自然顺序放在两旁相邻的键位上，两只手的拇指则放在空格键上，击键时各手指负责各自的区域，如图1-41所示为键位分布图。

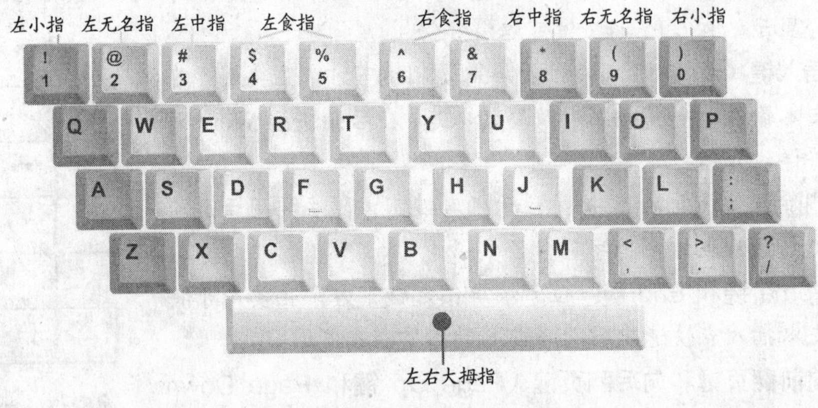

图1-41 键位分布图

7. 正确的击键方法

掌握正确的击键方法有助于提高输入速度和正确率，击键姿势的正确与否有助于养成良好的操作习惯，也可以防止长时间使用电脑产生疲劳感，下面将分别介绍击键方法及姿势。

- **击键方法**：手腕平直，击键时只有手指进行运动。手指要稍微拱起，各手指分别放在相应的基准键位上。进行输入操作时，只伸出要击键的手指，轻轻按下需要的键并快速弹起，完成击键动作后，立即返回基准键位。
- **击键姿势**：身体端正，两脚自然平放于地，身体与键盘之间的距离大约为 20cm 左右。椅子的高度要适中，眼睛稍向下倾视显示器，双臂自然下垂，肘关节呈垂直弯曲，手腕平直。

1.5 上机及项目实训

1.5.1 简单操作 Windows XP

将计算机启动到 Windows XP 操作界面中，并进行简单的操作，操作完毕后退出系统，通过本例熟悉计算机的基本操作。

操作步骤如下：

（1）按下主机上的电源按钮，计算机将加电启动，系统进入加载画面，如图1-42所示，加载完毕后将提醒输入密码，输入用户密码，按“Enter”键，即可进入操作系统。

图1-42 加载画面

（2）使用鼠标单击 开始 按钮，在弹出的菜单中选择“所有程序/Windows Media Player”命令，如图1-43所示，打开 Windows 播放器。

（3）操作完成后，选择“开始/关闭”命令，

打开“关闭计算机”对话框。

（4）在打开的对话框中单击按钮退出系统，如图 1-44 所示。

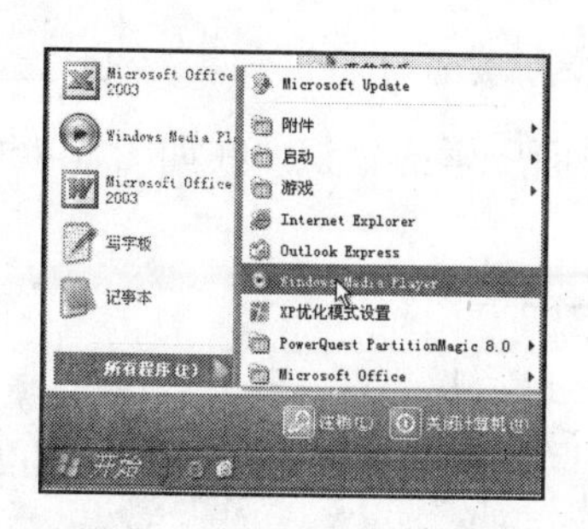

图 1-43　打开“开始”菜单

图 1-44　“关闭计算机”对话框

1.5.2　利用鼠标和键盘操作“开始”菜单

下面将利用鼠标和键盘浏览“开始”菜单，练习鼠标和键盘的使用方法。

本练习可结合立体化教学中的视频演示进行学习（立体化教学:\视频演示\第 1 章\利用鼠标和键盘操作“开始”菜单.swf），主要操作步骤如下：

（1）启动计算机，登录到 Windows XP 操作系统的界面。

（2）使用键盘和鼠标结合的方式找到“通讯簿”工具，如图 1-45 所示。

（3）完成浏览后按“Esc”键，依次收回所有子菜单，完成操作。

图 1-45　浏览“开始”菜单

1.6　练习与提高

（1）打开计算机登录 Windows XP，并尝试通过鼠标操作使其处于待机、睡眠状态和重新启动以及关闭计算机等操作。

本练习可结合立体化教学中的视频演示进行学习（立体化教学:\视频演示\第 1 章\简单操作电脑.swf）。

（2）使用鼠标和键盘在“开始”菜单中打开“录音机”程序。

提示：

该程序位于“所有程序/附件/娱乐”中。

（3）下面是计算机的相关硬件设备，通过前面所学的知识，在如图1-46所示图的标注框中填写相应的硬件名称。

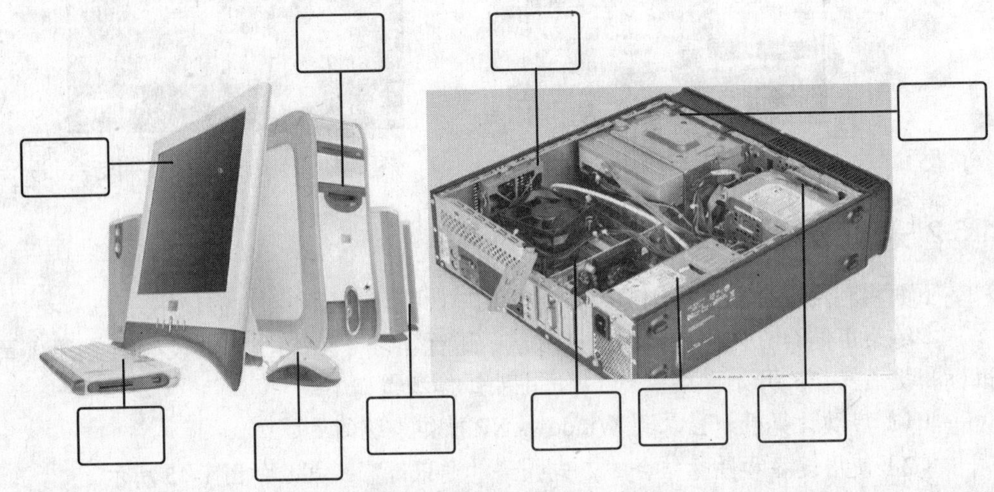

图1-46 标注硬件名称

经验技巧

通过本章的学习，用户对计算机有了一个初步的认识，更增添了学习计算机的兴趣，学习了本章以后应该注意以下几点。

- 了解计算机各硬件的作用，在组装计算机时根据需求选择合理的硬件搭配，充分利用其性能和优势。
- 在使用鼠标时，应注意滚轮的使用，通常在查看资料时，使用鼠标滚轮更方便快捷，使用键盘中的小键盘区进行数字的输入也是为了输入的方便。
- 在“关闭计算机”对话框中单击按钮，即可使计算机进入待机状态，此时计算机将处于低耗能状态。

第 2 章 Windows XP 的基本操作

学习目标

☑ 熟悉简单的 Windows XP 桌面操作
☑ 熟悉桌面背景和屏幕保护的方法
☑ 掌握操作窗口、对话框和菜单的方法
☑ 了解计算机的常见设置

目标任务&项目案例

Windows 桌面

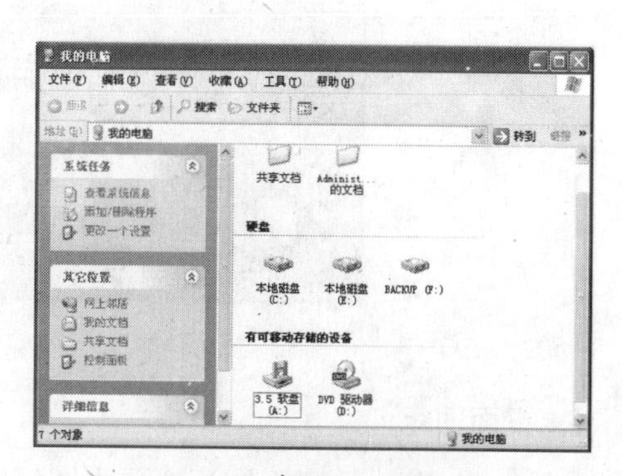

窗口

设置桌面背景

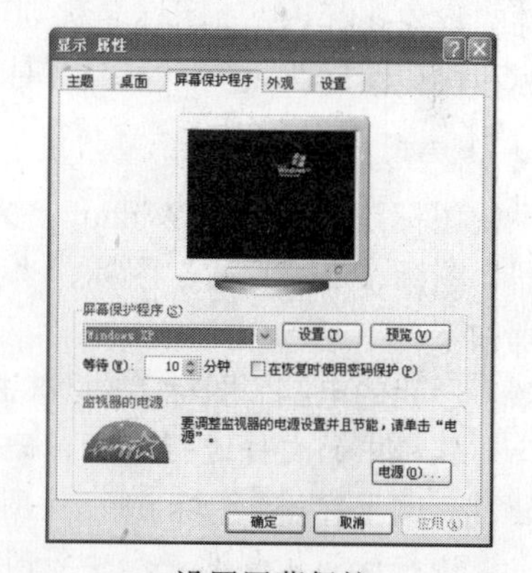

设置屏幕保护

任何软件要发挥其自身特性，都必须以操作系统为平台，目前使用最广泛的操作系统是 Windows XP。本章将主要介绍 Windows XP 的基础知识，包括 Windows XP 的桌面、窗口和对话框等，使读者在使用计算机进行工作和学习的过程中做到游刃有余。

2.1 认识与操作 Windows XP 桌面

启动计算机并登录 Windows XP 操作系统后，用户直接面对的就是 Windows XP 桌面，认识以及操作 Windows XP 是使用计算机的基本操作。

2.1.1 认识 Windows XP 桌面元素

Windows XP 的桌面主要包括桌面图标和任务栏等部分，如图 2-1 所示，下面将对其进行详细介绍。

图 2-1 Windows XP 的桌面

1. 桌面图标

Windows XP 中的桌面图标主要由图标图案及其名称组成。其中，图标图案是相应程序或文件的形象化标识，而图标名称则可以方便管理。Windows XP 的桌面图标一般可分为系统图标和快捷图标两大类，下面将对它们分别进行讲解。

1）系统图标

系统图标是指安装了 Windows XP 后自动生成的图标，包括“我的电脑”图标、“网上邻居”图标、“回收站”图标、“我的文档”图标和 Internet Explorer 图标等，各图标作用分别如下。

- **“我的电脑”图标**：双击该图标可打开“我的电脑”窗口，在该窗口中可对计算机中的文件进行访问、删除等各种管理操作。
- **“网上邻居”图标**：该图标主要有查看、使用和配置网络连接、设置网络标识、进行访问控制设置和映射网络驱动器等作用。
- **“回收站”图标**：双击该图标将打开“回收站”窗口，这是保存已删除的文件或文件夹的场所。在“回收站”窗口中将文件或文件夹删除后即表示将其从计算机中彻底删除。
- **“我的文档”图标**：该图标主要用于查看和管理一些当前用户的临时文件，

其默认路径为“系统盘:\Documents and Settings\用户名\My Documents”。

- Internet Explorer 图标：双击该图标可快速启动 Internet Expolrer 浏览器，对 Internet 上的资源进行访问和下载。

2）快捷图标

快捷图标是指在计算机中安装了一些应用程序或软件后，自动在桌面上生成的图标，其作用在于快速启动相应的程序或软件。

2. 任务栏

任务栏是 Windows XP 桌面中的一个重要工具条，主要由开始按钮、快速启动区、任务按钮区和后台服务区等部分组成，如图 2-2 所示。

图 2-2　任务栏

1）“开始”菜单

开始按钮是管理计算机的通道，通过鼠标在其上进行单击操作，可打开如图 2-3 所示的“开始”菜单。各部分的名称及作用分别如下。

- 用户账户区：显示当前用户账户名称，单击该图标可对账户进行相应设置。
- 常用程序区：将本地计算机中使用频率最高的程序以列表的方式显示，单击相应的图标可快速将启动该程序。
- “所有程序”菜单：通过该菜单可打开本地计算机中已有的程序或软件。
- 系统管理区：在该区域中可对计算机进行文件搜索、连接网络等各种管理和设置。
- 电脑关机及注销区：通过该区域可对计算机进行注销、重启、待机和关闭等操作。

图 2-3　“开始”菜单

2）快速启动区

通过该区域可快速启动相应图标所对应的程序或软件。用户可将各种图标通过鼠标拖动的方式添加到快速启动区，以方便启动。

3）任务按钮区

该区域中以按钮的形式显示当前打开的所有窗口，单击该区域中的相应按钮可将其切换为当前窗口。

4）后台服务区

在该区域中可对输入法、音量、时间和日期等进行相应控制，有些程序在运行时会在该区域中显示后台运行的图标。

2.1.2　操作 Windows XP 桌面

认识 Windows XP 的桌面元素并了解其具体作用后，即可对其进行简单的操作，Windows XP 桌面的基本操作主要包括设置桌面图标、设置任务栏等，下面将对它们分别进行讲解。

1．设置桌面图标

在 Windows XP 中，可利用系统提供的一些工具和命令，对桌面图标进行设置，以方便管理。

1）设置图标外观

利用“更改图标”对话框可对系统图标外观进行设置，下面将对它进行介绍。

【例 2-1】　在“更改图标”对话框中将“网上邻居”设置为图标。

（1）在桌面空白区域单击鼠标右键，在弹出的快捷菜单中选择“属性”命令，即可打开显示“属性”对话框。

（2）选择“桌面”选项卡，然后单击自定义桌面(D)...按钮，如图 2-4 所示。

（3）打开“桌面项目”对话框，选择中间列表框中的图标，然后单击更改图标(H)...按钮，如图 2-5 所示。

（4）打开“更改图标”对话框，如图 2-6 所示，在其中的列表框中选择图标后单击确定按钮，即可改变所选图标的外观。

技巧：

在需改变外观的快捷图标上右击，然后在弹出的快捷菜单中选择“属性”命令，并在打开的对话框中单击更改图标(H)...按钮，然后按照更改系统图标的方法可改变快捷图标的外观。

图 2-4　“桌面”选项卡

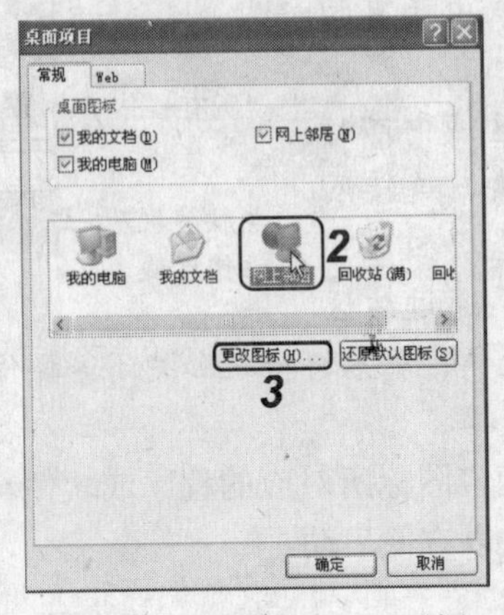

图 2-5　“桌面项目”对话框

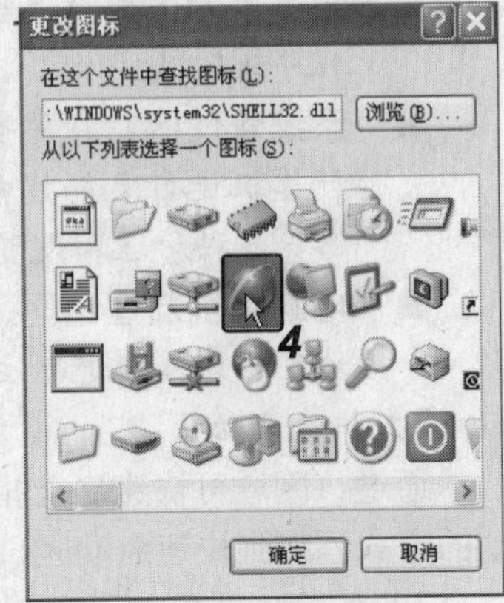

图 2-6　“更改图标”对话框

2）排列图标顺序

将桌面图标按照一定规律排列，不仅可使桌面整洁，还能使管理图标更加方便。

【例 2-2】 将桌面图标按“修改时间”的顺序进行排列。

（1）在桌面空白区域单击鼠标右键，在弹出的快捷菜单中选择“排列图标”命令。

（2）在弹出的子菜单中选择“修改时间”命令，即可对桌面图标按修改时间的先后顺序进行排列。

技巧：

选择“名称”命令可将图标以英文字母的顺序进行排列；选择“大小”命令可将图标以文件大小的顺序进行排列；选择“类型”命令可将图标按照类型进行分类排列。

2. 设置任务栏

在任务栏中的空白区域单击鼠标右键，在弹出的快捷菜单中选择“属性”命令，打开“任务栏和「开始」菜单属性”对话框，选择“任务栏”选项卡，如图 2-7 所示，通过对其中的复选框进行适当操作便可设置任务栏的一些属性，使操作更方便。其中各复选框的作用分别如下。

- ☑锁定任务栏(L)复选框：选中该复选框将不能对任务栏的大小和位置进行调整，取消选中该复选框，然后将鼠标指针移至任务栏边框上并按住鼠标左键不放，然后向上拖动，可使任务栏的高度增加；将鼠标指针移至任务栏空白区域并按住鼠标左键不放，可将任务栏移至桌面的任意一边。
- ☑自动隐藏任务栏(U)复选框：选中该复选框后，当鼠标指针未停留在任务栏上时，任务栏将在桌面上自动隐藏为一条蓝色的直线；将鼠标指针移至该直线上时，任务栏又将重新在桌面上显示。

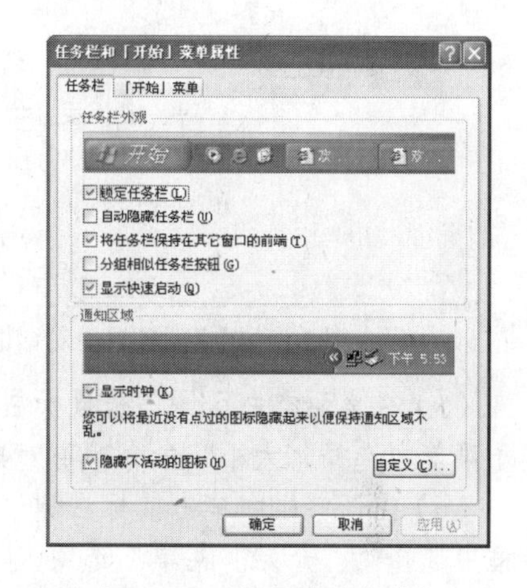

图 2-7　“任务栏”选项卡

- ☑将任务栏保持在其它窗口的前端(T)复选框：选中该复选框可使任务栏始终显示在桌面上而不会被其他窗口遮挡。
- ☑分组相似任务栏按钮(G)复选框：选中该复选框后，当任务栏上有多个同类型的任务按钮时，这些按钮将自动组合成一个按钮组。单击该按钮组，可在弹出的列表中选择所需的任务按钮。
- ☑显示快速启动(Q)复选框：选中该复选框后将在“开始”按钮右侧显示快速启动栏，取消选中该复选框，则将隐藏快速启动栏。
- ☑显示时钟(K)复选框：选中该复选框可使后台服务区中显示当前计算机上的时间，取消选中该复选框则会将时间隐藏。
- ☑隐藏不活动的图标(H)复选框：选中该复选框可使后台服务区未使用的图标被隐藏起来。

2.1.3 应用举例——设置 Windows XP 桌面图标

本例将通过“更改图标”对话框更改“我的电脑”图标，然后再将桌面上的图标按“大小”进行重新排列，再将“开始”菜单设置成经典“开始”菜单。

操作步骤如下：

（1）在桌面空白区域单击鼠标右键，在弹出的快捷菜单中选择“属性”命令，打开“显示 属性”对话框。

（2）选择“桌面”选项卡，然后在“背景”文本框下方单击 自定义桌面(D)... 按钮。

（3）在打开的“桌面项目”对话框中选择中间列表框中的图标，然后单击 更改图标(H)... 按钮，如图 2-8 所示。

（4）打开“更改图标”对话框，在其列表框中选择图标，单击 确定 按钮，如图 2-9 所示，即可更改所选图标。

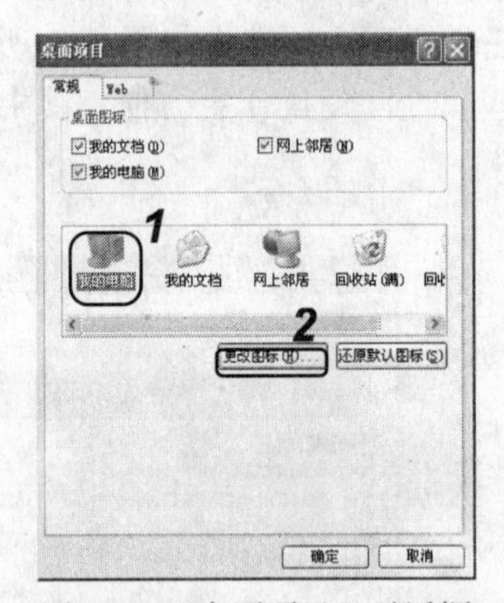

图 2-8 “桌面项目”对话框

图 2-9 “更改图标”对话框

（5）在桌面空白区域单击鼠标右键，在弹出的快捷菜单中选择“排列图标”命令，在其子菜单中选择“大小”命令即可对桌面图标以“大小”进行排列。

（6）在任务栏中单击鼠标右键，在弹出的快捷菜单中选择“属性”命令，在打开的对话框中选择“「开始」菜单”选项卡，如图 2-10 所示。

（7）选中 经典「开始」菜单(M) 单选按钮，单击 确定 按钮完成设置，效果如图 2-11 所示。

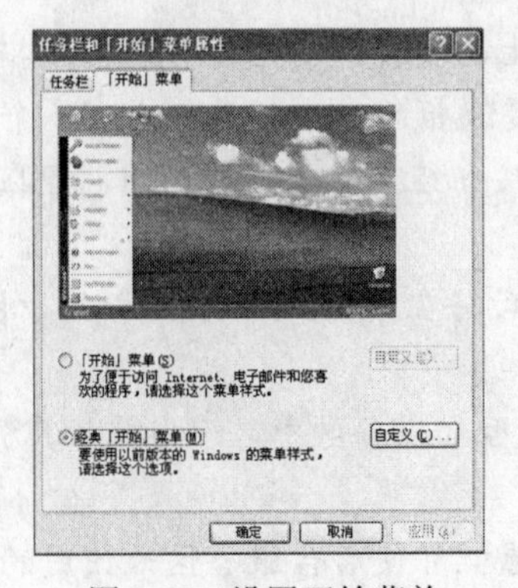

图 2-10 设置开始菜单

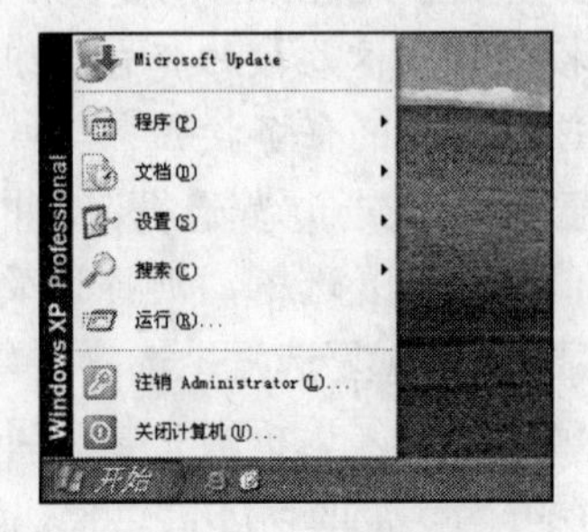

图 2-11 设置效果

2.2　认识与操作窗口

窗口是 Windows XP 操作系统中最重要的对象之一，是用户与计算机进行“交流”的最主要的场所，它是用户在使用计算机时操作最多的对象。

2.2.1　窗口的组成

在 Windows XP 中，窗口的组成大致相似，下面以“我的电脑”窗口为例讲解窗口的组成。双击桌面上的“我的电脑”图标，即可打开“我的电脑”窗口，如图 2-12 所示。

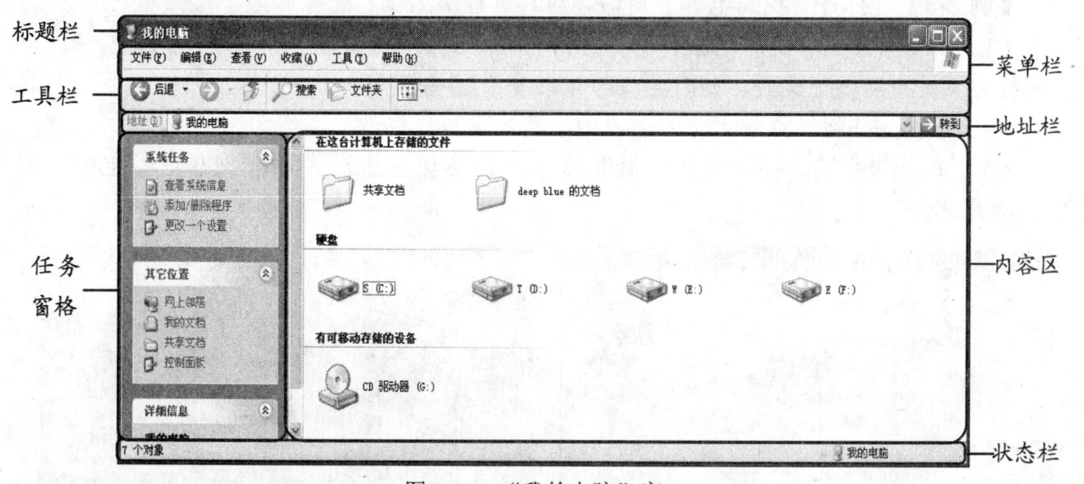

图 2-12　“我的电脑”窗口

其中各组成部分的作用分别如下。

- **标题栏**：标题栏位于窗口的最上方，该栏左侧显示了当前打开对象的名称，右侧有 3 个窗口控制按钮，分别是“最小化”按钮、“最大化/还原”按钮（）和“关闭”按钮。
- **菜单栏**：菜单栏中包含多个菜单项，单击相应的菜单项可打开其下拉菜单，从中选择相应命令可对窗口或窗口中的内容进行相应操作。
- **工具栏**：工具栏是将一些处理窗口内容的常用工具以按钮的形式显示，单击相应按钮可快速对窗口进行操作。
- **地址栏**：地址栏中显示的是当前窗口的具体位置。用户也可通过在地址栏中输入或在其下拉列表框中选择相应选项来切换或打开所需窗口。
- **内容区**：内容区中显示当前窗口中的内容及执行操作后的结果。
- **任务窗格**：任务窗格是 Windows XP 新增的功能之一，其作用在于为窗口操作提供一些及时或常用的快捷命令等，常以链接的方式显示。
- **状态栏**：状态栏中显示当前窗口中的一些信息，如窗口中的对象数目和容量等。

技巧：

在窗口中选择“查看/状态栏”命令可将显示在窗口中的状态栏隐藏，用类似的方法也可隐藏窗口中的其他组成部分，如工具栏等。

2.2.2 改变窗口大小

对于当前打开的窗口，可对其大小和位置等进行相应设置来满足实际需要，主要包括最大化、最小化、还原窗口和缩放窗口等。

1．最大化、最小化和还原窗口

利用窗口标题栏右侧的按钮、按钮和按钮，可对当前窗口进行最小化、还原和最大化操作。

【例 2-3】 打开“我的电脑”窗口，对其进行最大化、还原和最小化操作。

（1）双击桌面上“我的电脑”图标，打开“我的电脑”窗口，如图 2-13 所示。单击按钮使其布满整个桌面，此时按钮自动变为按钮。

（2）单击按钮，将最大化的“我的电脑”窗口还原。

（3）单击按钮，将“我的电脑”窗口以任务按钮的形式最小化在任务栏中，如图 2-14 所示。

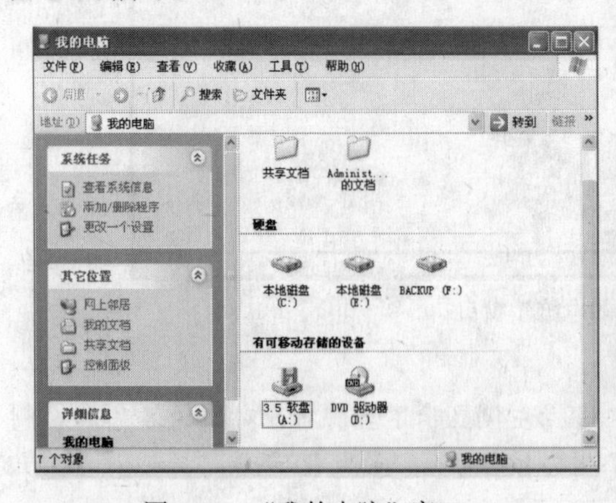

图 2-13 “我的电脑”窗口

图 2-14 最小化窗口的效果

2．缩放窗口

为方便在实际生活、工作中的操作，可对打开的当前窗口进行适当缩放。其方法是：将鼠标指针移至窗口边缘的任意一个角或边上，当其变为↖、↗、↕或↔形状时，按住鼠标左键不放并拖动至适当位置，然后释放鼠标即可。

注意：

拖动鼠标指针改变窗口大小时，其前提条件是窗口未处于最大化或最小化显示的状态，这样才能使用鼠标将窗口缩放至需要的大小。

2.2.3 移动窗口

在实际操作计算机时，有时打开的窗口会遮挡住桌面上的其他内容，不便于操作，此时可将鼠标指针移至窗口标题栏空白区域，然后按住鼠标左键不放，将窗口移到适当位置

后释放鼠标即可，如图 2-15 所示为移动窗口的效果。

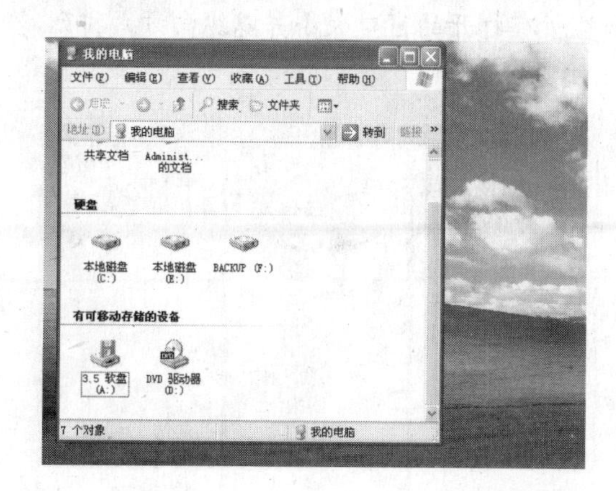

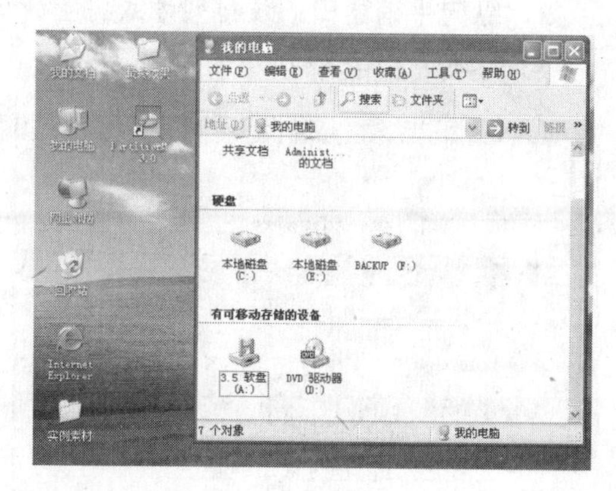

图 2-15　移动窗口

2.2.4　切换窗口

当桌面上打开多个窗口时，可以通过在任务栏中单击相应的窗口项切换到需要的窗口，还可以通过使用快捷键进行切换，其方法是：先按住“Alt”键不放，然后按“Tab”键，并在打开的对话框中继续按“Tab”键即可在各个图标之间进行窗口切换，如图 2-16 所示，当释放按键后，蓝色线框框住的窗口图标即被切换为当前窗口。

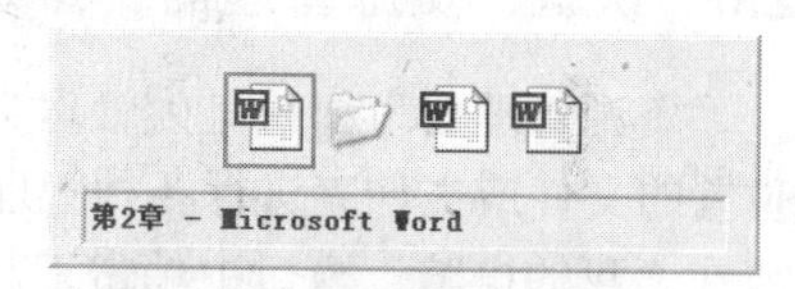

图 2-16　切换窗口的对话框

2.2.5　排列窗口

在 Windows XP 中还可对窗口进行层叠、横向平铺和纵向平铺等排列操作。其方法是：在任务栏的空白区域单击鼠标右键，在弹出的快捷菜单中选择相应的命令即可。各种窗口排列方式的效果如下。

- **层叠窗口**：该排列方式适用于在打开的多个窗口间来回切换，效果如图 2-17 所示。

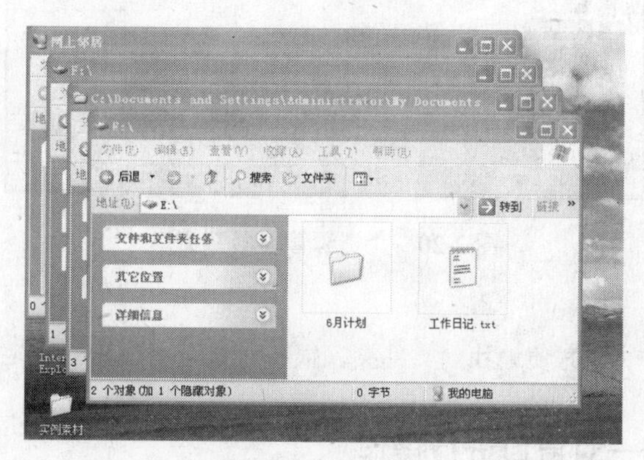

图 2-17　层叠窗口

- **横向平铺窗口**：该排列方式将重新调整所有打开的窗口大小并以横向方式排列，

效果如图 2-18 所示。

- **纵向平铺窗口**：该排列方式将重新调整所有打开的窗口大小并以纵向方式排列，效果如图 2-19 所示。

图 2-18　横向平铺窗口

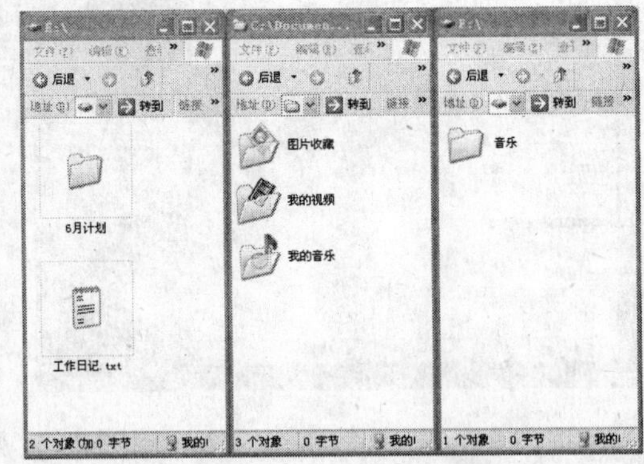

图 2-19　纵向平铺窗口

2.2.6　认识“资源管理器”窗口

“资源管理器”窗口是为管理文件和文件夹而设计的，通过它可方便地对计算机中不同位置的文件或文件夹进行各种管理操作。

在“我的电脑”窗口中单击工具栏中的 文件夹 按钮可打开“资源管理器”窗口。利用鼠标单击左侧展开列表中的某个文件夹，窗口右侧便立即切换至该文件夹，并显示其中的内容，如图 2-20 所示。再次单击 文件夹 按钮或单击文件夹列表框右上角的“关闭”按钮 × 可关闭“资源管理器”窗口。

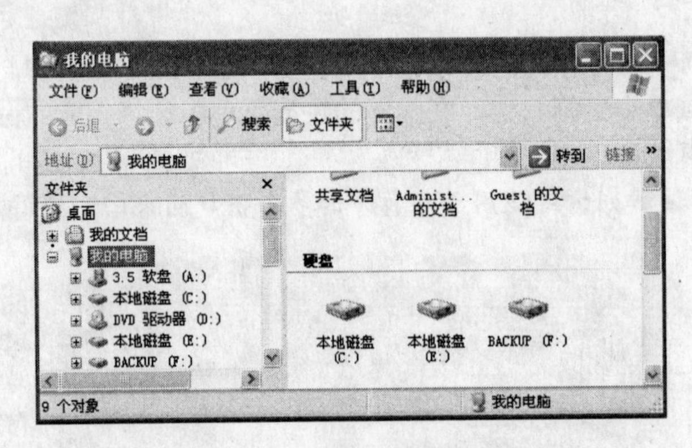

图 2-20　“资源管理器”窗口

注意：

使用资源管理器可快速方便地找到文件夹，很多时候可借助它快速地打开需要的窗口。

2.2.7　应用举例——对窗口进行操作

本例将打开“我的电脑”窗口中的 C 盘根目录窗口，将其最大化，然后切换为“资源管理器”窗口，再在另一窗口中打开 D 盘根目录窗口，最后对打开的两个窗口进行横向排列。

操作步骤如下：

（1）双击桌面上“我的电脑”图标，打开“我的电脑”窗口，并双击其中的 C 盘驱动器图标，打开 C 盘窗口，如图 2-21 所示。

（2）单击“最大化”按钮，使打开的窗口最大化，如图 2-22 所示。

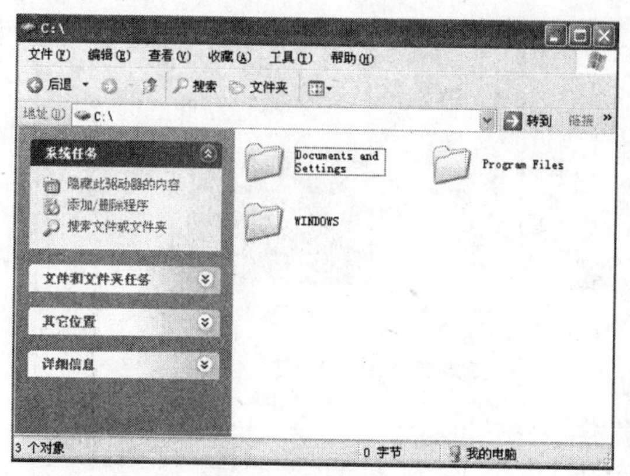

图 2-21　C 盘根目录窗口

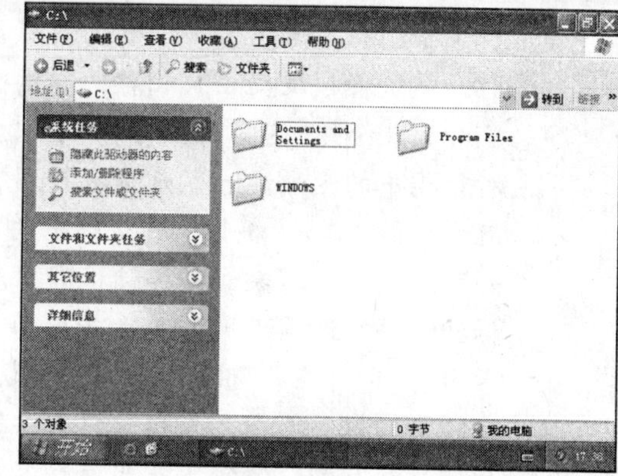

图 2-22　最大化窗口

（3）单击工具栏中的“文件夹”按钮，打开“资源管理器”窗口，如图 2-23 所示。

（4）用相同方法打开 D 盘窗口，在任务栏的空白区域单击鼠标右键，在弹出的快捷菜单中选择“横向平铺窗口”命令，将当前打开的两个窗口进行横向排列，如图 2-24 所示。

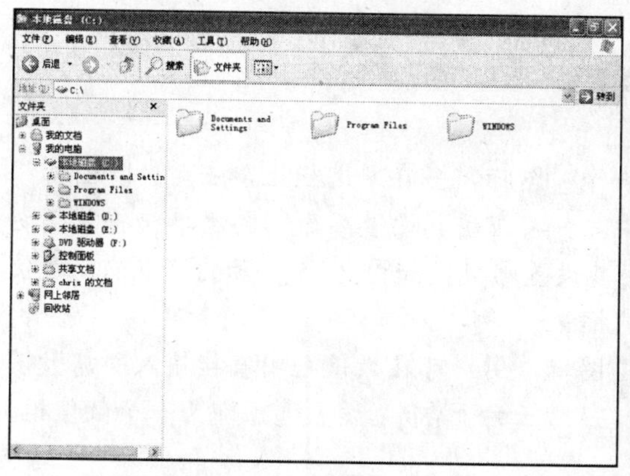

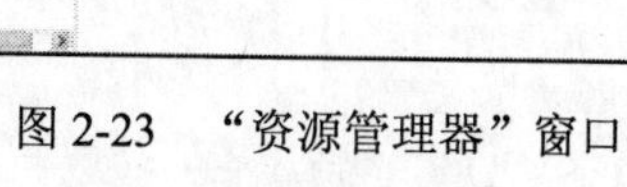

图 2-23　“资源管理器”窗口

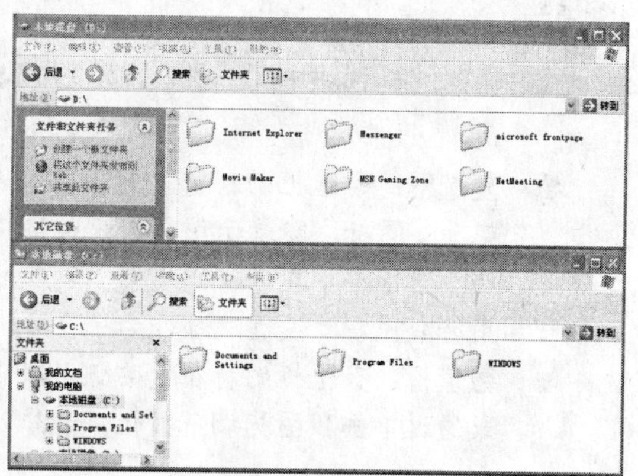

图 2-24　横向平铺窗口

2.3　认识对话框

对话框是一种设置具体参数的窗口，当用户执行某个操作或选择了带“…”的菜单命令时便会打开与之相关的对话框。

2.3.1 认识对话框

由于操作的不同，对话框中的设置参数也不同，但在 Windows XP 中的对话框始终由一些特定的元素组成，如选项卡、文本框、复选框、列表框、数值框和命令按钮等。下面以“显示 属性”对话框的“屏幕保护程序”选项卡为例，对对话框的组成进行讲解，如图 2-25 所示。对话框中各部分的作用分别如下。

- **选项卡**：当对话框中需设置的内容较多时，系统会按设置方式相近的原则将它们分为几个组，这些组便称为“选项卡”。对话框中的选项卡一般是依次排列在一起的，如“显示 属性”对话框中的“主题”选项卡、“桌面”选项卡和“屏幕保护程序”选项卡等。选择相应的选项卡名称，即可在各选项卡之间进行切换。
- **下拉列表框**：下拉列表框是供用户选择的选项组，默认情况下它只显示其中的一个选项，单击右侧的 按钮，可弹出其下拉列表，从中可以选择其他所需的选项。如图 2-25 所示的“屏幕保护程序”设置选项便是下拉列表框。

图 2-25 “屏幕保护程序”选项卡

提示：

与下拉列表框相似的是列表框，区别在于列表框中显示了所有的可用选项（当选项较多时会出现滚动条），而下拉列表框只显示一个选项。

- **复选框**：复选框的特征是其左侧有一个□图标，当在复选框上单击时，□图标将变为☑图标，即表示该复选框被选中，并将应用其设置参数；再次单击将重新变为□图标，即表示取消选中，不应用其设置参数。如图 2-25 所示的“在恢复时使用密码保护”设置选项即为一个复选框。
- **数值框**：数值框的特征是右侧具有 图标，用户可在数值框中直接输入所需数值或通过单击 图标调节数值。如图 2-25 所示的“等待”设置选项即为一个数值框。

提示：

除数值框以外，对话框中的文本框也是用于输入文本的一种设置选项，它一般以白底的矩形框显示，在使用时只需将插入点定位在矩形框中即可输入所需的文本。

- **命令按钮**：命令按钮简称按钮，其外形是一个矩形块，且上面显示有相应的名称。用鼠标在其上单击即可执行相应操作。如图 2-25 所示的 确定 设置选项便是一个命令按钮。

2.3.2　应用举例——利用对话框隐藏和显示文件夹

本例将利用文件夹属性和“文件夹选项”对话框隐藏和显示文件夹，巩固对对话框的认识，如图 2-26 所示为设置后的显示效果。

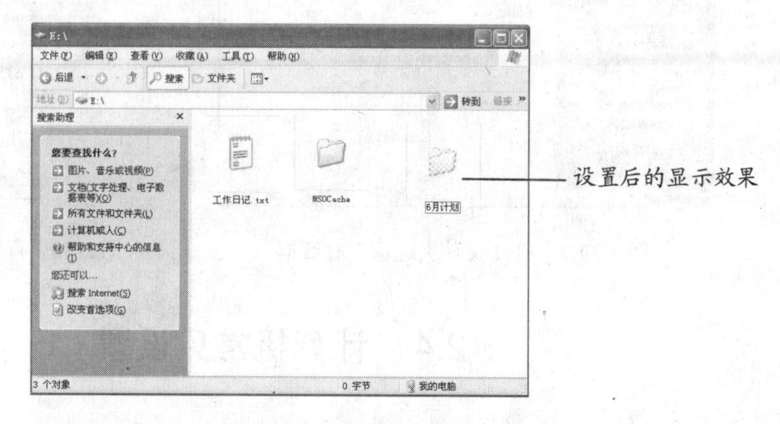

图 2-26　设置后的文件夹

操作步骤如下：

（1）在“我的电脑”窗口中打开 E 盘，在“6 月计划”文件夹上单击鼠标右键，在弹出的快捷菜单中选择“属性”命令，如图 2-27 所示。

（2）打开“6 月计划 属性”对话框，在“常规”选项卡的“属性”栏中选中☑隐藏(H)复选框，单击[确定]按钮即可将该文件夹进行隐藏，如图 2-28 所示。

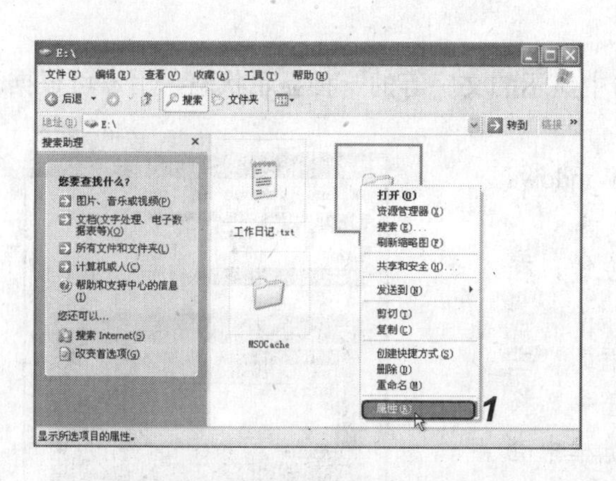

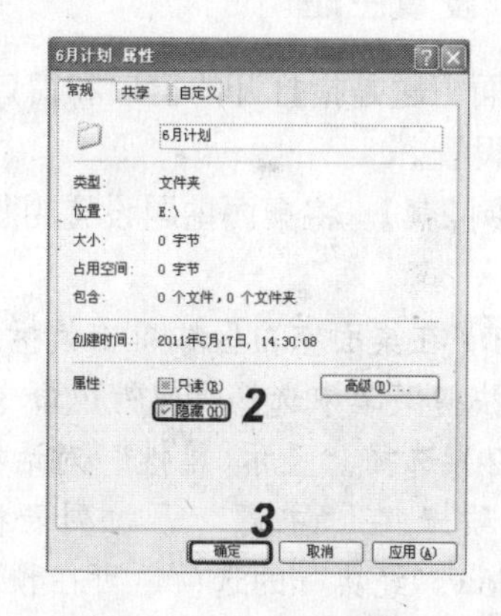

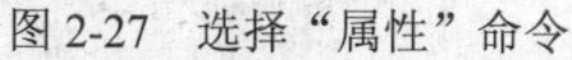

图 2-27　选择“属性”命令　　　　图 2-28　隐藏文件夹

（3）在 E 盘中将不能查看到“6 月计划”文件夹，选择“工具/文件夹选项”命令，如图 2-29 所示，将打开“文件夹选项”对话框。

（4）在打开的对话框中选择“查看”选项卡，在“高级设置”列表框的“隐藏文件和文件夹”栏中选中◉显示所有文件和文件夹单选按钮，如图 2-30 所示，单击[确定]按钮即可将隐藏的文件夹显示在窗口中。

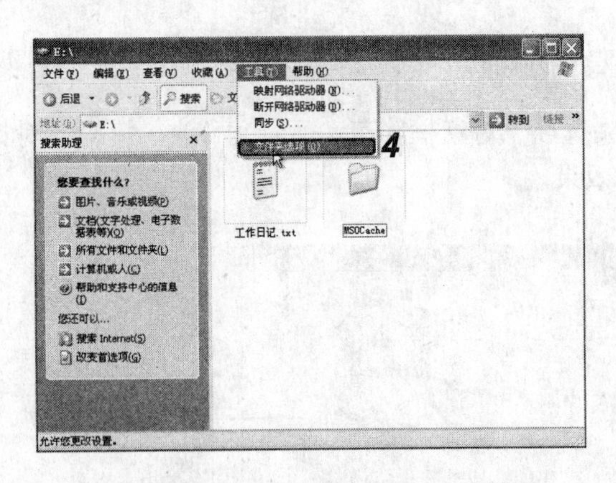

图 2-29 打开“文件夹选项”对话框

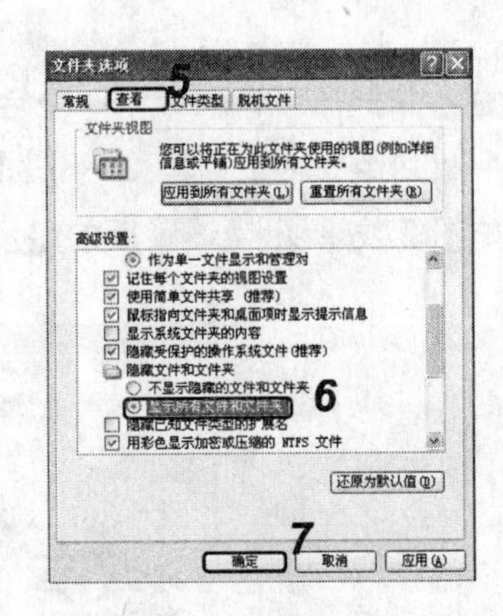

图 2-30 查看隐藏文件夹

2.4 计算机常见设置

在计算机中进行一些简单的桌面属性设置可使桌面更美观，如桌面主题、桌面背景和屏幕保护等，让用户在日常的使用过程中更加赏心悦目，下面将分别对它们进行讲解。

提示：

在控制面板中打开“用户账户”对话框，单击“创建一个新账户”超链接可创建系统账户，为其设置密码，可提高系统的安全性。

2.4.1 设置主题

桌面主题是指打开的窗口和窗口中显示的文字等的一种显示状态，用户可根据习惯对其进行设置。

【例 2-4】 将桌面主题设置为“Windows 经典”。

（1）在桌面空白区域单击鼠标左键，在弹出的快捷菜单中选择“属性”命令。

（2）选择“显示 属性”对话框的“主题”选项卡,在“主题”下拉列表框中选择“Windows 经典”的选项，可在预览框中查看应用该选项的效果。

（3）单击 确定 按钮应用设置，如图 2-31 所示。

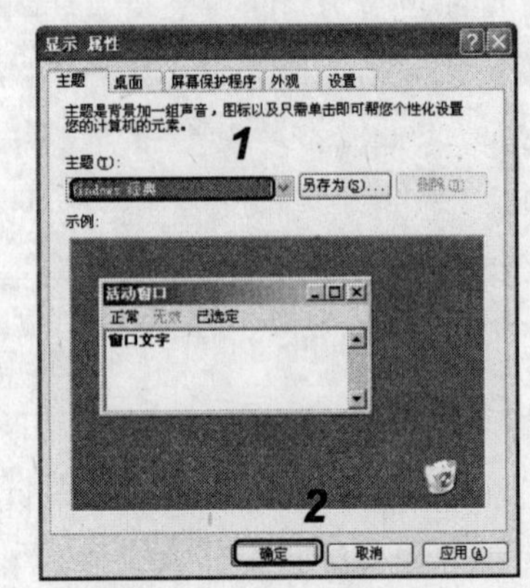

图 2-31 设置桌面主题

2.4.2 设置桌面背景

桌面背景是指登录 Windows XP 后的界面，为桌面设置背景可使桌面多样化，让其更符合用户的视觉习惯。

【例 2-5】　改变 Windows XP 默认的 bliss 背景，设置本地计算机中的图片“动感之美.jpg”为桌面背景。

（1）在“显示 属性”对话框中选择“桌面”选项卡。

（2）在“背景”列表框中选择需作为背景的图片选项，这里单击右侧的[浏览(B)...]按钮，并在打开的对话框中选择本地计算机中的“动感之美.jpg”图片，选择后将自动将其添加到“背景”列表框中，如图 2-32 所示。

（3）在“位置”下拉列表框中可设置背景图片的显示方式，这里选择“拉伸”选项。完成后单击[确定]按钮，应用修改后的设置。

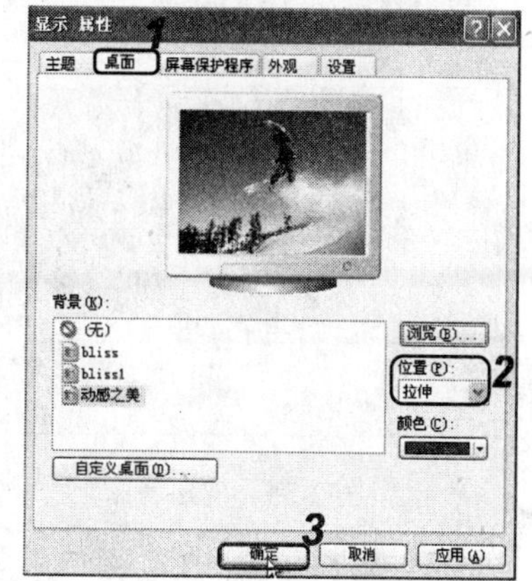

图 2-32　设置桌面背景

2.4.3　设置屏幕保护程序

屏幕保护程序可在长时间不操作计算机的情况下起到保护显示器的作用，简称“屏保”。对没有设置密码的屏保只需移动鼠标或按下键盘中的任意键即可恢复屏保之前的显示界面，而设置密码的屏保则需输入正确的密码后才能进入界面。

【例 2-6】　选择 Windows XP 选项，将其设置为屏幕保护程序。

（1）在“显示 属性”对话框中选择“屏幕保护程序”选项卡，如图 2-33 所示。

（2）在“屏幕保护程序”下拉列表框中可设置屏幕保护程序选项，这里选择 Windows XP 选项。

（3）在“等待”数值框中可设置进入屏幕保护程序所需的等待时间，这里设置为“10”分钟。

（4）选中☑在恢复时使用密码保护(P)复选框后需输入当前用户账户的密码才能返回桌面。

（5）单击[确定]按钮，应用修改后的设置。

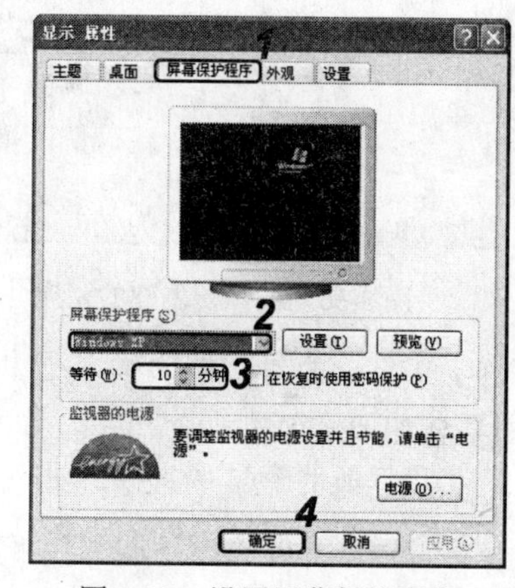

图 2-33　设置屏幕保护程序

2.4.4　应用举例——创建账户并进行设置

在计算机中创建一个新账户，然后对此账户的密码和图片等进行设置，通过练习熟练地掌握创建用户账户的方法。

操作步骤如下：

（1）打开控制面板，单击“用户账号”超链接，在打开的窗口中单击“创建一个新账户”超链接，如图 2-34 所示。

（2）在打开“为新账户起名”对话框的文本框中输入 Evan，单击[下一步(N) >]按钮即可创建新账户，如图 2-35 所示。

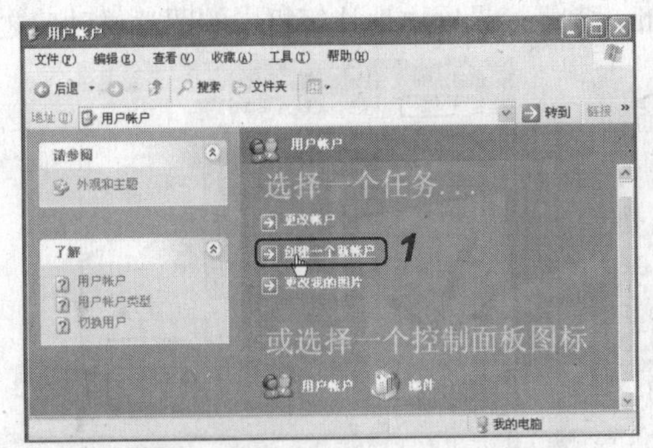

图 2-34　创建新账户

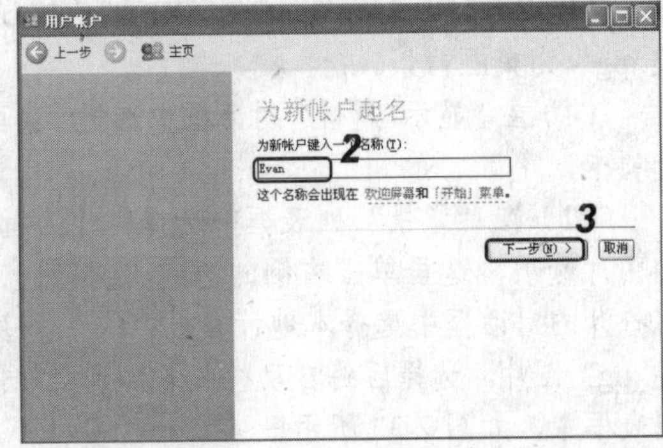

图 2-35　输入名称

（3）返回“用户账户”窗口，单击创建的账户图标，如图 2-36 所示，在打开的对话框中选择“创建密码”选项，如图 2-37 所示。

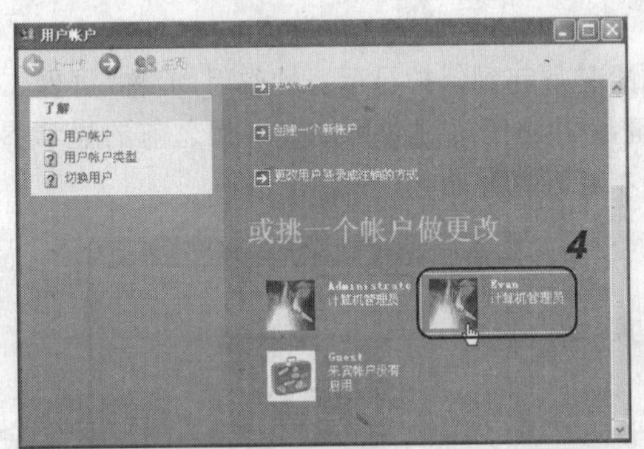

图 2-36　选择新创建的账户

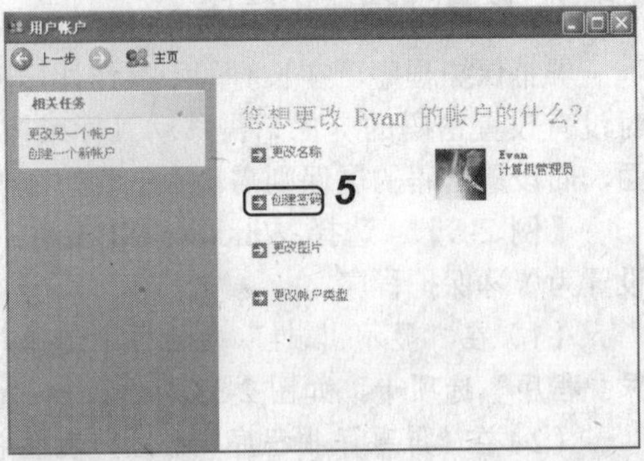

图 2-37　创建账户密码

（4）在打开的对话框的文本框中分别输入用户密码和密码提示，单击更改密码(C)按钮，完成创建，如图 2-38 所示。

（5）在返回的窗口中选择“更改图片”选项，在打开窗口的下拉列表中选择要应用的图片，单击更改图片(C)按钮即可，如图 2-39 所示。

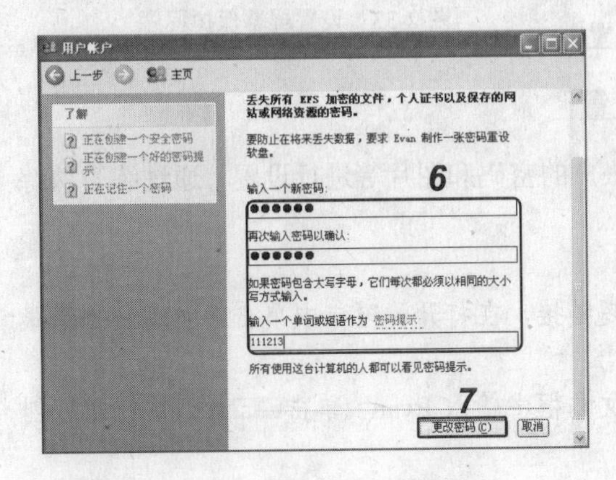

图 2-38　输入要创建的密码及提示

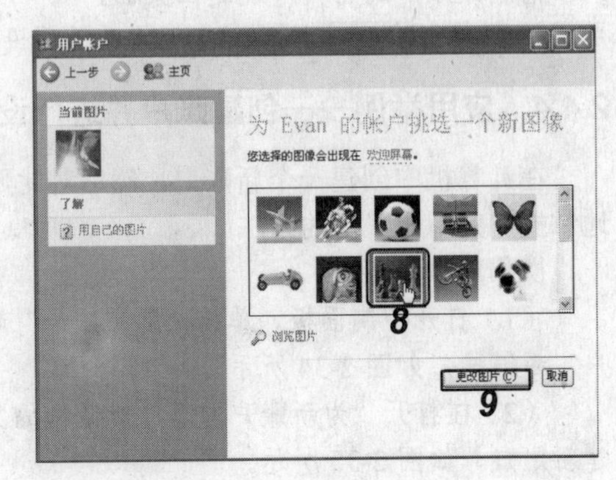

图 2-39　更改账户图片

2.5　上机及项目实训

2.5.1　通过开始菜单打开“记事本”

本实训将练习登录 Windows XP 操作系统，并结合“开始”菜单和“资源管理器”窗口打开“记事本”程序。

操作步骤如下：

（1）依次打开显示器开关和主机电源开关，系统开始自检，然后自动进入 Windows XP 的桌面（未设置多个账户和登录密码）。

（2）将鼠标指针移至开始按钮上并单击打开“开始”菜单，再将鼠标指针移至“我的电脑”命令上单击，如图 2-40 所示。

（3）在打开的“我的电脑”窗口中单击文件夹按钮，打开“资源管理器”，如图 2-41 所示。

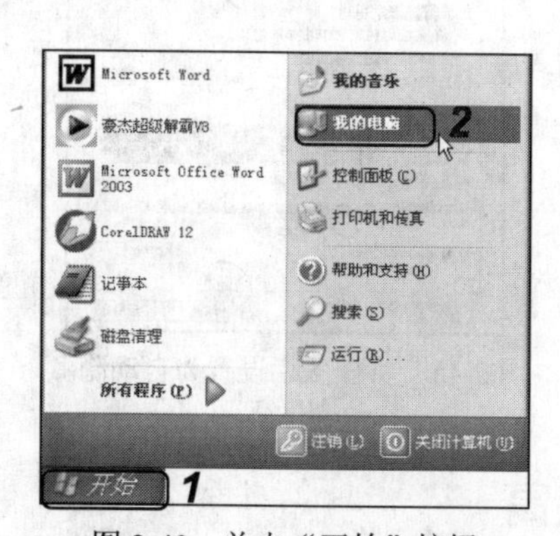

图 2-40　单击“开始”按钮

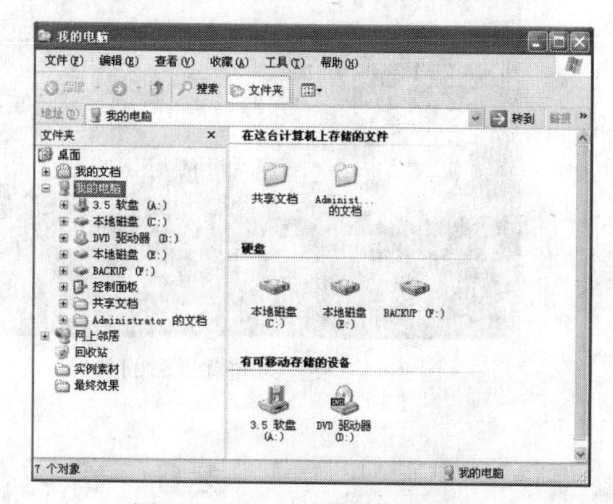

图 2-41　打开“资源管理器”

（4）依次在左侧的列表框中选择“S（C:）/Documents and setting/deep bule/开始菜单/程序/附件”选项，展开如图 2-42 所示的窗口。

（5）双击图标，打开“记事本”程序，如图 2-43 所示。

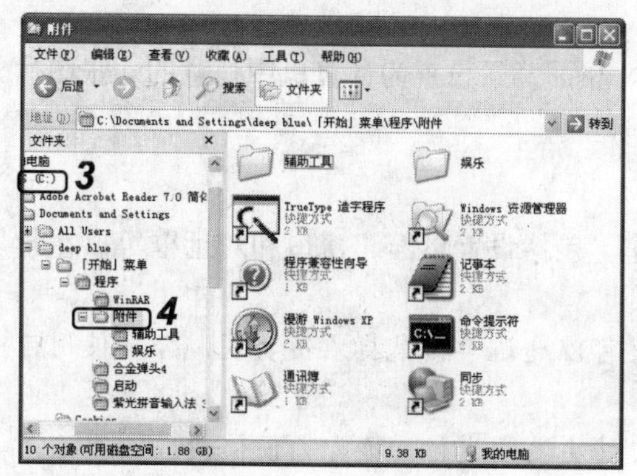

图 2-42　展开“附件”窗口

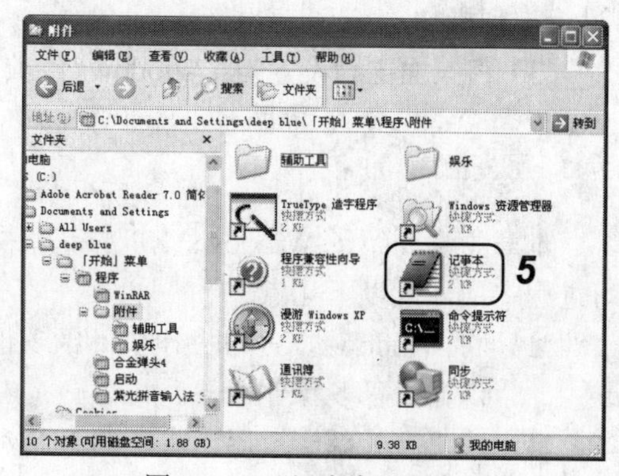

图 2-43　“记事本”程序

2.5.2 设置桌面背景、屏保和任务栏

下面练习将 Windows XP 操作系统中自带的 Sunset 图片设置为桌面背景，然后设置计算机在无操作 7 分钟后进入屏幕保护程序，最后将任务栏设置为自动隐藏。

本练习可结合立体化教学中的视频演示进行学习（立体化教学:\视频演示\第 2 章\设置桌面背景、屏保和任务栏.swf）。主要操作步骤如下：

（1）在桌面空白区域单击鼠标右键，在弹出的快捷菜单中选择“属性”命令，打开“显示 属性”对话框，在其“桌面”选项卡中设置 Sunset 图片为桌面背景，如图 2-44 所示。

（2）在“屏幕保护”选项卡中设置计算机在无操作时“7”分钟进入屏幕保护程序。

（3）在任务栏空白处单击鼠标右键，在弹出的快捷菜单中选择“属性”命令，在打开的对话框中设置自动隐藏任务栏，如图 2-45 所示。

图 2-44 设置桌面背景后的效果

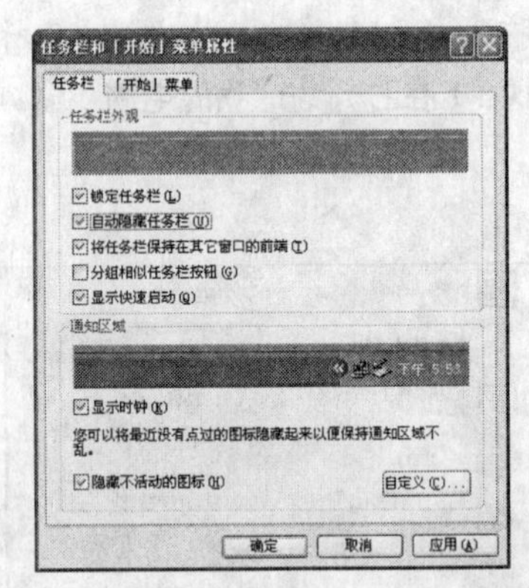

图 2-45 将任务栏设置为自动隐藏

2.6 练习与提高

（1）将桌面上的图标按照名称和对齐网格进行排列。

（2）分别打开计算机中各个盘符的根目录，并对窗口进行各种方式排列操作。

本练习可结合立体化教学中的视频演示进行学习（立体化教学:\视频演示\第 2 章\对窗口进行排列操作.swf）。

（3）将桌面主题设置为“Windows 经典”、桌面背景设置为计算机中任意的一张图片。

本章主要介绍了 Windows XP 的基本操作，包括设置桌面、窗口和对话框等，在学习过程中应注意以下几点。

- 在 Windows XP 的操作中，很多设置可以通过单击鼠标右键实现，合理使用可以简化很多操作步骤。
- 使用“资源管理器”在不同盘符和文件夹之间进行切换，方便快捷。

第 3 章　输入法与文件管理

学习目标

- ☑ 认识输入法并学习输入法的操作，如添加、删除等
- ☑ 认识文件和文件夹，并对其进行操作
- ☑ 管理文件和文件夹，如搜索文件和文件夹、设置文件夹属性等

目标任务&项目案例

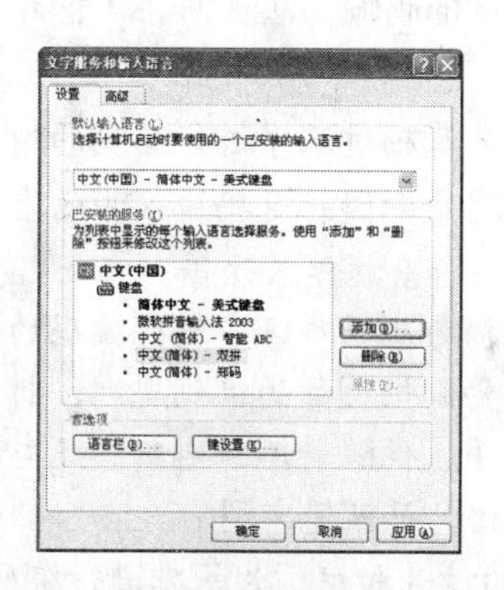

输入法设置

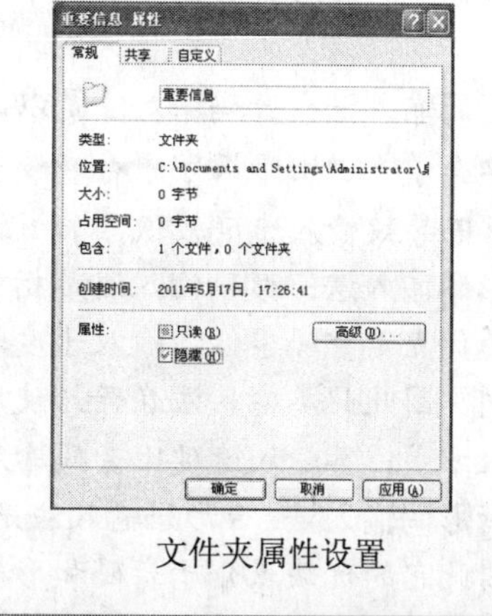

文件夹属性设置

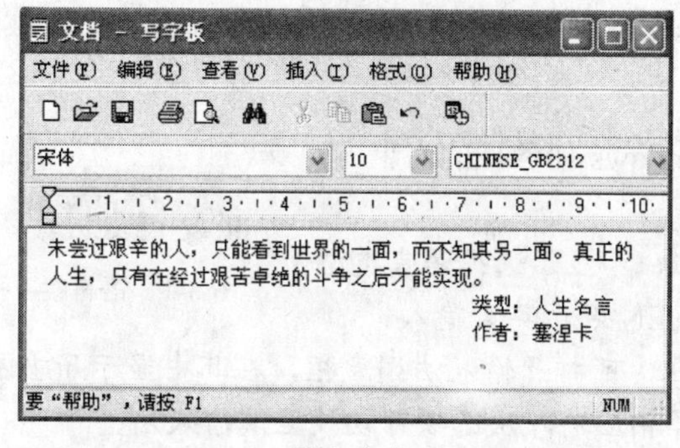

输入文本

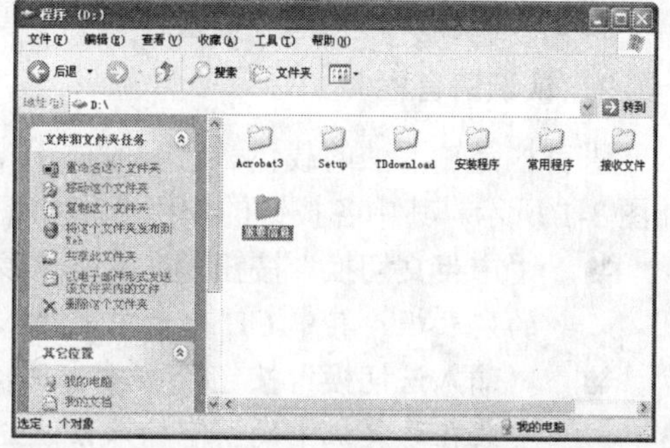

新建文件夹

输入法的使用以及文件与文件夹的管理是操作计算机最基础的知识。本章将对这些知识进行介绍，主要包括汉字输入法的简介、Windows XP 自带的汉字输入法、文件与文件夹的基础以及管理等内容，使读者全面地掌握输入法的使用和文件与文件夹的管理，提高对计算机操作的熟悉程度。

3.1 认识输入法

在使用计算机进行办公、学习和娱乐等各种应用操作时，不可避免地需要输入文字，如编辑文档、聊天室聊天等。输入文字需使用相应的输入法，本节将对输入法和 Windows XP 自带的输入法的使用进行讲解。

3.1.1 汉字输入法简介

敲击键盘中的相应按键，可快速地输入所需的英文字母和符号，但要输入汉字，还需选择汉字输入法。目前，使用较为广泛的输入法包括五笔输入法和搜狗拼音输入法等。

1. 汉字输入法的分类

根据汉字自身的特点（如结构、发音等），各种不同的输入法采用的编码原理也不同，可将所有的输入法分为音码输入法、形码输入法和音形码输入法 3 种，下面将对它们分别进行讲解。

- **音码输入法**：音码输入法是以汉字的读音为基础对汉字进行编码的输入法。其简单易学，但由于汉字中存在较多的同音字现象，因此音码输入法的重码率较高，继而导致输入速度较低，如微软拼音输入法、全拼输入法等。
- **形码输入法**：形码输入法是指以汉字的结构为基础对汉字进行编码的输入法。它的优点是重码率低，输入速度较快，但需要记忆大量的编码规则、拆字方法等原则，因此此类输入法在开始使用时很难入手，但随着不断地熟悉此类输入法的输入方式，其输入速度比音码输入法快好几倍，如五笔字型输入法。
- **音形码输入法**：音形码输入法是指以汉字的读音和结构为基础进行编码的输入法，因此它的优缺点介于音码和形码输入法之间，即需记忆部分规则，上手也很容易，但还是存在一定的重码现象，如智能 ABC 输入法。

2. 认识语言栏

语言栏是输入法的载体，它一般位于 Windows 任务栏的右上方，如图 3-1 所示。其中各按钮的作用分别如下。

图 3-1 语言栏

- **“中英文切换”按钮**CH：单击该按钮，可显示选择语言类型的列表框，其中 CH 表示中文输入，EN 表示英文输入。
- **“输入法切换”按钮**：单击该按钮，可打开输入法列表框，在其中显示了当前安装在计算机中的所有输入法，选择相应输入法选项可切换至该输入法。
- **“帮助信息”按钮**：单击该按钮，在弹出的列表框中选择唯一的选项，可打开关于语言栏帮助信息的对话框，从中可浏览有关语言栏的使用或设置等知识。
- **“选项”按钮**：单击该按钮，在弹出的列表中选择相应的选项可执行所需的操作。
- **“最小化”按钮**：单击该按钮可将语言栏最小化到任务栏中，该按钮变为“还原”按钮，单击按钮又可将语言栏重新显示在最小化之前的位置。

3．输入法的切换

在输入文字时，有时会输入英文，有时会输入中文，因此会涉及输入法的切换操作，此时可通过单击语言栏中的▦按钮进行切换。

【例 3-1】　将当前使用的输入法切换为智能 ABC 输入法。

（1）单击语言栏中的▦按钮。

（2）在弹出的输入法列表中，选择“智能 ABC 输入法 5.0 版”选项即可，其操作过程如图 3-2 所示。

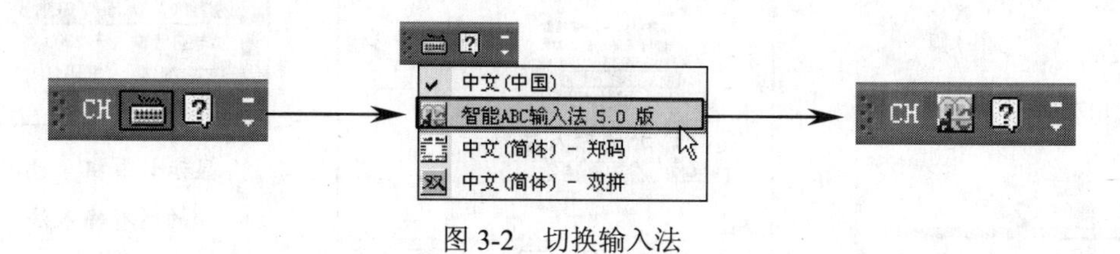

图 3-2　切换输入法

技巧：

在系统默认的情况下，按“Ctrl+空格”键可在中文和英文输入法之间进行切换，待切换至中文输入法后，按“Ctrl+Shift”键可在输入法列表中的输入法之间进行切换。

3.1.2　添加与删除输入法

用户在使用输入法之前，应该对其需要用到的输入法进行添加，可将不常使用的输入法进行删除，下面将对输入法的添加和删除进行讲解。

1．输入法的添加

单击▦按钮后，在弹出的输入法列表中未找到所需的输入法选项时，可利用?按钮添加 Windows XP 自带的输入法。

【例 3-2】　将 Windows XP 自带的双拼输入法添加到语言栏中。

（1）在语言栏上的?按钮上单击鼠标右键，在弹出的快捷菜单中选择“设置”命令，即可打开“文字服务和输入语言”对话框，单击 添加(D)... 按钮，如图 3-3 所示。

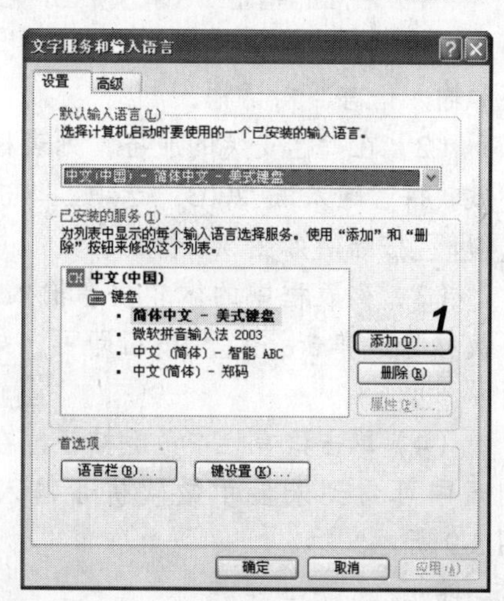

图 3-3　“文字服务和输入语言”对话框

（2）打开“添加输入语言”对话框，在其“输入语言”下拉列表框中选择“中文（中国）”选项，在“键盘布局/输入法”下拉列表框中选择“中文(简体)-双拼”选项，如图 3-4 所示，单击 确定 按钮，返回“文字服务和输入语言”对话框。

（3）在“已安装的服务”列表框中将显示添加的双拼输入法选项，如图 3-5 所示，单击 确定 按钮确认添加的输入法。

（4）单击语言栏中的▤按钮，在弹出的输入法列表中可看到已添加的全拼输入法，如图 3-6 所示。

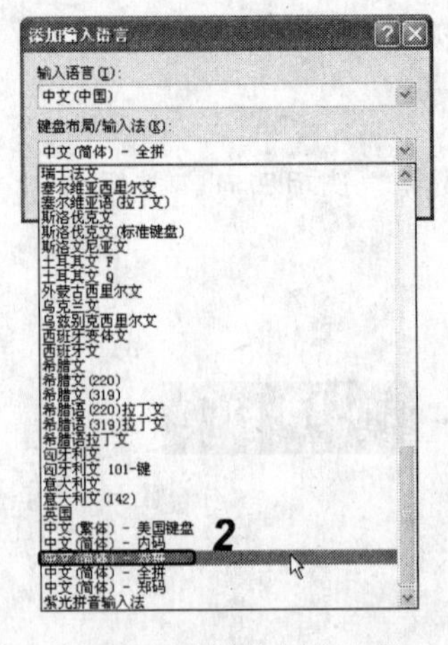

图 3-4　选择输入法选项

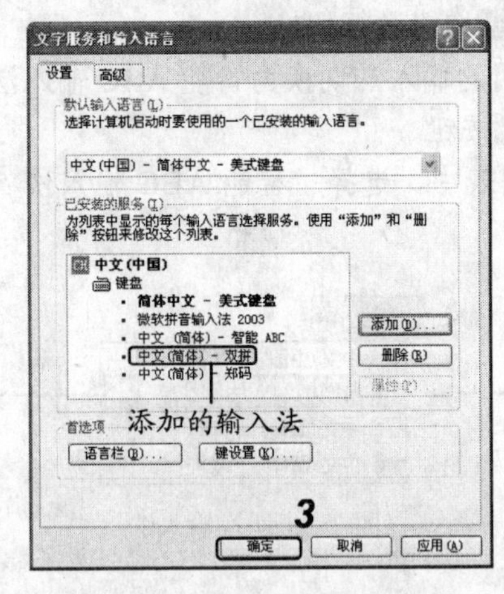

图 3-5　添加双拼输入法

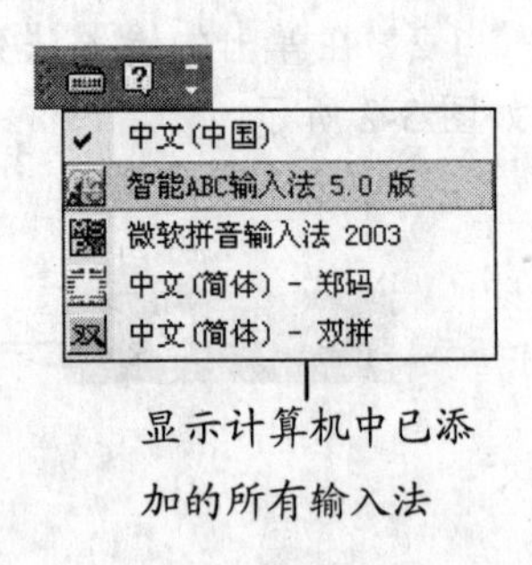

图 3-6　添加的输入法

提示：

如果要使用的输入法不是 Windows XP 自带的，只需运行其安装程序进行安装即可。安装完成后将自动添加到输入法列表中，单击▤按钮，在弹出的列表中即可查看。

2．输入法的删除

为方便切换输入法，可将不需要的输入法从列表中删除。

【例 3-3】　将微软拼音输入法 2003 从输入法列表中删除。

（1）右击语言栏中的▣按钮，在弹出的列表框中选择“设置”选项卡，打开“文字服务和输入语言”对话框。

（2）在“已安装的服务”列表框中选择“微软拼音输入法 2003”选项，单击右侧的 删除(R) 按钮，如图 3-7 所示。

（3）列表框中的微软拼音输入法 2003 将被移除，单击 确定 按钮即可，如图 3-8 所示。

（4）单击语言栏中的▤按钮，在弹出的列表中可看到未显示微软拼音输入法，如图 3-9 所示。

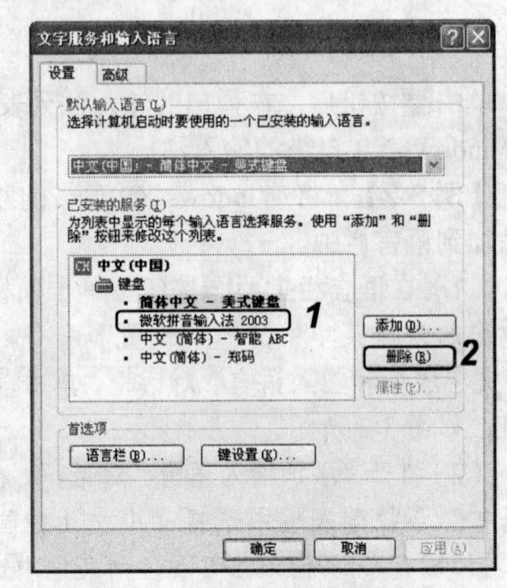

图 3-7　选择要删除的输入法

技巧：

删除非 Windows XP 自带的输入法与删除其自带的输入法的方法完全相同。

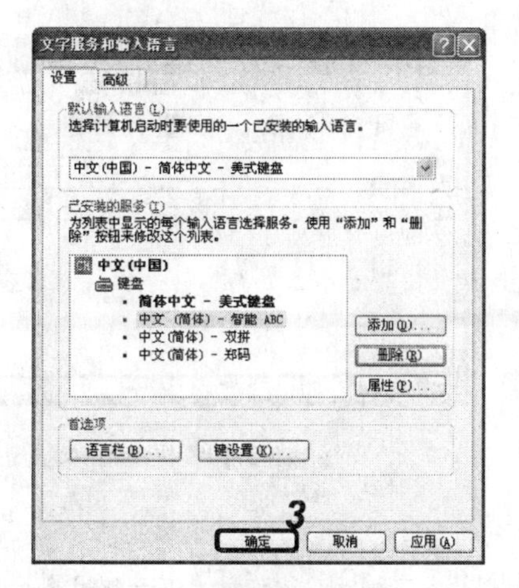

图 3-8　删除选择的输入法

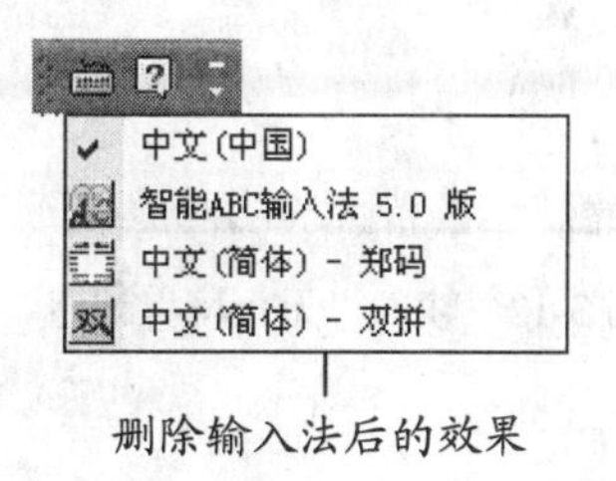

图 3-9　删除输入法后的语言栏

3.1.3　系统自带输入法的使用

用户初次使用计算机时，一般都会使用在安装 Windows XP 操作系统时自动安装的输入法，下面将对一些常用的中文输入法的使用方法进行讲解。

1．微软拼音输入法

微软拼音输入法是一种智能型拼音输入法，它可根据实际输入的字符自动选择最合适的字词。

【例 3-4】　利用微软拼音输入法在“写字板”中输入“学无止境”。

（1）依次选择“开始/所有程序/附件/写字板”命令，启动“写字板”程序，单击语言栏中的按钮，在弹出的输入法列表中选择微软拼音输入法，如图 3-10 所示。

（2）输入“学”字的拼音“xue”，此时将出现选择文字的矩形条和汉字提示框，按空格键即可输入“学”字，如图 3-11 所示。

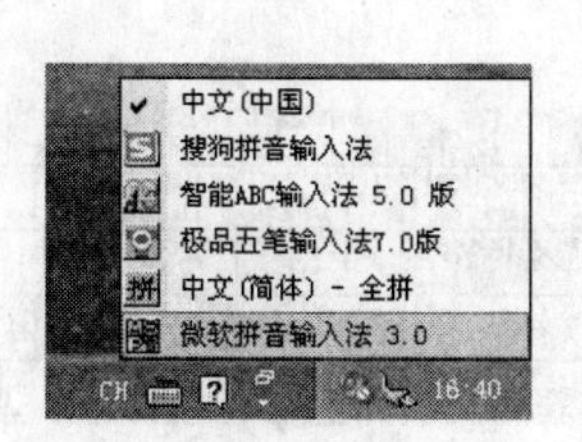

图 3-10　输入拼音

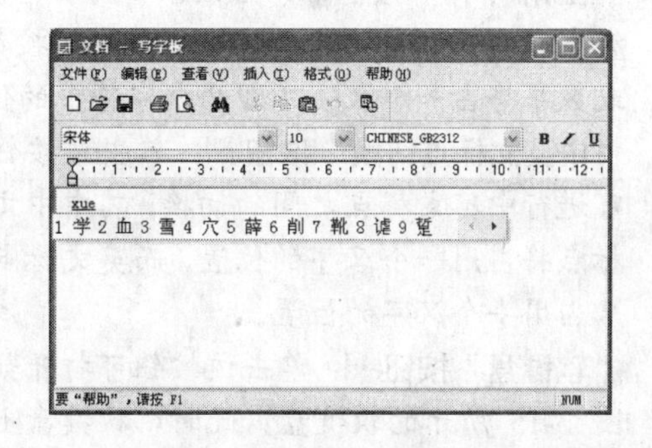

图 3-11　输入“学”字

（3）输入词语“无止境”部分的拼音“wuzhij”，微软拼音输入法自动列出最合适的词语，如图 3-12 所示。

（4）按“1”键输入词语“无止境”，按空格键即可完成输入，如图 3-13 所示。

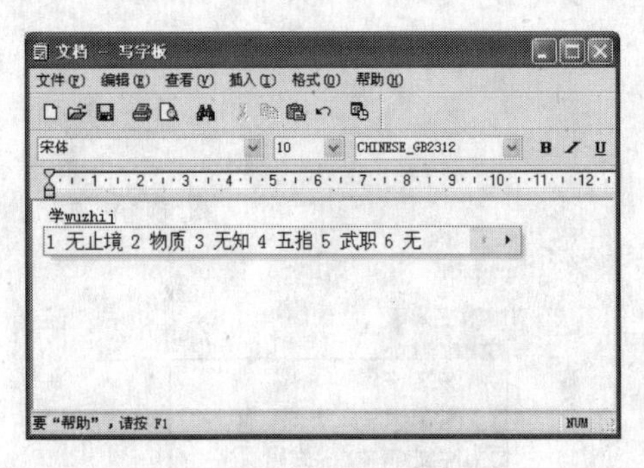

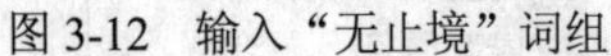

图 3-12　输入“无止境”词组

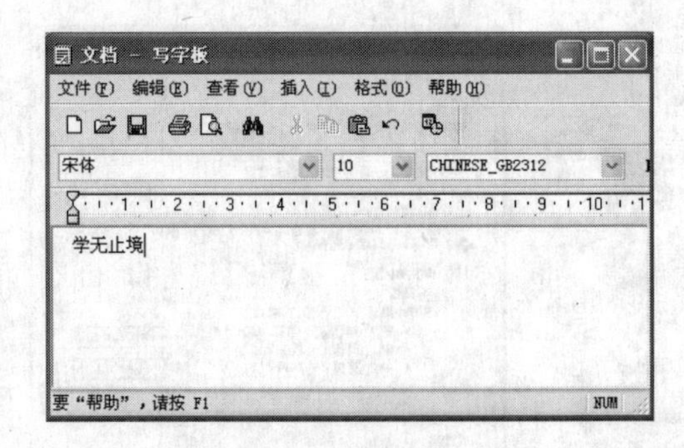

图 3-13　完成输入

提示：

利用微软拼音输入法输入汉字后，其下方会出现一条下划线，该下划线表示此时输入的文字还未成为最终的文字。可利用光标键返回任意文字处，并同步弹出选择文字的矩形条，从中可重新选择所需的文字，按空格键取消下划线后，才确定输入的文字。

2．全拼输入法

全拼输入法也是一种音码输入法，与微软拼音输入法不同的是，它在输入文字时，输入文字相应的拼音字母键即可实现输入，且有特有的状态条。

1）全拼输入法状态条

当输入法为全拼输入法时，会在桌面任务栏右侧出现该输入法的状态条，如图 3-14 所示。其中各按钮的作用分别如下。

图 3-14　全拼输入法状态条

- “中英文切换”按钮：单击该按钮可将其变为状态，此时表示输入的字符是英文字母；再次单击按钮又将重新变为状态，此时表示输入的字符是汉字。
- “全角/半角”按钮：当该按钮为月牙形时，输入的英文、字符或数字将占半个汉字（即一个字符）的位置；单击该按钮使其变为形状时，输入的英文、字符或数字将占一个汉字（即两个字符）的位置。
- “中英文标点切换”按钮：单击该按钮可进行中英文标点之间的切换，其中中文标点将占用一个汉字的位置，而英文标点只占用半个汉字的位置。
- “软键盘”按钮：单击该按钮可打开如图 3-15 所示的软键盘。此时，按键盘上的键位或单击软键盘上的按钮可输入相应的字符，再次单击可关闭软键盘。另外，在按钮上右击，可在弹出的快捷菜单中选择需要的软键盘类型。

图 3-15　软键盘

2）输入文本

利用全拼输入法可方便地输入所需的汉字或词语。

【例 3-5】 利用全拼输入法在“写字板”中输入“树欲静而风不止”。

（1）依次选择“开始/所有程序/附件/写字板”命令，启动“写字板”程序，然后单击语言栏中的按钮切换至全拼输入法，如图 3-16 所示。

（2）输入“树”字的拼音“shu”，此时将弹出选择文字的提示框，按“树”选项所对应的数字键“2”即可输入该汉字，如图 3-17 所示。

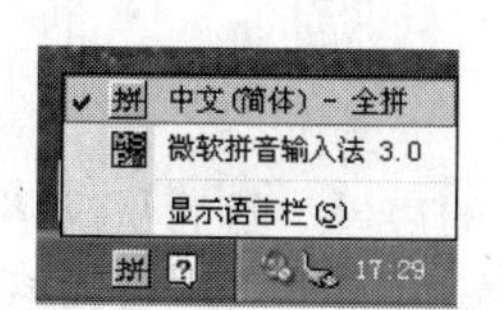

图 3-16 输入拼音

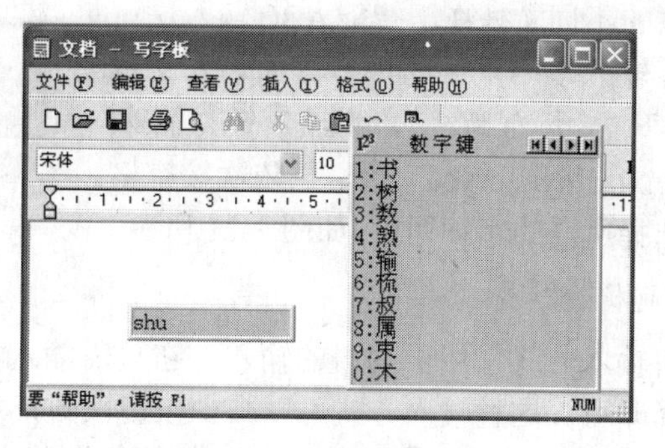

图 3-17 输入“树”字

（3）利用相同方法输入词组“欲静而风”，如图 3-18 所示。

（4）输入“不止”一词的拼音“buzhi”，在弹出的汉字提示框中可看到所需词语对应的数字键为“1”，按下相应键位即可输入所需词语，如图 3-19 所示。

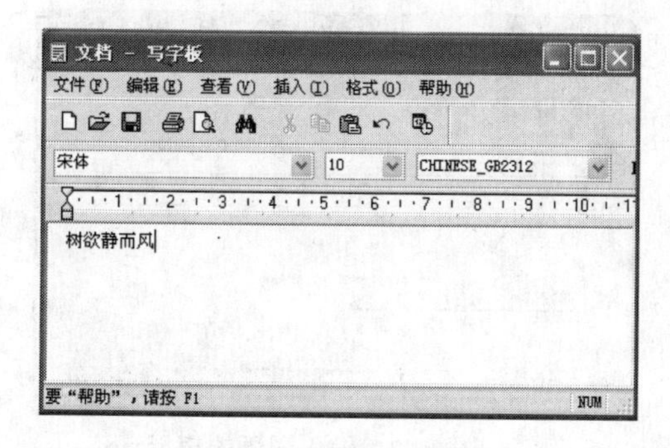

图 3-18 输入“欲静而风”

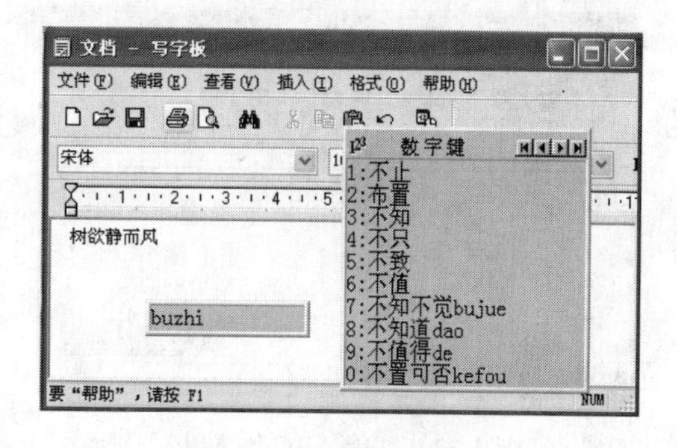

图 3-19 输入“不止”

注意：

当输入的汉字位于汉字提示框的第 1 位时，按空格键也可输入该汉字；当选字框中未出现所需的汉字时，可按“+”键或“Page Down”键向下翻页，直至找到所需文字。

3. 智能 ABC 输入法

智能 ABC 输入法具有记忆量少、输入方法多、速度快且易上手等多种优点，下面将对其进行讲解。

1）智能 ABC 输入法状态条

将输入法切换为智能 ABC 输入法时，会在桌面任务栏右侧出现该输入法的状态条，如图 3-20 所示。

标准

图 3-20 智能 ABC 输入法状态条

2）全拼输入

智能 ABC 输入法的全拼输入方式与全拼输入法相似，输入文本时只需依次输入待输入单字或词语的所有拼音字母，然后按空格键逐个进行选择即可。这种输入方式与全拼输入法的不同之处在于智能ABC输入法可以一次性输入多个汉字的拼音。如输入文本“先天下之忧而忧”，只需依次输入“xiantianxiazhiyoueryou”后，再依次按空格键逐个选择所需的字词即可，如图 3-21 所示。

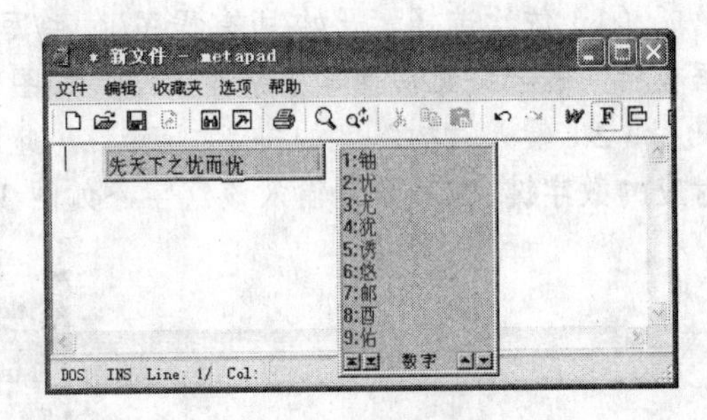

图 3-21　全拼输入

3）简拼输入

简拼输入方式常用于词语的输入，它只需输入相关汉字的声母，然后从汉字提示框中进行选择即可。这种输入方式可以减少按键次数，从而提高输入速度，但重码率较高。

【例 3-6】　利用智能 ABC 输入法的简拼输入方式在“写字板”中输入“木已成舟”。

（1）依次选择“开始/所有程序/附件/写字板”命令，启动“写字板”程序，将插入点定位到写字板中，然后切换至智能 ABC 输入法，如图 3-22 所示。

（2）输入“木已成舟”一词中的四个汉字的声母“mycz”，如图 3-23 所示。

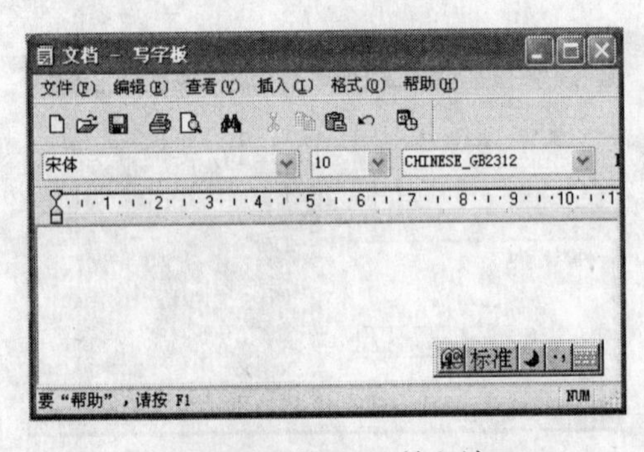

图 3-22　智能 ABC 输入法

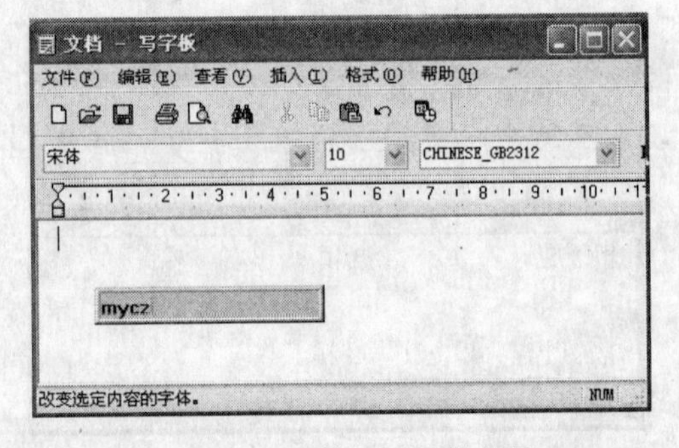

图 3-23　输入词语的声母

（3）按空格键，将弹出汉字提示框，其中仅有“木已成舟”一词，如图 3-24 所示。

（4）按空格键即可输入该词，如图 3-25 所示。

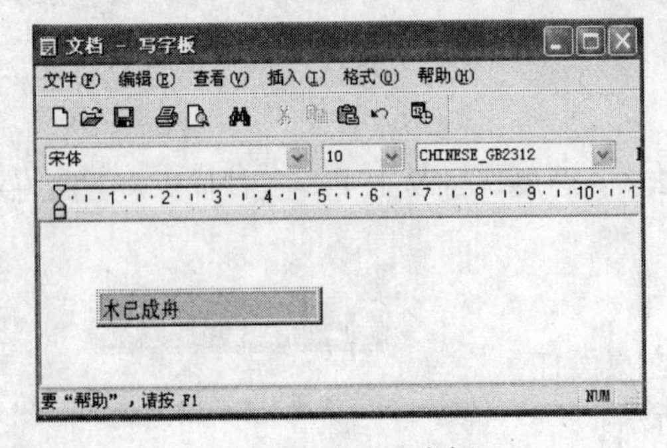

图 3-24　弹出选字框

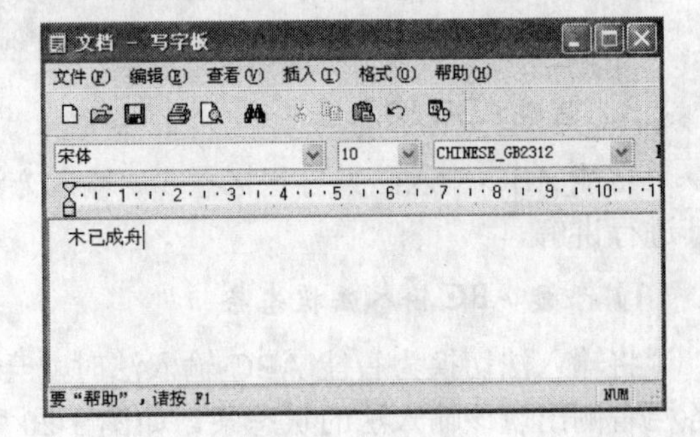

图 3-25　输入词语

提示：

在键盘上的按键中没有字母“ü”，在使用拼音输入法进行输入含有“ü”的字母时，通常用字母“v”代替。

4）混拼输入

混拼输入方式是结合了全拼输入与简拼输入方式优点的输入方法，其优点在于既能减少按键的次数，又可减少重码率。

【例 3-7】 利用智能 ABC 输入法的混拼输入方式在“写字板”中输入“坚持真理”。

（1）启动“写字板”程序，并按“Ctrl+Shift”键切换至智能 ABC 输入法。

（2）输入“坚持”一词中“坚”字的所有拼音和“持”字的声母“jianc”，如图 3-26 所示。

（3）然后按空格键，弹出汉字提示框，按空格键输入“坚持”一词，如图 3-27 所示。

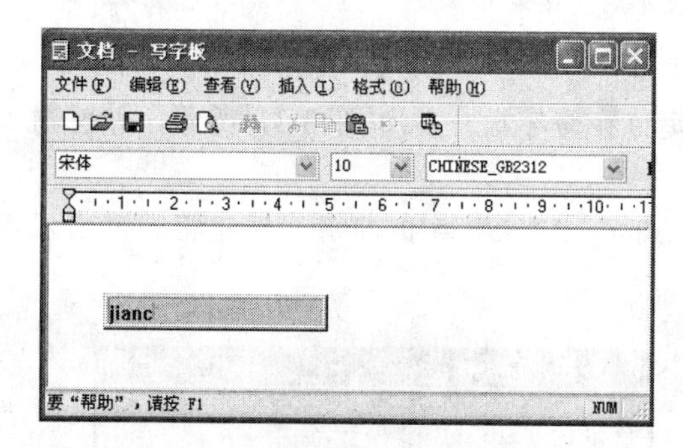

图 3-26　输入拼音

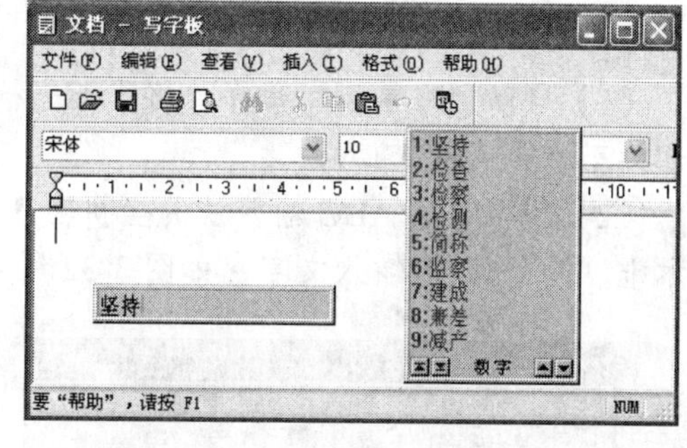

图 3-27　输入词语

（4）输入“真理”一词中“真”字的声母和“理”字的所有拼音“zli”，然后按空格键，弹出汉字提示框，如图 3-28 所示。

（5）按“3”键输入“真理”一词，即可完成输入，如图 3-29 所示。

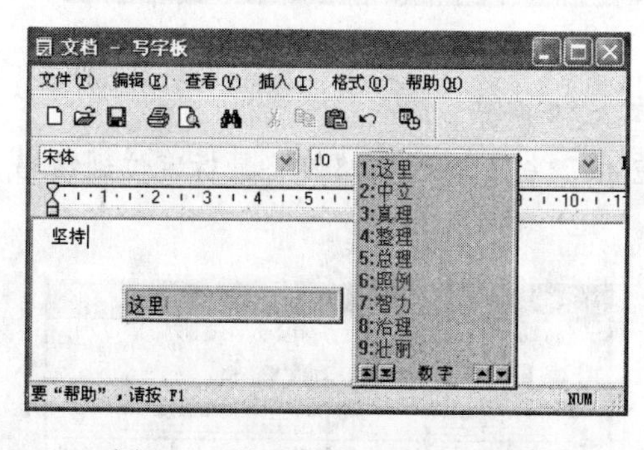

图 3-28　输入拼音并弹出选字框

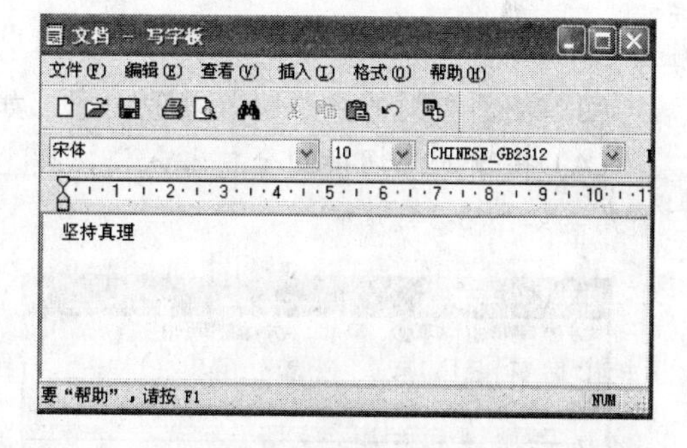

图 3-29　输入词语

技巧：

利用智能 ABC 输入法的混拼输入方式输入诸如“可能”等词语时，应在“e”和“n”两个字母之间加上音节分隔符“'”，否则输入“ken”后按空格键，系统将默认为输入“肯”字。与此类似的词语还有“西安”（xi'an）、“恩人”（e'r）等。

3.1.4 应用举例——使用系统自带的汉字输入法输入文本

本例将输入如图3-30所示的文本内容，可利用微软拼音输入法输入作者名称，利用全拼输入法输入名言类型，智能ABC输入法输入文本内容。通过输入文本熟悉输入法的使用。

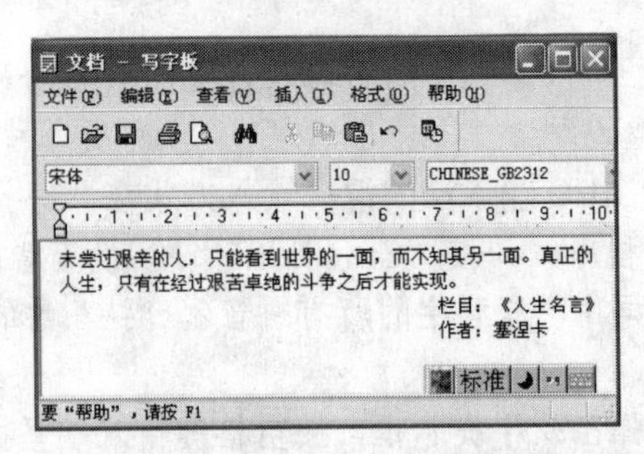

图3-30　输入文本后的效果

操作步骤如下：

（1）启动“写字板”程序，将鼠标光标定位在写字板中，如图3-31所示，并将输入法切换至智能ABC输入法。

（2）利用智能ABC输入法的全拼输入方式输入“未”字的拼音，按空格键弹出汉字提示框，按“3”键输入文字，如图3-32所示。

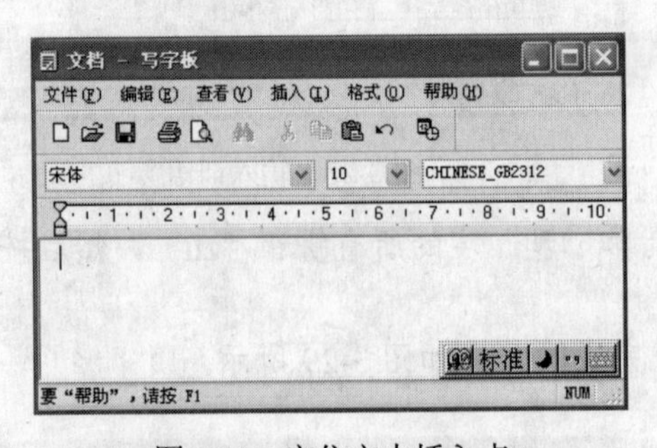

图3-31　定位文本插入点

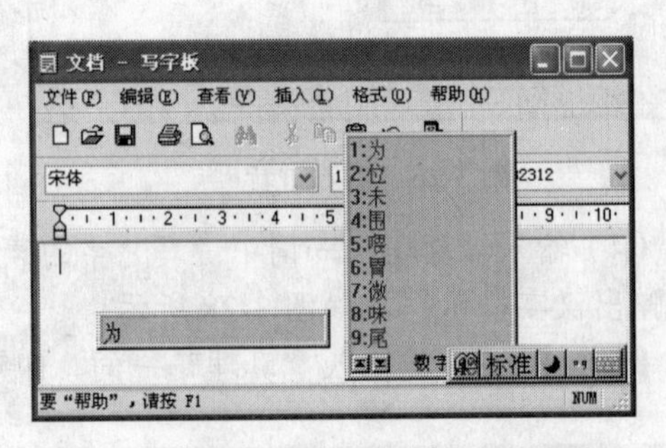

图3-32　输入“未”

（3）使用相同的方法输入其他内容，如图3-33所示。

（4）将输入法切换到全拼输入法，按“Enter”键，通过空格键将鼠标定位到第3行右下角，如图3-34所示。

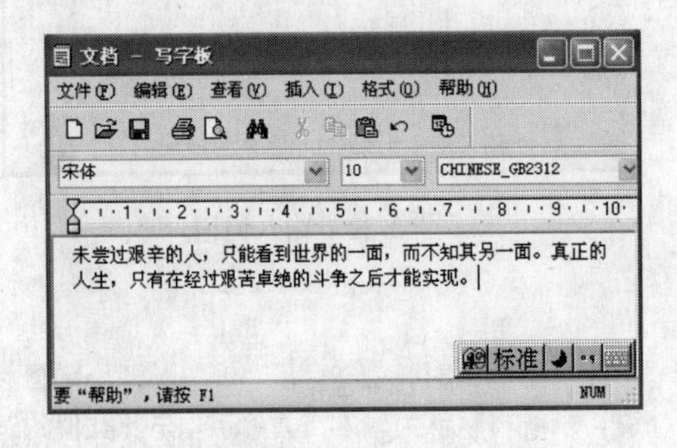

图3-33　输入内容

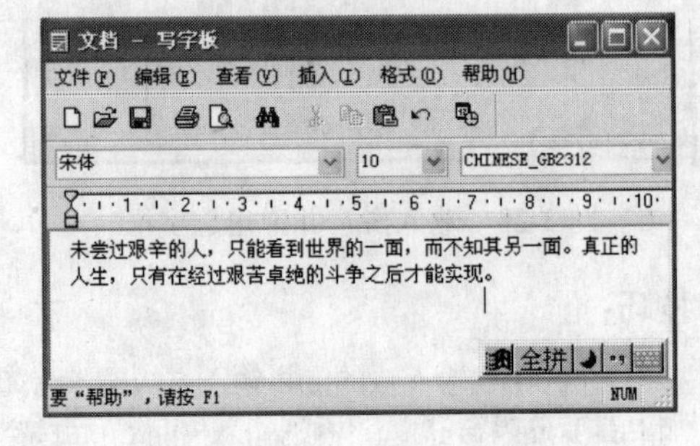

图3-34　切换输入法

技巧：

使用智能 ABC 输入法输入“，”、“。”等标点符号时，只需在键盘中按下相应的键位即可。

（5）使用全拼输入法输入“栏目：《人生名言》”文本，如图 3-35 所示。

（6）完成后的效果如图 3-36 所示。

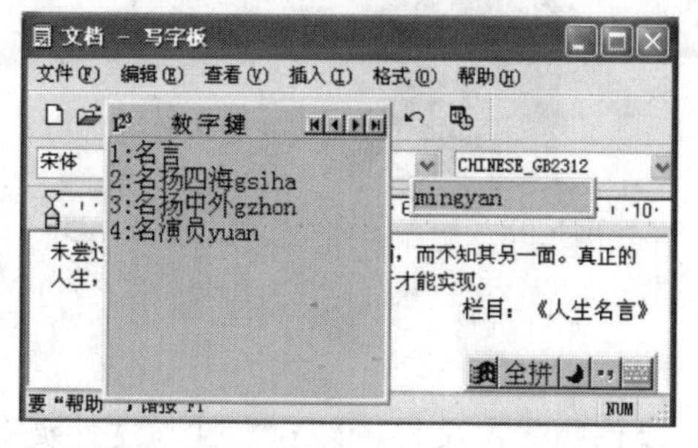

图 3-35　输入“栏目：《人生名言》”

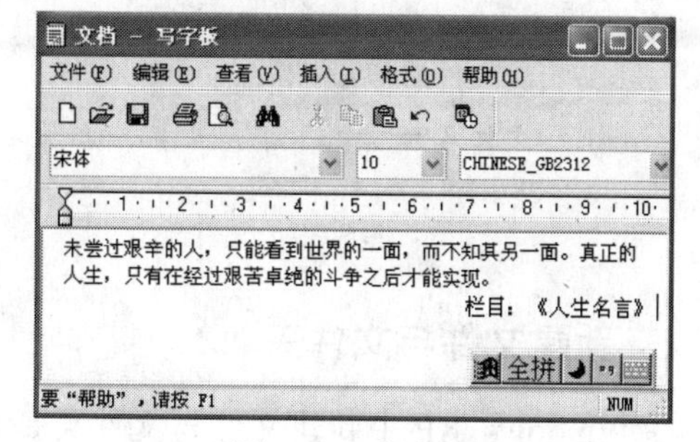

图 3-36　完成输入

技巧：

使用全拼输入法输入标点符号“《》”时，按“Shift+，”键和“Shift+。”键即可输入。

（7）将鼠标光标定位在第 4 行右下角，将输入法切换至微软拼音输入法，如图 3-37 所示。

（8）使用微软拼音输入法输入“作者：塞涅卡”文本，如图 3-38 所示。

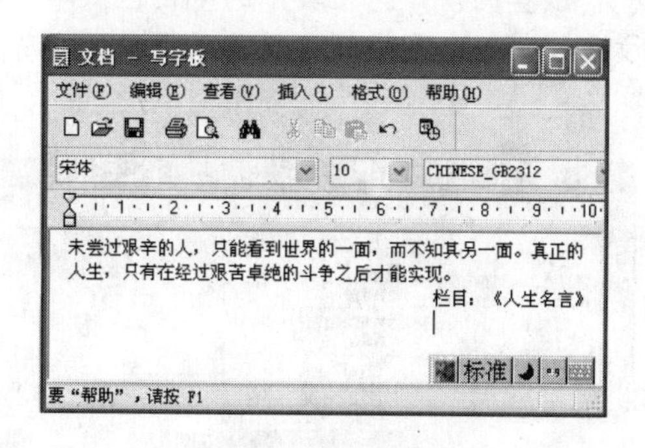

图 3-37　切换输入法

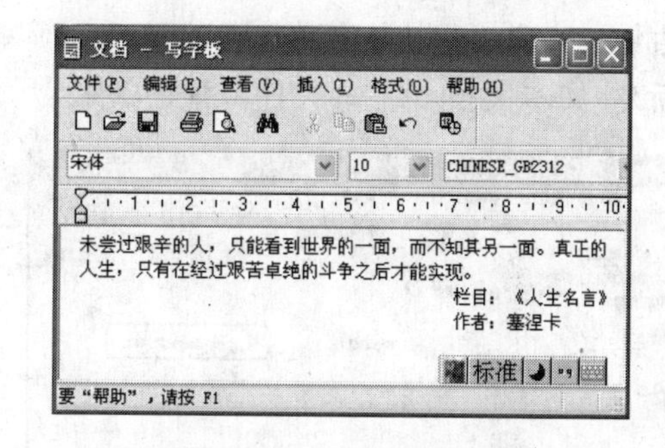

图 3-38　输入文本

3.2　认识文件与文件夹

通过对文件和文件夹进行操作，可将计算机中存储的数据管理得井井有条，使用起来更加方便。其中，文件与文件夹的操作主要包括新建、选择、打开、移动、复制、重命名、删除和还原等，下面将分别进行讲解。

3.2.1　认识文件与文件夹

从广义上讲，文件是计算机中数据的表现形式，而文件夹则是文件存放的载体。其中文件的种类很多，包括文本、图片和应用程序等，文件的外观由图标和名称组成，而名称又由文件名（可自定义的部分）和扩展名（表示该文件的类型）两部分组成，两者之间用一个圆点隔开，如图 3-39 所示。文件夹中包含文件和子文件夹，它的外观由文件夹图标和名称组成，如图 3-40 所示。

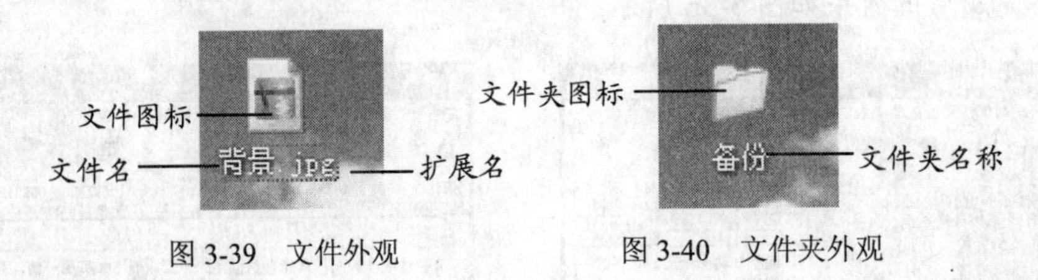

图 3-39　文件外观　　　　图 3-40　文件夹外观

3.2.2　新建文件与文件夹

在 Windows XP 中新建文件与文件夹是对其操作的先决条件，新建文件与文件夹有不同的方法，用户可根据操作习惯灵活运用。

1）新建文件

一般情况下，文件都是由相应的应用程序创建，但也可以在 Windows XP 窗口中进行新建操作。

【例 3-8】　在 E 盘中新建一个文本文件。

（1）双击桌面上“我的电脑”图标，打开“我的电脑”窗口，如图 3-41 所示。

（2）双击该窗口中 E 盘的驱动器图标，打开 E 盘的窗口。在其中的空白区域单击鼠标右键，在弹出的快捷菜单中依次选择“新建/文本文档”命令，即可新建一个默认名称为“新建 文本文档.txt”的文件，如图 3-42 所示。

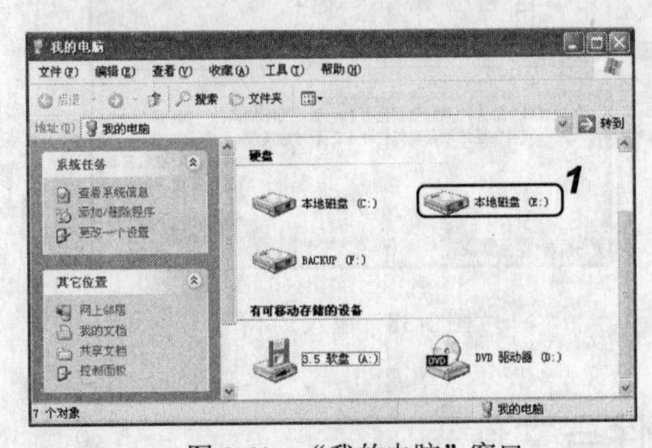

图 3-41　“我的电脑”窗口

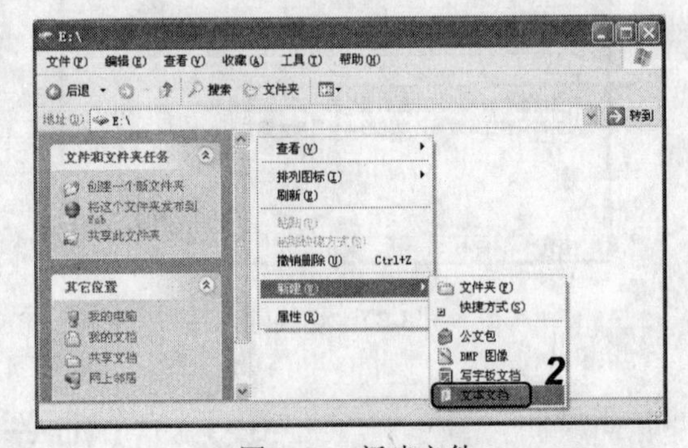

图 3-42　新建文件

技巧：

切换至需新建文件的窗口，然后依次选择“文件/新建”命令，在弹出的子菜单中选择相应的文件类型命令也可新建文件。

2）新建文件夹

新建文件夹与新建文件的方法类似，也可通过菜单命令和鼠标右键完成。

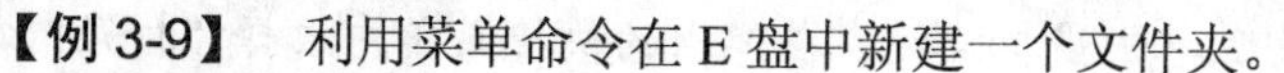

【例 3-9】　利用菜单命令在 E 盘中新建一个文件夹。

（1）打开 E 盘的窗口，依次选择“文件/新建/文件夹”命令，如图 3-43 所示。

（2）在 E 盘的窗口中新建一个默认名称为“新建文件夹”的文件夹，如图 3-44 所示。

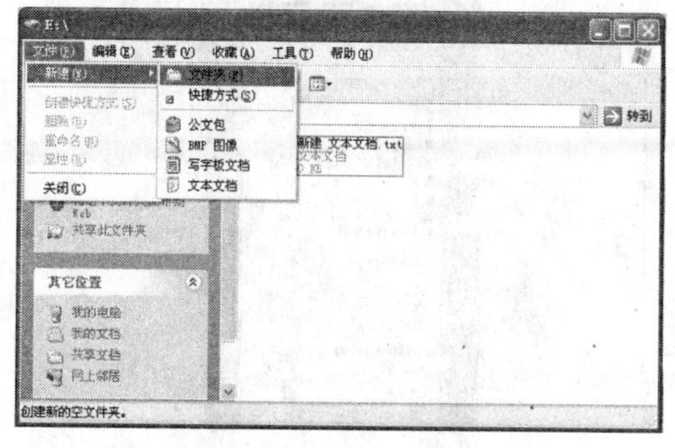

图 3-43　利用菜单命令新建文件夹

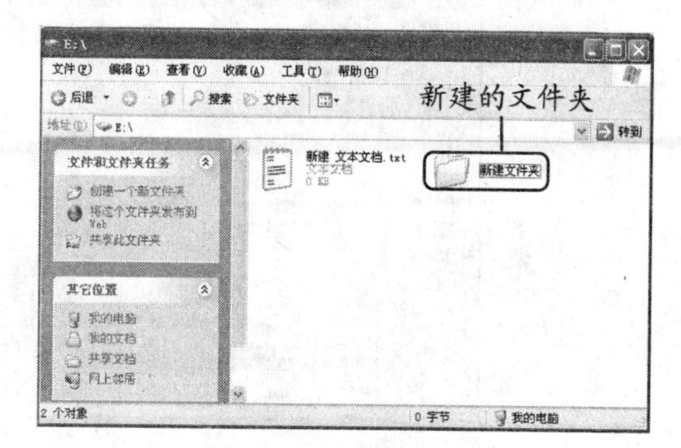

图 3-44　新建的文件夹

3.2.3　选择文件与文件夹

将鼠标光标移至需选择的文件或文件夹，单击即可将其选中。除此之外，选择文件与文件夹还有如下几种情况。

- **选择相邻的文件与文件夹**：选择一个文件或文件夹，按住“Shift”键的同时选择另一个文件或文件夹，即可选择这两个文件或文件夹之间的所有文件和文件夹。
- **选择不相邻的文件与文件夹**：选择一个文件或文件夹，按住“Ctrl”键的同时选择其他的文件或文件夹，直至将所需的文件或文件夹全部选择为止，释放“Ctrl”键。

提示：

选择不相邻的文件与文件夹时，按住“Ctrl”键单击其中已选择的某一文件或文件夹，可取消其选择状态。

- **选择窗口中所有的文件与文件夹**：依次选择“编辑/全部选定”命令或按“Ctrl+A”键。
- **框选文件与文件夹**：在窗口的空白区域按住鼠标左键不放并拖动，此时将出现蓝色的矩形框，待矩形框范围内的文件或文件夹呈蓝色显示时释放鼠标，即可选择文件与文件夹。

注意：

利用选择相邻与不相邻或框选文件与文件夹的方法都可实现选择窗口中所有的文件与文件夹的操作，用户可根据实际情况灵活使用选择文件与文件夹的方法。

3.2.4　打开文件与文件夹

选择了文件或文件夹后，需将其打开以查看其中的内容，打开文件或文件夹的方法主要有以下几种。

- 在打开文件时，可先打开该文件所属程序，然后依次选择“文件/打开”命令，在打开的对话框中找到该文件即可，如图 3-45 所示为“打开”对话框。

- 在选择的文件或文件夹上单击鼠标右键，在弹出的快捷菜单中选择“打开”命令，如图 3-46 所示。

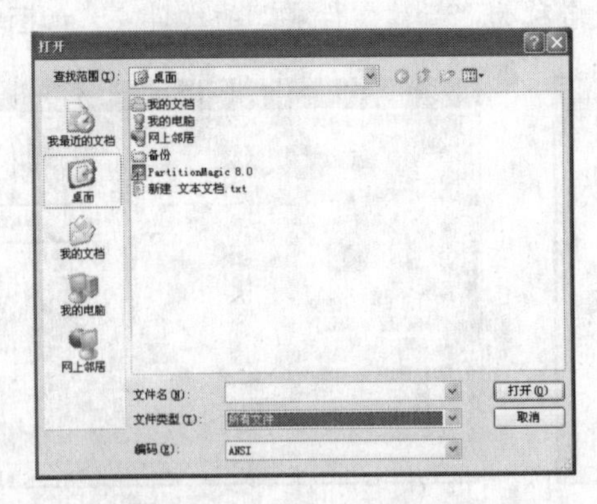

图 3-45　“打开”对话框

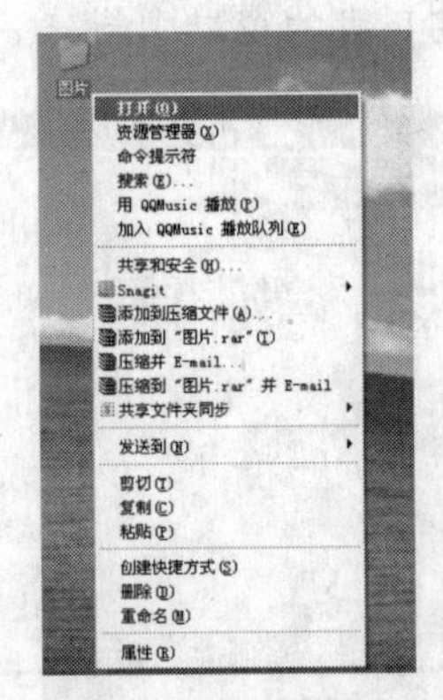

图 3-46　右键打开

- 选中要打开的文件或文件夹，按“Enter”键。

3.2.5　移动文件与文件夹

在对文件或文件夹进行操作时，有时需要将文件或文件夹从当前位置移动到另一位置，以便管理。移动文件或文件夹的方法有多种，下面将以移动文件夹为例进行讲解。

【例 3-10】　将 F 盘中的“网站程序”文件夹移动到 D 盘中。

（1）打开 F 盘窗口，选择“网站程序”文件夹，然后依次选择“编辑/剪切”命令，如图 3-47 所示。

（2）切换至 D 盘窗口，依次选择“编辑/粘贴”命令，如图 3-48 所示。

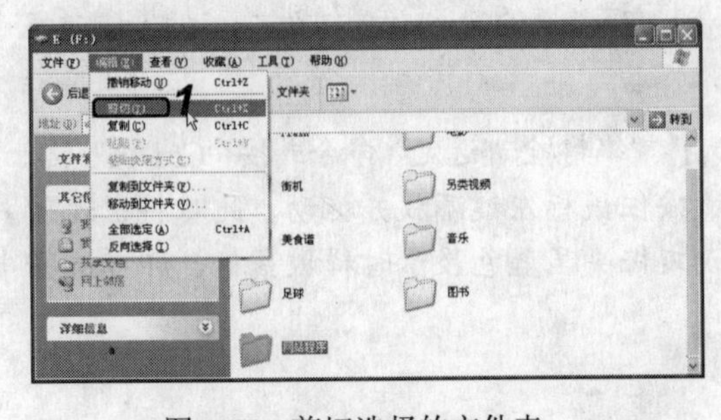

图 3-47　剪切选择的文件夹

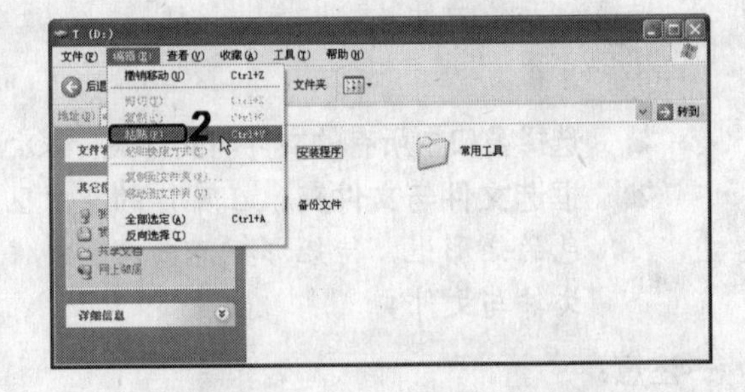

图 3-48　选择“粘贴”命令

（3）将“网站程序”文件夹移动到 D 盘中，如图 3-49 所示，此时 F 盘窗口中便没有该文件夹了，如图 3-50 所示。

技巧：

在选择的文件或文件夹上单击鼠标右键，在弹出的快捷菜单中选择“剪切”命令，然后在目标窗口空白处单击鼠标右键，在弹出的快捷菜单中选择“粘贴”命令或者在选择文件或文件夹后按“Ctrl+X”键，再在目标窗口中按“Ctrl+V”键，都可实现移动操作。

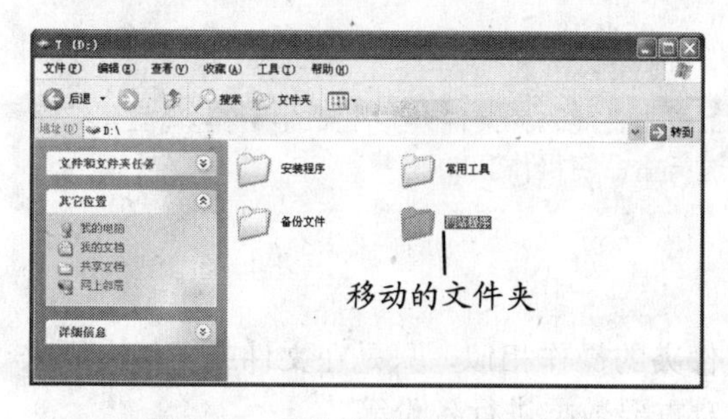

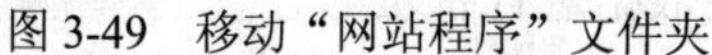
图 3-49　移动“网站程序”文件夹

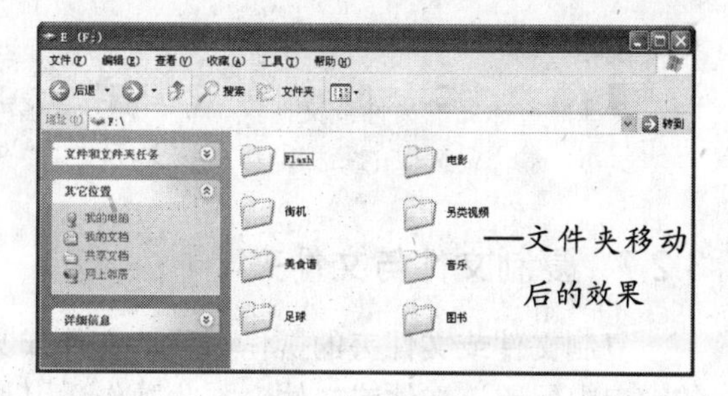

图 3-50　移动后的效果

3.2.6　重命名文件与文件夹

为了便于对文件或文件夹进行管理，有时需对已存在的文件或文件夹进行重命名操作，即把现在的名称改为所需的名称。

【例 3-11】　将 E 盘中的文件和文件夹分别重命名为“工作日记.txt”和“6 月计划”。

（1）打开“本地磁盘（E:）”，选择“新建 文本文档.txt”文件，然后依次选择“文件/重命名”命令，如图 3-51 所示。

（2）此时文件名称呈可编辑状态，如图 3-52 所示。

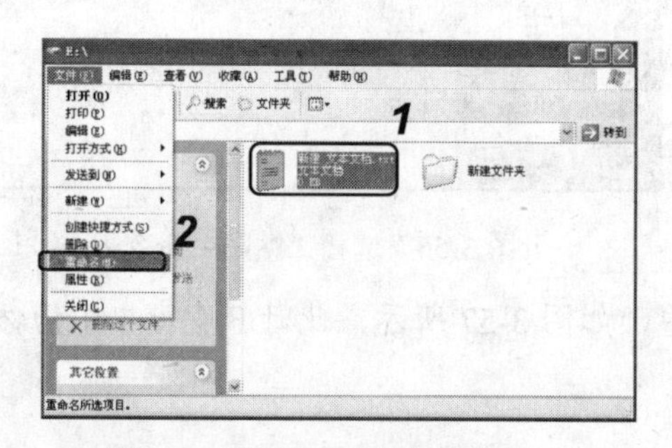

图 3-51　选择“重命名”命令

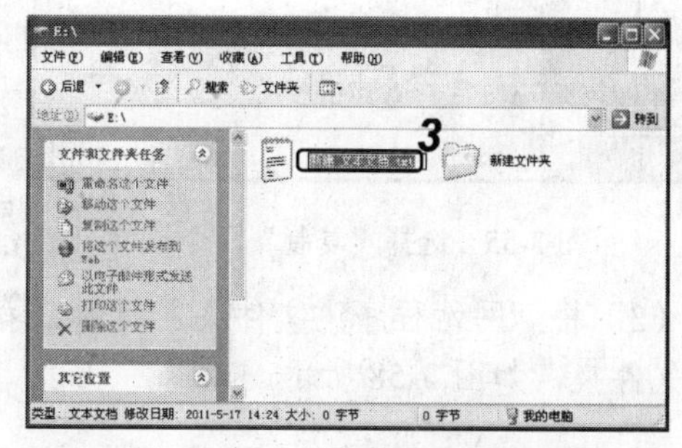

图 3-52　文件名称呈可编辑状态

（3）输入需更改的名称“工作日记.txt”，按“Enter”键或单击窗口中其他位置确定名称的修改，如图 3-53 所示。

（4）在“新建文件夹”文件夹上单击鼠标右键，在弹出的快捷菜单中选择“重命名”命令，待原文件的名称呈可编辑状态时，输入“6 月计划”文本，重命名该文件夹，如图 3-54 所示。

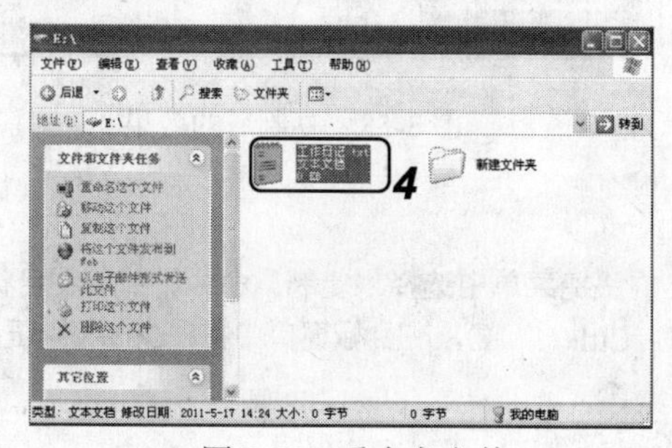

图 3-53　重命名文件

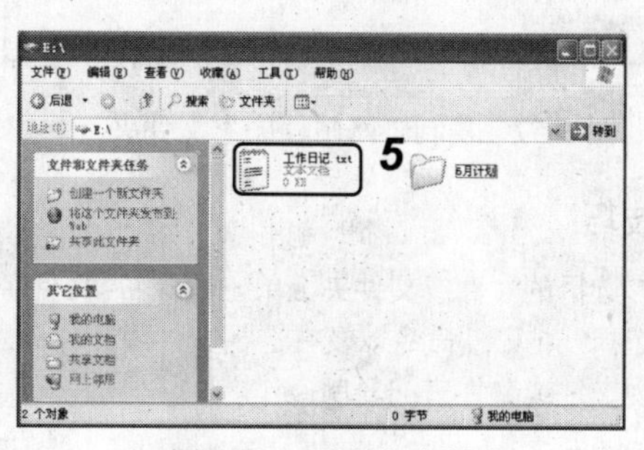

图 3-54　重命名文件夹

技巧：

选择需重命名的文件或文件夹，稍后再在其名称上单击，此时该文件或文件夹的名称也将呈可编辑状态，输入需更改的名称即可对该文件或文件夹进行重命名操作。

3.2.7　复制文件与文件夹

复制文件或文件夹的操作与移动文件或文件夹的操作相似，只是在文件或文件夹原来的窗口中保留该文件或文件夹，此操作适用于对重要数据进行备份等。

【例3-12】　将F盘中的“网站程序”文件夹复制到D盘中。

（1）打开F盘窗口，选择“网站程序”文件夹，然后依次选择“编辑/复制”命令，如图3-55所示。

（2）切换至D盘窗口，依次选择“编辑/粘贴”命令，如图3-56所示。

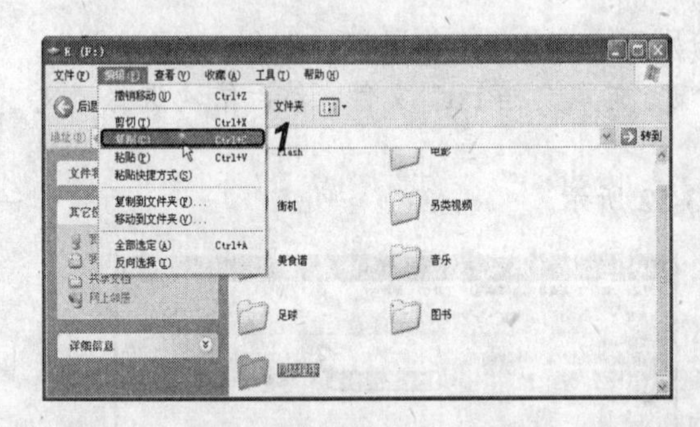

图3-55　选择“复制”命令

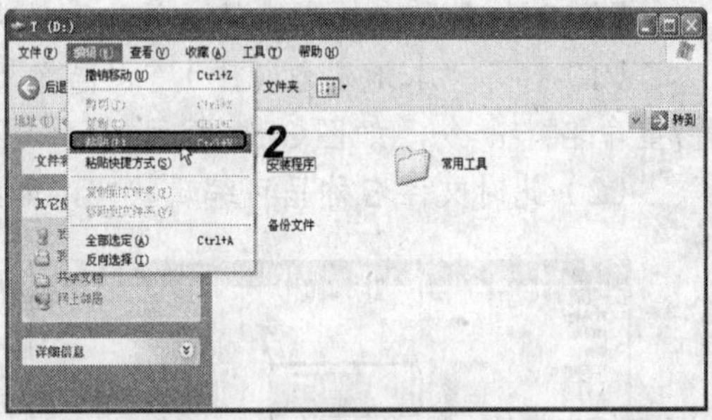

图3-56　选择“粘贴”命令

（3）将“网站程序”文件夹复制到D盘中，如图3-57所示，此时F盘窗口中仍然保留该文件夹，如图3-58所示。

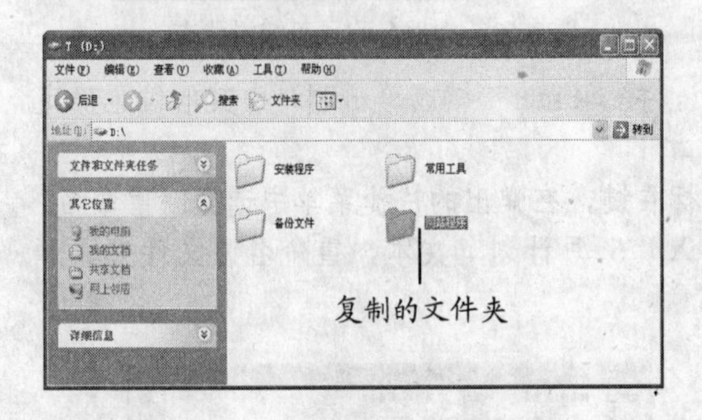

图3-57　复制“网站程序”文件夹

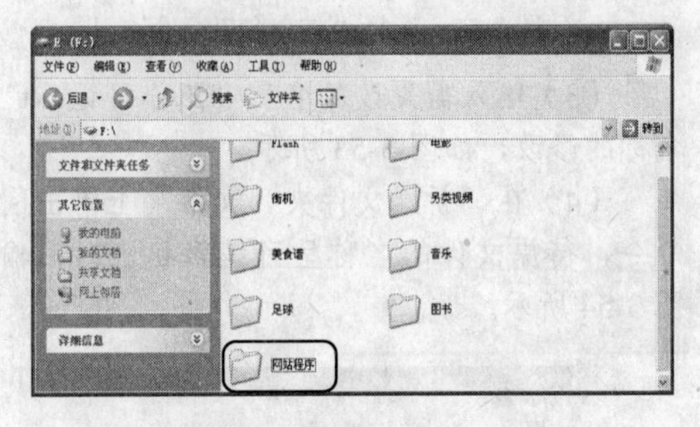

图3-58　复制后的效果

技巧：

在选择的文件或文件夹上单击鼠标右键，在弹出的快捷菜单中选择“复制”命令，然后在目标窗口选择“粘贴”命令以及在选择文件或文件夹后按“Ctrl+C”键，在目标窗口中按“Ctrl+V”键都可实现文件或文件夹的复制操作。

3.2.8　删除文件与文件夹

对于计算机中无用或不再使用的文件或文件夹，可将其删除以释放硬盘空间。删除文件或文件夹主要有如下几种方法。

- 选择需删除的文件或文件夹，然后依次选择“文件/删除”命令。
- 在需删除的文件或文件夹上单击鼠标右键，在弹出的快捷菜单中选择“删除”命令。
- 选择需删除的文件或文件夹，然后按“Delete”键。
- 选择需删除的文件或文件夹，然后按“Shift+Delete”键即可永久删除。

执行任何删除方法都将打开确认删除的对话框，单击 是(Y) 按钮完成删除操作。

提示：

将文件或文件夹删除到回收站后，有时会再用到该文件或文件夹，此时只需在“回收站”窗口中该文件或文件夹上单击鼠标右键，在弹出的快捷菜单中选择“还原”命令即可还原。

3.2.9　应用举例——对 Windows XP 自带的图片文件进行操作

下面将在 D 盘新建一个文件夹，然后将 C 盘中 Windows XP 自带的图片复制到该文件夹中，并将文件夹重命名为“图片”。

操作步骤如下：

（1）打开 D 盘窗口，在空白区域单击鼠标右键，在弹出的快捷菜单中依次选择“新建/文件夹”命令，新建一个文件夹，如图 3-59 所示。

（2）打开路径为“C:\Documents and Settings\All Users\Documents\My Pictures\示例图片”文件夹，拖动鼠标选择其中的所有文件，如图 3-60 所示。

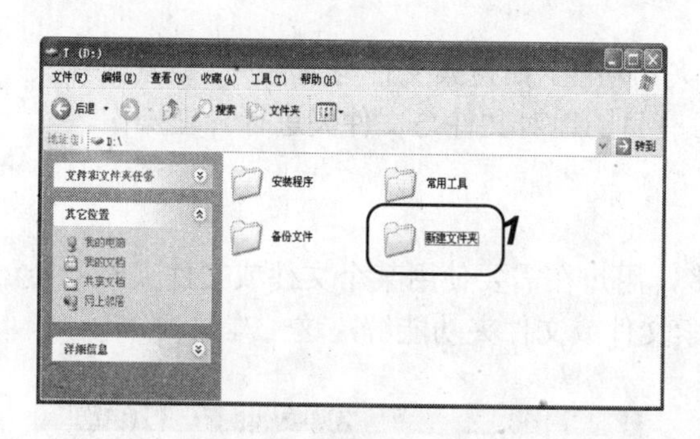

图 3-59　新建文件夹

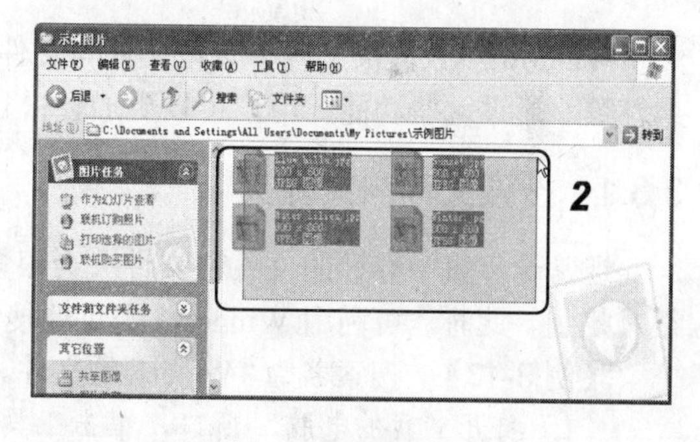

图 3-60　框选文件

（3）依次选择“编辑/复制”命令，将选择的图片文件复制到剪贴板中，如图 3-61 所示。

（4）切换到 D 盘新建文件夹窗口，按“Ctrl+V”键粘贴文件，如图 3-62 所示。

提示：

在 Windows XP 中，系统自带的图片以及桌面背景的图片，路径都为“C:\WINDOWS\Web\Wallpaper”，用户可在其中添加图片，设置更多的桌面背景。

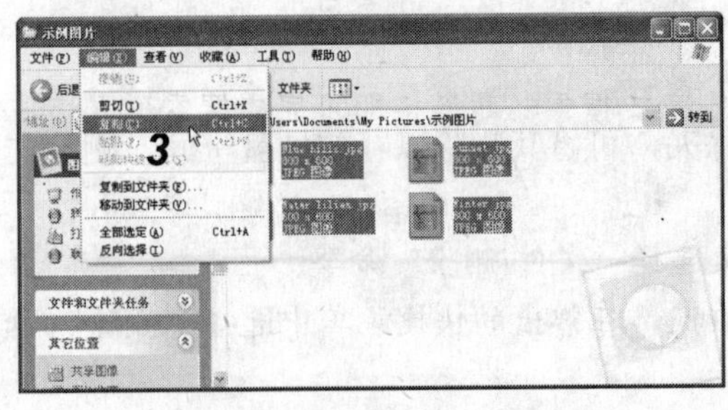

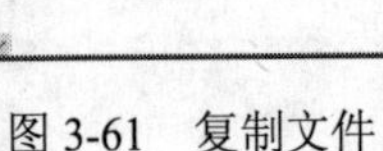

图 3-61　复制文件

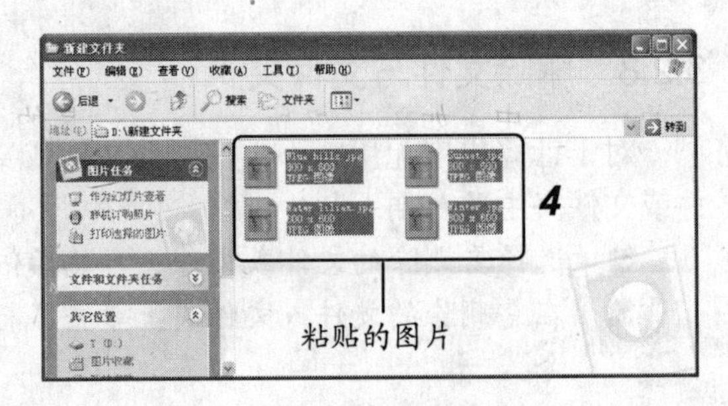

图 3-62　粘贴文件

（5）单击窗口中的按钮，返回上一级窗口，选择“新建文件夹”选项，然后依次选择“文件/重命名”命令，如图 3-63 所示。

（6）输入“图片”后按“Enter”键，完成文件夹的重命名操作，如图 3-64 所示。

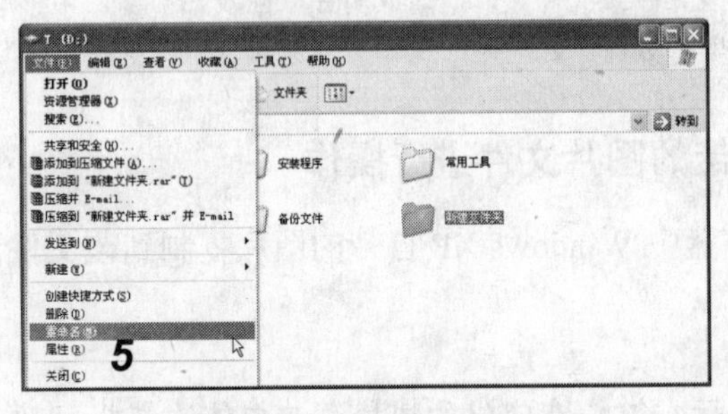

图 3-63　选择“重命名”命令

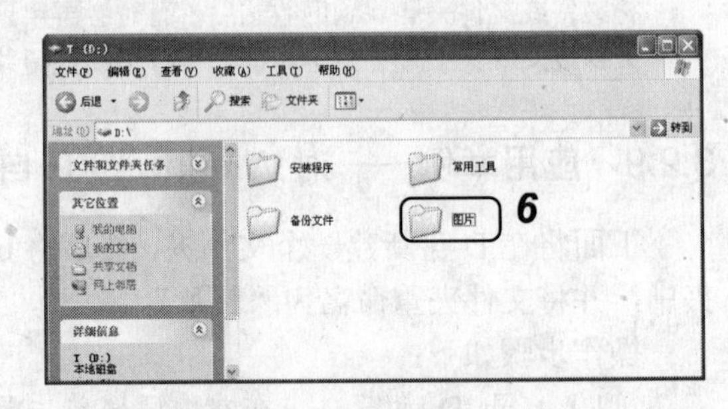

图 3-64　重命名文件夹

3.3　管理文件与文件夹

Windows XP 提供了许多管理文件与文件夹的功能，如搜索文件与文件夹、设置文件夹属性等，通过这些功能，用户可以更加轻松且有目的地对文件与文件夹进行管理操作。

3.3.1　搜索文件与文件夹

通常计算机中存储的文件与文件夹会很多，用户在需要使用某个文件或文件夹时，会很难找到。此时，可利用 Windows 提供的搜索文件或文件夹功能解决这一难题。

【例 3-13】　搜索名为“Water”的文件。

（1）打开“我的电脑”窗口，单击工具栏中的按钮，在窗口左侧打开“搜索助理”任务窗格，单击“所有文件和文件夹”超链接，如图 3-65 所示。

（2）在打开的任务窗格的“全部或部分文件名”文本框中输入“Water”，其他选项保持默认设置，然后单击按钮，如图 3-66 所示。

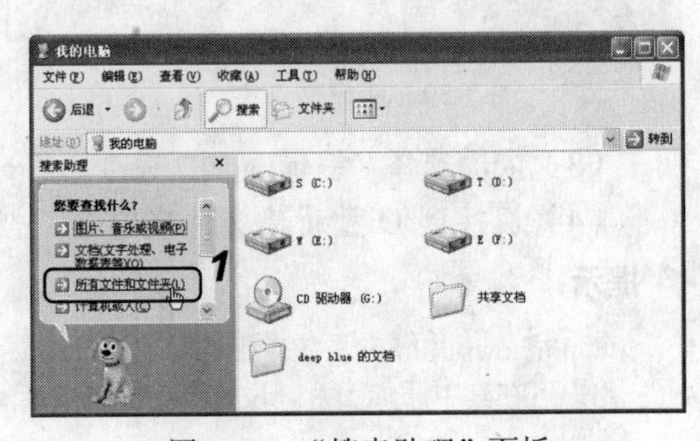

图 3-65　“搜索助理”面板

（3）系统开始搜索符合条件的文件与文件夹，并将搜索到的文件与文件夹显示在右侧的内容区中，如图 3-67 所示。单击“是的，已完成搜索”超链接即可完成搜索，双击右侧所需的文件或文件夹即可使用。

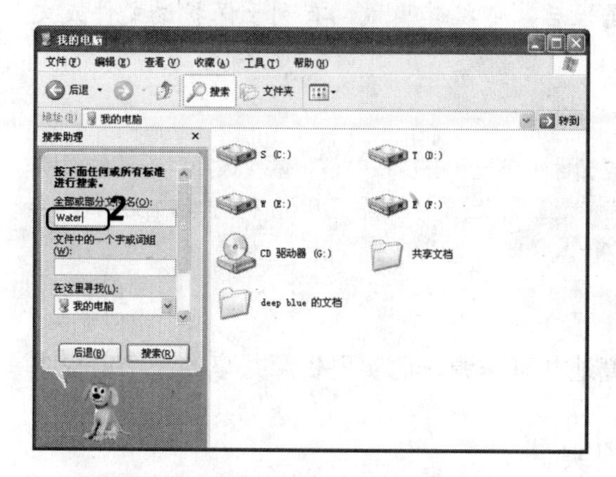

图 3-66　设置搜索条件

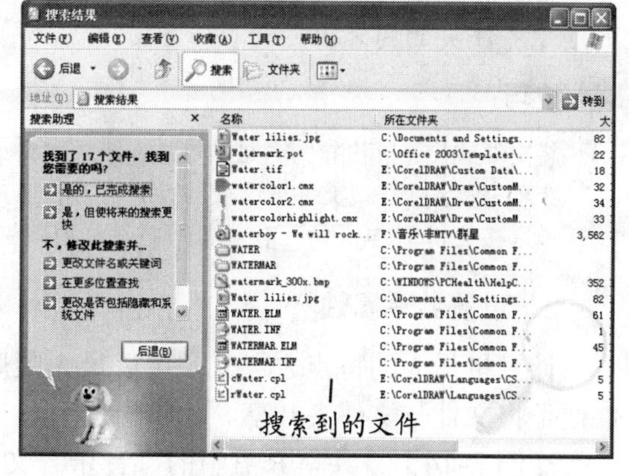

图 3-67　搜索结果

技巧：

在“搜索助理”面板的“全部或部分文件名”文本框中可只输入文件的扩展名，以专门搜索某一格式的文件，如“.jpg”等。在“在这里寻找”下拉列表框中可选择搜索的范围。

3.3.2　设置文件与文件夹属性

为文件或文件夹设置属性可有效保证其使用的安全性，其属性的设置包括常规属性和共享属性，下面将对它们分别进行讲解。

1. 设置常规属性

利用文件或文件夹的“属性”对话框的“常规”选项卡可对文件的常规属性进行设置，包括只读和隐藏两个选项，如图 3-68 所示。

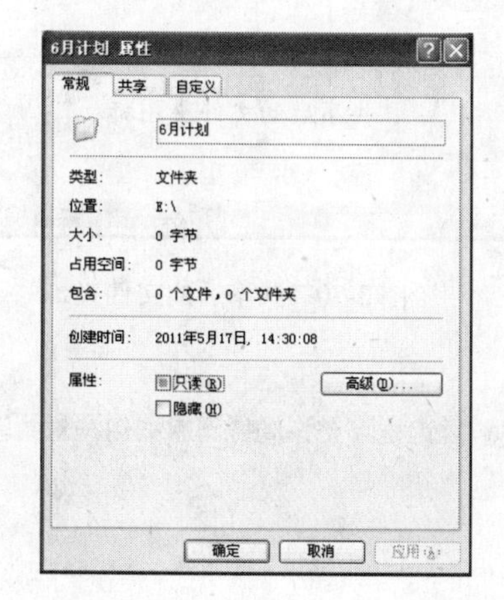

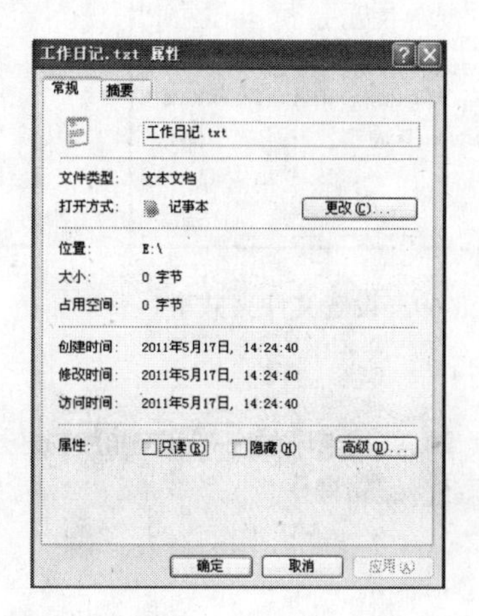

图 3-68　文件夹与文件的属性对话框

其主要功能介绍分别如下。

- **只读**：将文件或文件夹设置为只读属性后，用户在使用它时，只能读取其中的内容，而不能进行修改。
- **隐藏**：将文件或文件夹设置为隐藏属性后，可将其隐藏，有利于保护该文件或文件夹的内容。

技巧：

将文件或文件夹设置为隐藏属性后，若该文件或文件夹仍显示在窗口中，可依次选择“工具/文件夹选项”命令，打开“文件夹选项”对话框，选择其中的“查看”选项卡，然后选中◎不显示隐藏的文件和文件夹单选按钮，单击确定按钮即可将其从窗口中隐藏。

2. 设置共享属性

计算机最大的特点之一就是可以最大限度地共享资源，而实现资源共享的一个前提条件便是将文件与文件夹共享。

【例3-14】 共享F盘中的“音乐”文件夹。

（1）切换至“音乐”文件夹所在的窗口，并在该文件夹图标上单击鼠标右键，在弹出的快捷菜单中选择“属性”命令。

（2）打开“音乐 属性”对话框，选择“共享”选项卡，在“网络共享和安全”栏中选中☑在网络上共享这个文件夹(S)复选框；在“共享名”文本框中可输入该文件夹共享在局域网中的名称，这里保持默认设置。单击确定按钮，如图3-69所示。

（3）此时“音乐”文件夹图标由变为，表示该文件夹已被共享，如图3-70所示。

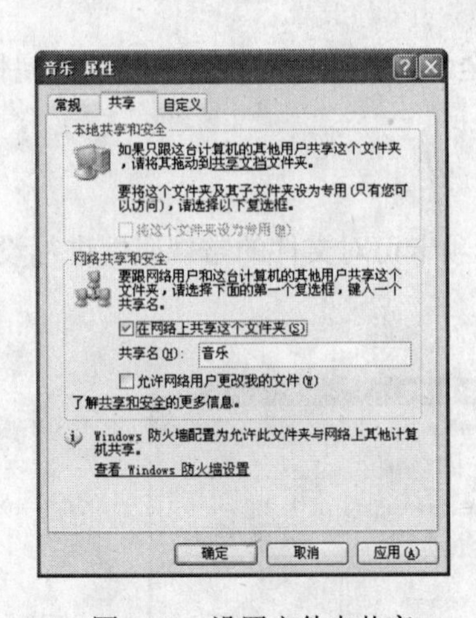

图3-69 设置文件夹共享

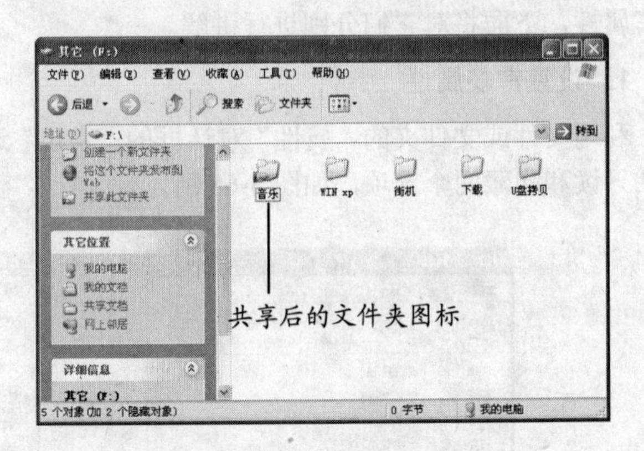

图3-70 共享后的文件夹

提示：

选中“共享”选项卡中的☑允许网络用户更改我的文件(W)复选框可允许局域网中的用户对共享的文件或文件夹进行各种编辑操作。

3.3.3　应用举例——搜索“音乐”文件夹并将其属性设置为“隐藏”

本例将练习利用 Windows XP 的搜索功能搜索 F 盘下的“音乐”文件夹，并将其属性设置为“隐藏”。

操作步骤如下：

（1）打开“我的电脑”窗口，单击工具栏中的 搜索 按钮，在窗口左侧打开“搜索助理”任务窗格，单击“所有文件和文件夹”超链接，即可对需要的文件进行查找。

（2）在“全部或部分文件名”文本框中输入“音乐”，在“在这里寻找”下拉列表框中选择“其他（F:）”选项，单击 搜索(R) 按钮，如图 3-71 所示。

（3）在“音乐”文件夹上单击鼠标右键，在弹出的快捷菜单中选择“属性”命令，如图 3-72 所示。

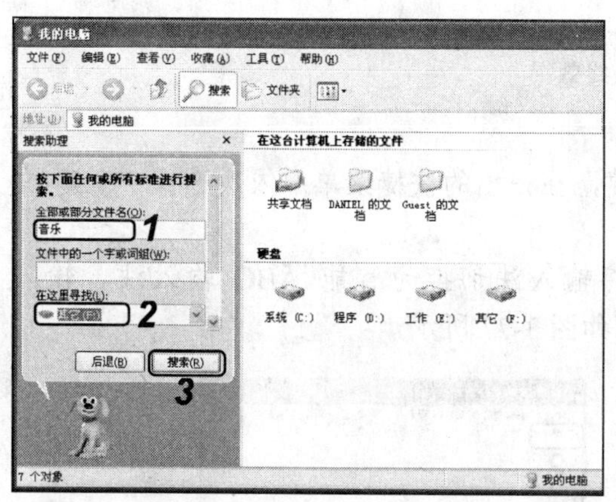

图 3-71　设置搜索条件

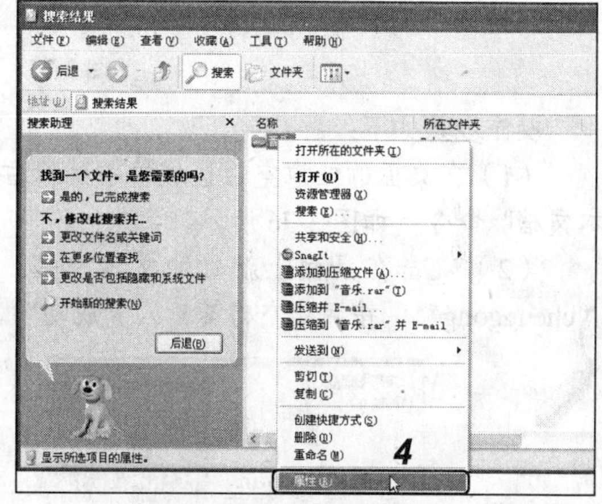

图 3-72　选择“属性”命令

（4）在打开的“音乐 属性”对话框中选中☑隐藏(H)复选框，然后单击 确定 按钮，如图 3-73 所示，打开“确认属性更改”对话框，选中⊙将更改应用于该文件夹、子文件夹和文件 单选按钮，单击 确定 按钮即可，如图 3-74 所示。

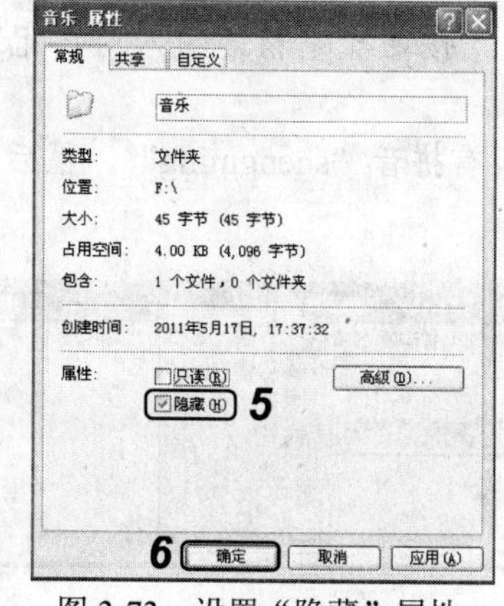

图 3-73　设置“隐藏”属性

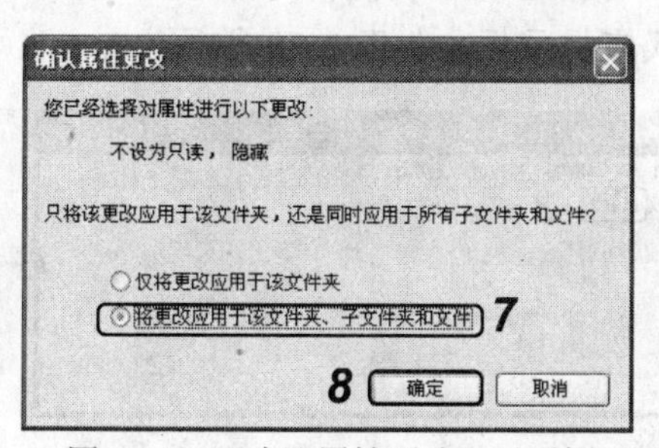

图 3-74　“确认属性更改”对话框

3.4 上机及项目实训

3.4.1 新建文本文件并输入文本

本次上机练习将使用智能 ABC 输入法在新建的文本文档中输入一段文本，效果如图 3-75 所示。通过本次练习可以掌握输入法的使用。

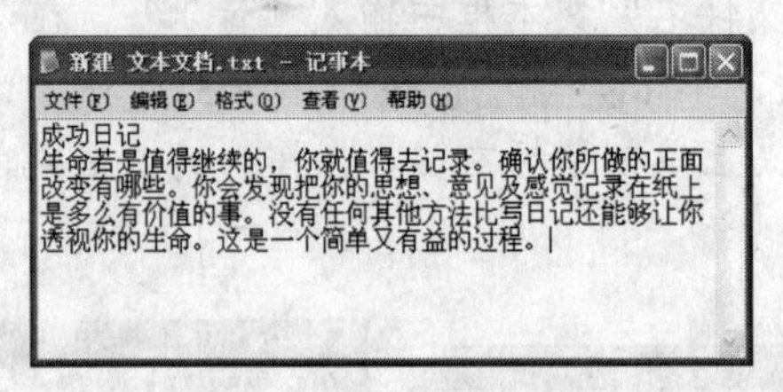

图 3-75　最终效果

操作步骤如下：

（1）在桌面的任意空白区域单击鼠标右键，在弹出的快捷菜单中依次选择“新建/文本文档”命令，如图 3-76 所示。

（2）双击在桌面上新建的文本文档，将输入法切换为智能 ABC 输入法，输入“chenggong”，按两次空格键输入“成功”，如图 3-77 所示。

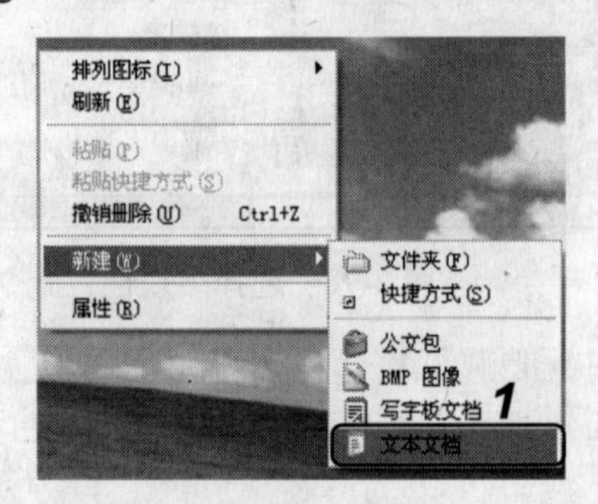

图 3-76　新建文本文件

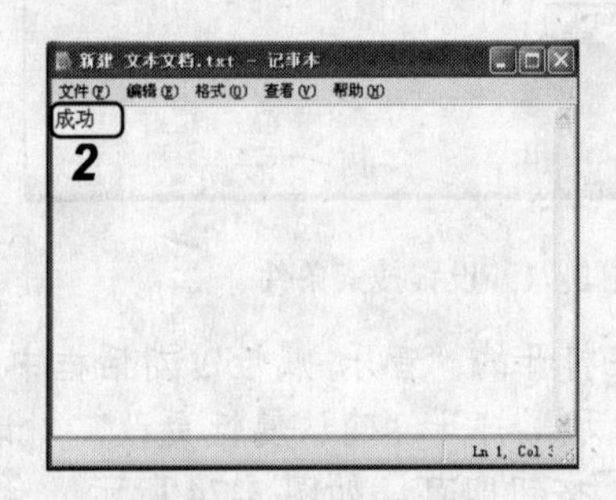

图 3-77　输入“成功”

（3）继续输入文本“日记”的混拼拼音“rji”，按两次空格键输入“日记”，如图 3-78 所示。

（4）按“Enter”键换行，输入“生命”一词的所有拼音“shengming”，然后按空格键出现汉字提示框，如图 3-79 所示。

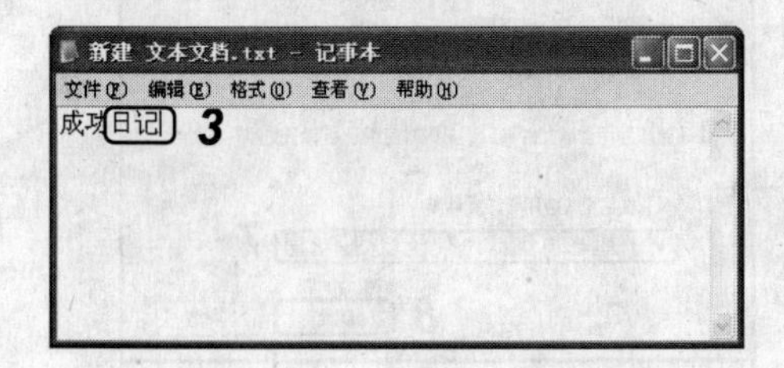

图 3-78　输入“日记”

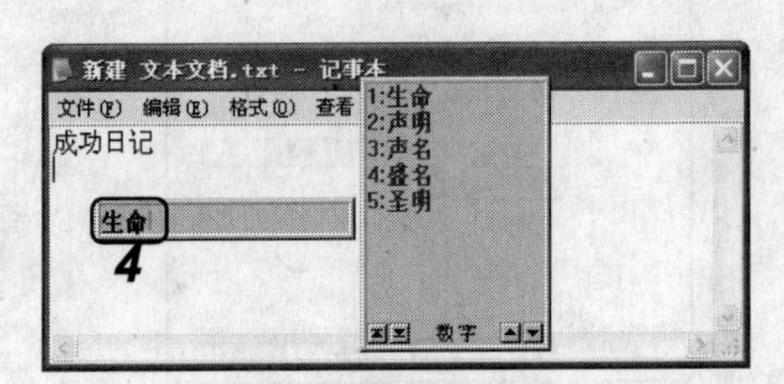

图 3-79　出现“生命”汉字提示框

（5）按数字键“1”输入“生命”，充分利用智能 ABC 输入法的简拼输入、全拼输入和混拼输入方式，输入其余的文本。

（6）依次选择“文件/保存”命令，将保存该文档，单击该窗口中的☒按钮关闭该文档。

3.4.2　移动文件并设置属性

完成文本输入后，将编辑的文本文件保存，并在 D 盘新建一个名为“重要信息”的文件夹，最后将桌面上的文本文件移动到该文件夹中。

本练习可结合立体化教学中的视频演示进行学习（立体化教学:\源文件\第 3 章\移动文件并设置属性.swf）。

主要操作步骤如下：

（1）打开“我的电脑”窗口，在 D 盘中新建一个名为“重要信息”的文件夹。

（2）选择桌面上的文本文件，将其移动到“重要信息”文件夹中，如图 3-80 所示。

（3）将“重要信息”文件夹隐藏，如图 3-81 所示为其具体设置。

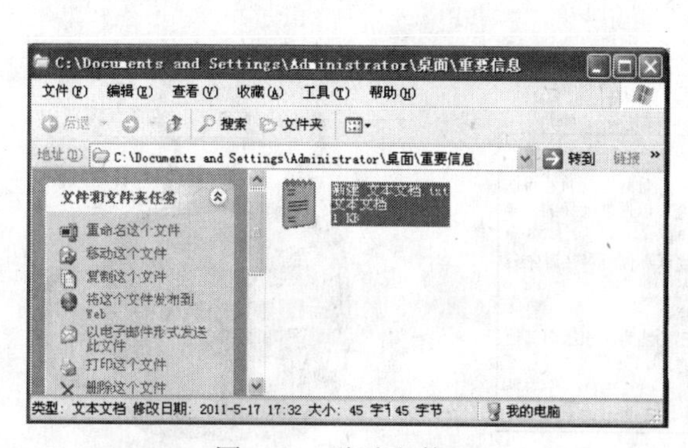

图 3-80　移动文件

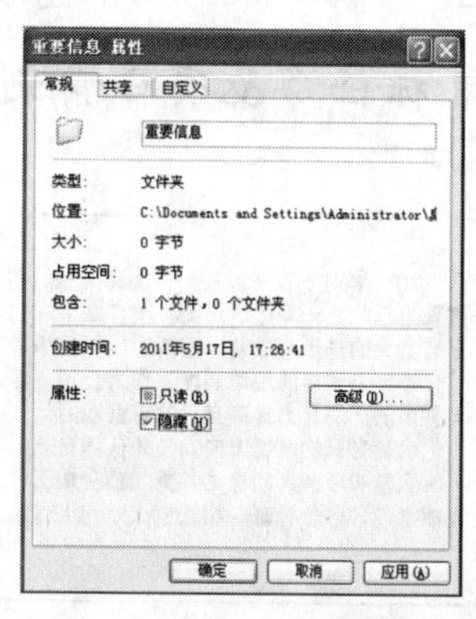

图 3-81　设置文件夹属性

3.5　练习与提高

（1）在系统中添加需要用到的输入法并删除不常用的输入法。

（2）在 D 盘创建一个文件夹，为其设置属性，将桌面上的文件夹移到其中。

（3）搜索计算机中的“.jpg”图片，并将搜索到的图片复制到新建的文件夹中，最后将该文件夹重命名为“图片”，并将其属性设置为“隐藏”。

本练习可结合立体化教学中的视频演示进行学习（立体化教学:\源文件\第 3 章\搜索图片并设置属性.swf）。

本章主要介绍了输入法和文件夹的应用操作，在学习的过程中应注意以下几点。

- 在添加输入法时如果系统中没有需要的输入法，需进行安装才能添加。
- 一些重要的数据文件可放在一个文件夹中，并将该文件夹隐藏。

第 4 章　Windows XP 常用附件的使用

学习目标

- ☑ 使用写字板制作工作计划
- ☑ 使用画图程序绘制咖啡杯
- ☑ 使用计算器程序计算数值
- ☑ 使用 Windows Media Player 听歌看电影
- ☑ 了解 Windows XP 游戏的玩法

目标任务&项目案例

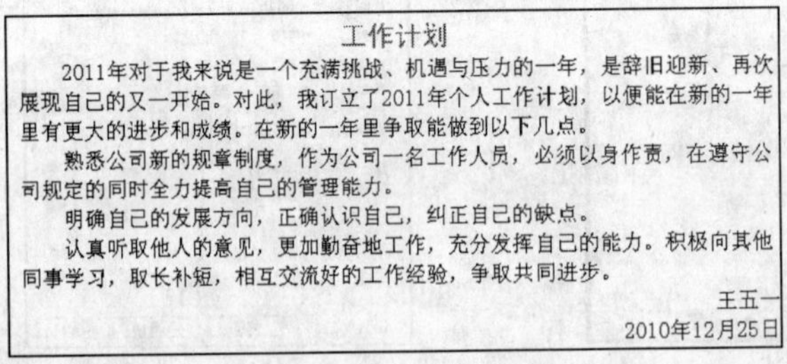

工作计划

2011年对于我来说是一个充满挑战、机遇与压力的一年，是辞旧迎新、再次展现自己的又一开始。对此，我订立了2011年个人工作计划，以便能在新的一年里有更大的进步和成绩。在新的一年里争取能做到以下几点。

熟悉公司新的规章制度，作为公司一名工作人员，必须以身作责，在遵守公司规定的同时全力提高自己的管理能力。

明确自己的发展方向，正确认识自己，纠正自己的缺点。

认真听取他人的意见，更加勤奋地工作，充分发挥自己的能力。积极向其他同事学习，取长补短，相互交流好的工作经验，争取共同进步。

王五一

2010年12月25日

制作工作计划

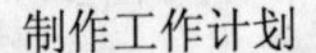

绘制咖啡杯

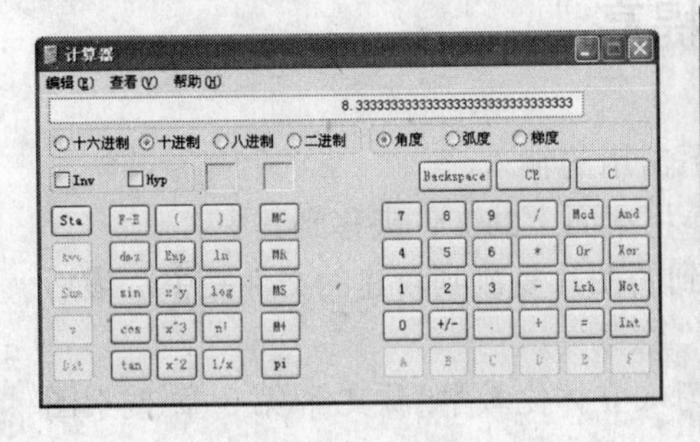

计算数值

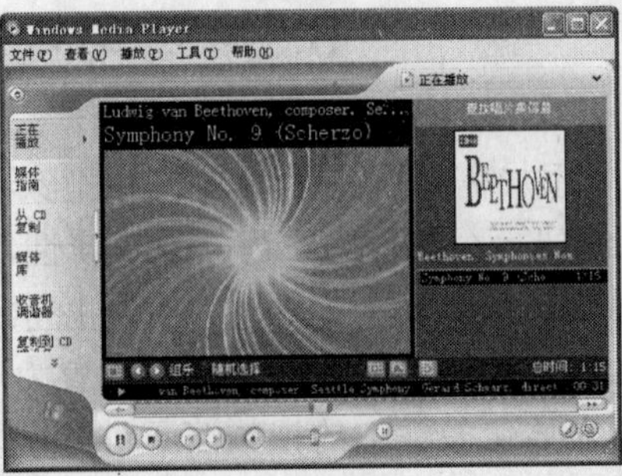

欣赏视频

玩游戏

通过上述实例效果的展示可以发现：Windows XP 有多方面的功能，不仅可为学习和工作服务，还可以进行休闲娱乐。本章将具体讲解 Windows 附件的使用，主要包括写字板程序、画图程序、计算器程序、Windows Media Player 多媒体播放程序和游戏程序等。

4.1　使用写字板

在学习打字时，我们已接触了 Windows XP 自带的记事本程序，除此之外，Windows XP 还有另一款文字处理程序——写字板。它不仅可以像记事本一样输入文字，还可以进行文字的设置等，编辑能力更强。

4.1.1　认识写字板工作界面

依次选择“开始/所有程序/附件/写字板”命令，即可启动“写字板”程序，其工作界面如图 4-1 所示。其操作界面与一般的窗口结构相似，主要由标题栏、菜单栏、工具栏、标尺、文本编辑区和状态栏等几部分组成。

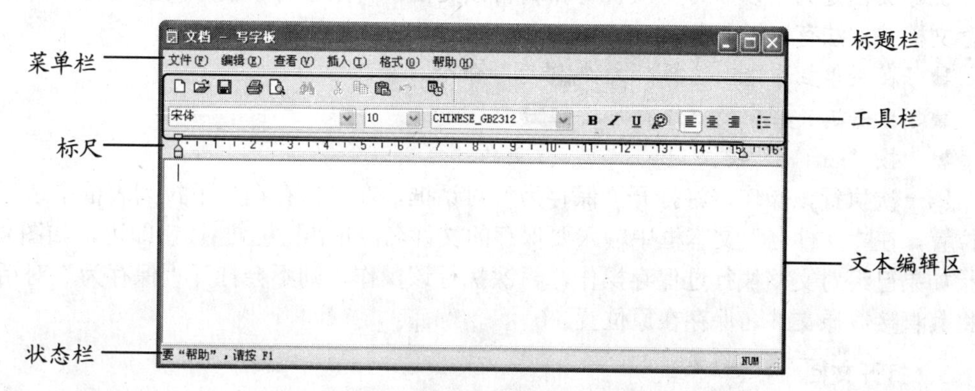

图 4-1　“写字板”的工作界面

“写字板”的工作界面与一般窗口相比，有一定相似之处，其中标题栏、菜单栏、状态栏的功能与一般窗口完全一样，其余各部分各有独特的作用，分别介绍如下。

- **工具栏**：工具栏由“常用”工具栏和“格式”工具栏组成，“常用”工具栏即第一排工具栏，它提供了文档操作及复制、打印等常用功能按钮；第二排“格式”工具栏，它提供了文本编辑时常用的字体样式和段落对齐等功能按钮。
- **标尺**：标尺位于工具栏的下方，一般用于段落格式设置，如设置段落首行缩进、左缩进、右缩进等，拖动标尺上的各个图标即可完成。
- **文本编辑区**：文本编辑区位于标尺的下方，用于输入和编辑文字，默认左上角有一个闪烁的竖线|，该竖线叫文本插入点，它表示输入文字的位置。

4.1.2　文档基本操作

在写字板中输入的文本内容，在计算机磁盘中以文档的形式存在。下面将介绍文档的基本操作，即新建、保存、打开，这些是操作写字板的第一步。

1. 新建文档

启动“写字板”程序后，系统将自动新建一个空白文档。如需在“写字板”的工作界面中再次新建文档，方法有以下几种。

- 在菜单栏中依次选择“文件/新建”命令。
- 单击工具栏中的“新建”按钮。
- 按“Ctrl+N”键。

执行以上操作都将打开“新建”对话框，保持默认选项，即选择“RTF 文档”选项，单击确定按钮，将自动创建一个相应类型的空白文档，如图4-2所示。

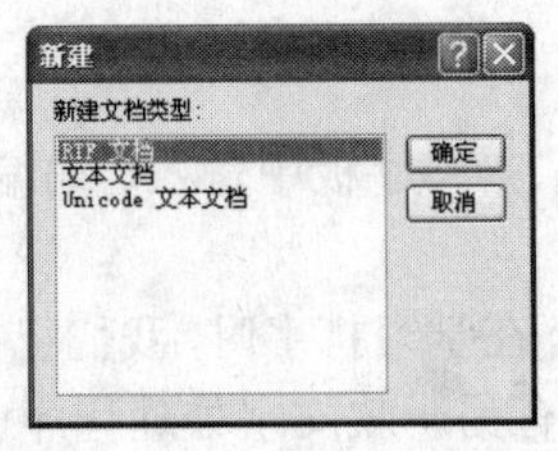

图4-2 “新建”对话框

提示：

在执行新建文档操作后，如果当前的文档没有保存，将提示保存文档。如果当前的文档已保存或没有任何内容，将不作任何提示，直接新建一个文档。

2．保存文档

保存文档是为了以后可再次查看和编辑该文档，否则在写字板中的操作将不再存在，保存文档的方法有以下几种。

- 在菜单栏中依次选择“文件/保存”命令。
- 单击工具栏中的“保存”按钮。
- 按“Ctrl+S”键。

第一次执行该操作，将打开“保存为”对话框，在“保存在”下拉列表框中选择保存的位置，在“文件名”文本框中输入要保存的文件名，单击保存(S)按钮即可，如图4-3所示。如果已经对文档执行过保存操作，再次执行该操作，则不会打开“保存为”对话框，而将其直接以原文件名保存在原位置。

3．打开文档

打开文档即在“写字板”工作界面中打开已保存在计算机磁盘中的写字板文档，以进行查看或编辑，打开文档的方法有以下几种。

- 依次选择“文件/打开”命令。
- 单击工具栏中的“打开”按钮。
- 按“Ctrl+O”键。

执行以上操作都将打开“打开”对话框，在“查找范围”下拉列表框中选择文档存放的位置，在下面的列表框中选择要打开的文档，单击打开(O)按钮即可，如图4-4所示。此时将打开该文档并在写字板的文本编辑区中显示。

图4-3 “保存为”对话框

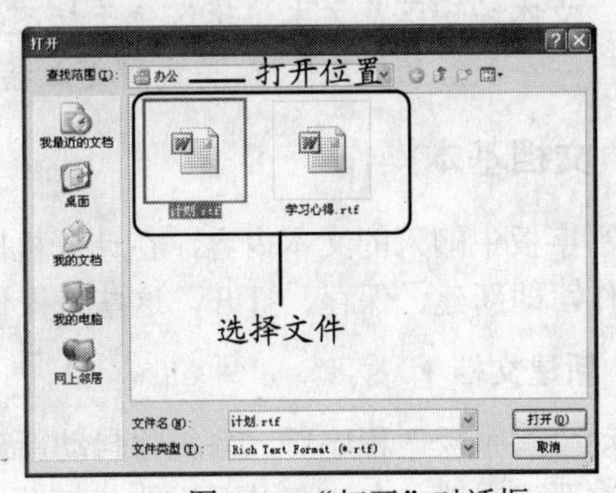

图4-4 “打开”对话框

4.1.3　输入与编辑文本

在写字板中输入、编编文本与传统纸张相比，操作更简单，而且不会留下修改的痕迹。只要在纸张中可以实现的文本操作，在写字板中都可以实现，下面将讲解常用的输入与编辑操作。

1．输入文本

写字板默认将文本插入点定位在文本编辑区第 1 行的第 1 个汉字位置，输入文字后文本插入点自动向右移动，当输入的文本超过当前写字板窗口的右边界时，系统将文本插入点自动移动到下一行行首，如图 4-5 所示。如需输入多段文本时，可在输入完一段后，按“Enter”键手动换行，文本插入点将移动到下一行行首，如图 4-6 所示。

文档 - 写字板
文件(F)　编辑(E)　查看(V)　插入(I)　格式(O)　帮助(H)
宋体
10
CHINESE_GB2312
过去贵州（黔）这个地方没有驴。有个多事的人用船运来了一头驴，运来后
却
自动换行
要“帮助”，请按 F1
NUM

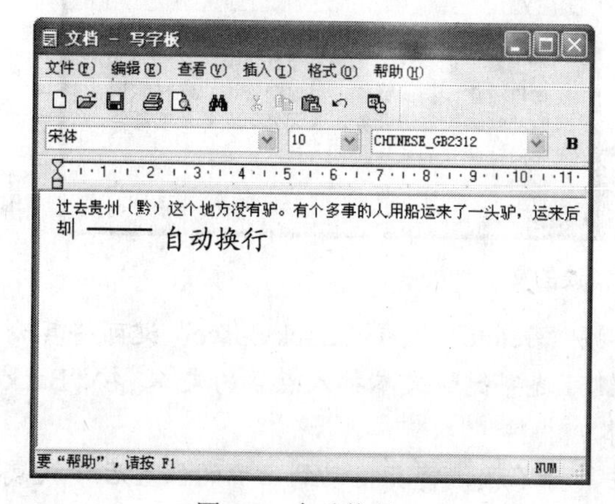

图 4-5　自动换行

文档 - 写字板
文件(F)　编辑(E)　查看(V)　插入(I)　格式(O)　帮助(H)
宋体
10
CHINESE_GB2312
过去贵州（黔）这个地方没有驴。有个多事的人用船运来了一头驴，运来后
却没有什么用处，就把驴放到山脚下。
分段
要“帮助”，请按 F1
NUM

图 4-6　分段

技巧：

除了输入文字型文本外，还可以在写字板中输入任意数字、英文字母和标点符号点。如需输入键盘中没有的标点符号，可切换到中文输入法状态，按“Shift+-”键可输入破折号“——”，按“Shift+6”键可输入省略号“……”，按“Shift+,”键和“Shift+.”键可分别输入书名号“《”和“》”。

2．编辑文本

在输入文本的过程中或输入文本后，如发现有输入错误、位置不对、多输或少输内容，可对文本进行编辑，由于需编辑的内容不一样，编辑方法也有所差异，分别如下。

- **选择文本**：选择文本是编辑及设置文本的前提，它表示向计算机下达命令，对这些选择的文本内容进行操作，而不是其他内容。选择文本的方法是将鼠标光标移动到要选择的文本前面，然后单击鼠标将文本插入点定位于此处，再按住鼠标左键不放，直到拖到需要的最后一个文字释放鼠标。
- **添加漏输的文本**：将鼠标光标移动到漏输的文本处单击，将光标插入点移动到此，切换到所需的输入法后输入遗漏的文本即可，此时光标插入点自动向右移动，如图 4-7 所示。

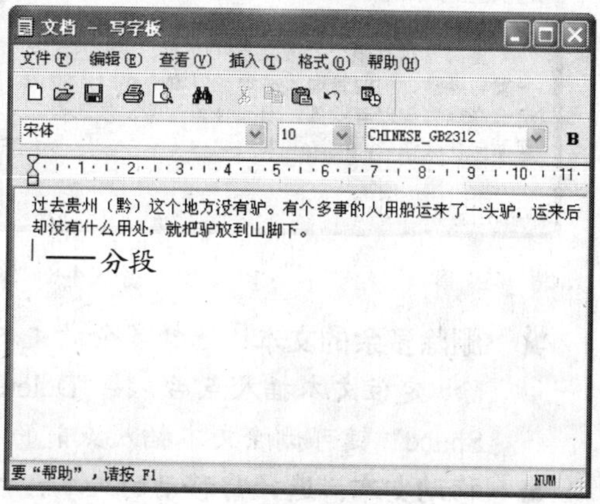

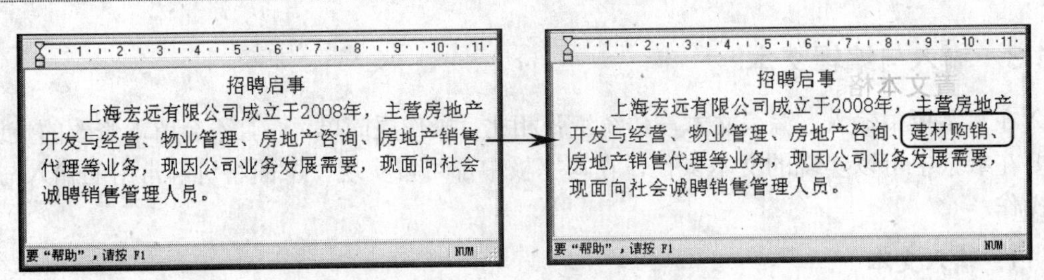

图 4-7　添加文本

- **修改错误的文本**：选择错误的文本，然后切换到所需的输入法输入正确的文本即可，如图 4-8 所示。

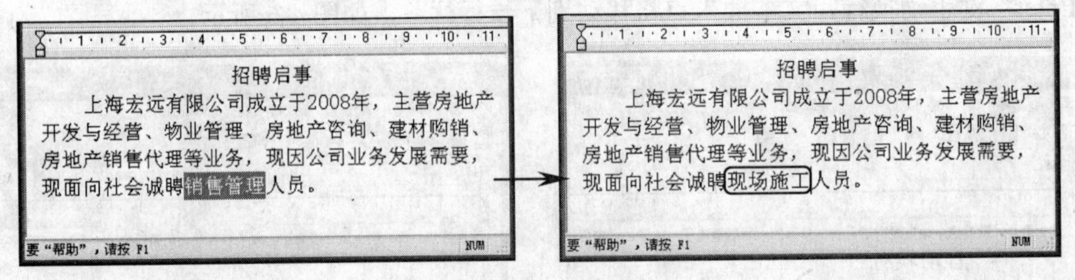

图 4-8　修改错误的文本

- **删除多余的文本**：选择多余的文本，按"Delete"键或"Back Space"键可将其删除；定位文本插入点后，按"Delete"键可逐字删除文本插入点后的文本，按"Back Space"键可删除文本插入点前的文本。
- **移动文本**：选择需移动的文本，按住鼠标不放，将其拖动到正确的位置后释放鼠标；或选择需移动的文本后，按"Ctrl+X"键，再将文本插入点定位到目标位置，按"Ctrl+V"键。
- **复制文本**：在拖动鼠标移动文本的同时按住"Ctrl"键，可将选择的文本复制到目标位置；复制文本也可使用快捷键，即"Ctrl+C"键。

提示：

移动文本与复制文本同移动文件与复制文件之间有类似之处，其实在操作计算机的过程中，有一些操作是通用的，如文本的移动和复制、文本的选择、文档的新建和保存等。

- **替换文本**：如果当前文档中有多处文本出现相同的错误，可依次选择"编辑/替换"命令，打开"替换"对话框，在"查找内容"和"替换为"文本框中分别输入需要的文本，单击 全部替换(A) 按钮，可将文本一次性快速替换，如图 4-9 所示。

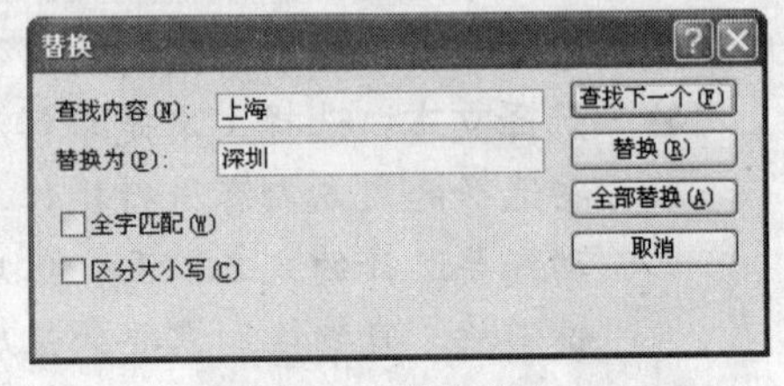

图 4-9　替换文本

4.1.4　设置文本和段落格式

在写字板中还可以对输入的文本进行字体、大小和段落等设置，从而突出文档的重点，

更加符合人们的阅读习惯。

1. 设置文本格式

文本格式是指文本的字体、字号、颜色、加粗、倾斜和下划线等外观样式，一般通过“格式”工具栏中相应选项即可实现，如图 4-10 所示。

图 4-10　“格式”工具栏的文本设置选项

【例 4-1】　设置“感谢信”文档标题的字体、字号和颜色，设置正文的字号，为部分文字添加下划线，最终效果如图 4-11 所示（立体化教学:\源文件\第 4 章\感谢信.rtf）。

（1）打开“感谢信”文档（立体化教学:\实例素材\第 4 章\感谢信.rtf），选择标题文本，在“字体”下拉列表框中选择所需的样式，这里选择“黑体”选项，在“字号”下拉列表框中选择文字的大小，这里选择“16”选项，单击按钮，在弹出的列表中选择文字的颜色，这里选择“红色”选项，如图 4-12 所示。

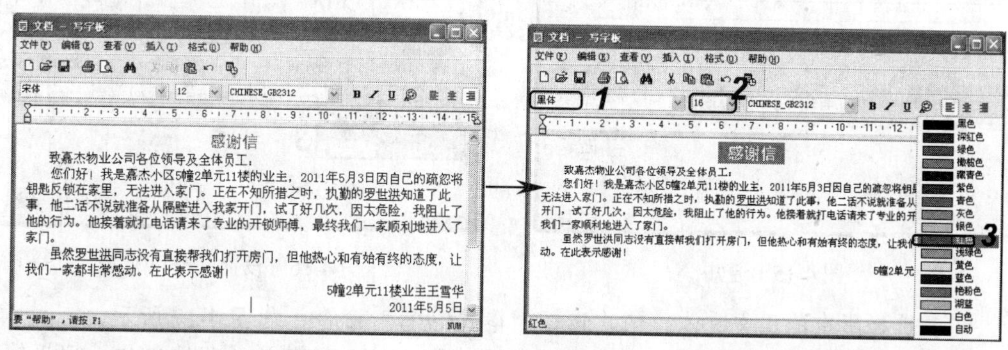

图 4-11　感谢信　　图 4-12　设置标题

（2）选择其余文字，使用相同方法，在“字号”下拉列表框中选择“12”选项，如图 4-13 所示。

（3）选择表扬信中的人名“罗世洪”，单击格式工具栏中的“下划线”按钮**U**，为其添加下划线，如图 4-14 所示。

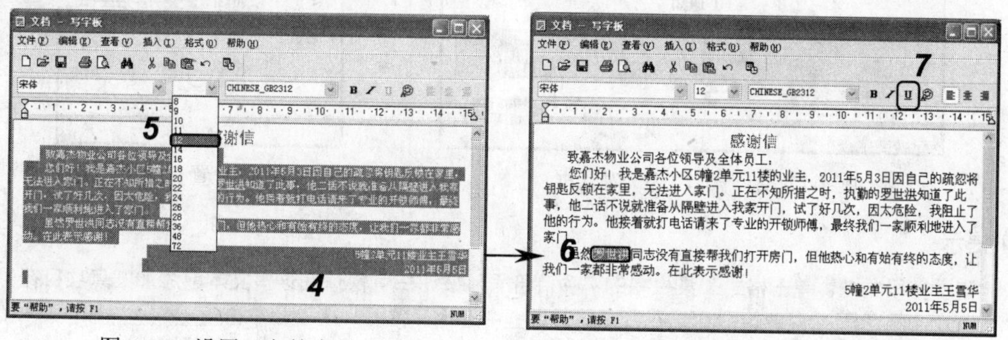

图 4-13　设置正文的字号　　图 4-14　添加下划线

技巧：

选择文本后，依次选择“格式/字体”命令，在打开的对话框中也可进行字体、字号、颜色等设置。

2．设置段落格式

段落格式主要指段落文本的对齐方式和缩进方式，如左对齐、居中对齐、右对齐、首行缩进固定距离等。一般设置段落格式的对齐方式通过格式工具栏，设置首行缩进固定距离通过“段落”对话框。

【例 4-2】　通过格式工具栏设置“通知”文档标题为居中对齐、落款为右对齐，通过“段落”对话框设置正文文本首行缩进两个汉字距离，最终效果如图 4-15 所示（立体化教学:\源文件\第 4 章\通知.rtf）。

（1）打开“通知”文档（立体化教学:\实例素材\第 4 章\通知.rtf），选择标题文本，单击“格式”工具栏的“居中”按钮。

（2）选择最后两排的落款文本，单击“格式”工具栏的“右对齐”按钮，使其右对齐，如图 4-16 所示。

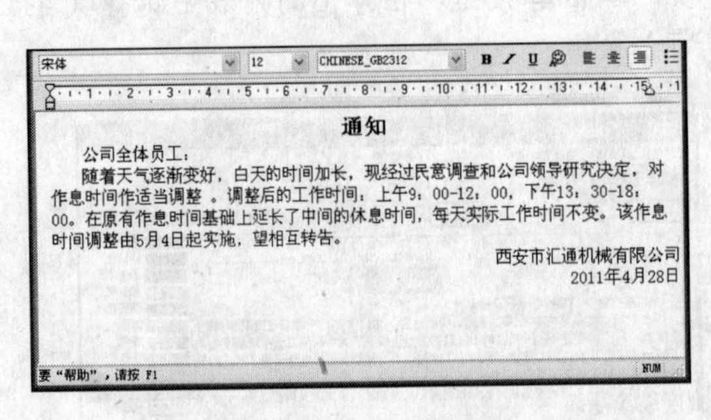

图 4-15　通知

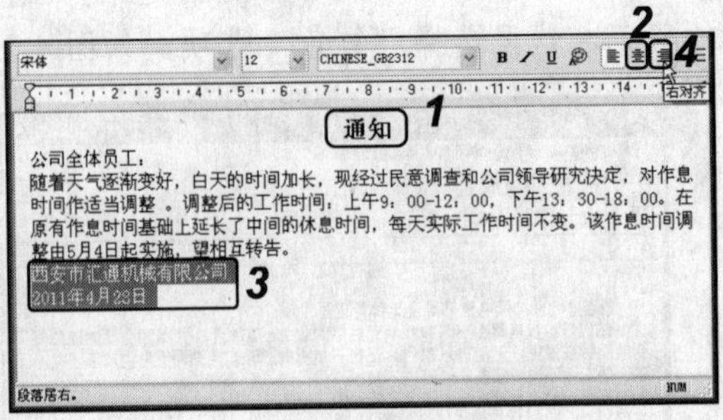

图 4-16　设置标题和落款

（3）选择所有的正文文本，依次选择“格式/段落”命令，如图 4-17 所示。

（4）打开“段落”对话框，在“首行”文本框中输入段落的首行缩进值，这里输入“0.8cm”，单击 确定 按钮，如图 4-18 所示。

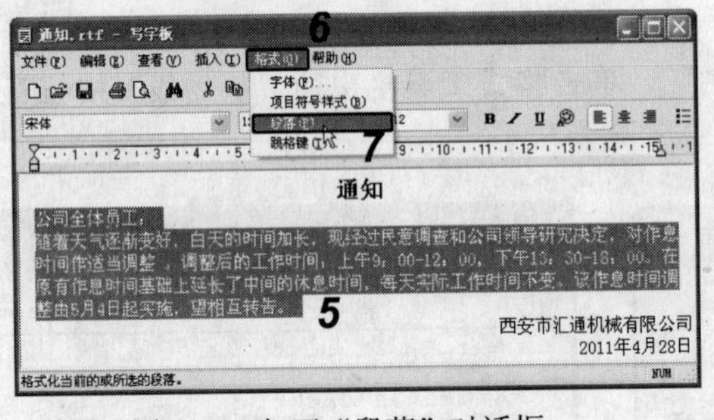

图 4-17　打开“段落”对话框

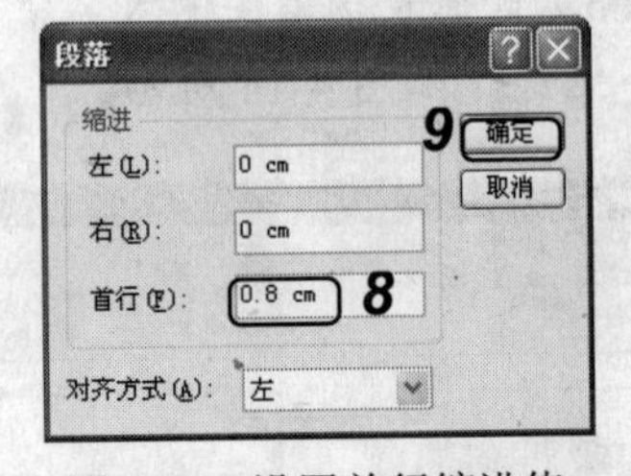

图 4-18　设置首行缩进值

提示：

选择多段文本，单击格式工具栏中的“项目符号”按钮☰可快速在这些文本前添加圆点项目符号。依次选择“插入/对象”命令，在打开的对话框中选择“位图”选项，单击 确定 按钮，可在写字板窗口中打开画图程序，然后绘制一个图形插入写字板中，从而达到美化文档的目的。

4.1.5　应用举例——制作“工作计划”文档

本例将综合应用写字板的知识制作一份工作计划，主要练习文本的输入和设置等知识，最终效果如图 4-19 所示（立体化教学:\源文件\第 4 章\工作计划.rtf）。

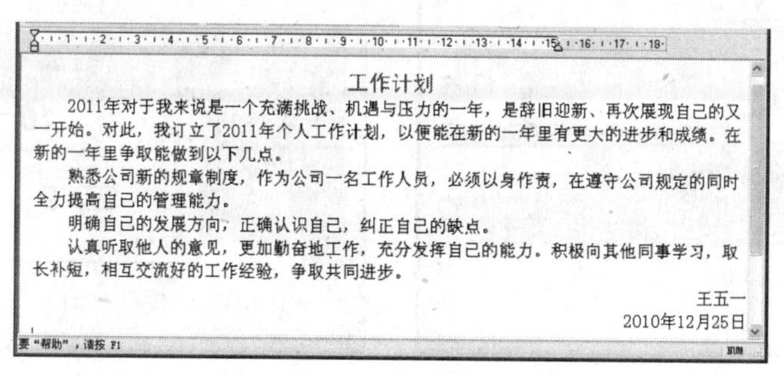

图 4-19　最终效果

操作步骤如下：

（1）依次选择“开始/所有程序/附件/写字板”命令，启动写字板程序。

（2）文本插入点自动定位在文档第 1 行的第 1 个汉字位置，切换到所需的汉字输入法，输入文本“工作计划”。

（3）按“Enter”键分段，文档插入点自动定位到第二行行首，依次输入工作计划的内容，当输入的文本到达文本编辑区最右侧时，将自动切换到下一行，继续输入第二段的其他文本。

（4）按照类似方法，依次输入其余的文本，注意在输入文本时每段段前无需按空格键进行首行缩进，直接按“Enter”键分段再输入即可，效果如图 4-20 所示。

（5）选择文档首行的“工作计划”文本，在“格式”工具栏的字体下拉列表框中选择“黑体”选项，在字号下拉列表框中选择“18”选项，单击按钮使文本居中对齐。

（6）单击按钮，在弹出的下拉列表中选择“红色”选项，将文本设置为红色，如图 4-21 所示。

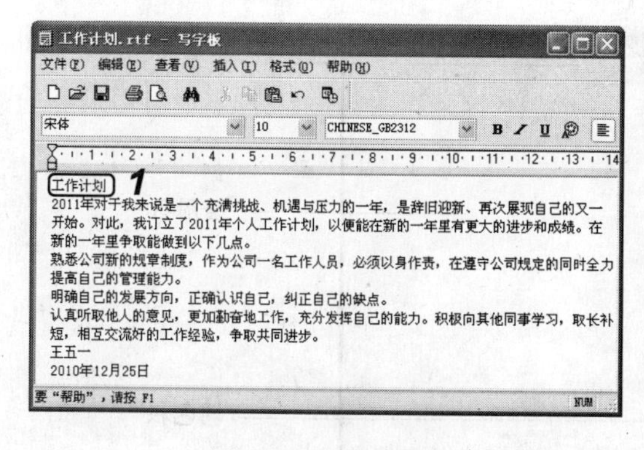

图 4-20　输入文本

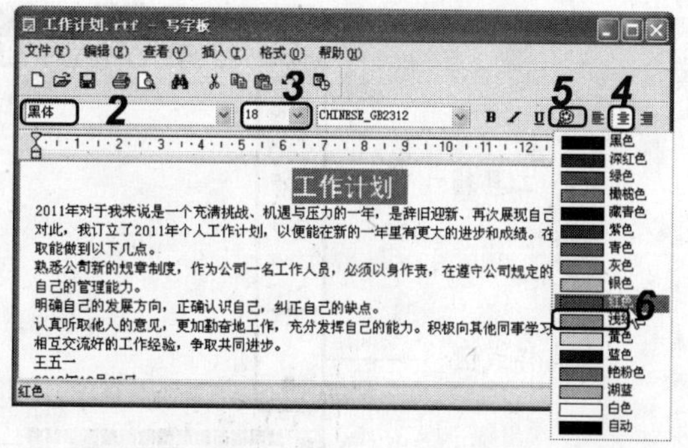

图 4-21　设置标题文本

（7）拖动鼠标选择除标题外的其他文本，在字号下拉列表框中选择“14”选项，设置文本的字号，如图 4-22 所示。

（8）选择正文文本，依次选择“格式/段落”命令，打开“段落”对话框，在“缩进”栏的“首行”文本框中输入“1cm”，单击确定按钮，完成首行缩进操作，如图4-23所示。

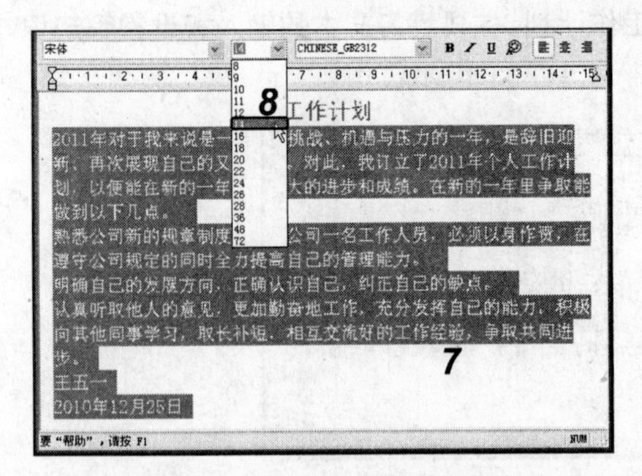

图4-22　设置除标题外的文本字号

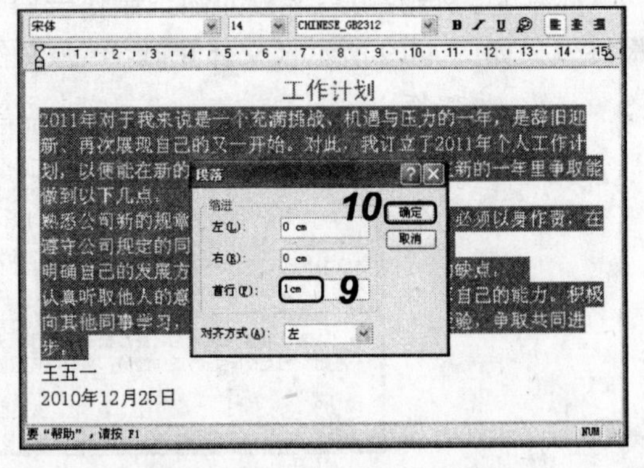

图4-23　设置正文首行缩进

（9）选择两行落款文本，单击“格式”工具栏中的按钮使落款右对齐。

（10）单击“常用”工具栏中的“保存”按钮，打开“另存为”对话框，在“保存在”下拉列表框中选择E盘，在“文件名”文本框中输入“工作计划”，单击保存(S)按钮。

4.2　画图程序的使用

画图程序是Windows XP自带的画图工具，它的功能虽不如专业的绘图软件强大，但可作为入门绘图软件的基础。

4.2.1　认识画图程序

画图程序也存放在“附件”中，依次选择“开始/所有程序/附件/画图”命令，即可启动画图程序，并打开其工作界面，如图4-24所示。

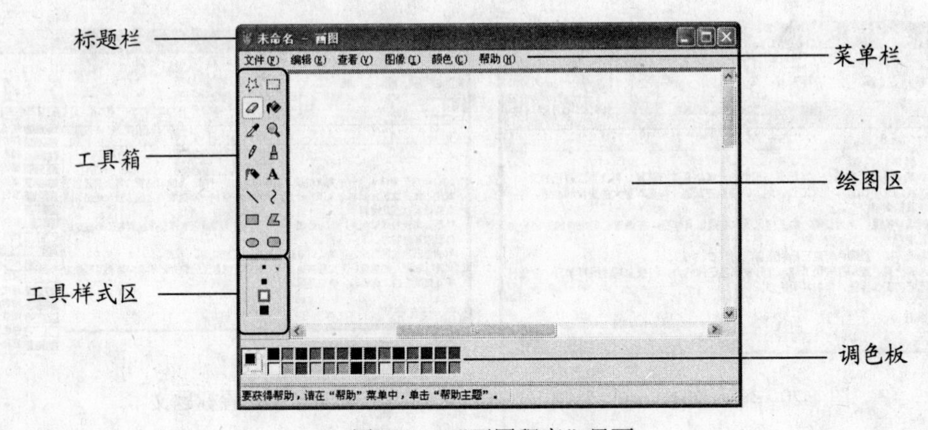

图4-24　“画图程序”界面

画图程序的工作界面中间最大的区域是主要的绘图操作区域，与写字板相比其左侧多了工具箱和工具样式区，下方多了调色板，这几个部分的作用介绍分别如下。

- **工具箱**：是绘图的工具存放区域，将鼠标光标移到某一工具上，下面将显示该工具的名称，通过名称可大致知道它的主要功能，单击工具即可在绘图区中进行相应操作。
- **工具样式区**：当选择某些工具后，工具样式区中还会提供该工具的不同大小或形状的“笔触”供用户选择，从而绘制出多样的图像效果。
- **调色板**：是绘图时选择颜色的区域，由前景色、背景色和颜料盒 3 部分组成，如图 4-25 所示。前景色是将要绘制的图形颜色；背景色是画纸的颜色；颜料盒用于在绘制图形和编辑图形的过程中选择需要的颜色。在颜料盒的颜色块中单击鼠标可将该颜色设置为前景色，单击鼠标右键可将其设置为背景色。

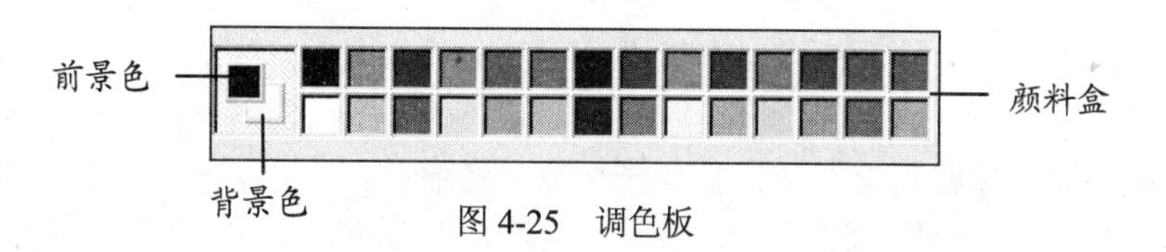

图 4-25　调色板

4.2.2　操作画图文件

启动画图程序后即可在绘图区中绘制图形了，然后可对绘制的图形进行保存和打开等操作，这些操作与写字板等程序一样，可以通过“文件”菜单来完成，其操作方法如下。

- **新建画图文件**：依次选择“文件/新建”命令，可新建一个没有内容的空白画图窗口，如果在执行该命令时，已在当前画图窗口中执行了一些操作，将弹出一个对话框提示是否保存该文档。
- **保存画图文件**：依次选择“文件/保存”命令或“文件/另存为”命令，打开“保存为”对话框，在“保存在”下拉列表框中选择保存位置，在“文件名”文本框中输入文件名称，单击 保存(S) 按钮，如图 4-26 所示。
- **打开画图文件**：依次选择“文件/打开”命令，打开“打开”对话框，选择文件的位置并选择打开的文件后，单击 打开(O) 按钮，如图 4-27 所示。

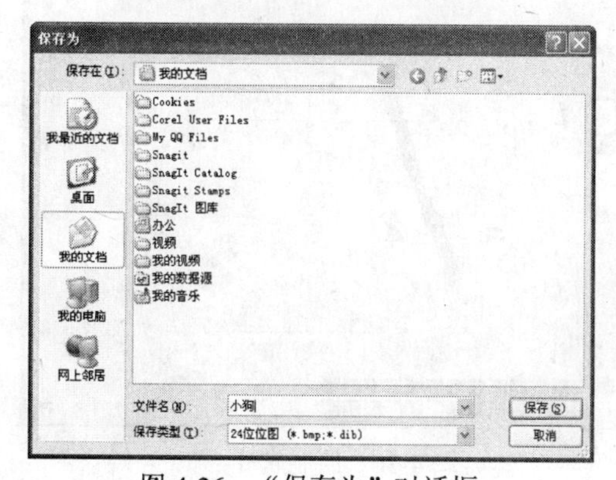

图 4-26　“保存为”对话框

图 4-27　“打开”对话框

4.2.3 使用工具箱

工具箱中提供了大量画图时所需的工具，每种工具的作用不同，总体说来有图形绘制、图形编辑和辅助工具等几类。

1. 图形绘制工具

工具箱中有大量的工具用于绘制图形，不同的工具特点也不一样，绘制的图形效果也不相同，组合多种绘制工具可完成复杂图像的绘制。

1）铅笔工具

铅笔工具可绘制任意形状的图形，类似现实生活中在纸上绘画的笔。

【例 4-3】 使用铅笔工具绘制如图 4-28 所示的花朵图形。

（1）选择铅笔工具，再在调色板中单击花朵的颜色图标，即红色图标。

（2）将鼠标光标移到绘图区，鼠标光标变为形状，按住鼠标不放拖动鼠标绘制圆形，即花朵的花蕊，然后松开鼠标，在花蕊四周拖动鼠标绘制花瓣形状。

（3）在调色板中单击黄色图标，再沿前面绘制的轨迹拖动鼠标，使花朵层次更加丰富。

图 4-28 花朵

2）刷子工具

刷子工具也可用于绘制图形，只是它的笔迹比铅笔工具更粗，并且可选择不同的笔触样式。

【例 4-4】 使用刷子工具绘制如图 4-29 所示的彩旗图形。

（1）选择刷子工具，在工具样式区中选择第二排的第一种笔触，再在调色板中单击黑色图标，准备绘制旗杆。

（2）将鼠标光标移到绘图区中央，鼠标光标变为形状，按住鼠标左键不放向左下方拖动鼠标绘制旗杆，然后松开鼠标，如图 4-30 所示。

图 4-29 彩旗

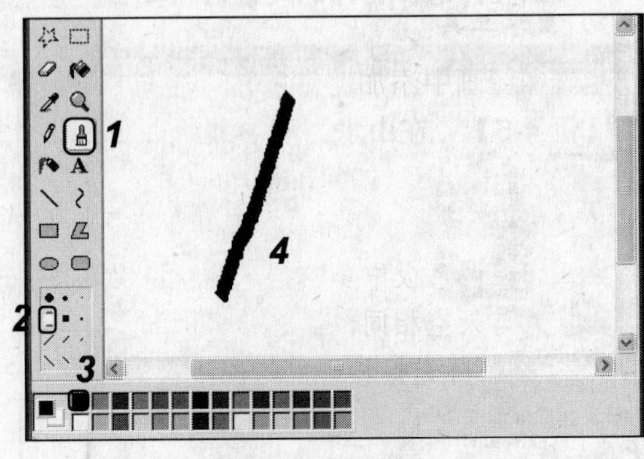

图 4-30 绘制旗杆

（3）在调色板中单击红色图标，在工具样式区中选择第四排的第一种笔触，按住鼠标不放，绘制旗面。

（4）使用相同方法，选择黄色图标，绘制彩旗的装饰图案。

3）喷枪工具

使用喷枪可绘制出类似喷雾剂的效果，喷枪工具一般与其他绘图工具一起完成图形的绘制。

【例 4-5】　使用喷枪工具完善山水图形，最终效果如图 4-31 所示（立体化教学:\源文件\第 4 章\山水.bmp）。

（1）打开“山水.bmp”（立体化教学:\实例素材\第 4 章\山水.bmp）图形，单击喷枪工具，在工具样式区中选择第 3 种笔触，再在调色板中单击绿色图标。

（2）将鼠标光标移到绘图区中央，鼠标光标变为形状，按住鼠标左键不放拖动鼠标，围绕山的轮廓进行拖动，完成山的喷绘，如图 4-32 所示。

图 4-31　山水效果

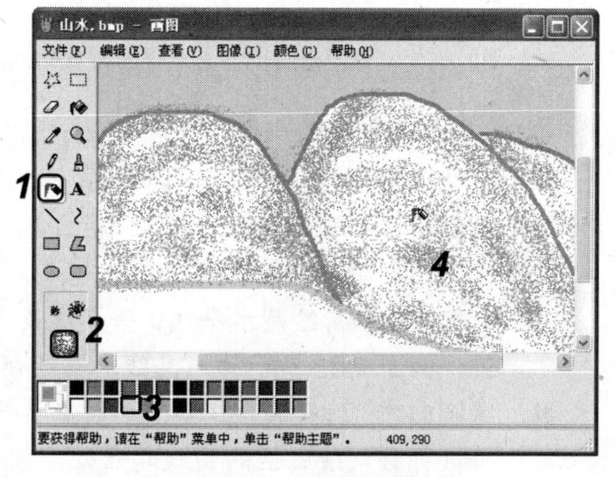

图 4-32　对山进行喷绘

（3）使用相同的方法选择红色、黄色、紫色等颜色，并使用不同的笔触，在河流两旁单击，喷绘出花朵效果。

（4）选择浅蓝色，在河流中拖动鼠标绘制出河流效果。

（5）选择白色，在天空中拖动鼠标绘制出白云效果。

4）文字工具

用于在图画中添加文字，并可对文字进行各种格式设置。

【例 4-6】　在山水图形中添加文字“祖国山水”，最终效果如图 4-33 所示（立体化教学:\源文件\第 4 章\文字.bmp）。

（1）打开“山水 1.bmp”图形（立体化教学:\实例素材\第 4 章\山水 1.bmp）。选择文字工具A，在调色板中单击黑色图标，设置文字的颜色为黑色，用鼠标右键单击蓝色图标，设置背景为与天空相同的蓝色。

（2）将鼠标光标移到图片中需输入文字处单击鼠标，定位文本插入点，此时将自动显示“字体”工具栏，切换到中文输入法，输入文字“祖国山水”。

（3）选择输入的文字，在“字体”工具栏的字体下拉列表框中选择“方正黄草简体”，在字号下拉列表框中选择“48”，如图 4-34 所示。

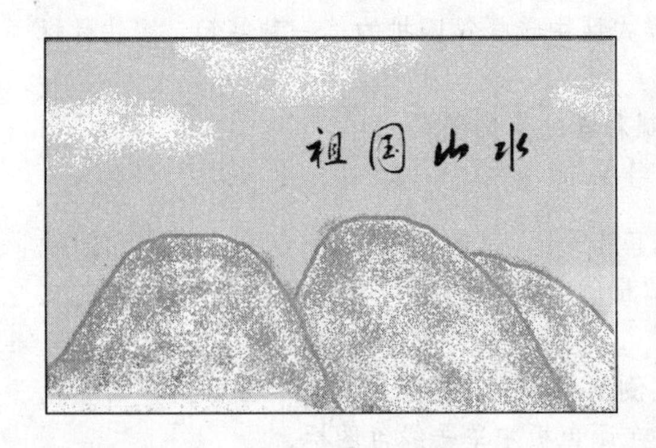

图4-33　文字效果

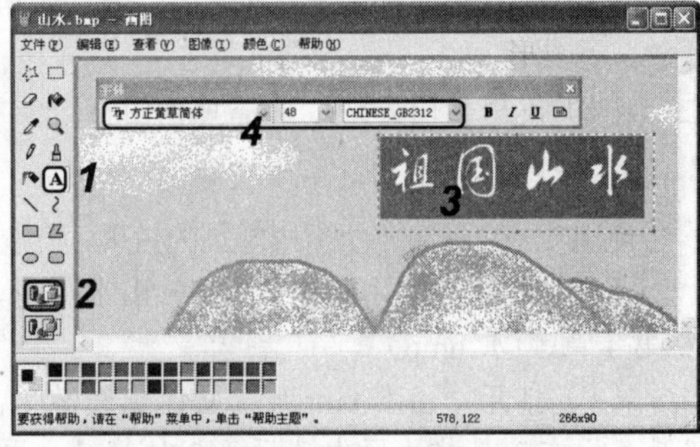

图4-34　输入并设置文字

（4）在文字区域外的绘图区其他位置单击，完成文字的输入。

提示：

在绘图区其他位置单击后，将不能再对刚才输入的文字进行字体和文字内容进行修改。

5）直线工具和曲线工具

使用直线工具和曲线工具可绘制比较规则的线条图形。其绘制方法分别如下。

- **绘制直线**：选择直线工具╲，在工具样式栏和颜料盒中选择所需的线型和颜色后，在绘图区中单击鼠标确定直线起点，按住鼠标不放拖动到直线的终点位置释放鼠标即可。如需绘制水平线、垂直线或45°斜线，可在拖动鼠标的同时按住"Shift"键，如图4-35所示为用直线工具绘制的显示器示意图。
- **绘制曲线**：选择曲线工具，在工具样式栏和颜料盒中选择所需的线型和颜色后，将鼠标移到绘图区的曲线起点处，按住鼠标左键不放，拖动鼠标至曲线终点处释放鼠标，确定一条直线。然后在绘制的直线处拖动鼠标两次确定曲线的弯曲程度，如图4-36所示为绘制的山峰图形。

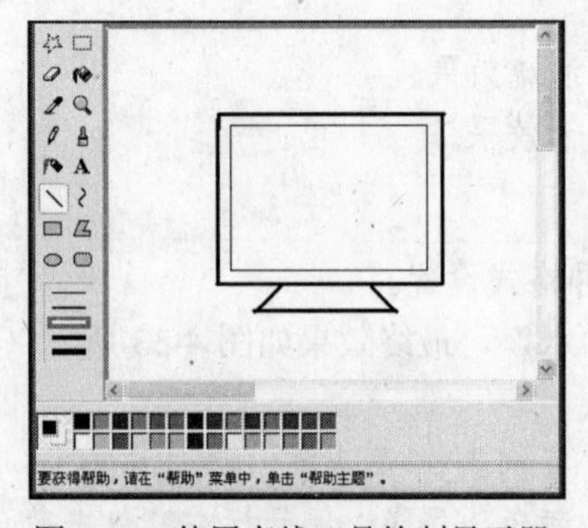

图4-35　使用直线工具绘制显示器

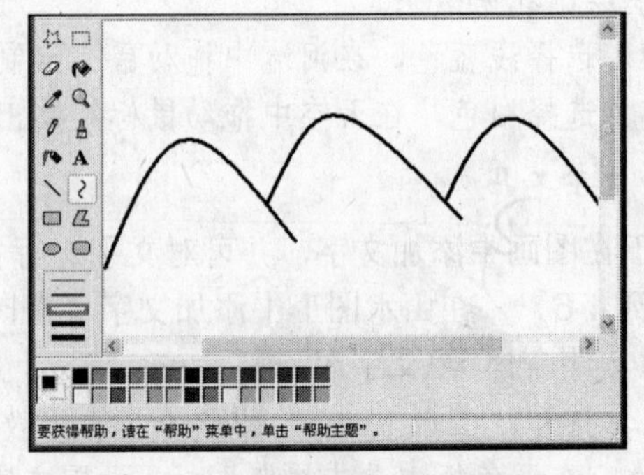

图4-36　使用曲线工具绘制山峰

6）椭圆工具、矩形工具和圆角矩形工具

矩形、椭圆和圆角矩形的绘制方法相同，选择这3种工具的任意一种后，在工具样式栏中选择所需的样式，在颜料盒中用鼠标左键单击颜色图标选择图形所需的边框颜色，用鼠标右键单击颜色图标将选择图形的填充颜色。在绘图区中单击鼠标确定为图形的一个端

点，拖动到合适的位置时释放鼠标，完成图形的绘制，如图 4-37 所示为使用不同样式绘制的这几种图形。

技巧：

在绘制矩形、椭圆和圆角矩形时，按住“Shift”键可绘制出一个正方形、正圆形和圆角正方形。

7）多边形工具

使用多边形工具可绘制出任意边数的多边形，选择多边形工具，选择工具样式和颜色后，将鼠标光标移至绘图区中单击并拖动绘制第 1 条边，将鼠标移到下一条边的终点处单击，即可绘出第 2 条边，使用该方法可绘制多条边，最后再次单击多边形工具或其他工具，自动封闭多边形。如图 4-38 所示为使用多边形工具绘制的松树。

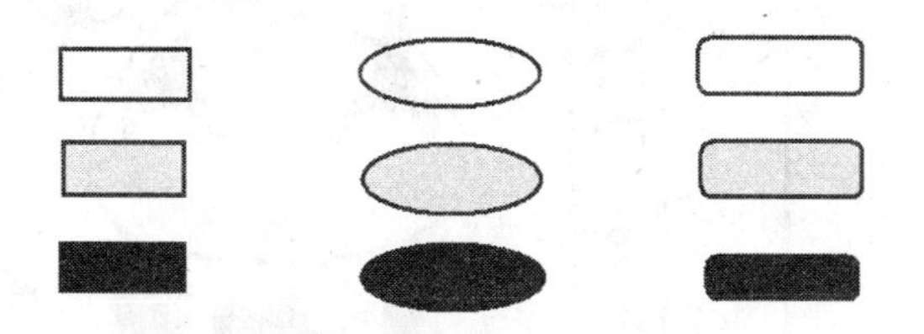

图 4-37　使用不同样式绘制的图形

图 4-38　使用多边形工具绘制松树

2．图形编辑工具

一个完整的图形，除了需要绘制工具外，还需要相应的编辑工具，以使图形进一步完善，达到满意的效果，常用图形编辑工具的使用方法如下。

- **选定工具**：选择选定工具后，在画布上拖动鼠标绘制一个矩形框，释放鼠标即可选定矩形框内的图形。
- **任意形状裁剪工具**：选择任意形状裁剪工具后，在画布上拖动鼠标绘制一个闭合的图形，释放鼠标即可选定闭合的图形。
- **用颜色填充工具**：选择用颜色填充工具，在颜料盒中用鼠标左键单击颜色图标选择填充颜色，此时鼠标光标变为形状，将鼠标光标在需要填充的区域内单击即可快速将该区域填充为选择的颜色，如图 4-39 所示。

图 4-39　填充颜色

技巧：

如果在颜料盒中没有找到需要的颜色，可以双击接近的颜色图标，打开“编辑颜色”对话框，单击 规定自定义颜色(D) >> 按钮，在展开对话框的颜色框中单击需要的颜色，单击 添加到自定义颜色(A) 按钮和 确定 按钮即可。

- **橡皮擦工具**：选择橡皮擦工具后，在工具样式栏中选择橡皮擦的大小，将鼠标光标移动到绘图区中，此时鼠标光标变为 □ 形状，在不需要的图形处拖动鼠标，可擦除这部分图形，擦除的部分以背景色显示，如图4-40所示。

图4-40 用橡皮擦工具擦除图形

提示：

选定工具和任意形状裁剪工具主要用于操作选定的内容、如删除图形，移动图形和复制图形等。选定图形后，按“Delete”键可将选择的图形删除；拖动鼠标可将选择的图形移动到一个新位置；在拖动鼠标的同时按住“Ctrl”键可将图形复制到一个新位置。

3. 其他辅助工具

在绘制和编辑图形的过程中，除了前面讲解的工具外，还要合理使用一些辅助工具，从而快速完成图形的制作。在工具箱中，取色工具和放大镜工具就是经常使用的两个辅助工具，它们的使用方法分别如下。

- **取色工具**：如需选择当前图形中的某种颜色，而这种颜色在颜料盒中不能快速找到时可使用取色工具进行取色。选择取色工具后，鼠标光标变为形状，在需要的颜色位置处，单击鼠标可将该颜色设置为前景色，单击鼠标右键可将该颜色设置为背景色，如图4-41所示。
- **放大镜工具**：如需对当前图形中的某一部分进行较细致的编辑，可将该部分放大。选择放大镜工具后，鼠标光标变为形状，在需要放大的位置处，单击鼠标可将其放大，如图4-42所示。再次单击鼠标，可恢复到原始的显示比例。

技巧：

依次选择“查看/缩放/自定义”命令，打开“自定义缩放”对话框，在其中选中对应的单选按钮，可将图形以“100%”、“200%”、“400%”、“600%”、“800%”的比例进行显示。

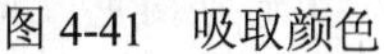

图 4-41 吸取颜色

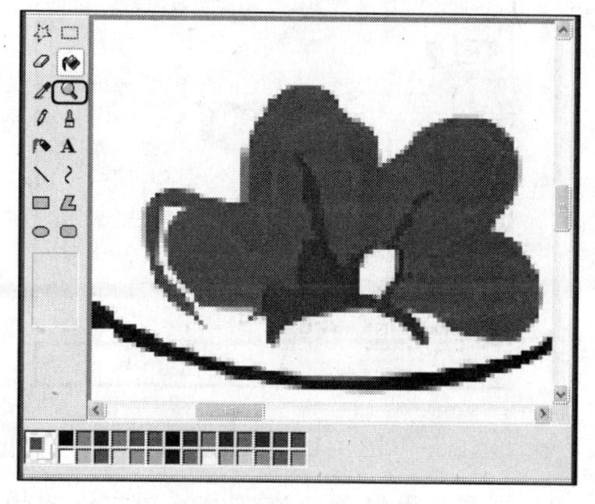

图 4-42 放大图形

4.2.4 应用举例——绘制咖啡杯

本例将应用画图程序的知识绘制一个咖啡杯，练习使用椭圆工具、曲线工具、刷子工具、填充工具及复制图形的方法，其效果如图 4-43 所示（立体化教学:\源文件\第 4 章\咖啡杯.bmp）。

操作步骤如下：

（1）选择"开始/所有程序/附件/画图"命令，启动画图程序。

（2）选择椭圆工具，在工具样式区中选择第二种笔触，再在调色板中单击褐色图标作为前景色，用鼠标右键单击橙色图标作为背景色，在绘图区中拖动鼠标绘制一个椭圆，作为杯口，如图 4-44 所示。

图 4-43 咖啡杯

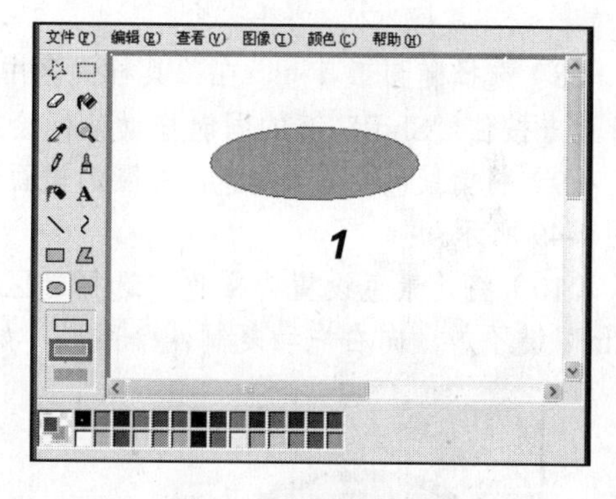

图 4-44 绘制杯口

（3）再用相同的设置在杯口内部绘制一个稍小的椭圆，选择用颜色填充工具，在两个椭圆的中间位置单击，填充为褐色，如图 4-45 所示。

（4）保持前景色和背景色不变，选择曲线工具，将鼠标光标移到左侧杯口处，按住鼠标左键不放，拖动鼠标至左下方释放鼠标，确定一条直线，然后在绘制的直线处拖动鼠标两次确定杯身的弧线，如图 4-46 所示。

（5）使用相同方法使用曲线完成整个杯身的绘制，并注意将杯身绘制为封闭的区域。

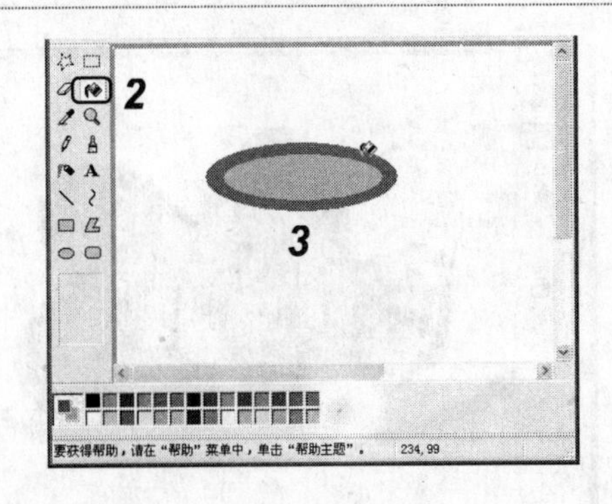

图 4-45 填充杯口

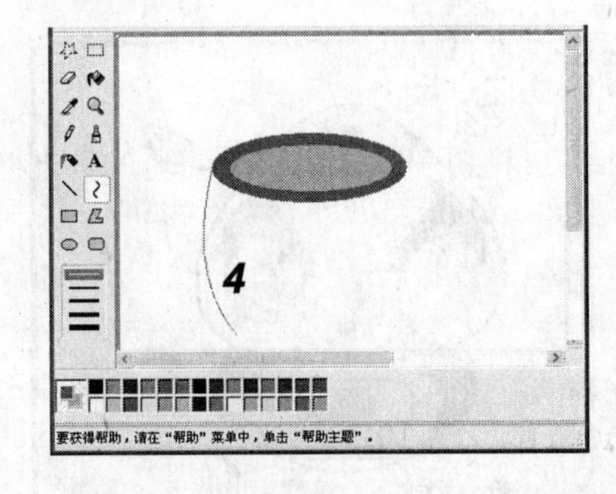

图 4-46 绘制杯身

（6）选择用颜色填充工具，在绘制的杯身中间单击，填充为褐色，如图 4-47 所示。

（7）选择多边形工具，在工具样式区中选择第三种笔触，在杯身右侧单击并拖动绘制第一条边，依次单击鼠标，确定下一点，绘制咖啡杯的手柄，并自动填充为褐色，如图 4-48 所示。

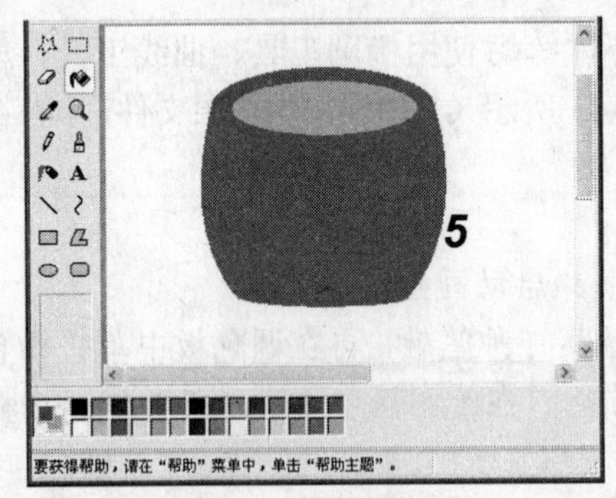

图 4-47 填充杯身

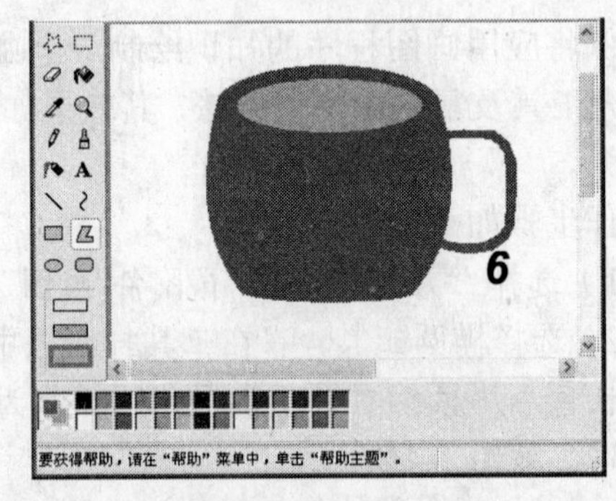

图 4-48 绘制咖啡杯的手柄

（8）选择椭圆工具，在工具样式区中选择第三种笔触，将前景色设置为浅黄色，在杯身上方按住“Shift”键的同时拖动鼠标绘制一个圆。

（9）将前景色设置为褐色，在圆的里面绘制一个稍小的同心圆，绘制杯身的装饰图案，如图 4-49 所示。

（10）将前景色设置为褐色，选择选区工具，拖动鼠标选择同心圆装饰图案，按住“Ctrl”键不放，向右拖动复制 4 个图形，如图 4-50 所示。

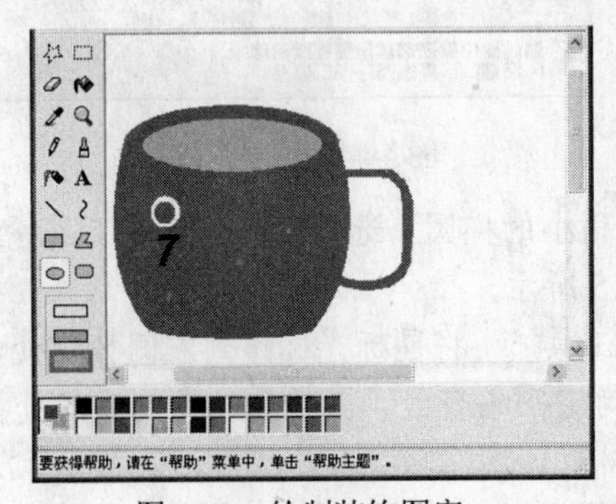

图 4-49 绘制装饰图案

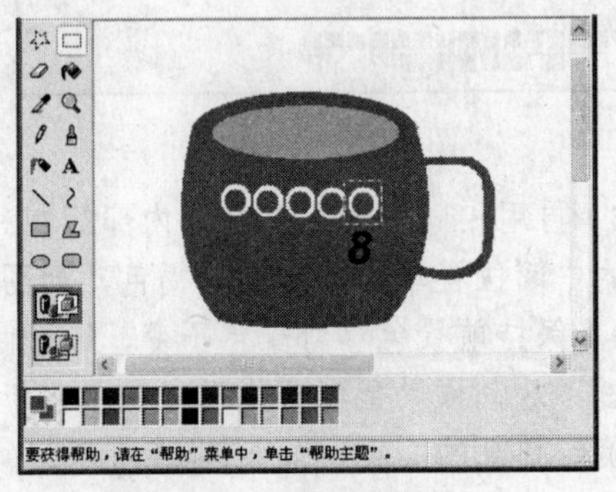

图 4-50 复制装饰图案

（11）使用前面相同的方法通过曲线工具在杯身下方绘制一个心形，并填充为橙色，如图 4-51 所示。

（12）选择刷子工具，将前景色设置为橙色，在工具样式区中选择第一种笔触，在杯子上方拖动鼠标绘制 3 条任意线段，完成咖啡香气的绘制。

（13）依次选择“文件/保存”命令，打开“保存为”对话框，在“保存在”下拉列表框中选择保存位置，在“文件名”文本框中输入“咖啡杯”，单击保存(S)按钮，如图 4-52 所示。

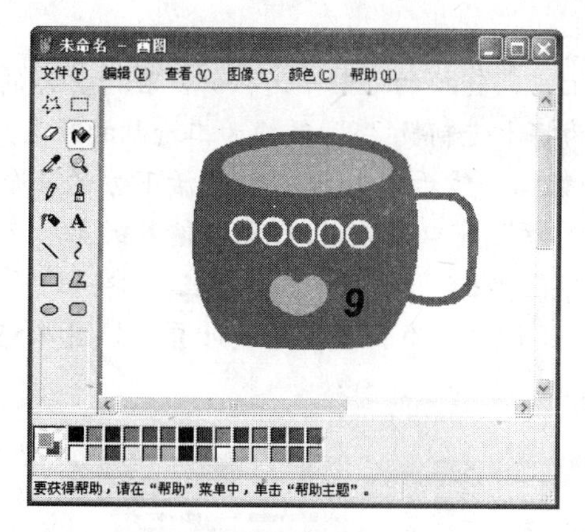

图 4-51　绘制并填充心形

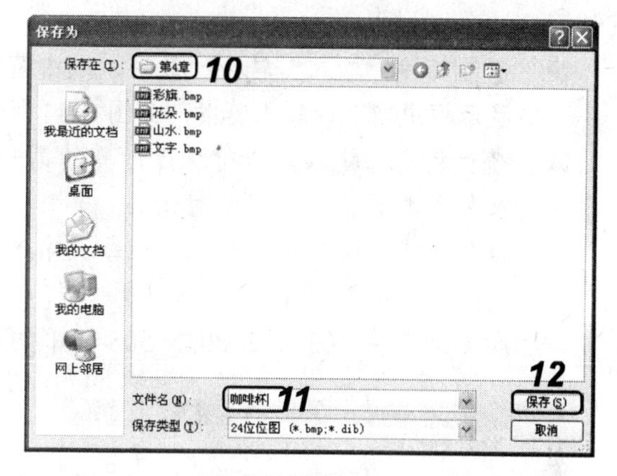

图 4-52　保存图形

4.3　计算器的使用

Windows XP 自带的计算器程序可以执行各类计算，如一般的加、减、乘、除运算，科学计算和统计计算等，可为工作、学习带来很多方便。

4.3.1　简单计算

依次选择“开始/所有程序/附件/计算器”命令启动计算器程序，其工作界面如图 4-53 所示。计算器程序的外观与现实生活中的计算器类似，而且使用方法也类似，在工作界面上单击按钮或按键盘中的键位即可进行数字输入和计算。除数字键外，常用的其他按钮的作用分别如下。

- Backspace按钮：删除最近输入的一个数据。
- CE按钮：清除数值显示栏中的所有数值。
- C按钮：使计算器复位，即数值归零。
- sqrt按钮：对输入的数据进行开方计算。
- 1/x按钮：对输入的数据进行倒数的计算。

图 4-53　计算器工作界面

技巧：

使用复制/粘贴操作，可将计算器的运算结果复制到其他程序中；也可将其他程序中的运算式复制到显示区中进行计算。

4.3.2 复杂计算

默认的计算器只能进行加、减、乘、除的运算，在实际学习和工作中的运算则更复杂，此时可使用科学型计算器。

在“计算器”窗口中选择“查看/科学型”命令，切换到科学型计算器，它包含的按钮更多，可进行的操作也更多，加强了计算器的计算功能，可进行进制转换和统计计算等。其计算方法分别如下。

- **进制转换**：输入需转换的数字，选中窗口上方需转换的进制单选按钮，在计算器的显示框中即可计算出答案，如图4-54所示为将十进制数“8”转换为二进制的结果。
- **统计计算**：输入需进行统计计算的第一个数据，然后单击Sta按钮激活下方的4个按钮并打开“统计框”对话框，单击“计算器”窗口的Dat按钮保存输入的第一个数值。然后输入其余数据，在每次输入之后应单击Dat按钮，最后单击Ave按钮（平均计算）、Sum按钮（求和计算）或s按钮（计算标准误差）完成计算。如图4-55所示为数字3054、2080和508的平均值。

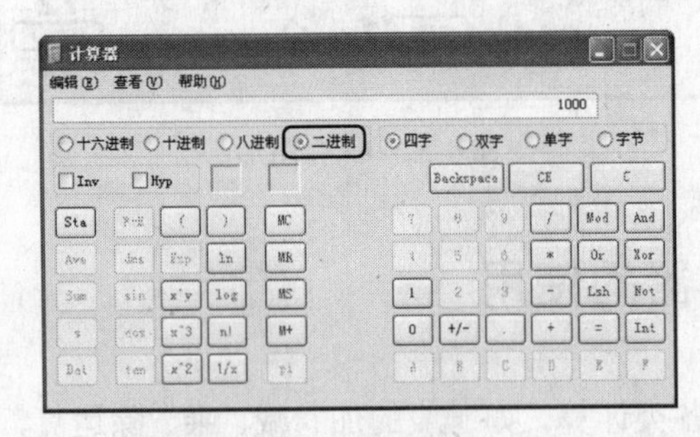

图4-54 二进制计算

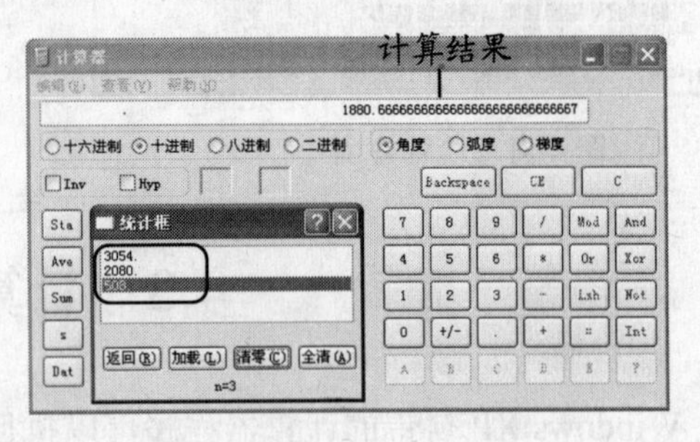

图4-55 平均值计算

4.3.3 应用举例——计算运算式

本例将使用科学型计算器计算四则混合运算“125÷(18-3)”的值。

操作步骤如下：

（1）依次选择“开始/所有程序/附件/计算器”命令，启动计算器程序，选择“查看/科学型”命令，切换到科学型计算器。

（2）通过键盘输入数字“125”，从显示区可看到已输入数字“125”，单击计算器中的/按钮，输入除号，但显示区中不会显示出除号，如图4-56所示。

（3）使用鼠标单击计算器工作界面中的(按钮，输入左括号。

（4）使用相同的方法单击计算器工作界面中的1、8、-、3、)按钮，完成算式的输入。

（5）单击=按钮，在显示区中显示出最终计算结果，如图4-57所示。

注意：

> 在计算器中“÷”号是通过单击操作界面中的/按钮或按小键盘中的“/”键来完成的。虽然输入数字和单击按钮都可以完成算式的输入，不过相比而言，一般使用键盘输入的方式会更快。

图 4-56　输入数据

图 4-57　计算结果

4.4　娱乐工具的使用

Windows XP 不仅提供了学习的工具，还有一些娱乐工具，如听歌、看电影、玩游戏在 Windows XP 中都可以实现。

4.4.1　Windows Media Player 播放器

Windows Media Player 是一款多媒体播放工具，通过它可播放视频（如动态的图像）或音频（如音乐）等文件。

1．认识 Windows Media Player

依次选择“开始/所有程序/Windows Media Player”命令，即可启动 Windows Media Player 程序，并打开其操作界面，如图 4-58 所示，其中主要包括视频显示区、栏目切换区、控制按钮区和播放列表区等部分，各组成部分的作用分别如下。

图 4-58　Windows Media Player 界面

- **栏目切换区**：提供了 Windows Media Player 的所有功能，每一项功能就是一个栏目按钮，单击这些按钮可打开相应的工作界面。
- **视频显示区**：用于显示当前播放的视频画面。若播放音乐则显示音乐文件的可视化效果。

- **文件显示区**：用于显示播放文件的信息，如名称、播放时间等。
- **控制按钮区**：用于调节音量以及控制文件的播放进度等。

2．播放计算机中保存的音视频文件

如果计算机磁盘中保存了音乐文件和视频文件，可使用 Windows Media Player 进行播放，且播放方法相同。

【例 4-7】 播放 E 盘的“娱乐”文件夹中的视频文件“洛丽塔”。

（1）启动 Windows Media Player，依次选择“文件/打开”命令，打开“打开”对话框。

（2）在“查找范围”下拉列表框中选择 E 盘的“娱乐”文件夹，在中间的列表框中选择要播放的文件“洛丽塔”，单击打开(O)按钮，如图 4-59 所示。

（3）返回 Windows Media Player 工作界面，即看到该文件已在播放，通过控制按钮区可以对播放的文件进行控制，如图 4-60 所示。

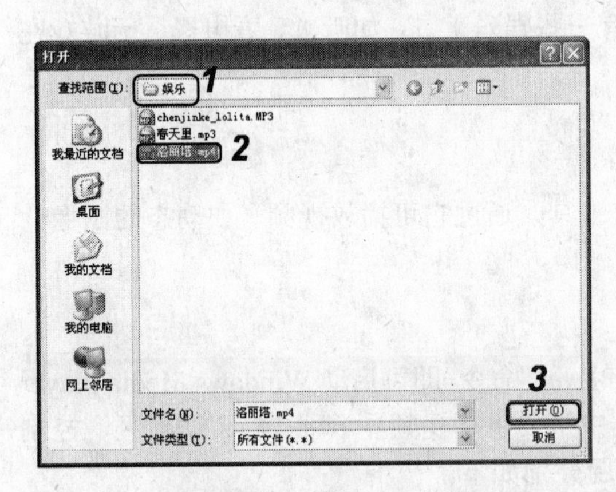

图 4-59 “打开”对话框

图 4-60 播放视频文件

3．播放 VCD、DVD

如果需要播放立体化教学中的音频文件或视频文件，可在将立体化教学放入光驱后，启动 Windows Media Player 程序，选择“播放/DVD 或 VCD”命令，程序将自动进行播放。

在播放视频文件时，常要将操作窗口全屏显示，这时可在视频显示区中双击鼠标或单击鼠标右键，在弹出的快捷菜单中选择“全屏”命令，视频区即变为全屏状态，充满整个显示屏。

4．播放过程中的控制

在播放歌曲或视频文件的过程中，还可对播放进行控制，包括暂停、暂停后的播放、音量控制和停止播放等，在 Windows Media Player 中主要通过控制按钮区中的相应按钮来完成，如图 4-61 所示。其中各部分的作用分别如下。

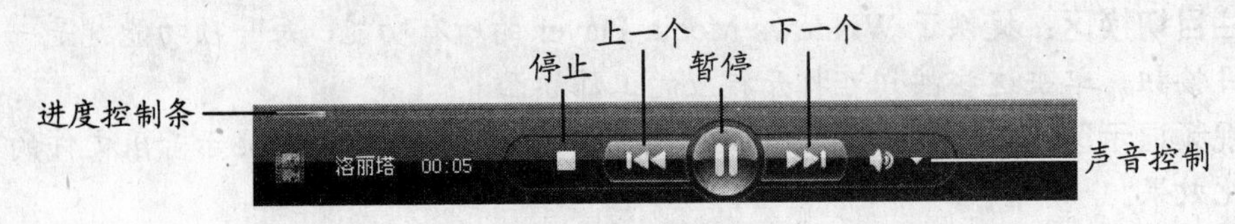

图 4-61 控制按钮区

- **进度控制条**：在播放音视频的过程中，在进度控制条中单击，将快速定位到该位置，并播放该位置的内容。
- **“停止”按钮**：单击该按钮可停止当前播放的媒体文件。
- **“上一个”按钮**：如果同时打开了多个媒体文件，单击该按钮可播放播放列表中的上一个文件。
- **“暂停”按钮**：单击该按钮可暂停当前播放的内容，再次单击该按钮可继续播放。
- **“下一个”按钮**：单击该按钮可播放播放列表中的下一个文件。
- **“声音控制”按钮**：单击按钮可进行声音打开和关闭的切换。单击其后的按钮，可弹出调节滑块，拖动其中的滑块可调节播放的音量大小。

4.4.2　游戏

Windows XP 自带了一些益智游戏，如扫雷、纸牌和空当接龙等，适当玩玩游戏，可放松心情，提高学习和工作效率。

1．启动游戏

依次选择“开始/所有程序/游戏”命令，在弹出的子菜单中包含了 Windows XP 自带的所有游戏，用鼠标选择其中一个游戏名称即可启动该游戏，如图 4-62 所示为启动空当接龙的示意图。

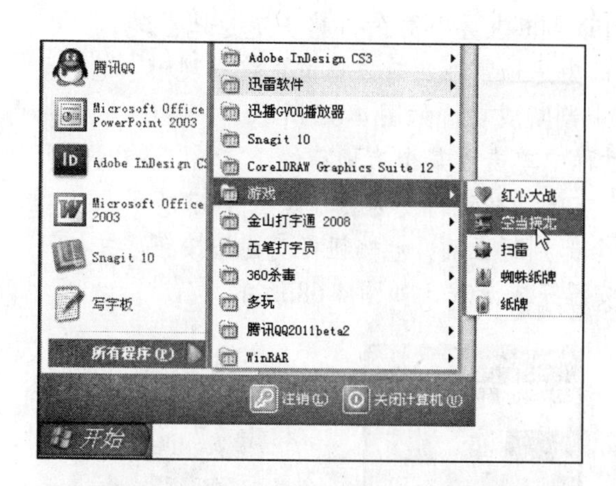

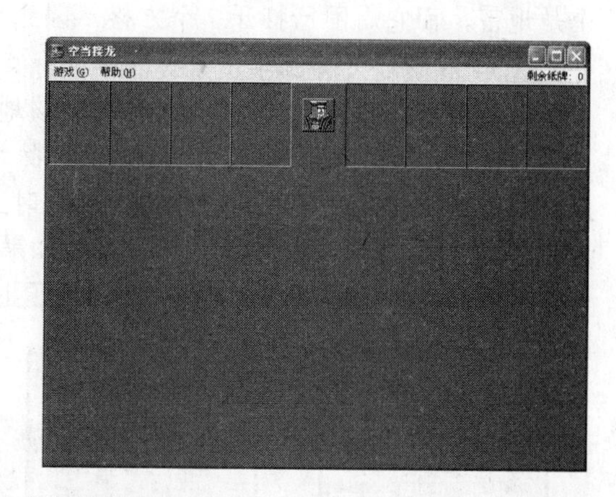

图 4-62　启动空当接龙

2．阅读游戏规则

Windows XP 自带的游戏都比较简单，其中红心大战和纸牌等与牌相关的游戏与我们日常玩的游戏类似，其他游戏的规则也比较简单。即使不会任何游戏，也可通过阅读游戏规则来了解。

【例 4-8】　启动扫雷游戏，阅读扫雷游戏的游戏规则。

（1）依次选择“开始/所有程序/游戏/扫雷”命令，启动扫雷游戏，并打开其界面，如图 4-63 所示。

（2）依次选择“帮助/目录”命令，打开扫雷游戏的帮助窗口，在左侧的列表框中双击需查阅的帮助信息“扫雷玩法”，在右侧的窗格中即可看到扫雷游戏的规则，如图 4-64 所示。

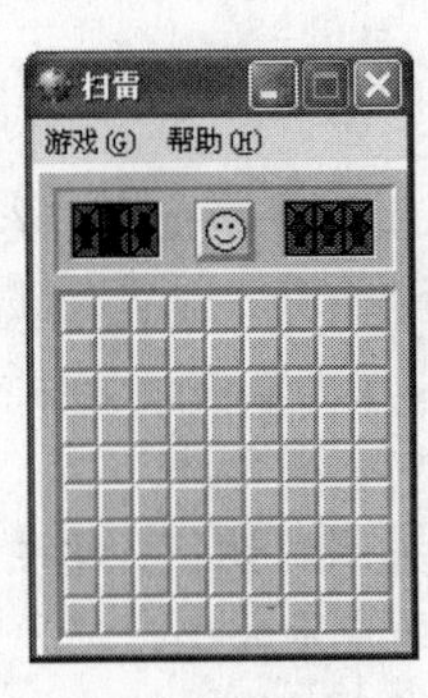

图 4-63　游戏界面

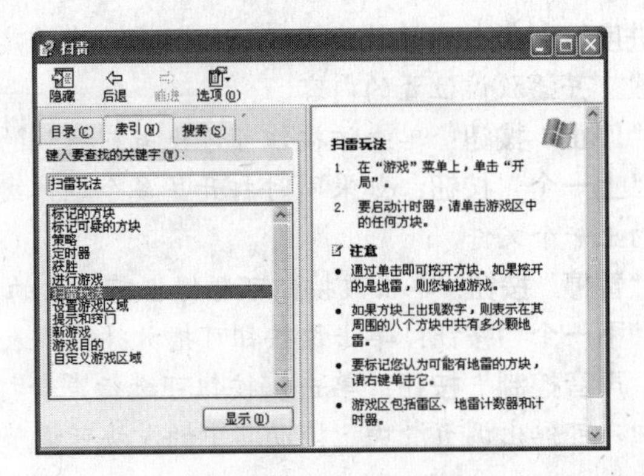

图 4-64　查看游戏规则

4.4.3 应用举例——玩扫雷游戏

本节讲解了 Windows XP 娱乐工具的使用，下面将练习扫雷游戏的玩法。

操作步骤如下：

（1）依次选择“开始/所有程序/游戏/扫雷”命令，启动扫雷游戏，随意单击小方格试探，计时器开始计时，即游戏开始。再次任意单击小方格直到扫开一片非雷区，如图 4-65 所示。

（2）根据数字进行分析，如第 3 排第 3 列小方格显示为 1，表示周围 8 个方格中有一个是地雷，而它周围已打开 7 个方格，因此可以判断其左下方的方格一定为地雷。

（3）在该小方格上单击鼠标右键，将其认为是地雷，此时方格位置将出现旗标记，且“剩余雷数”栏将由“10”变为“9”，该地雷判断成功，如图 4-66 所示。

（4）按相同方法扫除其余地雷，在扫除过程中单击了某个有地雷的小方格，游戏失败，并显示出本次游戏中地雷的设置情况，此时上方的笑脸按钮将变为哭脸，如图 4-67 所示。

（5）单击哭脸按钮，再次开始游戏，如果全部判断正确，笑脸按钮将变为墨镜按钮，并打开一个对话框，输入胜利者的姓名，单击“确定”按钮完成游戏。如图 4-68 所示。

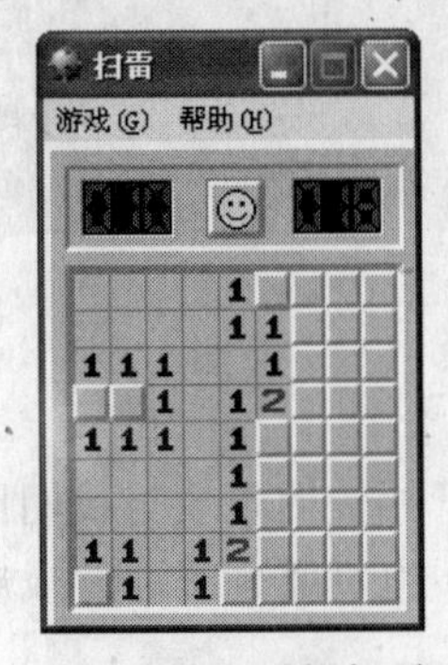

图 4-65　试探扫雷

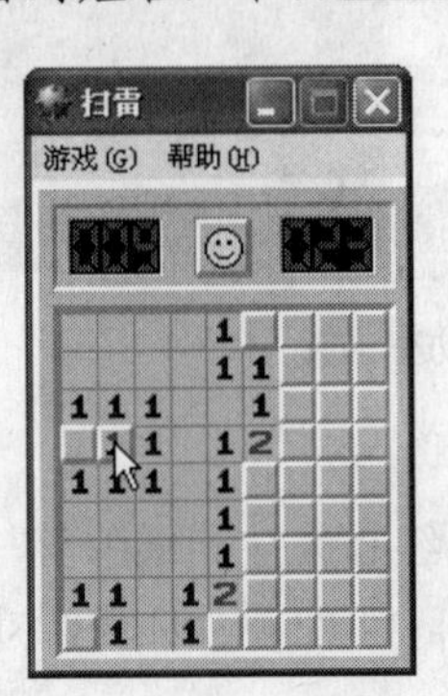

图 4-66　标记为地雷

图 4-67　判断失误

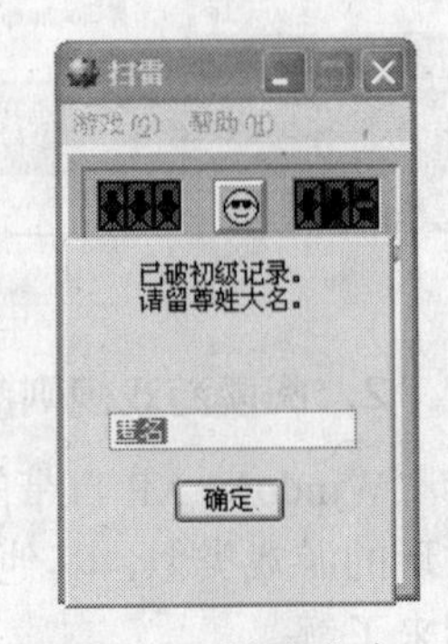

图 4-68　游戏成功

技巧：

在扫雷过程中，单击鼠标左键表示这个方格无雷；单击鼠标右键，方格显示为旗表示有雷；再次在该方格上单击右键，方格显示为?表示不确认是否有雷；再次单击鼠标右键，方格上没有任何标记，恢复到原始状态。

4.5　上机及项目实训

4.5.1　制作“年度培训计划”

本例将应用写字板和画图程序制作“年度培训计划”文档，首先在写字板中输入计划内容并对其进行排版，然后使用插入功能，打开画图程序，编辑一张图片，并插入“年度培训计划”文档末，最终效果如图 4-69 所示（立体化教学:\源文件\第 4 章\年度培训计划.rtf）。

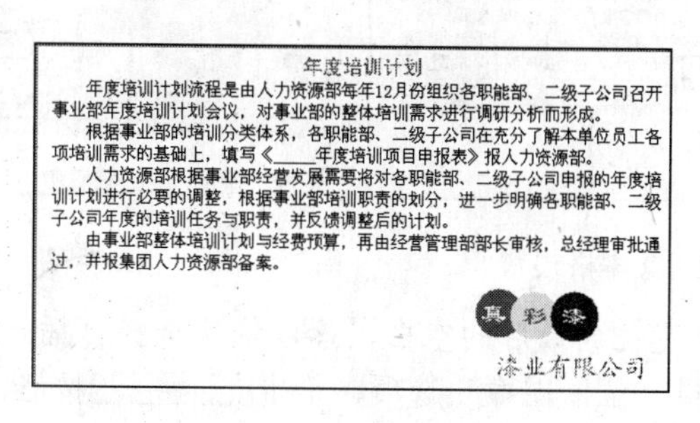
年度培训计划

年度培训计划流程是由人力资源部每年12月份组织各职能部、二级子公司召开事业部年度培训计划会议，对事业部的整体培训需求进行调研分析而形成。

根据事业部的培训分类体系，各职能部、二级子公司在充分了解本单位员工各项培训需求的基础上，填写《　　　年度培训项目申报表》报人力资源部。

人力资源部根据事业部经营发展需要将对各职能部、二级子公司申报的年度培训计划进行必要的调整，根据事业部培训职责的划分，进一步明确各职能部、二级子公司年度的培训任务与职责，并反馈调整后的计划。

由事业部整体培训计划与经费预算，再由经营管理部部长审核，总经理审批通过，并报集团人力资源部备案。

真 彩 漆

漆业有限公司

图 4-69　年度培训计划

操作步骤如下：

（1）依次选择“开始/所有程序/附件/写字板”命令，启动写字板程序，切换到所需的汉字输入法，输入如图 4-70 所示的文本，在输入的过程中注意分段。

（2）将鼠标光标移动到“《年度培训项目申报表》”的文本“年度”前单击，将文本插入点定位到该位置，按 5 下空格键，输入 5 个空格，再选择该空格，单击“格式”工具栏中的U按钮为其添加下划线。

（3）依次选择“编辑/替换”命令，打开“替换”对话框，在“查找内容”文本框中输入“人力资源科”，在“替换为”文本框中输入“人力资源部”，单击全部替换(A)按钮，在打开的提示对话框中单击确定按钮，再单击☒按钮关闭对话框完成替换，如图 4-71 所示。

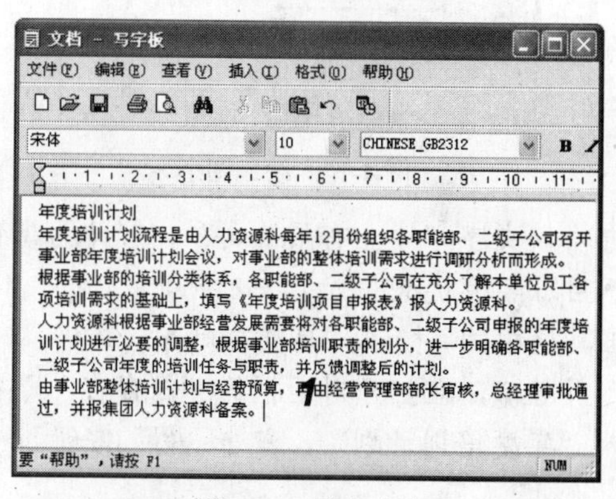

图 4-70　输入文本

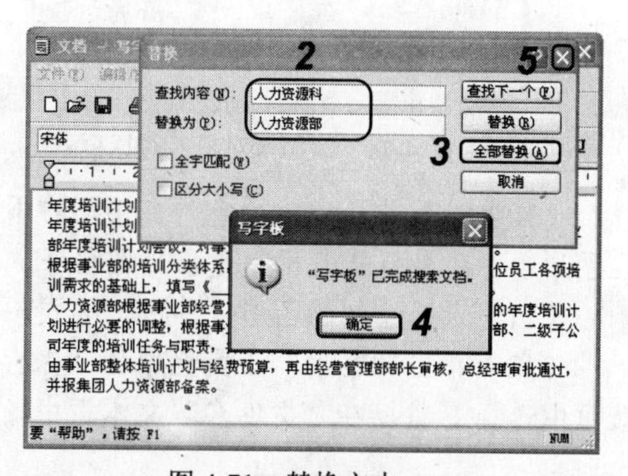

图 4-71　替换文本

（4）选择标题文本，在“格式”工具栏的字体下拉列表框中选择“黑体”选项，在字号下拉列表框中选择“14”选项，在颜色下拉列表框中选择红色，单击☰按钮居中对齐，如图 4-72 所示。

（5）选择正文文本，通过“格式”工具栏将字号设置为12。

（6）选择正文文本，依次选择“格式/段落”命令，打开“段落”对话框，在“首行”文本框中输入“0.85cm”，单击[确定]按钮，完成正文文本的段落设置，如图4-73所示。

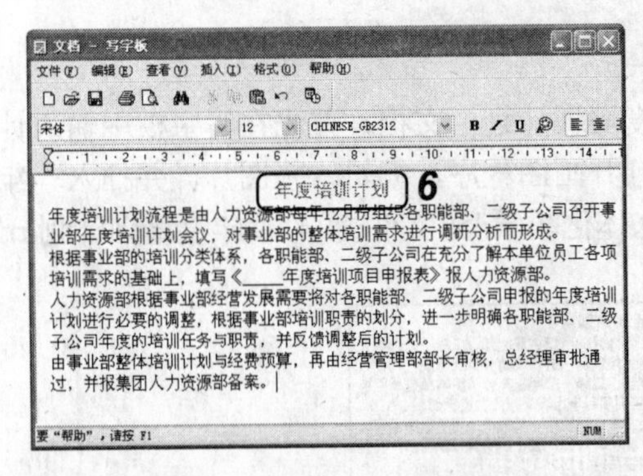

图4-72　设置文本格式

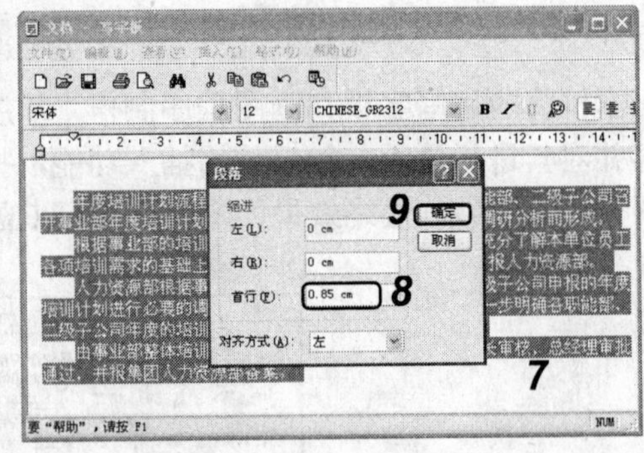

图4-73　设置段落缩进

（7）将文本插入点定位到最后的空白段落，依次选择“插入/对象”命令，在打开对话框的中间列表框中选择“位图图像”选项，单击[确定]按钮，如图4-74所示。

（8）此时写字板将变为画图的工作界面，选择椭圆工具，在工具样式区中选择第三种笔触，将前景色设置为红色，按住“Shift”键的同时拖动鼠标绘制一个圆。使用相同方法再绘制一个黄色和一个蓝色的圆。

（9）选择文字工具[A]，在工具样式区中选择第二种样式，在圆形中输入“真”、“彩”、“漆”，字体为“隶书”，字号为“18”，颜色分别为红、黄、蓝，如图4-75所示。

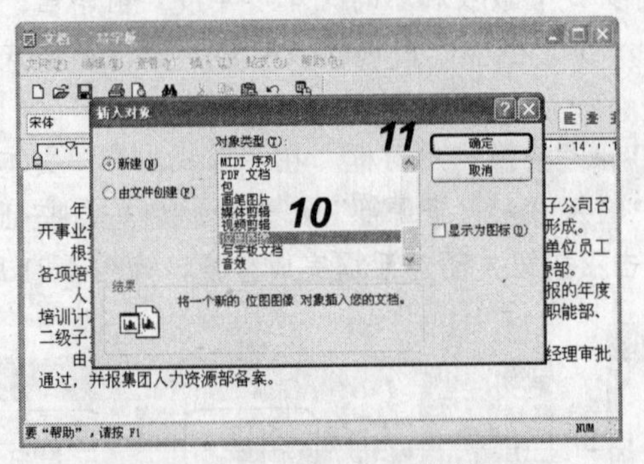

图4-74　“插入对象”对话框

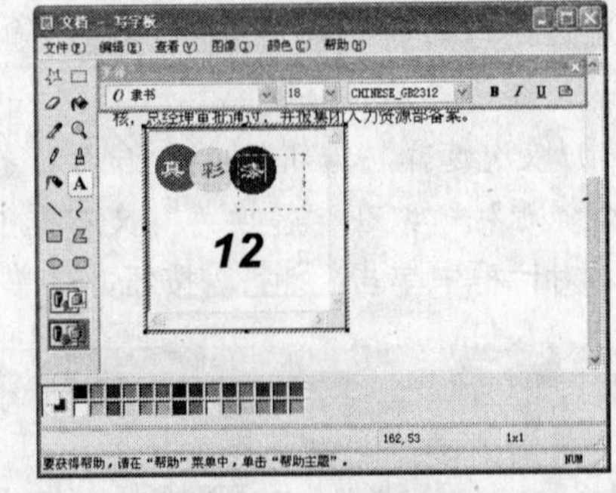

图4-75　绘制图形

（10）设置前景色为黑色，在图形右下方输入文字“漆业有限公司”，字体为楷体。在图形绘制框外双击鼠标，退出画图程序，返回写字板状态。

（11）选择绘制的图形，单击“格式”工具栏中的按钮，使其右对齐。

（12）单击“常用”工具栏中的“保存”按钮，在打开对话框的“保存在”下拉列表框中选择E盘，在“文件名”文本框中输入“年度培训计划”，单击[保存(S)]按钮。

4.5.2　边听音乐边计算

综合利用本章和前面所学知识，使用Windows Media Player选择几首歌并播放，然后启动计算器计算“17*48-208，52*18/(542-45/3)”的值。

本练习可结合立体化教学中的视频演示进行学习（立体化教学:\视频演示\第 4 章\边听音乐边计算.swf）。

主要操作步骤如下：

（1）依次选择“开始/所有程序/Windows Media Player”命令，启动 Windows Media Player。

（2）依次选择“文件/打开”命令，打开“打开”对话框，在中间的列表框中按住“Ctrl”键不放选择保存在电脑中的多首歌曲并单击 打开(O) 按钮。

（3）单击按钮，将 Windows Media Player 最小化。

（4）启动计算器程序并切换到科学型计算器。

（5）按小键盘中的按键和单击工作界面中的按钮，进行算式的计算和二进制的转换。在计算“52*18/(542-45/3)”时，应输入“52*18/(542-(45/3))”，才能保证算式和结果的正确。

4.6　练习与提高

（1）使用写字板程序制作一份“迁移启事”文档，效果如图 4-76 所示（立体化教学:\源文件\第 4 章\迁移启事.rtf）。

（2）启动画图程序，打开“油漆刷”图像（立体化教学:\实例素材\第 4 章\油漆刷.bmp），制作出如图 4-77 所示的效果（立体化教学:\源文件\第 4 章\广告.bmp）。

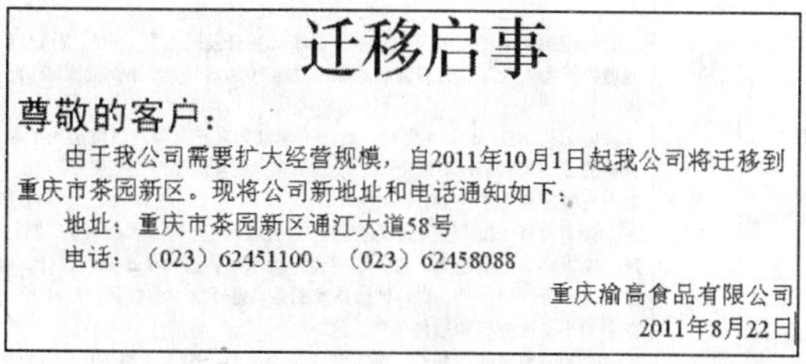

迁移启事

尊敬的客户：

由于我公司需要扩大经营规模，自2011年10月1日起我公司将迁移到重庆市茶园新区。现将公司新地址和电话通知如下：

地址：重庆市茶园新区通江大道58号

电话：（023）62451100、（023）62458088

重庆渝高食品有限公司

2011年8月22日

图 4-76　迁移启事

图 4-77　广告

（3）使用计算器计算出 284*(26+21)/32 的值，然后将该值复制到写字板中。

本练习可结合立体化教学中的视频演示进行学习（立体化教学:\视频演示\第 4 章\边听音乐边计算.swf）。

（4）启动 Windows Media Player，打开多首歌曲进行播放，然后阅读纸牌的游戏规则，玩一次纸牌游戏。

Windows XP 自带的附件相对于专业的工具软件来说，功能比较弱，但完成一般的简单工作没有问题，并且可为学习其他软件打下基础。如学会写字板后，再学习 Word 这一专业的文字处理软件就要简单很多；学会画图程序后，再学习 Photoshop 和 CorelDRAW 等专业的图形处理软件，也会发现有很多相通之处。不管什么软件，其文件的操作方法都是相同的。而且先选定后操作的法则不仅适用于附件，也适用于其他的应用软件。即先选择需要操作的内容，然后再执行对应的操作。

第 5 章　Word 2003 基本操作

学习目标

- ☑ 设置自己需要的 Word 工作界面
- ☑ 使用插入符号制作“通知”文档
- ☑ 使用添加文本的方法制作“公司制度”文档
- ☑ 使用查找和替换功能修改文档中出现的多处错误
- ☑ 使用文档的打开、文本的选择、文本的修改等制作“失物招领”
- ☑ 综合利用文档和文本的各种操作制作“厂房招租”

目标任务&项目案例

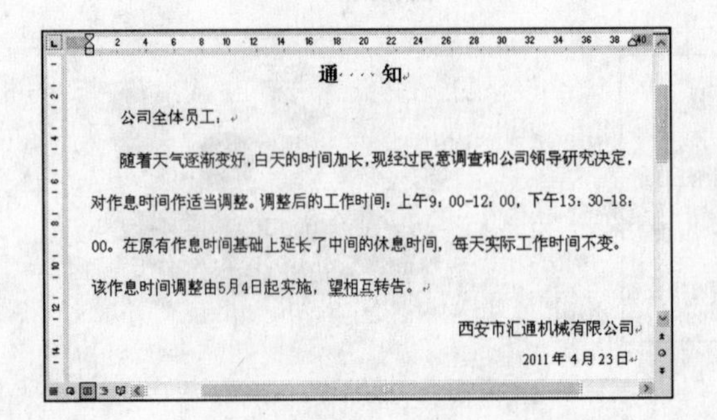

通···知

公司全体员工：

随着天气逐渐变好，白天的时间加长，现经过民意调查和公司领导研究决定，对作息时间作适当调整。调整后的工作时间：上午9：00-12：00，下午13：30-18：00。在原有作息时间基础上延长了中间的休息时间，每天实际工作时间不变。该作息时间调整由5月4日起实施，望相互转告。

西安市汇通机械有限公司

2011 年 4 月 23 日

通知

公司简介

江西越江电子有限公司地处南昌市高新开发区主要干道与国道交界处，地理位置得天独厚、交通便利。公司占地 5000 平方米，建筑面积 7200 平方米。

公司从 2008 年创建之初，就一直竭诚为客户服务，以发展为小家电制造业的龙头为目标，不断创新。发展至今，企业总资产已逾数千万元，被南昌市列为重点骨干企业。

公司现有一批专业从事系列小家电研制、生产的高科技人员，拥有电吹风、电饭煲、电剃须刀、榨汁机等生产流水线。公司集小家电设计、制造、安装于一身，实行产、供、销一条龙服务，是一家专业性强、品种多、规格齐全的小家电整机和散件生产厂家。

公司目前主要产品有：爱家号、厨房革命、柳阳、格兰氏等系列的 30 多个品种，远销海内外。

公司简介

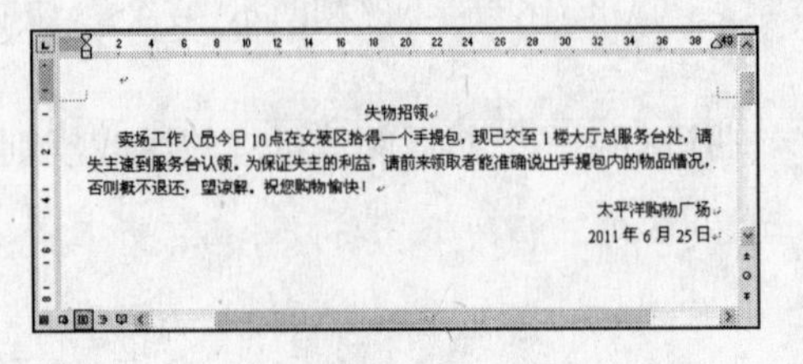

失物招领

卖场工作人员今日 10 点在女装区拾得一个手提包，现已交至 1 楼大厅总服务台处，请失主速到服务台认领。为保证失主的利益，请前来领取者能准确说出手提包内的物品情况，否则概不退还，望谅解。祝您购物愉快！

太平洋购物广场

2011 年 6 月 25 日

失物招领

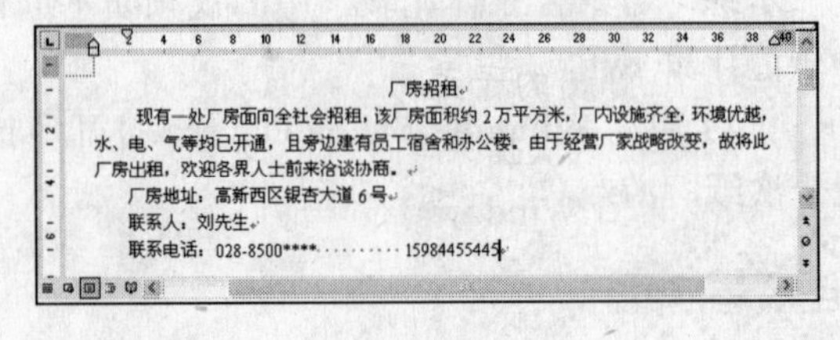

厂房招租

现有一处厂房面向全社会招租，该厂房面积约 2 万平方米，厂内设施齐全，环境优越，水、电、气等均已开通，且旁边建有员工宿舍和办公楼。由于经营厂家战略改变，故将此厂房出租，欢迎各界人士前来洽谈协商。

厂房地址：高新西区银杏大道 6 号

联系人：刘先生

联系电话：028-8500****··········15984455445

厂房招租

通过上述实例效果的展示可以发现 Word 2003 在办公文档制作方面非常方便，只要是与文字相关的办公文档，它几乎都可以制作完成。本章将具体讲解 Word 2003 的基本操作，包括软件的启动与退出、认识 Word 2003 工作界面、操作 Word 文档、输入及编辑 Word 文档的文本内容等。

5.1　Word 2003 的启动与退出

Word 2003 是 Office 2003 办公软件的组件之一，主要用于文档处理。在使用 Word 2003 编辑文档之前，首先应掌握其启动和退出的方法，这也是使用各种应用软件都应先掌握的操作。

5.1.1　启动 Word 2003

启动 Word 2003 即打开 Word 2003 的工作界面，然后再对文档进行操作，启动 Word 2003 的方法有如下几种。

- 依次选择“开始/所有程序/Microsoft Office/Microsoft Office Word 2003”命令，如图 5-1 所示。
- 在桌面上双击 Word 2003 的快捷方式图标，如图 5-2 所示。

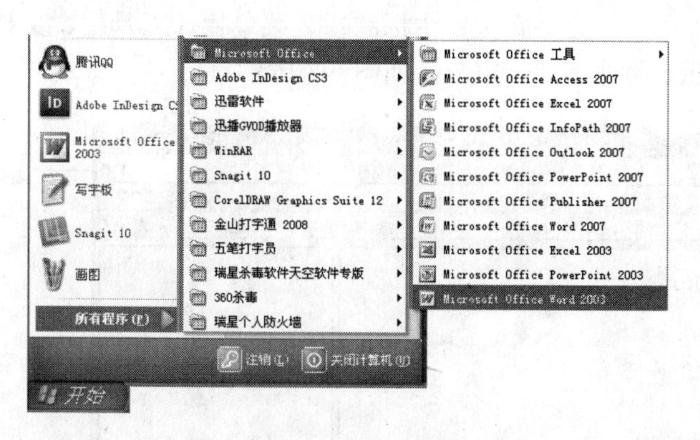

图 5-1　通过“开始”菜单启动　　　　图 5-2　通过桌面快捷方式图标启动

如果经常使用 Word 2003，而且桌面上没有其快捷方式图标，可自行创建。

【例 5-1】　通过“开始”菜单创建 Word 2003 的快捷图标。

（1）单击开始按钮，在弹出的菜单中依次选择“所有程序/Microsoft Office”命令。

（2）在弹出的子菜单中将鼠标光标移到 Microsoft Office Word 2003 选项上，单击鼠标右键，在弹出的快捷菜单中依次选择“发送到/桌面快捷方式”命令。

（3）返回 Windows XP 桌面，可查看到 Word 2003 的快捷方式图标已添加，并且其左下角有一个图标。

提示：

为 Word 2003 创建快捷方式图标的方法可适用于任何软件的快捷方式图标创建。

5.1.2　退出 Word 2003

退出 Word 2003 即关闭 Word 2003 软件，其退出方法与关闭 Windows 的普通窗口类似，方法主要有如下几种。

- 在 Word 2003 窗口中依次选择“文件/退出”命令。
- 单击 Word 2003 窗口右上角的“关闭”按钮×。
- 按“Alt+F4”键。
- 在任务栏的 Word 2003 窗口图标上单击鼠标右键，在弹出的快捷菜单中选择“关闭”命令。

注意：

Word 2003 支持多个窗口操作，即打开一个文件将在任务栏中新建一个窗口按钮，如打开了多个 Word 窗口，除选择窗口中的菜单命令外，执行其他操作，均只能关闭当前 Word 窗口，并不能关闭整个 Word 软件。如当前只有一个 Word 窗口，将在关闭窗口的同时退出 Word 2003。

5.2 Word 2003 的工作界面

启动 Word 2003 后，打开的窗口即为 Word 2003 的工作界面，该窗口与 Windows XP 的“我的电脑”窗口类似，也有不同之处。它主要由标题栏、菜单栏、工具栏、文档编辑窗口、任务窗格、状态栏和 Office 助手等部分组成。如图 5-3 所示。

图 5-3　Word 2003 的工作界面

5.2.1 标题栏和菜单栏

标题栏和菜单栏位于 Word 2003 工作界面的顶部，其中标题栏主要用来显示当前正在编辑的文档名称和程序的名称，并可进行窗口控制。

菜单栏中集成了所有 Word 2003 编辑文档时所需的操作命令，它们的作用和使用方法与 Windows XP 中“我的电脑”窗口完全相同。Word 2003 的菜单栏右侧还有一个搜索文本框和×按钮，如图 5-4 所示。它们的作用分别如下。

- **搜索文本框**：在搜索文本框中输入需要了解的 Word 2003 的内容关键字，按“Enter”键，任务窗格将变为“搜索结果”任务窗格，从中可选择需要的内容超链接，从而了解和学习该知识。
- **×按钮**：单击×按钮可关闭当前打开的 Word 文档而不关闭 Word 窗口。

5.2.2 工具栏

启动 Word 2003，程序会默认打开“常用”工具栏和“格式”工具栏，它们位于菜单栏的下方。工具栏是由一些常用的菜单命令以按钮或下拉列表框的形式表现的集合，通过对它们进行操作可加快编辑文档的速度。

1. “常用”工具栏

“常用”工具栏中包括一些常规操作的按钮和下拉列表框，如“新建空白文档”按钮、“打开”按钮和“保存”按钮等，如图 5-4 所示，通过它们用户可以快速对文档进行相应操作。

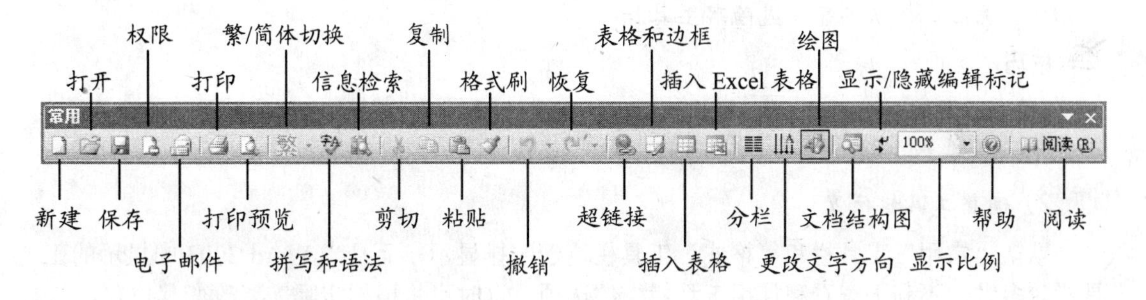

图 5-4　“常用”工具栏

2. “格式”工具栏

“格式”工具栏主要包含设置字符、段落格式的按钮和下拉列表框，如设置字体和字号、段落居中、文字颜色等都可以通过“格式”工具栏快速完成，如图 5-5 所示。

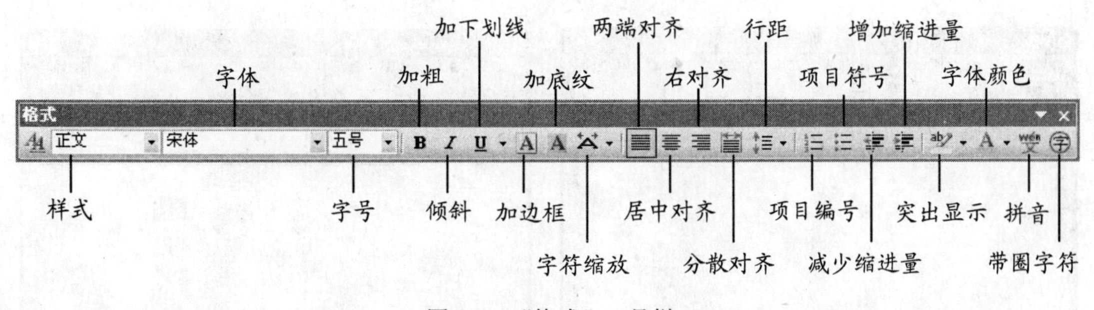

图 5-5　“格式”工具栏

提示：

如果工具栏中的选项较多，未全部显示在工具栏上，工具栏右侧将显示图标，单击该图标，在弹出的下拉列表中将显示隐藏的工具选项。

3. 自定义工具栏

除“常用”工具栏和“格式”工具栏以外，Word 2003 中还包括“绘图”工具栏和“图片”工具栏等多个工具栏，根据实际需要可将未显示在工作界面中的工具栏显示出来，并可对工具栏（包括菜单栏）的位置进行调整。

1）显示与隐藏工具栏

利用 Word 2003 编辑文档时，有时由于当前处理的对象不同，程序会自动调出相应的工具栏，如编辑图片时会自动调出“图片”工具栏等。除此以外，还有如下几种常用的方法将需要的工具栏显示出来：

- 依次选择“视图/工具栏”命令，在弹出的子菜单中“选择”命令，可显示或隐藏工具栏，其中左侧有✓标记的工具栏命令表示该工具栏当前已显示在工作界面中，选择该命令可取消✓标记，从而隐藏该工具栏。同理，选择无✓标记的工具栏命令可将该工具栏显示在工作界面中。
- 在 Word 2003 工作界面的菜单栏或工具栏上单击鼠标右键，在弹出的快捷菜单中选择命令从而显示或隐藏工具栏。

技巧：

为方便编辑 Word 文档，一般还需显示“绘图”工具栏，默认显示的“绘图”工具栏位于工作界面下面，其余工具栏可在需要时再将其显示出来。

2）调整工具栏位置

默认“常用”工具栏和“格式”工具栏位于一排显示，而且当 Word 2003 中显示的工具栏较多时，不利于查看和使用工具栏中的选项，这时可将根据实际需要改变其位置。

【例 5-2】 将 Word 2003 的“常用”工具栏和“格式”工具栏两行显示，将“图片”工具栏与“绘图”工具栏一行显示。

（1）将鼠标光标移动到“格式”工具栏左侧，使其变为✥形状，如图 5-6 所示。

（2）按住鼠标左键不放并拖动鼠标，然后移至“常用”工具栏下方释放鼠标，如图 5-7 所示。

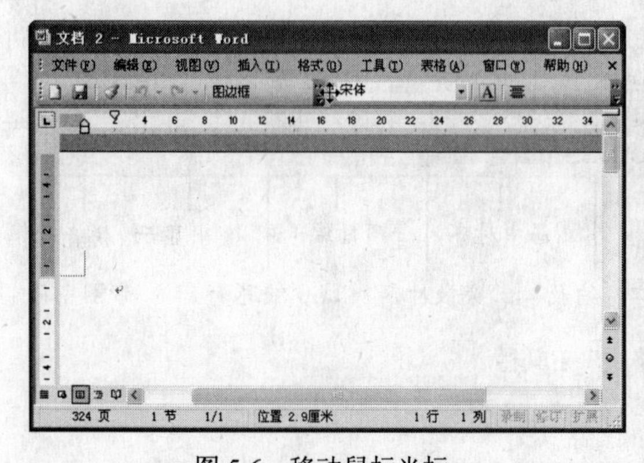

图 5-6 移动鼠标光标

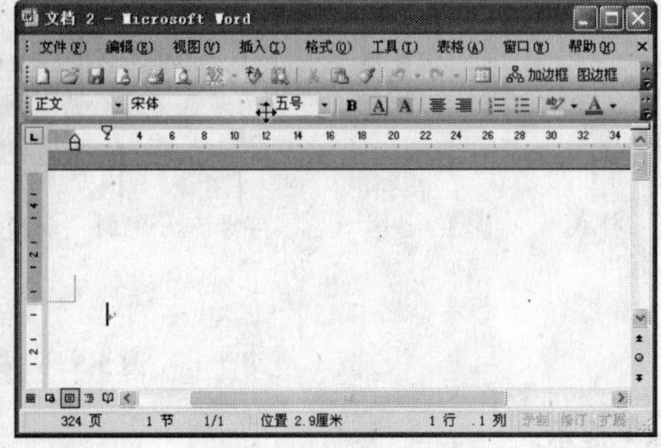

图 5-7 调整工具栏位置

（3）使用前面讲解的方法将“绘图”工具栏和“图片”工具栏显示在工作界面中，其

中“图片”工具栏呈浮动显示，如图 5-8 所示。

（4）将鼠标光标移到“图片”工具栏的标题栏处单击鼠标左键不放，将其拖动到“绘图”工具栏中适当位置释放鼠标，如图 5-9 所示。

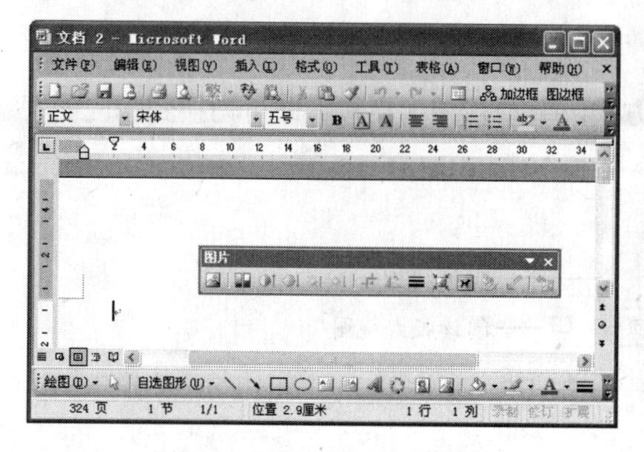

图 5-8　显示“图片”工具栏

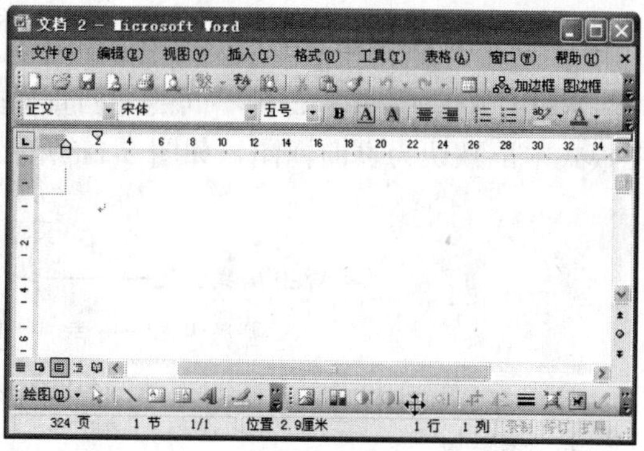

图 5-9　移动“图片”工具栏

技巧：

> 如果两个工具栏位于一行显示，且在工具选项未显示完时，将鼠标光标移到第二个工具栏前面，当鼠标光标变为✥形状时，左右拖动鼠标，可调整工具栏中显示的选项数量。

5.2.3　文档编辑窗口

文档编辑窗口是编辑文本的主要区域，它由编辑区、标尺、视图切换按钮、滚动条几部分组成，如图 5-10 所示。

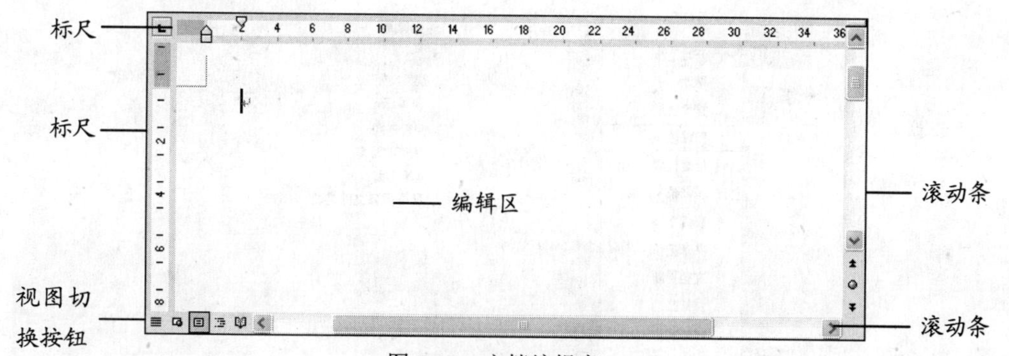

图 5-10　文档编辑窗口

1．编辑区

编辑区位于工作界面的中部，是 Word 2003 中最大且最常用的组成部分，对文本的所有编辑操作都是在该区域中完成。其中，编辑区左上角不断闪光的竖线称为文本插入点，它用于定位文本的输入位置。

2．标尺

在文档编辑区的左侧和上侧显示的带数字的刻度段称为标尺，它用于显示定位和调整文本距页面边距的距离。

技巧：

通过依次选择“视图/标尺”命令可显示或隐藏工作界面中的标尺。

3. 视图切换按钮

Word 2003 提供了 5 种不同的文档查看方式，单击视图切换按钮即可切换到相应的视图模式中，默认为页面视图，如图 5-11 所示。

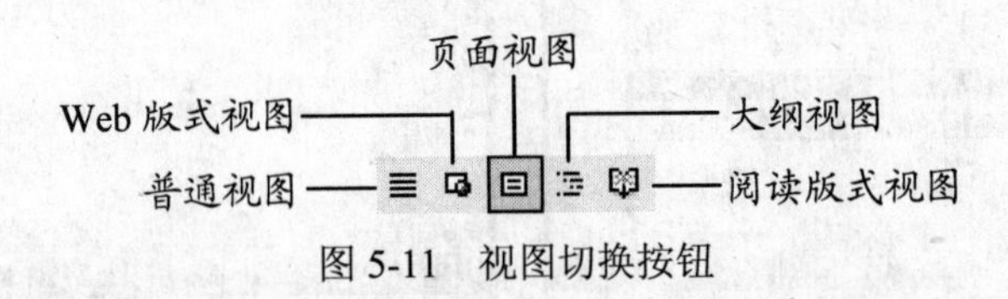

图 5-11　视图切换按钮

4. 滚动条

滚动条位于文档编辑区的右侧和下侧，只有当文档编辑区中的文本未显示完全时，滚动条才会出现在工作界面中。将鼠标光标移至滚动条的滑块上并按住鼠标左键不放，拖动鼠标即可显示遮挡的内容。

5.2.4　任务窗格

启动 Word 2003 程序会默认在工作界面右侧显示“开始工作”任务窗格。除此以外，Word 2003 中还包括“新建文档”、“剪贴画”等 12 种任务窗格，单击任务窗格右上角的▾按钮，可在弹出下拉列表框中切换任务窗格的类型，如图 5-12 所示。

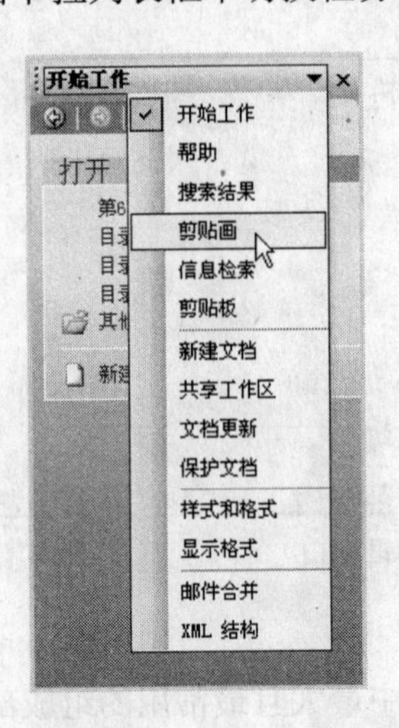

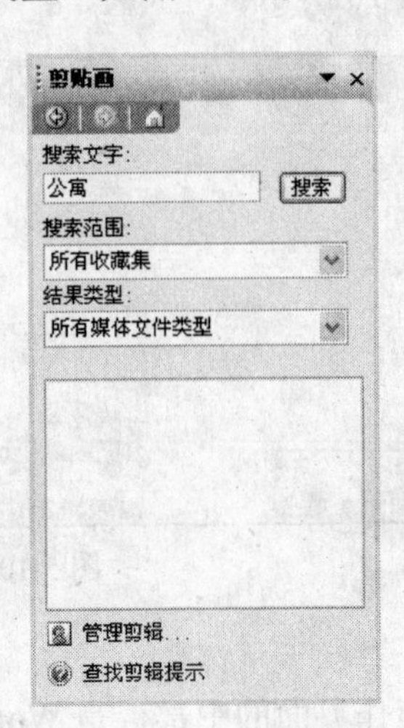

图 5-12　选择任务窗格

任务窗格的常见操作如下。

- 单击任务窗格中以蓝色文本显示的超链接可执行相应的命令。
- 单击任务窗格名称下方的◎或◎按钮，可跳转到最近几次浏览过的任务中；单击⌂按钮可快速切换到“开始工作”任务窗格。

- 当任务窗格中的内容未显示完全时，将鼠标光标移至任务窗格下方的▼按钮或上方的▲按钮上停留，可将未显示的内容显示出来。
- 单击任务窗格▼按钮右侧的✕按钮可关闭任务窗格，依次选择“视图/任务窗格”命令可重新在工作界面中将任务窗格显示出来。

5.2.5 状态栏

状态栏位于工作界面的最下方，主要显示当前操作的相关信息，包括当前文档的总页数、当前文本插入点所在的页数等，如图 5-13 所示。

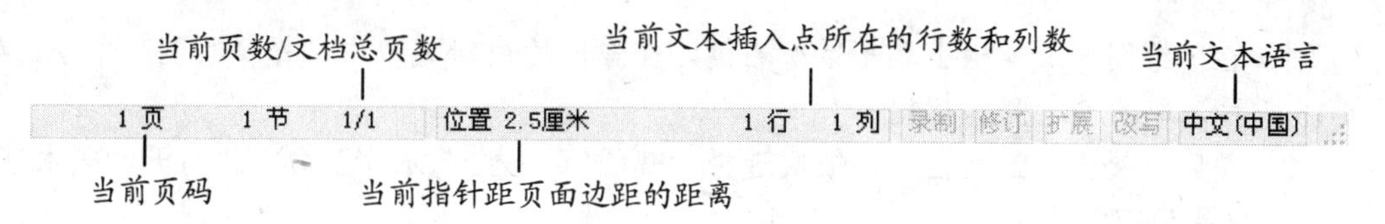

图 5-13 状态栏

5.2.6 Office 助手

Office 助手是 Office 2003 组件共有的功能，将鼠标指针移至该卡通形象上并单击，将打开一个对话框，如图 5-14 所示。从中输入需了解的内容，然后单击搜索(S)按钮，Office 助手即可快速地搜索相关内容的信息，以帮助用户解决问题。

在 Office 助手上右击，可在弹出的快捷菜单中选择相应的命令并对其进行不同的设置。各命令的作用如下。

- 选择“隐藏”命令可将 Office 助手隐藏。
- 选择“选项”命令，可在打开的“Office 助手”对话框的“选项”选项卡中对 Office 助手进行相关设置，如设置声音效果等。
- 选择“选择助手”命令，可在打开的“Office 助手”对话框的“助手之家”选项卡中切换助手形象，如图 5-15 所示。
- 选择“动画效果”命令，可显示当前 Office 助手的动画效果。

图 5-14 单击 Office 助手弹出的对话框

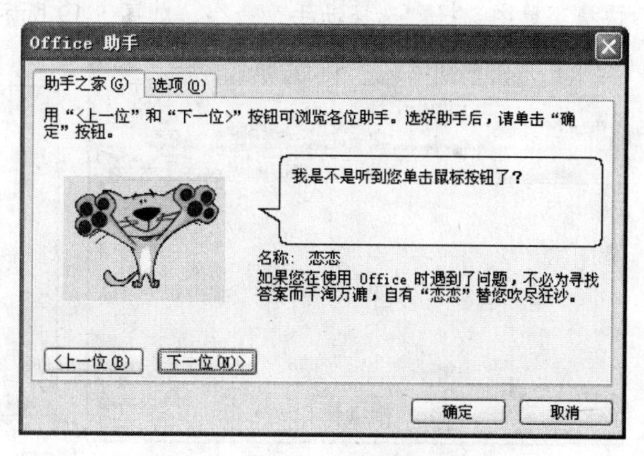

图 5-15 选择 Office 助手角色

技巧：

若用户打开 Word 2003 的工作界面上未显示 Office 助手的卡通图标，可依次选择“帮助/显示 Office 助手”命令将其显示出来。

5.2.7 应用举例——自定义 Word 2003 工作界面

本例将练习自定义一个工作界面，首先将显示在工作界面中的“绘图”工具栏关闭，并显示出“艺术字”工具栏，然后在界面中显示 Office 助手，并更换助手的角色。

操作步骤如下：

（1）在“绘图”工具栏上单击鼠标右键，在弹出的快捷菜单中选择“绘图”命令，如图 5-16 所示，取消其左侧的标记。

（2）关闭“绘图”工具栏后，依次选择“视图/工具栏/艺术字”命令，打开“艺术字”工具栏，如图 5-17 所示。

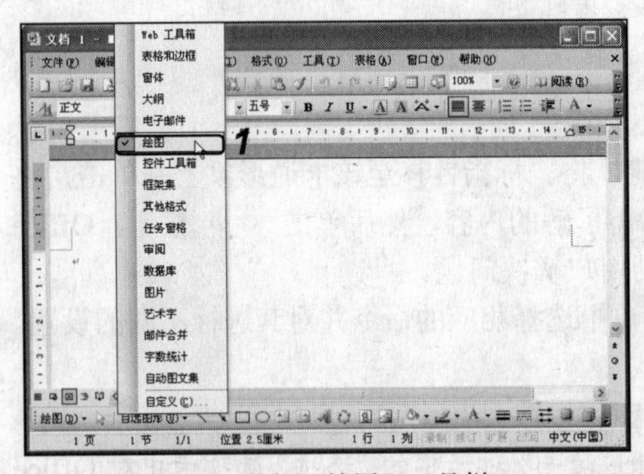

图 5-16 关闭“绘图”工具栏

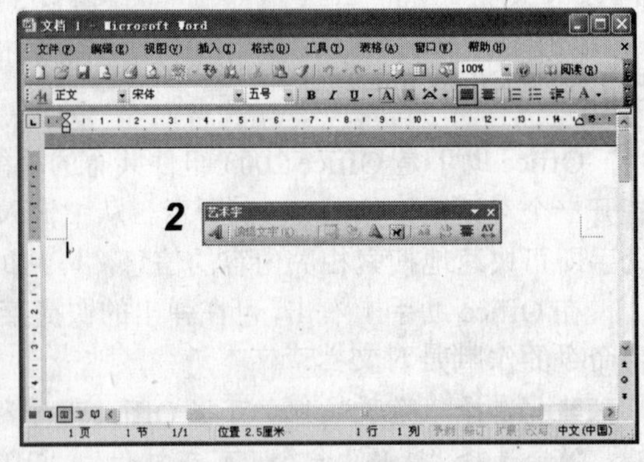

图 5-17 显示 “艺术字”工具栏

（3）将鼠标指针移至“艺术字”工具栏左侧，当其变为✥形状时，按住鼠标左键不放并拖动鼠标，将工具栏移至工作界面下方，如图 5-18 所示。

（4）依次选择“帮助/显示 Office 助手”命令，在出现的 Office 助手上右击，在弹出的快捷菜单中选择“选择助手”命令，如图 5-19 所示，打开“Office 助手”对话框。

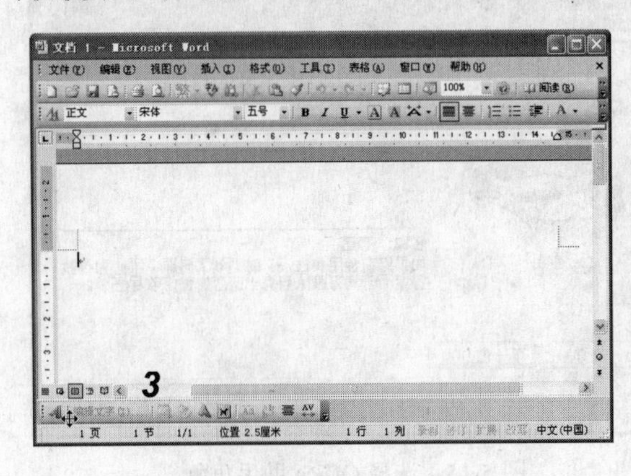

图 5-18 移动“艺术字”工具栏位置

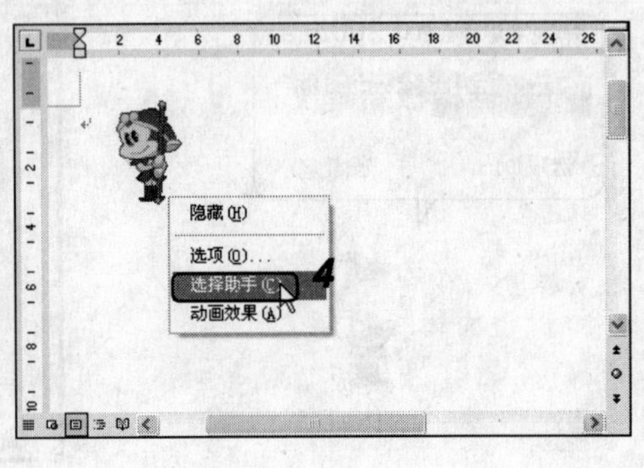

图 5-19 选择命令

（5）单击[下一位(N)>]按钮，选择“默林”助手，单击[确定]按钮，如图 5-20 所示。

（6）返回 Word 2003 工作界面，显示更换角色后的 Office 助手形象，如图 5-21 所示。

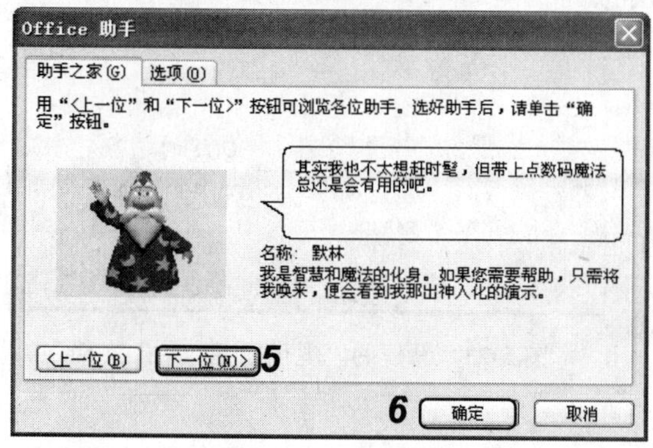

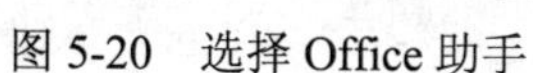
图 5-20 选择 Office 助手

图 5-21 更改角色后的效果

5.3 文档的基本操作

Word 2003 中对文档的基本操作包括新建、保存、打开和关闭文档等，下面分别对这些知识进行讲解。

5.3.1 新建文档

新建文档是对文档或文本进行其他操作的基础，在 Word 2003 中新建文档可分为新建空白文档和根据模板新建文档两种操作。

1. 新建空白文档

启动 Word 2003 时，会自动新建一个名为“文档 1”的空白文档。另外，通过以下几种方法也可新建空白文档。

- 在 Word 2003 的工作界面中依次选择“文件/新建”命令，在打开的“新建文档”任务窗格中单击“空白文档”超链接。
- 单击“常用”工具栏中的“新建”按钮。
- 在 Word 2003 窗口中按“Ctrl+N”键。

2. 根据模板新建文档

Word 2003 中自带有多种文档模板，通过它用户可快速新建具有某种样式的模板文档。

【例 5-3】 根据模板新建一个“现代型备忘录”文档。

（1）依次选择“文件/新建”命令，打开“新建文档”任务窗格，单击“模板”栏下的“本机上的模板”超链接。

（2）打开“模板”对话框，选择“备忘录”选项卡，再选择“现代型备忘录”选项，然后单击[确定]按钮，如图 5-22 所示。

（3）Word 2003 将根据默认设置新建一个“现代型备忘录”文档，如图 5-23 所示。

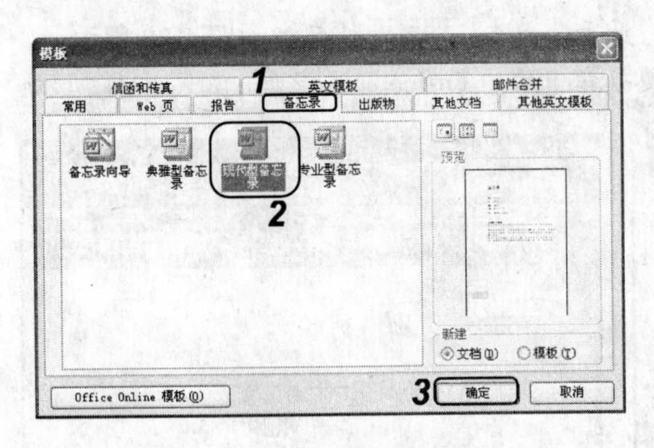

图 5-22　选择新建模板的类型

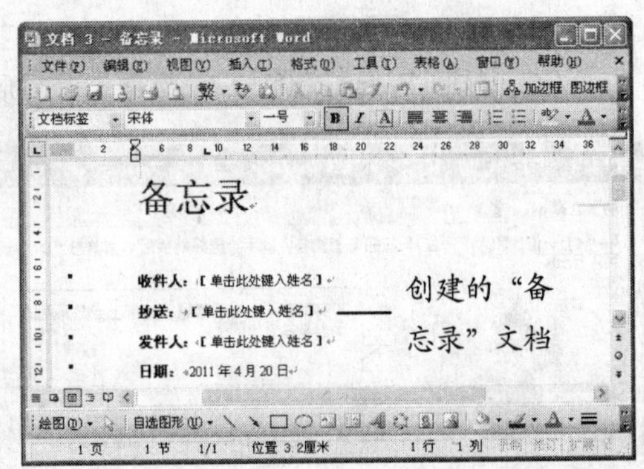

图 5-23　新建的“现代型备忘录”文档

提示：

如果在“模板”对话框中选择的模板为“**向导”，单击 确定 按钮后，将不会自动新建一个文档，而是打开向导对话框，需要用户进行相关设置后，按设置内容进行新建。

5.3.2　保存文档

对文档进行保存后，可避免因突然断电等各种突发事件丢失编辑的数据而造成重大损失。在 Word 2003 中保存文档可分为对新建文档进行保存、对已存在的文档进行另存和对文档进行自动保存等 3 种情况。

1．保存新建文档

在对新建的文档进行操作后，应及时进行保存。

【例 5-4】　将当前文档以名为“邀请函”保存到“我的文档”文件夹中。

（1）在 Word 2003 的工作界面中依次选择“文件/保存”命令或单击“常用”工具栏中的“保存”按钮，打开“另存为”对话框。

（2）在“保存位置”下拉列表框或左侧的列表框中选择文档的保存路径，这里选择“我的文档”选项。

（3）在“文件名”下拉列表框中输入文档的名称“邀请函”。

（4）在“保存类型”下拉列表框中选择文件的保存类型，默认为 Word 文档，也可选择网页、模板等类型。

（5）单击 保存(S) 按钮将文档保存在“我的文档”中，如图 5-24 所示。

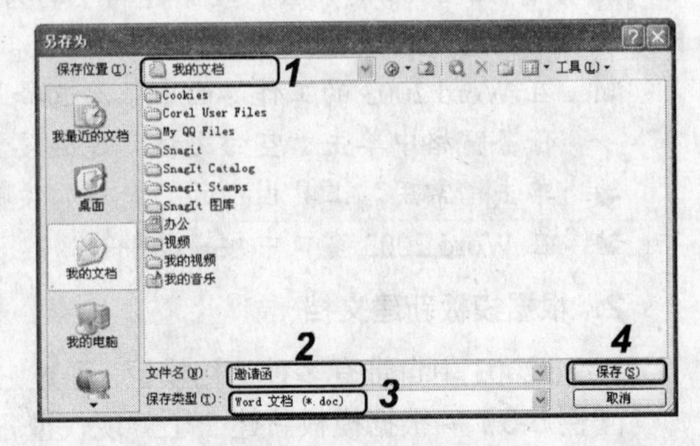

图 5-24　“另存为”对话框

提示：

当打开已保存过的文档并进行修改等操作后，此时依次选择“文件/保存”命令或单击按钮都将在文档原路径和名称上以更新数据的方式保存文档，不会再次打开“另存为”对话框。

2．另存文档

将已保存过的文档以另外的名称或类型保存到另外的位置的操作即称为“另存文档”，它可以避免对原文档进行错误修改而丢失数据的情况发生。选择依次“文件/另存为”命令，打开“另存为”对话框，此时按照保存新建文档的方法对文档进行设置，单击 保存(S) 按钮即可。

注意：

另存文档时一定要注意如果在当前保存位置下另存，一定要设置不一样的名称或类型；如果在不同的保存位置下另存，则可设置相同的名称和类型。

3．设置自动保存文档

利用 Word 2003 提供的自动保存文档功能，可使用户在忘记保存文档的时候自动对文档进行保存操作。

【例 5-5】　将文档设置为自动保存，并将自动保存的间隔时间设置为 8 分钟。

（1）依次选择“工具/选项”命令，打开“选项”对话框，如图 5-25 所示。

（2）选择“保存”选项卡，选中☑ 自动保存时间间隔(S): 复选框，在该复选框右侧的数值框中输入保存的时间间隔“8”，单击 确定 按钮，如图 5-26 所示。

（3）此后 Word 将每隔 8 分钟对当前编辑的文档自动进行保存。

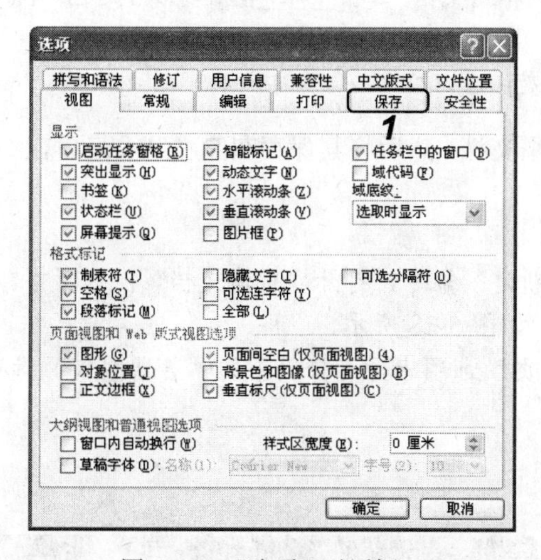

图 5-25　“选项”对话框

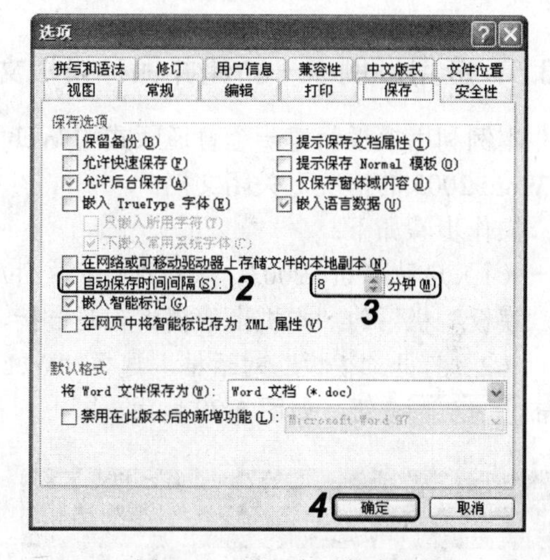

图 5-26　设置自动保存文档

注意：

一般将自动保存文档的时间间隔设置为 8～15 分钟，过长或过短都将对文档的编辑产生影响。

5.3.3　打开文档

当需要对已经保存在电脑中的文档进行浏览或修改等操作时，就需将其打开。

【例 5-6】　打开保存在“我的文档”中名为“邀请函”的文档。

（1）在 Word 2003 的工作界面中依次选择“文件/打开”命令或单击“常用”工具栏

中的“打开”按钮，打开“打开”对话框。

（2）在“查找范围”下拉列表框中选择需打开文档的保存路径“我的文档”。

（3）在中间的列表框中选择需打开的文档。

（4）单击 打开(O) 按钮，如图 5-27 所示。

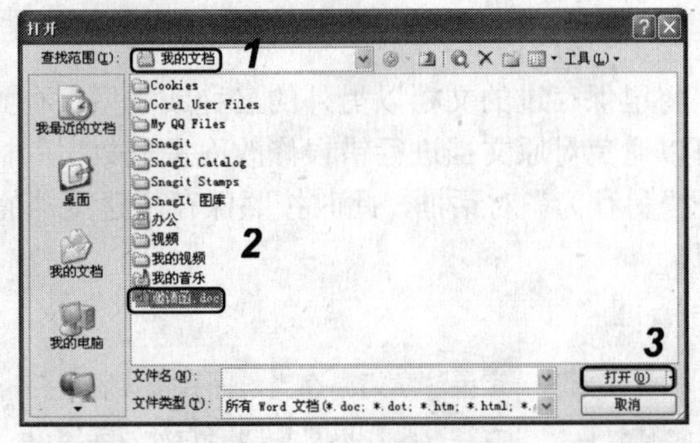

图 5-27 “打开”对话框

技巧：

打开文档保存的位置，双击该文档，可在启动 Word 2003 的同时打开该文档。

5.3.4 关闭文档

使用退出 Word 2003 的方法即可关闭文档，如无需退出 Word 2003，可依次选择“文件/关闭”命令或单击菜单栏右侧的×按钮关闭文档。

提示：

当关闭未保存的文档时，Word 将打开提示对话框，询问是否进行保存操作，单击 是(Y) 按钮可按保存文档的方法进行保存，单击 否(N) 按钮将不保存文档，单击 取消 按钮将取消关闭操作。

5.3.5 应用举例——新建并保存模板文档

本例利用模板新建一个普通版式的 Web 页文档，然后将其保存在 D 盘中，最后在不退出 Word 2003 的情况下关闭文档。

操作步骤如下：

（1）启动 Word 2003，依次选择“文件/新建”命令，打开“新建文档”任务窗格，单击“模板”栏下的“本机上的模板”超链接，如图 5-28 所示。

（2）打开“模板”对话框，选择“Web 页”选项卡，选择其下的“普通版式”选项，单击 确定 按钮，如图 5-29 所示。

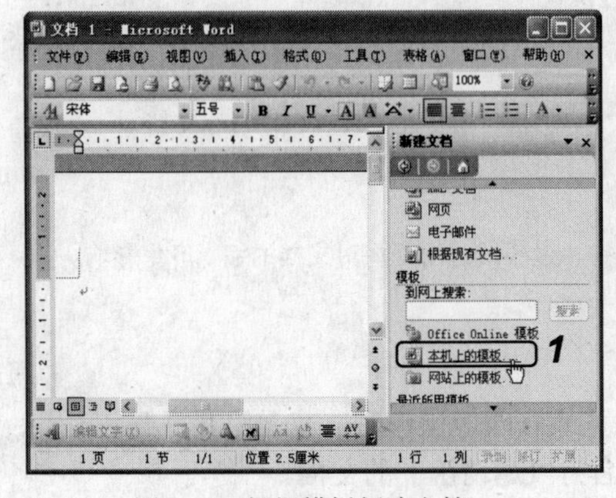

图 5-28 根据模板新建文档

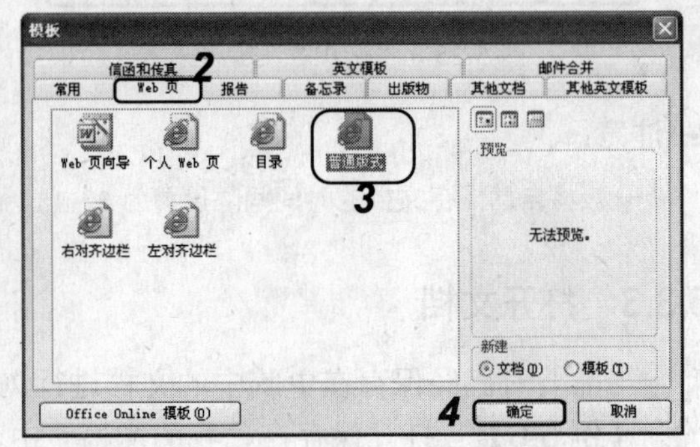

图 5-29 选择“普通版式”模板

（3）返回 Word 工作界面查看后，选择“文件/保存”命令，打开“另存为”对话框。

（4）在“保存位置”下拉列表框中选择 D 盘，在“文件名”下拉列表框中输入“普通网页”，单击 保存(S) 按钮，如图 5-30 所示。

（5）依次选择“文件/关闭”命令关闭文档，效果如图 5-31 所示。

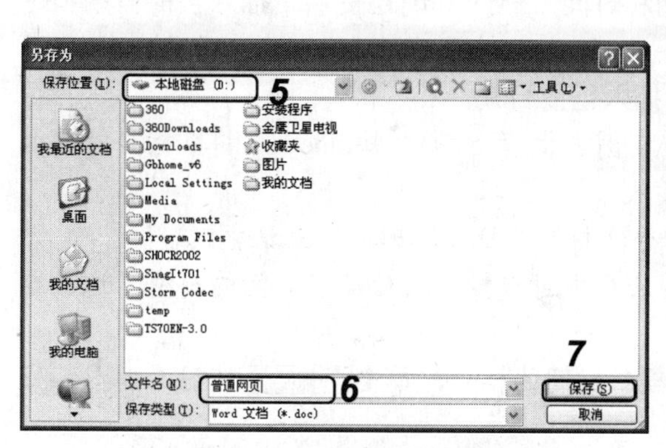

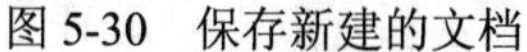
图 5-30　保存新建的文档

图 5-31　关闭文档

5.4　输入与编辑文本

文本是编辑文档时不可缺少的操作环节，当在 Word 中新建了一个文档或打开已有的文档后，都可在其中进行文本编辑，包括输入、选择、插入、删除、移动、复制、查找和替换文本等内容。下面分别对这些操作进行详细讲解。

5.4.1　输入文本

根据文本的类型不同，其输入方法有所差别，下面分别进行讲解。

1. 输入普通文本

输入普通文本的方法较为简单，与在写字板中输入文本完全相同，只需将鼠标指针移至文档编辑区中，当其变为I形状后在文档编辑区中单击，将文本插入点定位到文档编辑区中，然后切换汉字输入法即可输入文本，如图 5-32 所示。同时 Word 也支持自动换行和分段功能。

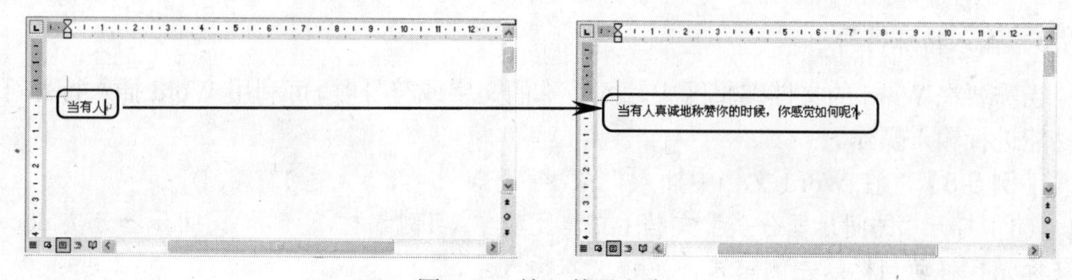

图 5-32　输入普通文本

提示：

在写字板中文本自动换行是以当前打开的窗口大小而定，在 Word 中决定文本是否换行是以当前的页面大小，将输入的文本超过编辑区的右边距时将自动换行。

2．输入日期和时间

虽然按照普通文本的方法可以输入日期和时间，但 Word 还提供了插入当前日期和时间的功能，方便用户使用。

【例 5-7】 在打开的“通知”文档后插入当前日期。

（1）打开“通知”文档（立体化教学:\实例素材\第 5 章\通知.doc），将鼠标光标移动到文档最后一行的空白处单击，定位文本插入点。

（2）依次选择“插入/日期和时间”命令，打开“日期和时间”对话框。

（3）在“语言（国家/地区）”下拉列表框中可选择插入日期与时间的类型，这里选择“中文（中国）”选项。

（4）在“可用格式”列表框中选择日期和时间的样式，单击 确定 按钮，如图 5-33 所示。

（5）返回 Word 2003 工作界面，即可查看插入当前日期的效果，如图 5-34 所示（立体化教学:\源文件\第 5 章\通知.doc）。

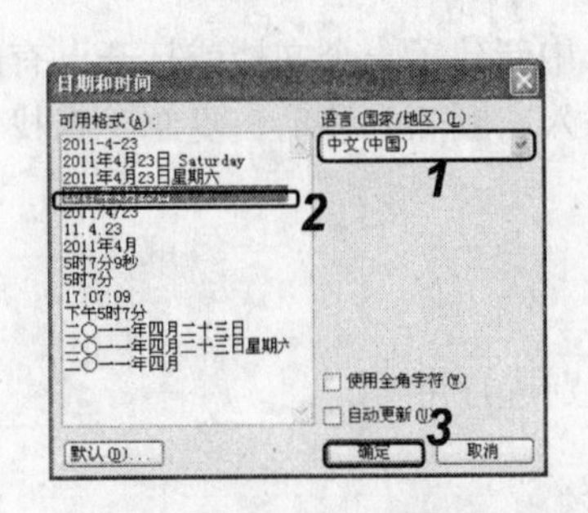

图 5-33 设置日期格式

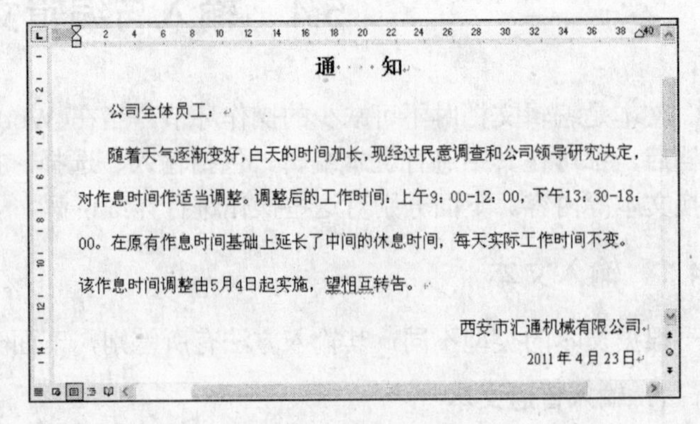

图 5-34 插入日期效果

技巧：

定位插入点后按“Shift+Alt+D”键可快速插入系统当前的日期；按“Shift+Alt+T”键可快速插入系统当前的时间。

3．输入特殊符号

当需要在 Word 的文档编辑区中输入特殊的文字或符号时，可利用 Word 插入特殊符号的功能进行输入操作。

【例 5-8】 在 Word 文档中插入“♫”字符。

（1）打开“民间乐器分类”文档（立体化教学:\实例素材\第 5 章\民间乐器分类.doc），将鼠标光标移动到标题左侧单击，定位文本插入点。

（2）依次选择“插入/符号”命令，打开“符号”对话框的“符号”选项卡，在“字体”下拉列表框中选择 Time New Roman 选项，在“子集”下拉列表框中选择“零杂丁贝符（示意符等）”选项，在列表框中单击需插入的特殊符号对应的图标♫，单击【插入(I)】按钮，如图 5-35 所示。

（3）在 Word 工作界面文档标题后单击定位文本插入点，再单击【插入(I)】按钮，在该位置也插入♫图标。

（4）单击【关闭】按钮关闭“符号”对话框，即可看到特殊符号插入后的效果，如图 5-36 所示（立体化教学:\源文件\第 5 章\民间乐器分类.doc）。

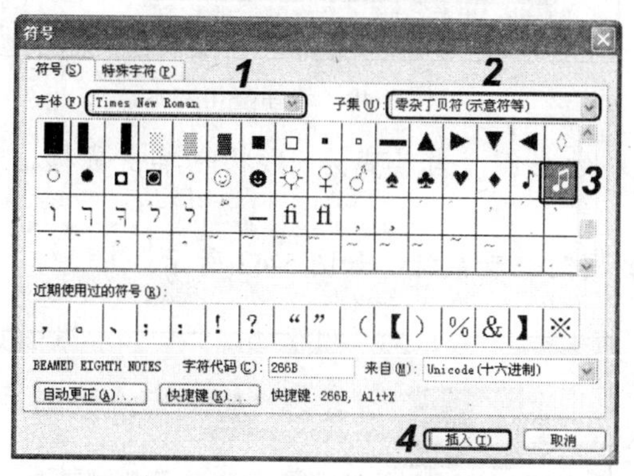

图 5-35　“符号”对话框

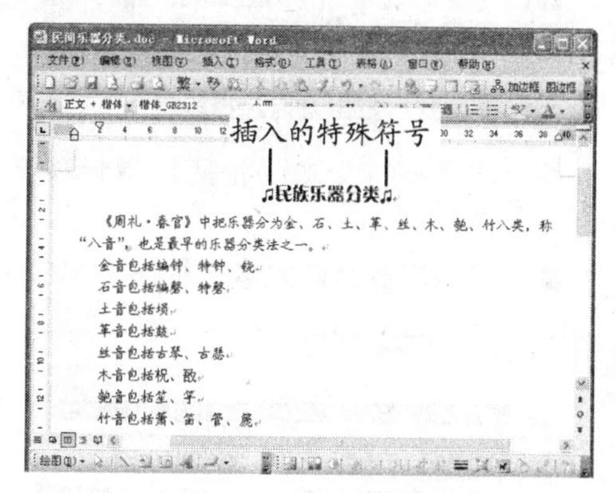

图 5-36　插入特殊符号

提示：

在“字符”下拉列表框中选择 Wingding、Wingding2 或 Wingding3 选项，在下方的列表框中可显示多种常用的特殊符号。

5.4.2 选择文本

选择文本是对文本进行修改等各种编辑操作的基础，在 Word 2003 中可通过如下几种方法选择相应的文本。

- **选择任意文本**：将鼠标光标移至文档中需选择文本的起始位置，当其变为I形状时按住鼠标左键不放并拖动鼠标至需选择文本的终止位置，然后释放鼠标即可选择起始位置与终止位置之间的所有文本，且选择的文本以反白显示，如图 5-37 所示。
- **选择单字或词组**：在文本某处双击鼠标可选择距插入点最近的第一个单字或词组，如图 5-38 所示。

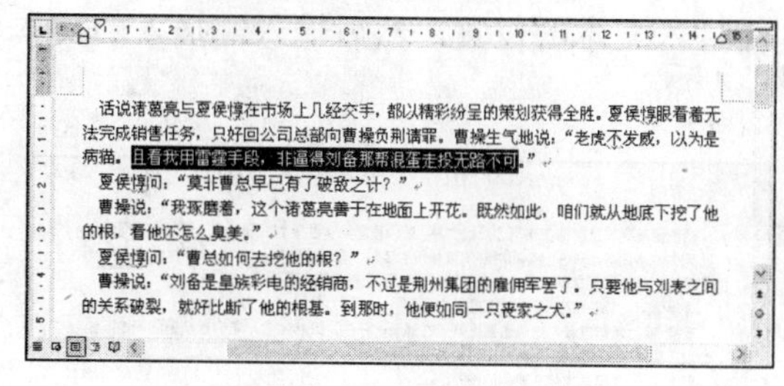

图 5-37　选择任意文本

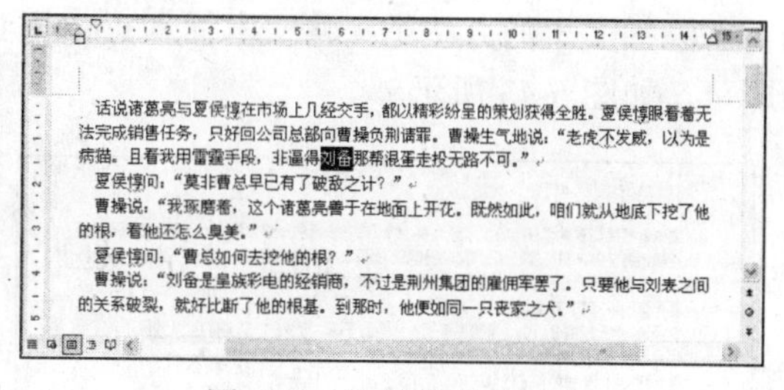

图 5-38　选择单字或词组

- **选择整个段落**：将鼠标光标移到需要的段落文本中，三击鼠标，如图 5-39 所示。
- **选择整句文本**：按住“Ctrl”键的同时单击鼠标，如图 5-40 所示。

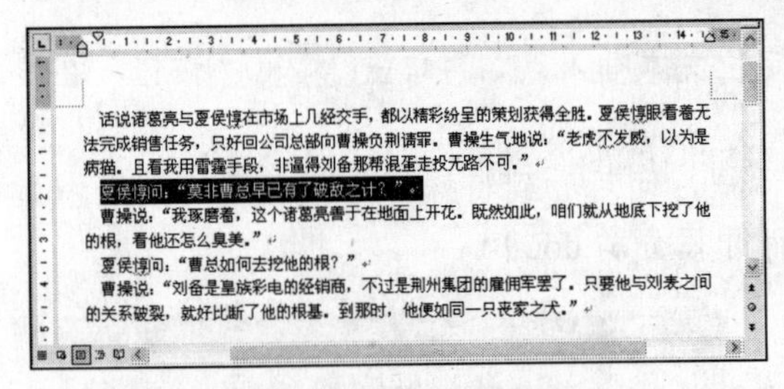

图 5-39　三击鼠标选择段落

图 5-40　选择整句文本

- **选择一行文本**：将鼠标指针移至文本的左侧，当其变为↗形状时单击鼠标，如图 5-41 所示。
- **选择矩形区域文本**：按住“Alt”键的同时拖动鼠标，如图 5-42 所示。

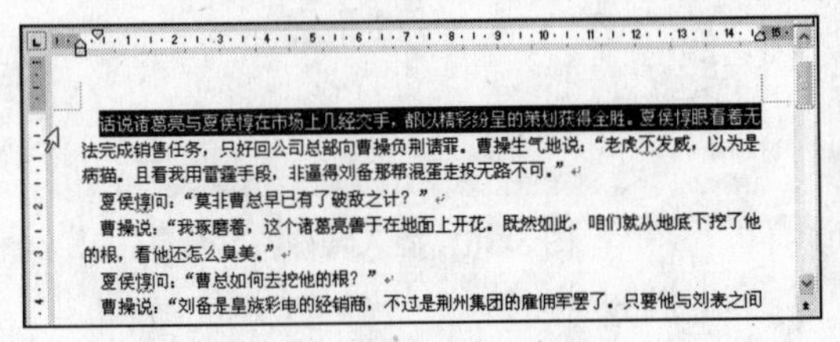

图 5-41　选择一行文本

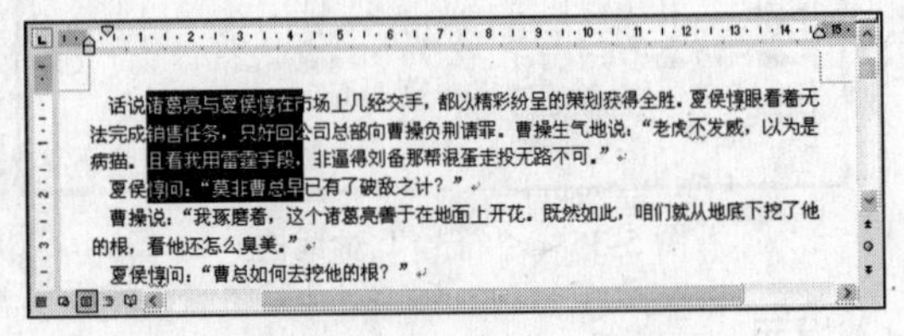

图 5-42　选择矩形区域文本

提示：

在 Word 中选择文本的方法还有多种，如按“Ctrl+A”键可选择整篇文档的文本，选择一处文本后，按住“Ctrl”键的同时选择其他文本，可同时选择这两处文本。

技巧：

选择文本后，在文档任意位置单击鼠标，可取消文本的选择状态。

5.4.3　添加与删除文本

输入文本后，如有缺少或多余的文本，可进行添加和删除操作。

1．添加文本

添加文本的方法是：将文本插入点定位到需插入文本的位置，然后输入需插入的文本即可，如图 5-43 所示。

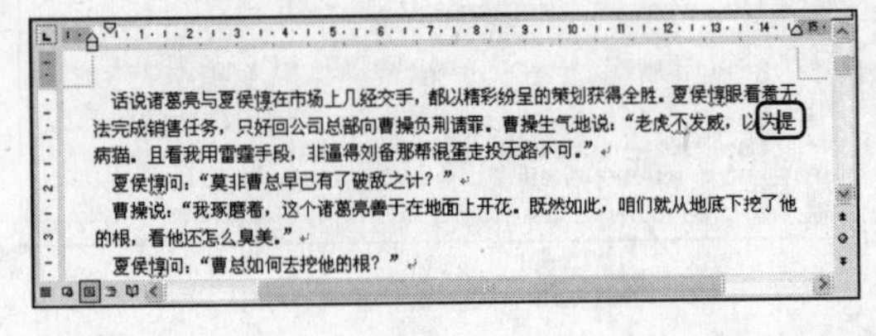

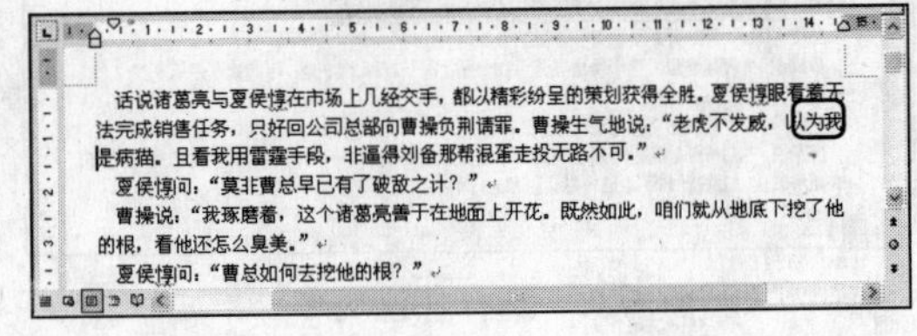

图 5-43　直接插入文本

注意：

在添加文本时，如发现虽然文本添加成功却自动删除了右侧的正确内容，这时可双击状态栏中的“改写”图标（使其呈灰色显示）或按“Insert”键即可切换到插入状态。这是因为 Word 2003 存在插入和改写两种状态。

2．删除文本

编辑文本时，有时需将多余或错误的文本删除，删除文本的方法主要有如下几种：

- 将文本插入点定位在需删除文本的右侧，按“Back Space”键可删除左侧的一个字符。
- 将文本插入点定位在需删除文本的左侧，按“Delete”键可删除右侧的一个字符。
- 选择需删除的文本，按“Back Space”键或“Delete”键将其全部删除。

技巧：

选择文本后，输入其他文本，可在删除选择文本的同时将其他文本显示在文档中，这也是编辑文本的一种常用方法。

5.4.4　移动与复制文本

移动与复制是在文档编辑过程中经常使用的操作，通过它们可节省工作时间、提高工作效率。

1．移动文本

移动文本是指将文档中的部分文本移动到文档中的另一位置，其方法有如下几种：

- 选择需移动的文本，然后依次选择“编辑/剪切”命令，将文本插入点定位到需插入文本的位置，选择“编辑/粘贴”命令。
- 选择需移动的文本，单击“常用”工具栏中的“剪切”按钮，将文本插入点定位到需插入文本的位置，单击“常用”工具栏中的“粘贴”按钮。
- 选择需移动的文本，按“Ctrl+X”键，将文本插入点定位到需插入文本的位置，再按“Ctrl+V”键。
- 选择需移动的文本，按住鼠标左键不放，将其移动到目标位置，如图 5-44 所示。

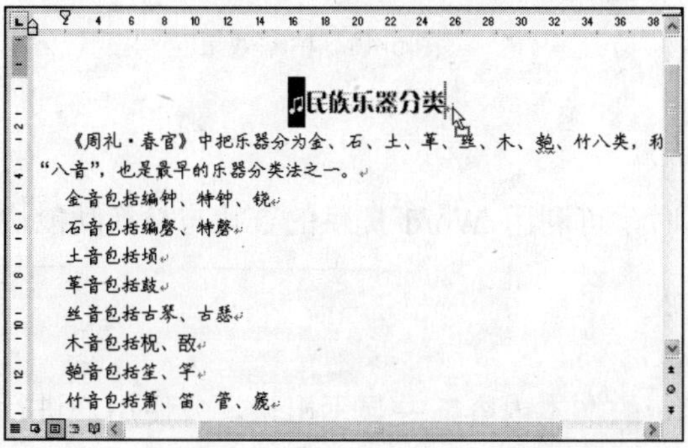

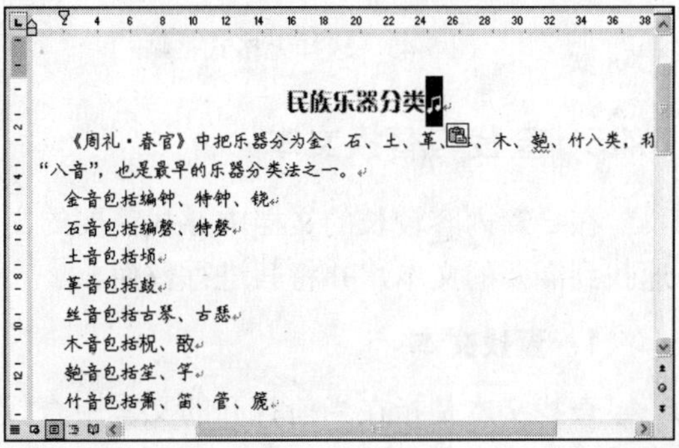

图 5-44　移动文本

提示：

在移动文本过程中，选择命令、使用工具按钮和按快捷键之间可以互用，如复制时使用命令方式，粘贴时使用快捷键方式。

2．复制文本

复制文本是指将已有的文本在文档中复制一份，它的操作与移动文本类似，且粘贴方式完全相同，复制方法稍有不同，分别为选择“编辑/复制”命令、单击“常用”工具栏中的“复制”按钮或按“Ctrl+C”键。如需使用拖动的方法复制，需在移动的过程中按住“Ctrl”键。

3．选择性粘贴文本

在移动或复制文本后，Word默认以原文本的格式进行粘贴，用户也可选择粘贴原文本的格式或将选择的文本以图片形式粘贴等。

【例5-9】 复制标题文本，并将其以无格式文本粘贴。

（1）打开“公司制度”文档（立体化教学:\实例素材\第5章\公司制度.doc），选择标题文本，然后选择“编辑/复制”命令。

（2）将文本插入点定位到最后一段段首，然后选择“编辑/选择性粘贴”命令，打开“选择性粘贴”对话框，在“形式”列表框中选择“无格式文本”选项，然后单击 确定 按钮，如图5-45所示。

（3）以无格式文本的方式将标题文本粘贴到文本插入点，如图5-46所示（立体化教学:\源文件\第5章\公司制度.doc）。

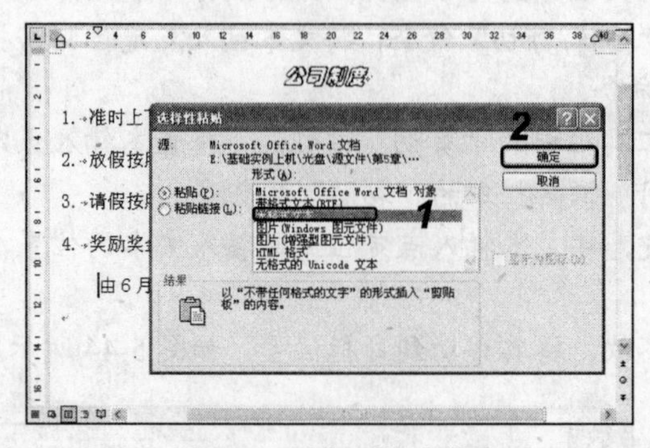

图5-45 选择无格式粘贴

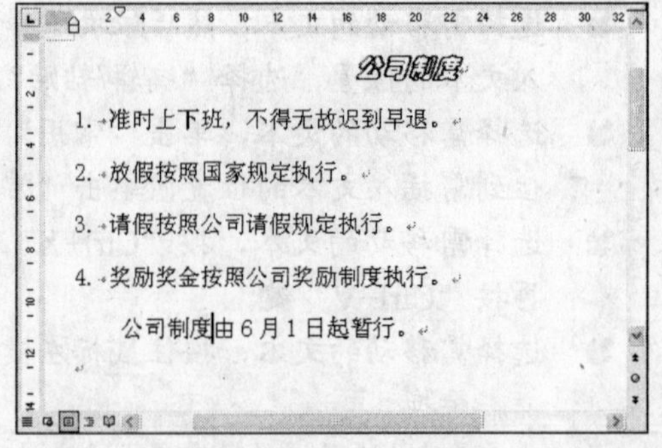

图5-46 粘贴效果

5.4.5 查找与替换文本

在一篇内容较长的文档中寻找需要的文本时，可利用Word提供的查找与替换功能快速找到需要的文本，并将其进行替换。

1．查找文本

查找文本是指在当前打开的文本中查找指定的文本内容，并显示出来，方便用户进行查看或修改。

【例5-10】 依次查找当前文档中输入的所有“诸葛亮”文本。

(1) 在需进行查找的文档中选择"编辑/查找"命令，打开"查找和替换"对话框的"查找"选项卡，如图 5-47 所示。

(2) 在"查找内容"下拉列表框中输入需查找的文本"诸葛亮"。

(3) 单击[查找下一处(F)]按钮，程序即可根据设置的查找条件在文档中查找第一处符合条件的文本，找到后将以高亮显示，如图 5-48 所示。

(4) 继续单击[查找下一处(F)]按钮，将继续查找符合条件的文本，并以高亮显示。

图 5-47 "查找"选项卡

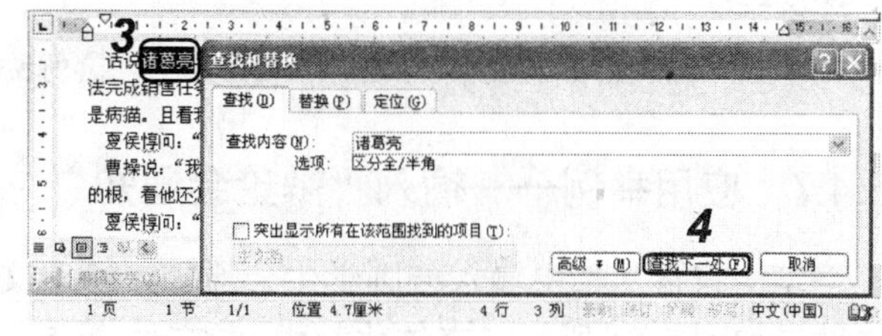

图 5-48 查找到的文本

技巧：

单击"查找"选项卡中的[高级 ▼ (M)]按钮，可对查找条件进行更精确地设置，如查找文本所属字体、查找范围等，以便更准确地找到所需的文本。

2. 替换文本

替换文本就是将查找到的文本替换为另一文本或另一种样式，这对于修改一篇文档中出现大量相同错误时非常有用。

【例 5-11】 依次将当前文档中的"诸葛亮"文本替换为"刘备"文本。

(1) 在需进行替换的文档中选择"编辑/替换"命令，打开"查找和替换"对话框的"替换"选项卡，如图 5-49 所示。

(2) 在"查找内容"下拉列表框中输入需查找的文本内容"诸葛亮"，在"替换为"下拉列表框中输入替换后的文本内容"刘备"，单击[查找下一处(F)]按钮，待程序查找到符合条件的文本后单击[替换(R)]按钮即可将高亮显示的文本替换，并自动高亮显示下一个符合条件的文本。

(3) 如需替换，再次单击[替换(R)]按钮，查找完以后打开提示对话框，提示完成搜索，单击[确定]按钮，如图 5-50 所示，返回"查找和替换"对话框，单击[关闭]按钮。

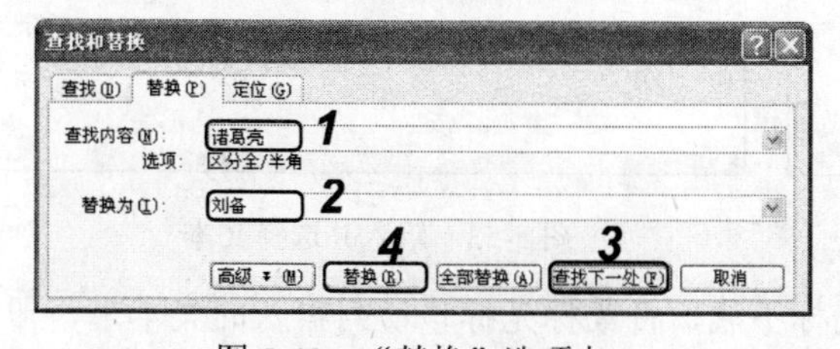

图 5-49 "替换"选项卡

图 5-50 提示对话框

技巧：

单击[全部替换(A)]按钮，可将整个文档中符合条件的文本一次性替换为设置的文本。

5.4.6　撤销与恢复操作

在编辑文档的过程中有可能出现错误的操作，如输入错误、设置错误等，此时可利用Word的撤销功能使文档回到前一步或前几步时的状态。其方法是：单击“常用”工具栏中的“撤销”按钮或按“Ctrl+Z”键。若发现不应该进行撤销操作但已撤销时可使用恢复功能恢复到撤销之前的状态。其方法是：单击“常用”工具栏中的“恢复”按钮。

技巧：

单击或按钮右侧的按钮，可在弹出的下拉列表框中选择撤销或恢复的多步操作。

5.4.7　应用举例——输入“辩论会通知”

本例将在文档中输入一则学生会通知，练习文本的输入、选择、复制等操作方法，最终效果如图5-51所示（立体化教学:\源文件\第5章\辩论会通知.doc）。

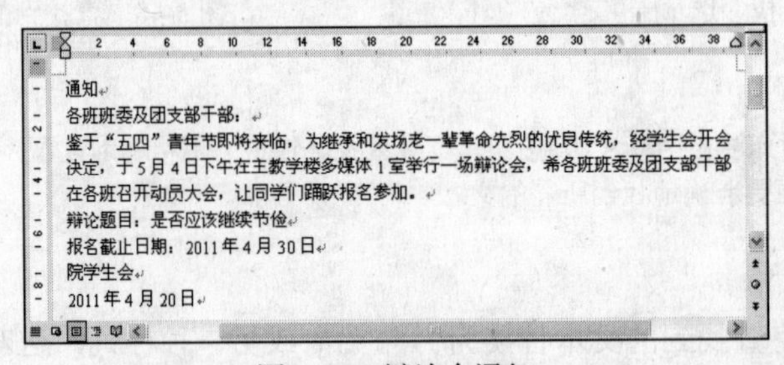

图5-51　辩论会通知

操作步骤如下：

（1）启动Word 2003，切换至适合的中文输入法，输入“通知”，然后按“Enter”键换行，如图5-52所示。

（2）继续输入文本“各班班委及团支部干部：”，然后按“Enter”键换行，当输入的文本超过一行时将自动跳转到下一行进行输入，然后选择上一段输入的称谓文本，如图5-53所示。

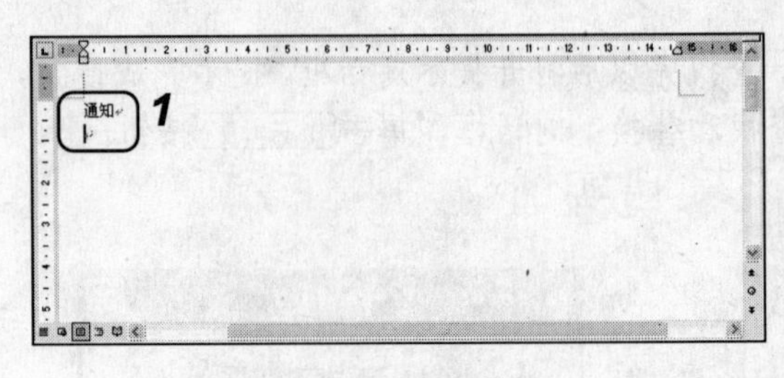

图5-52　输入标题

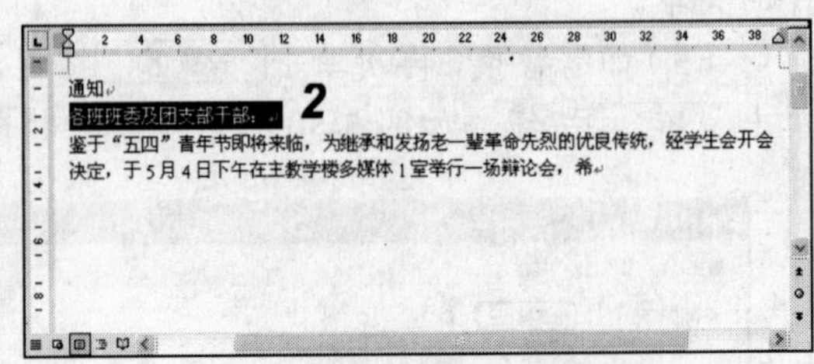

图5-53　输入并选择文本

（3）在按住“Ctrl”键的同时按住鼠标不放，将鼠标光标移动到输入的文本末，即将选择的文本复制到该处，如图5-54所示。

（4）继续输入如图5-55所示的文本，按“Enter”键换行，然后选择“插入/日期与时间”命令。

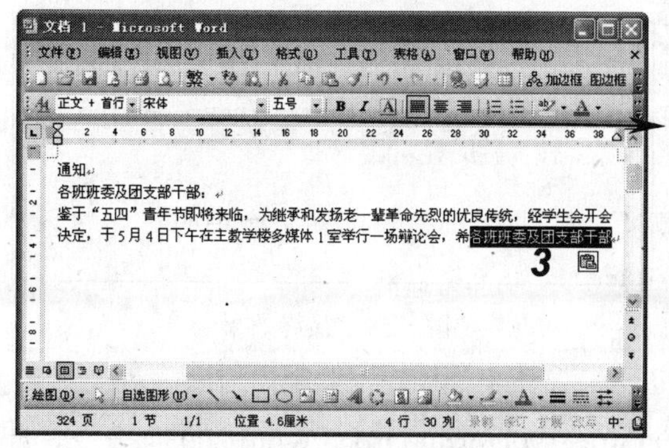

图 5-54　复制文本

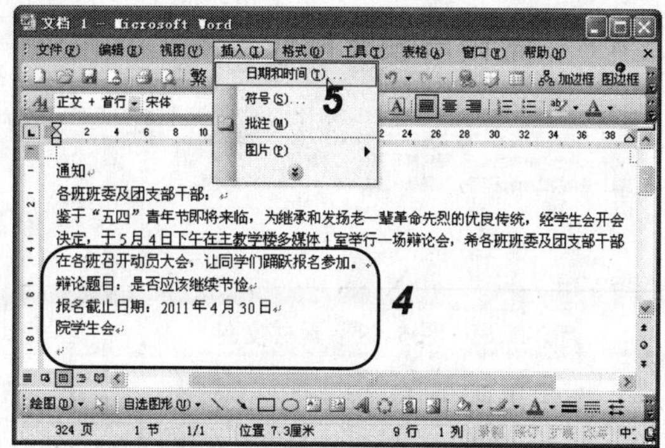

图 5-55　输入文本或选择命令

（5）打开“日期和时间”对话框，在“可用格式”列表框中选择“2011 年 4 月 20 日”选项，单击 确定 按钮，如图 5-56 所示。

（6）将系统当前的日期插入到文本插入点所在的位置，如图 5-57 所示，按空格键调整各段落的起始位置，将标题置于文档中央，每段首空两个文字的位置，落款靠文档右侧对齐。

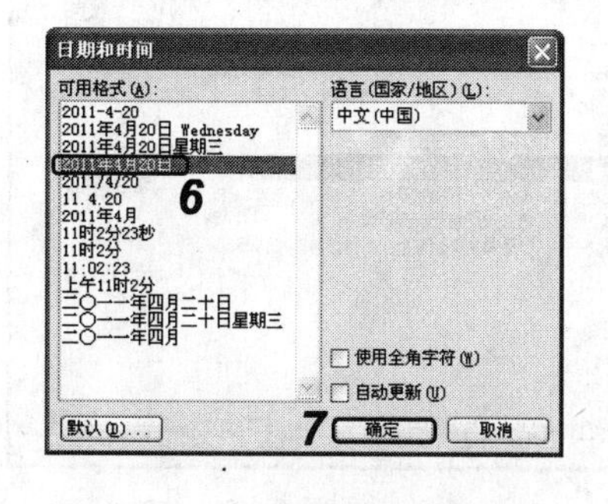

图 5-56　选择日期格式

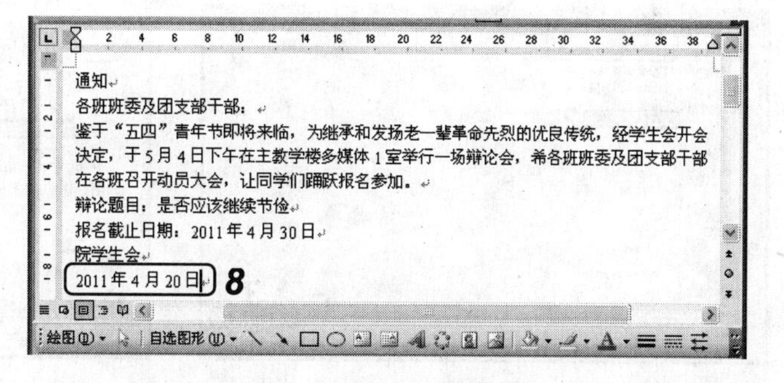

图 5-57　插入日期效果

注意：

这里使用按空格的方式调整段落格式，但在实际文档操作过程中，只需输入每段的文本后，然后设置段落格式可快速进行调整，关于段落格式的设置方法将在第 6 章详细讲解。

5.5　上机及项目实训

5.5.1　编辑“失物招领”

本次上机练习将打开一篇“失物招领”文档，如图 5-58 所示（立体化教学:\实例素材\第 5 章\失物招领.doc），对其中进行文本的修改、删除、添加和替换等操作，最后将文档保存在“我的文档”中，最终效果如图 5-59 所示（立体化教学:\源文件\第 5 章\失物招领.doc）。

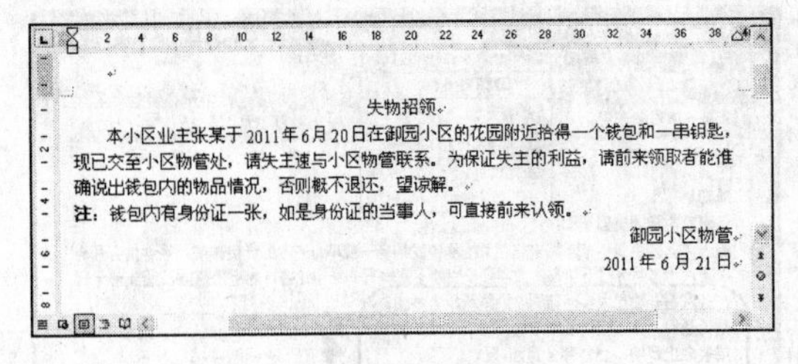

图 5-58　素材文件

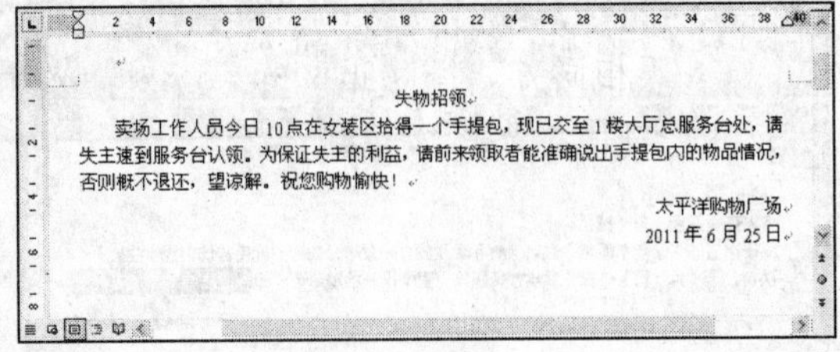

图 5-59　最终效果

操作步骤如下：

（1）依次选择“开始/所有程序/Microsoft Office/Microsoft Office Word 2003”命令，启动 Word 2003。

（2）单击“常用”工具栏中的“打开”按钮，打开“打开”对话框，在“查找范围”下拉列表框中选择立体化教学中第 5 章的素材文件，在中间列表框中选择“失物招领 doc”，单击 打开(O) 按钮，如图 5-60 所示。

（3）选择文档正文第一段文本需要更改的内容，如图 5-61 所示。

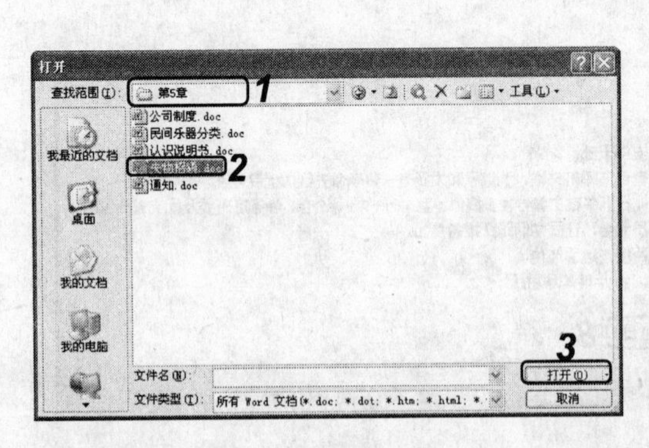

图 5-60　打开文档

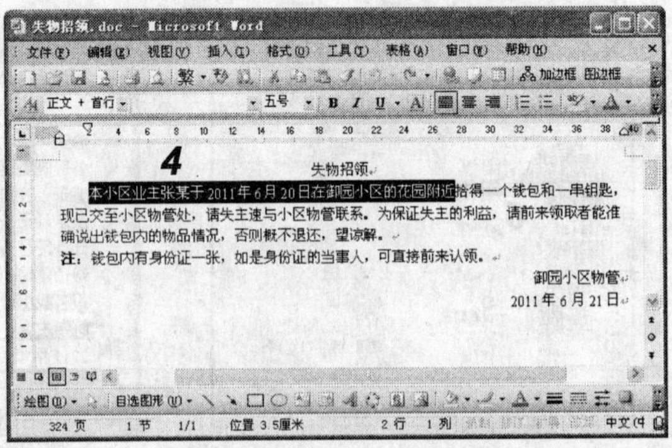

图 5-61　选择需更改的文本

（4）切换到所需的输入法，输入正确的文本“卖场工作人员今日 10 点在女装区”，完成文本的修改操作，如图 5-62 所示。

（5）按照相同方法，修改文档中的其他文本，效果如图 5-63 所示。

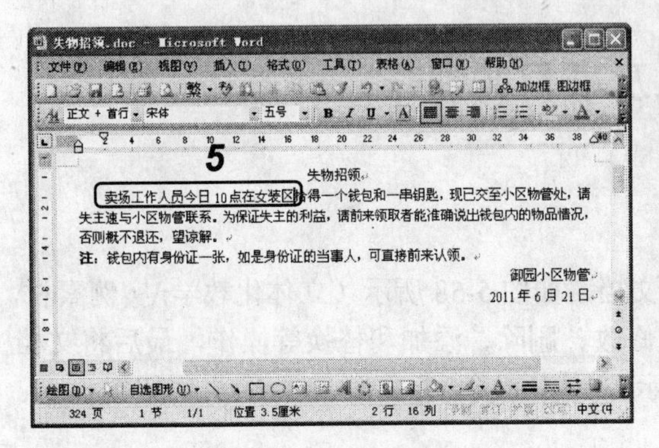

图 5-62　输入正确的文本

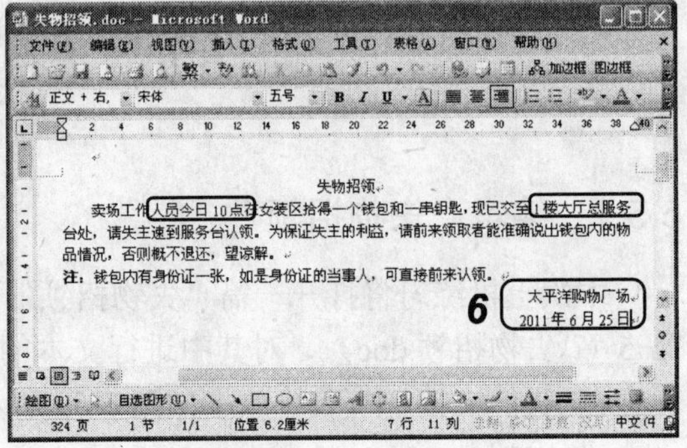

图 5-63　修改其他文本

（6）选择文档中多余的文本，即正文第一行的“和一串钥匙”，按“Delete”键进行删除。按照相同方法删除正文的第二段，效果如图 5-64 所示。

（7）将鼠标光标移动到正文末后单击，移动文本插入点，输入增加的内容“祝您购物愉快！”，如图 5-65 所示。

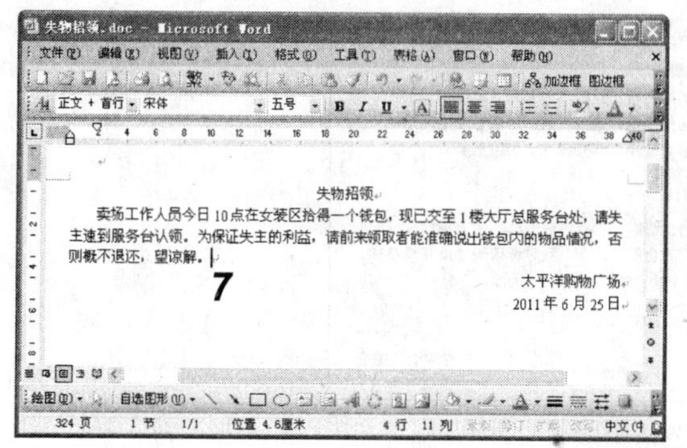

图 5-64　删除文本

图 5-65　添加文本

（8）选择“编辑/替换”命令，打开“查找和替换”对话框，在“查找内容”文本框中输入“钱包”，在“替换为”文本框中输入“手提包”，单击 全部替换(A) 按钮。

（9）在打开的提示对话框中单击 确定 按钮，返回“查找和查换”对话框，此时 取消 按钮变为了 关闭 按钮，单击该按钮完成替换，如图 5-66 所示。

（10）选择“文件/另存为”命令，打开“另存为”对话框，在“保存位置”下拉列表框中选择“我的文档”选项，保存文件名不变，单击 保存(S) 按钮，完成文档的另存操作，如图 5-67 所示。

图 5-66　替换文本

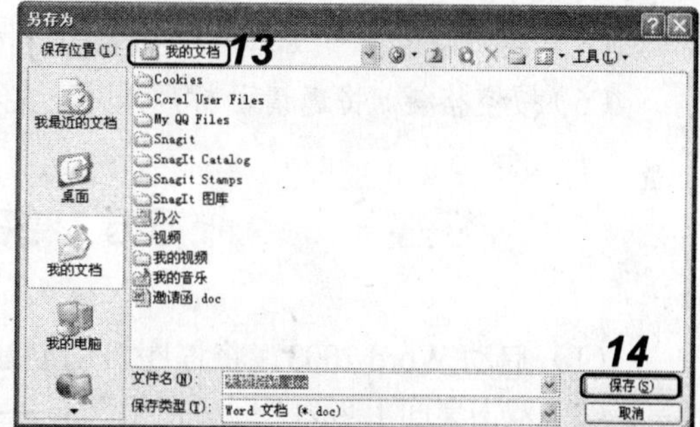

图 5-67　保存文档

技巧：

在日常办公过程中，制作通知、公告等常用文档时，可制作出一份标准的文档样式后，在此基础上修改为其他类似的文档效果，从而快速完成文档的制作。

5.5.2　制作“邀请函”

综合利用本章和前面所学知识，制作一份邀请函，最终效果如图 5-68 所示（立体化教学:\源文件\第 5 章\邀请函.doc）。

清华大学建筑系 01 级一班同学聚会

★ 邀请函 ★

亲爱的李佳佳同学：

你好！好久不见，转眼之间离校已经 10 年了，你的心情现在好吗？一切还算顺利吗？还记得当初离校时我们的约定吗？当初我们约定在 10 年后的今天相聚母校，我想无论你是回到了故里，或远在他乡；无论你事业辉煌，或正在体味创业的艰辛；也无论你多么闲暇，何等繁忙或是沮丧……，你终究不会忘记 10 年前我们的约定，因为我们曾经拥有过共同的 5 年时光。

随着时间的悄悄临近将近，我们都在悄悄期待着重逢时刻的到来，让我们相聚在水木清华，让我们暂时抛开尘世的喧嚣、挣脱身边的烦恼，走到一起；尽情享受老同学相聚的温馨、忘却忧虑；说说心里话，谈谈友情；回首往事、畅想未来，相互鼓舞……

活动时间：2011 年 6 月 5 日至 6 月 6 日

日程安排：6 月 5 日到校后在接待者签名、留影，然后参观母校，晚上参加母校的舞会；6 月 6 日安排在母校附近的会所开茶会，到时邀请辅导员袁玲参加。

组委会成员：会长（刘锦城）、副会长（李汏山）、接待（冯明明）

联系电话：010-62708890　　15864243104

同学聚会组委会

2011 年 5 月 5 日

图 5-68　邀请函效果

本练习可结合立体化教学中的视频演示进行学习（立体化教学:\视频演示\第 5 章\制作“邀请函”.swf）。

主要操作步骤如下：

（1）启动 Word 2003，选择“文件/保存”命令，将文档以“邀请函”为名保存到电脑磁盘中。

（2）切换到需要的中文输入法，依次输入文档中所有文本和数字内容，并注意分段。

（3）阅读文档中的内容，按照图 5-68 所示的效果对输入错误的内容进行修改或删除。

（4）将文本插入点定位到“邀请函”左侧，选择“插入/符号”命令，打开“符号”对话框，在“字体”下拉列表框中选择 Wingdings 选项，在中间的列表框中选择图标“★”，单击 插入(I) 按钮。

（5）在“邀请函”文本右侧插入图标“★”。

（6）按空格键，将邀请函标题居中，文档正文首行缩进两个文字的距离，落款右对齐。

5.6　练习与提高

（1）启动 Word 2003，将程序自动创建的文档以“厂房招租”命名保存在桌面上。

（2）双击桌面上名为“厂房招租”的文档，在其中输入具体内容，并注意换行和分段，将标题居中，正文首行缩进两个文字位置，效果如图 5-69 所示（立体化教学:\源文件\第 5 章\厂房招租.doc）。

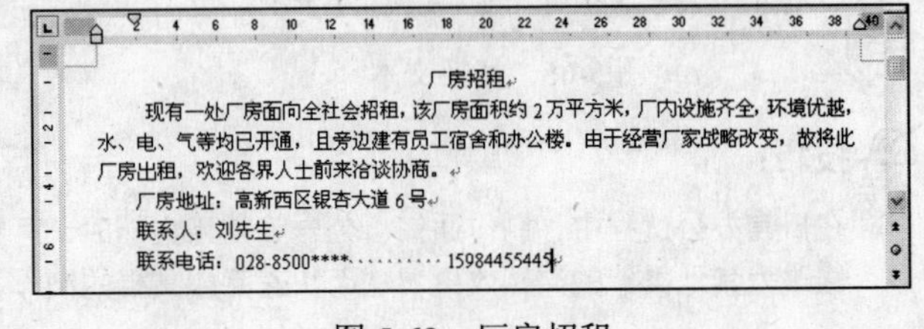

厂房招租

现有一处厂房面向全社会招租，该厂房面积约 2 万平方米，厂内设施齐全，环境优越，水、电、气等均已开通，且旁边建有员工宿舍和办公楼。由于经营厂家战略改变，故将此厂房出租，欢迎各界人士前来洽谈协商。

厂房地址：高新西区银杏大道 6 号

联系人：刘先生

联系电话：028-8500****··········15984455445

图 5-69　厂房招租

（3）在 Word 2003 输入如图 5-70 所示的文本，然后以“公司简介”命名保存在“我的文档”中，最后将文档中的“空调”替换为“小家电”，并修改相应文本，最终效果如图 5-71 所示。

公司简介

江西越江电子有限公司地处南昌市高新开发区主要干道与国道交界处，地理位置得天独厚、交通便利。公司占地 5000 平方米，建筑面积 7200 平方米。

公司从 2008 年创建之初，就一直竭诚为客户服务，以发展为空调制造业的龙头为目标，不断创新。发展至今，企业总资产已逾数千万元，被南昌市列为重点骨干企业。

公司现有一批专业从事系列空调研制、生产的高科技人员，拥有窗式、分体和柜式空调器总装流水线及热交换器生产流水线。公司集空调设计、制造、安装于一身，实行产、供、销一条龙服务，是一家专业性强、品种多、规格齐全的空调整机和散件生产厂家。

公司目前主要产品有：单冷机、冷暖两用机、传统加氟机、变频等多个系列的 30 多个品种，远销海内外。

图 5-70　输入文本

公司简介

江西越江电子有限公司地处南昌市高新开发区主要干道与国道交界处，地理位置得天独厚、交通便利。公司占地 5000 平方米，建筑面积 7200 平方米。

公司从 2008 年创建之初，就一直竭诚为客户服务，以发展为小家电制造业的龙头为目标，不断创新。发展至今，企业总资产已逾数千万元，被南昌市列为重点骨干企业。

公司现有一批专业从事系列小家电研制、生产的高科技人员，拥有电吹风、电饭煲、电剃须刀、榨汁机等生产流水线。公司集小家电设计、制造、安装于一身，实行产、供、销一条龙服务，是一家专业性强、品种多、规格齐全的小家电整机和散件生产厂家。

公司目前主要产品有：爱家号、厨房革命、柳阳、格兰氏等系列的 30 多个品种，远销海内外。

图 5-71　替换并修改文本

（4）打开“公司聘用制度.doc”文档（立体化教学:\实例素材\第 5 章\公司聘用制度.doc），在标题左右侧插入星形符号，在文档下方添加两段文本，然后插入当前日期，最终效果如图 5-72 所示（立体化教学:\源文件\第 5 章\公司聘用制度.doc）。

本练习可结合立体化教学中的视频演示进行学习（立体化教学:\视频演示\第 5 章\公司聘用制度.swf）

（5）制作如图 5-73 所示的“劳动用工合同.doc”文档（立体化教学:\源文件\第 5 章\劳动用工合同.doc），综合应用文本的输入、修改、撤销、恢复，以及文档的保存等操作。

★ 公司聘用制度 ★

公司各部门如因业务需要，必须增加人员时，应先依新进人员任用事务处理流程规定提出申请，经总经理核准后，由人力资源部办理考选事宜。

新进人员必须在 300 人以上企业工作半年以上或一般中小型企业工作 1 年以上（不符合以上要求的正规院校优秀本科生须经总经理批准方可录用），经考试或测验及审查合格后，由人力资源部办理试用申请表，原则上一般员工试用 1～3 个月，期满考核合格者，方可正式录用。成绩优良者，可缩短其试用时间。

试用员工转正及级别提升需先向部门负责人递交申请书（申请表在办公室负责人处领取），经部门讨论部门负责人批准后交办公室及总经理审批备案，总经理同意后由办公室下达转正通知书。

试用人员如有隐瞒本人真实情况和假报虚报个人资料、品行不良或服务成绩欠佳及无故旷工者，公司可随时停止试用，予以解雇，试用不满 3 日者，按劳动法规定不发放工资。

本制度即日起正式生效。

杭州市康新医疗器械有限公司

2011 年 7 月 8 日

图 5-72　公司聘用制度

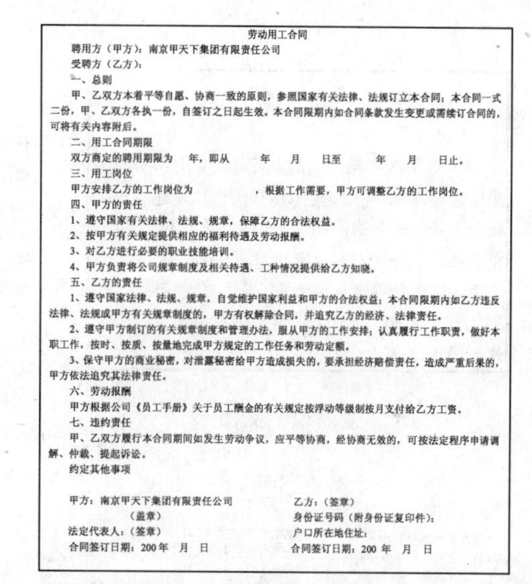

劳动用工合同

聘用方（甲方）：南京甲天下集团有限责任公司

受聘方（乙方）：

一、总则

甲、乙双方本着平等自愿、协商一致的原则，参照国家有关法律、法规订立本合同；本合同一式二份，甲、乙双方各执一份，自签订之日起生效。本合同限期内如合同条款发生变更或需续订合同的，可将有关内容附后。

二、用工合同期限

双方商定的聘用期限为　年，即从　　年　月　日至　　年　月　日止。

三、用工岗位

甲方安排乙方的工作岗位为　　　　，根据工作需要，甲方可调整乙方的工作岗位。

四、甲方的责任

1、遵守国家有关法律、法规、规章，保障乙方的合法权益。

2、按甲方有关规定提供相应的福利待遇及劳动报酬。

3、对乙方进行必要的职业技能培训。

4、甲方负责将公司规章制度及相关待遇、工种情况提供给乙方知晓。

五、乙方的责任

1、遵守国家法律、法规、规章，自觉维护国家利益和甲方的合法权益；本合同限期内如乙方违反法律、法规或甲方有关规章制度的，甲方有权解除合同，并追究乙方的经济、法律责任。

2、遵守甲方制订的有关规章制度和管理办法，服从甲方的工作安排；认真履行工作职责，做好本职工作，按时、按质、按量地完成甲方规定的工作任务和劳动定额。

3、保守甲方的商业秘密，对泄露秘密给甲方造成损失的，要承担经济赔偿责任，造成严重后果的，甲方依法追究其法律责任。

六、劳动报酬

甲方根据公司《员工手册》关于员工酬金的有关规定按浮动等级制按月支付给乙方工资。

七、违约责任

甲、乙双方履行本合同期间如发生劳动争议，应平等协商，经协商无效的，可按法定程序申请调解、仲裁、提起诉讼。

约定其他事项

甲方：南京甲天下集团有限责任公司　　乙方：（签章）

（盖章）　　身份证号码（附身份证复印件）：

法定代表人：（签章）　　户口所在地住址：

合同签订日期：200 年　月　日　　合同签订日期：200 年　月　日

图 5-73　劳动用工合同

本章主要讲解了 Word 2003 的基本操作，这里总结几点在 Word 文档中文本输入的技巧，供大家参考和探究。

- 在输入文本或思考用词的空隙，可单击工具栏中的“保存”按钮。
- 输入文本时应做到盲打，以提高输入速度。
- 文档中的所有文本输入完之后，应检查输入的文本，以防止出错，如文本下方有红色、绿色的波浪线，其出错的可能性较大，应重点查看。
- 输入文本时，无需考虑文本的样式、缩进等，应最后统一进行设置。

第 6 章　美化与丰富 Word 文档

学习目标

☑　使用“字体”和“段落”对话框设置“爱莲说”文档
☑　掌握在文本中插入表格的方法
☑　通过插入艺术字、文本框和图片美化“海洋”文档
☑　综合利用插入表格、艺术字和图片等知识制作“课程表”文档和丰富“贝多芬简介”文档

目标任务&项目案例

爱莲说

水陆草木之花，可爱者甚蕃。晋陶渊明独爱菊；自李唐来，世人盛爱牡丹；予独爱莲之出淤泥而不染，濯清涟而不妖，中通外直，不蔓不枝，香远益清，亭亭静植，可远观而不可亵玩焉。予谓菊，花之隐逸者也；牡丹，花之富贵者也；莲，花之君子者也。噫！菊之爱，陶后鲜有闻；莲之爱，同予者何人；牡丹之爱，宜乎众矣。

“爱莲说”文档

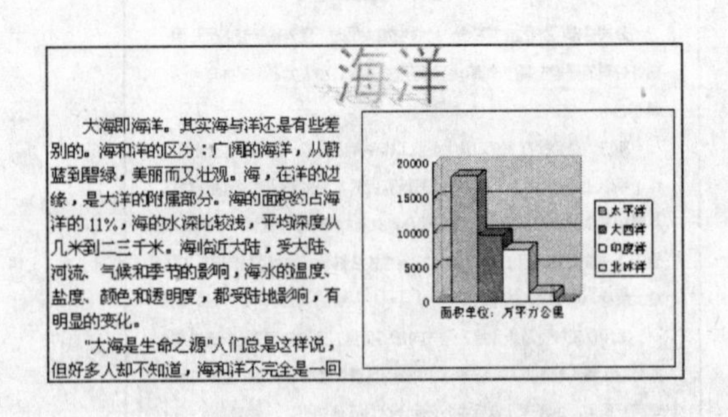

海洋

大海即海洋。其实海与洋还是有些差别的。海和洋的区分：广阔的海洋，从蔚蓝到碧绿，美丽而又壮观。海，在洋的边缘，是大洋的附属部分。海的面积约占海洋的 11%，海的水深比较浅，平均深度从几米到二三千米。海临近大陆，受大陆、河流、气候和季节的影响，海水的温度、盐度、颜色和透明度，都受陆地影响，有明显的变化。

"大海是生命之源"人们总是这样说，但好多人却不知道，海和洋不完全是一回

美化“海洋”文档

课程表

课程表是帮助学生了解课程安排的一种简单表格。简称课表。课程表（简称为课表）分为两种，一是学生使用的，二是教师使用的。学生使用的课表与任课师使用的课表在设计结构上都是一个简单的二维表格，基本上没有什么区别，只是填写的内容有所不同。

		星期一	星期二	星期三	星期四	星期五
上午	1	数学	语文	数学	语文	数学
	2	外语	数学	语文	数学	外语
	3	地理	外语	地理	信息	历史
下午	4	体育	历史	生物	外语	音乐
	5	生物	美术	体育	美术	劳技
	6	外语	数学	自习	语文	班会

制作课程表文档

贝多芬简介

路德维希·凡·贝多芬（Ludwig Von Beethoven，[illegible]-1827.3.26），出生在德国波恩，祖籍佛兰德。家族是科隆选侯宫廷，自幼跟[illegible]学习音乐，很早就显露了音乐上的才华。八岁便开始登台演出。1792 年到音乐之都维也纳[illegible]，艺术上进步飞快。他信仰共和，崇尚英雄，创作了大量充满时代气息的优秀作品，如交响曲《[illegible]》、《命运》；序曲《哀格蒙特》；钢琴曲《悲怆》、《[illegible]光曲》、《暴风雨》、《[illegible]情》等等。他集古典音乐的大成，同时开辟了浪漫时期音乐的道路，对[illegible]的作用。

丰富“贝多芬简介”文档

通过上述实例效果的展示可以发现：在文档中输入并编辑字符后，还需进行格式设置、插入表格、艺术字和图片等操作使文档内容更具体、鲜明，本章将具体讲解字符和段落格式的设置、表格的使用、文档的美化、样式与模版的使用和文档的打印等内容。充分利用这些知识，在文档中进行设置格式、插入图片等操作，使文档更美观，也增加了文档的可读性，便于文档的传播。

6.1　字符和段落格式的设置

对文档中的字符和段落进行格式设置，不仅能美化文档、使文档的结构清晰、层次分明，而且可以突出文档的主题，便于理解和阅读。

6.1.1　利用“格式”工具栏设置

利用“格式”工具栏可以快速地进行一些常用的格式设置，可快速将字符的格式设置为需要的样式。“格式”工具栏位于“常用”工具栏的下方，包括字符和段落大部分的格式设置命令。

【例 6-1】　在 Word 文档中输入“请假条”文本并使用“格式”工具栏设置格式。

（1）启动 Word，在打开的文档中输入如图 6-1 所示的“请假条”内容（立体化教学:\实例素材\第 6 章\请假条.doc）。

（2）选择文档中的“请假条”文本，单击“格式”工具栏中的“字体”下拉列表框右侧的下拉按钮▾，在弹出的下拉列表中选择“楷体”选项，然后单击“字号”下拉列表框右侧的下拉按钮▾，在弹出的下拉列表框选择“三号”选项，设置后的效果如图 6-2 所示。

请假条
王老师：
因昨日突降大雨，我又未带伞出门，故感染流感，所以本人 6 月 14 日和 15 日不能参加学校课程，请假时间为 2011 年 6 月 14 日到 2011 年 6 月 15 日两天，特此请假，肯望批准！
请假人：李明
2011 年 6 月 13 日星期一

图 6-1　输入文本

请假条
王老师：
因昨日突降大雨，我又未带伞出门，故感染流感，所以本人 6 月 14 日和 15 日不能参加学校课程，请假时间为 2011 年 6 月 14 日到 2011 年 6 月 15 日两天，特此请假，肯望批准！
请假人：李明
2011 年 6 月 13 日星期一

图 6-2　设置标题格式

（3）保持选择的文本不变，在“格式”工具栏中单击“居中”按钮≡；移动光标至请假条正文前，按 4 次空格键，选择请假人和日期对应的文本并单击“格式”工具栏中的“右对齐”按钮≡，完成效果如图 6-3 所示（立体化教学:\源文件\第 6 章\请假条.doc）。

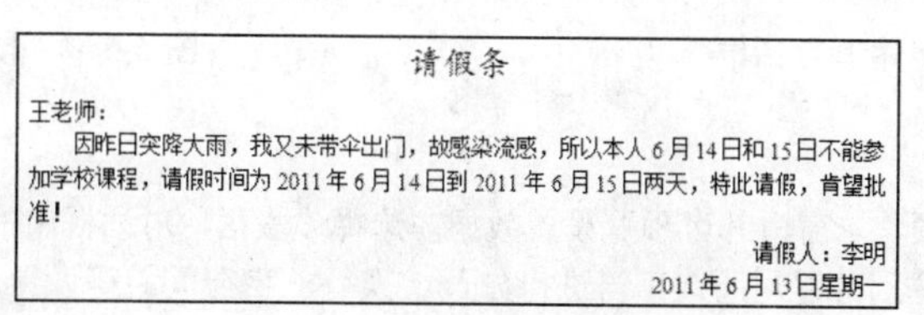

请假条

王老师：

因昨日突降大雨，我又未带伞出门，故感染流感，所以本人 6 月 14 日和 15 日不能参加学校课程，请假时间为 2011 年 6 月 14 日到 2011 年 6 月 15 日两天，特此请假，肯望批准！

请假人：李明
2011 年 6 月 13 日星期一

图 6-3　设置请假条效果

提示：

“格式”工具栏还可以设置倾斜、字符边框、字体颜色等，其他按钮的使用方法和上例中使用方法类似，均为选中文本后再单击相应的按钮。

6.1.2　利用“字体”和“段落”对话框设置格式

对文档进行格式设置时，有时需设置出的效果是使用“格式”工具栏中的工具不能达到的，此时可利用“字符”和“段落”对话框来进行更多的一些设置。

1．利用“字体”对话框设置字符格式

利用“字体”对话框不仅可达到所有通过“格式”工具栏对字符设置格式后的效果，还可设置“格式”工具栏不能设置的格式。选择需设置格式的文本，然后选择“格式/字体”命令或在所选字符上单击鼠标右键，在弹出的快捷菜单中选择“字体”命令，均可打开“字体”对话框的“字体”选项卡，如图 6-4 所示。

提示：

选择该对话框中的“字符间距”和“文字效果”选项卡，可分别对所选字符进行间距和动态效果等设置。

2．利用“段落”对话框设置段落格式

利用“段落”对话框不仅可达到所有通过“格式”工具栏对字符设置格式后的效果，还可设置“格式”工具栏不能设置的格式。首先选择需设置格式的段落，然后选择“格式/字体”命令或在所选段落上单击鼠标右键，在弹出的快捷菜单中选择“段落”命令，打开“段落”对话框，如图 6-5 所示。

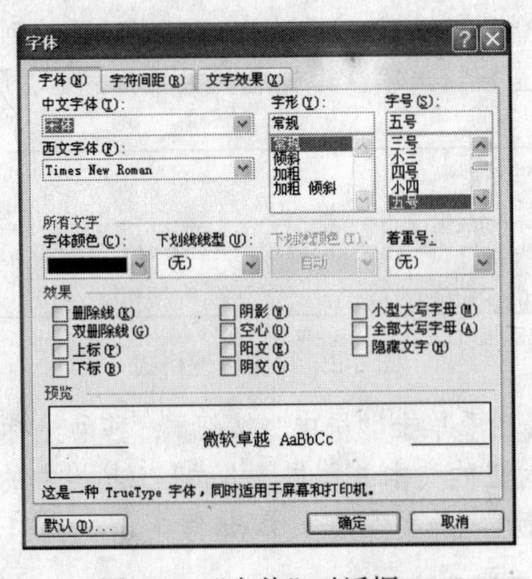

图 6-4 “字体”对话框

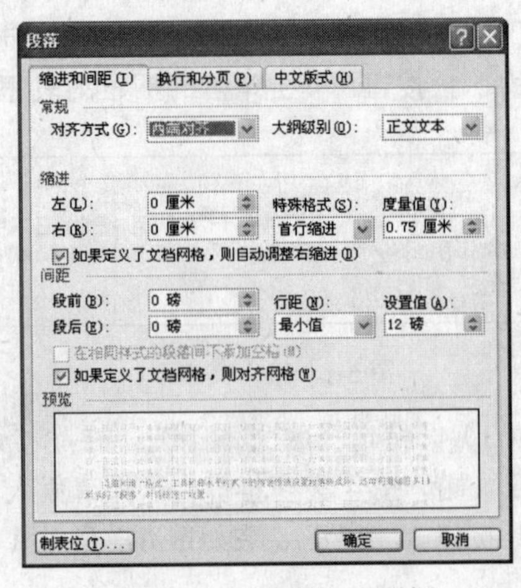

图 6-5 “段落”对话框

提示：

两个对话框中的“预览”窗口都可预览设置效果。选择“段落”对话框中的“换行和分页”以及“中文板式”选项卡，分别可以对所选字符进行分页、换行、字符间距等设置。

6.1.3 应用举例——设置文本的格式

本例将综合利用工具栏和对话框对“爱莲说”进行文本格式的设置。通过练习了解并熟悉设置文本格式的方法和步骤。利用“格式”工具栏、“字体”和“段落”对话框对“爱莲说”文档进行字体、颜色、大小、间距等设置，其设置效果如图 6-6 所示（立体化教学:\源文件\第 6 章\爱莲说.doc）。

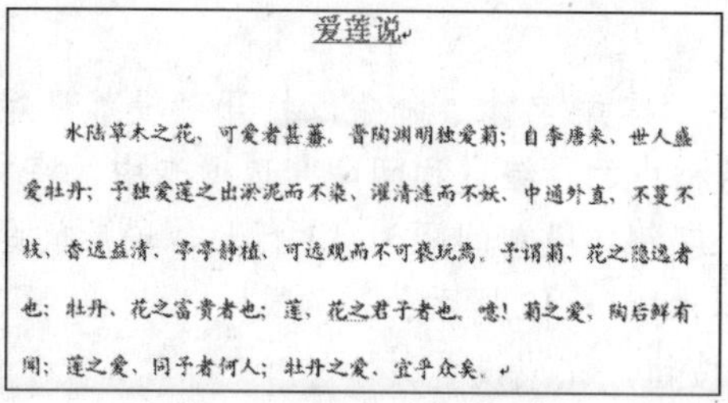

爱莲说

水陆草木之花，可爱者甚蕃。晋陶渊明独爱菊；自李唐来，世人盛爱牡丹；予独爱莲之出淤泥而不染，濯清涟而不妖，中通外直，不蔓不枝，香远益清，亭亭静植，可远观而不可亵玩焉。予谓菊，花之隐逸者也；牡丹，花之富贵者也；莲，花之君子者也。噫！菊之爱，陶后鲜有闻；莲之爱，同予者何人；牡丹之爱，宜乎众矣。

图 6-6　设置后效果图

操作步骤如下：

（1）打开“爱莲说.doc”文档（立体化教学:\实例素材\第 6 章\爱莲说.doc），然后选择标题文本，如图 6-7 所示。

（2）在工具栏中单击“字体”下拉列表框右侧的▾按钮，在弹出的下拉列表中选择“新宋体”选项；单击“字号”下拉列表框右侧的▾按钮，在弹出的下拉列表中选择“三号”选项。

（3）依次单击“加粗”按钮**B**和“下划线”按钮U将选择的文本加粗并加下划线；单击A▾按钮右侧的▾按钮，在弹出的下拉列表中选择“红色”选项，完成效果如图 6-8 所示。

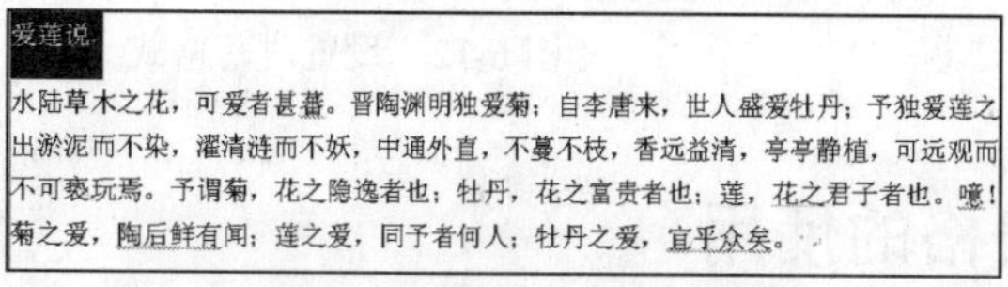

爱莲说

水陆草木之花，可爱者甚蕃。晋陶渊明独爱菊；自李唐来，世人盛爱牡丹；予独爱莲之出淤泥而不染，濯清涟而不妖，中通外直，不蔓不枝，香远益清，亭亭静植，可远观而不可亵玩焉。予谓菊，花之隐逸者也；牡丹，花之富贵者也；莲，花之君子者也。噫！菊之爱，陶后鲜有闻；莲之爱，同予者何人；牡丹之爱，宜乎众矣。

图 6-7　选择标题文本

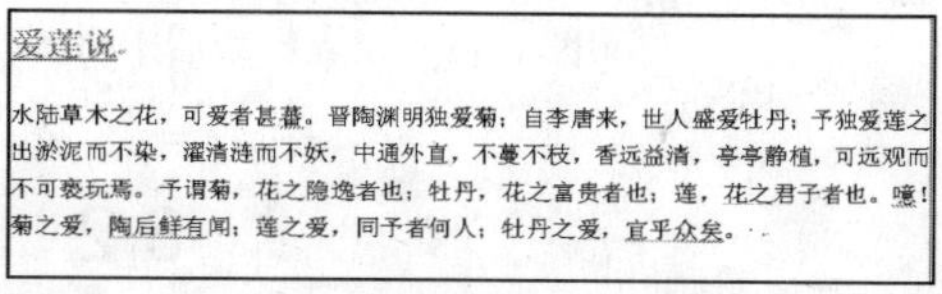

爱莲说

水陆草木之花，可爱者甚蕃。晋陶渊明独爱菊；自李唐来，世人盛爱牡丹；予独爱莲之出淤泥而不染，濯清涟而不妖，中通外直，不蔓不枝，香远益清，亭亭静植，可远观而不可亵玩焉。予谓菊，花之隐逸者也；牡丹，花之富贵者也；莲，花之君子者也。噫！菊之爱，陶后鲜有闻；莲之爱，同予者何人；牡丹之爱，宜乎众矣。

图 6-8　设置标题格式

（4）选择文档中除标题文本外的所有内容，选择“格式/字体”命令，打开“字体”对话框。

（5）在该对话框“字体”选项卡的“中文字体”下拉列表框中选择“楷体_GB2312”选项；在“字号”列表框中选择“小四”选项；在“字体颜色”下拉列表框中选择“蓝色”选项，在“效果”栏中选中☑阴文(V)复选框，然后单击 确定 按钮，如图 6-9 所示。

（6）取消选择，效果如图 6-10 所示。

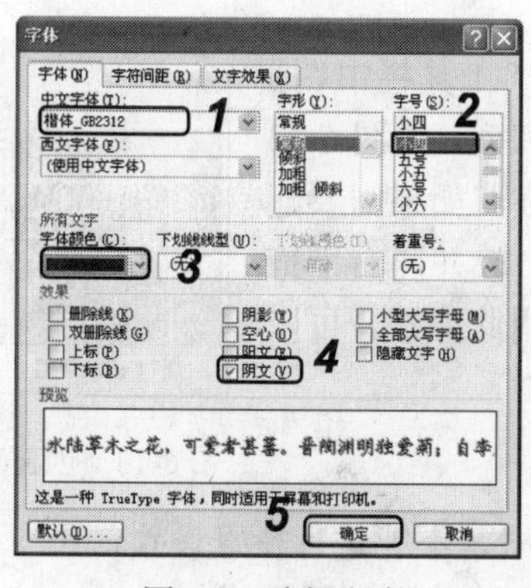

图 6-9　选择文本

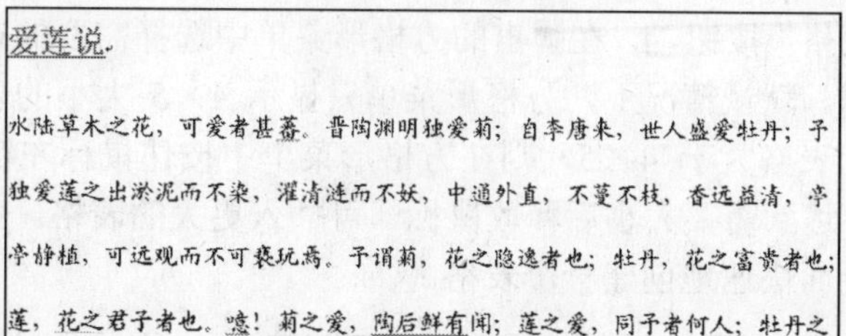

爱莲说

水陆草木之花，可爱者甚蕃。晋陶渊明独爱菊；自李唐来，世人盛爱牡丹；予独爱莲之出淤泥而不染，濯清涟而不妖，中通外直，不蔓不枝，香远益清，亭亭静植，可远观而不可亵玩焉。予谓菊，花之隐逸者也；牡丹，花之富贵者也；莲，花之君子者也。噫！菊之爱，陶后鲜有闻；莲之爱，同予者何人；牡丹之爱，宜乎众矣。

图 6-10　最终效果

（7）选择“爱莲说”文档的标题文本，在工具栏中单击居中≡按钮，效果如图 6-11

所示。

（8）选择正文，选择“格式/字体”命令，打开“段落”对话框。

（9）在“段落”对话框中的“缩进和间距”选项卡中，将文档的对齐方式设置为“左对齐”、左右缩进为“2”字符、段前间距为“1行”、段后间距为“12磅”、行距为多倍行距并设置值为“1.15”，如图6-12所示。

（10）单击 确定 按钮，完成设置。

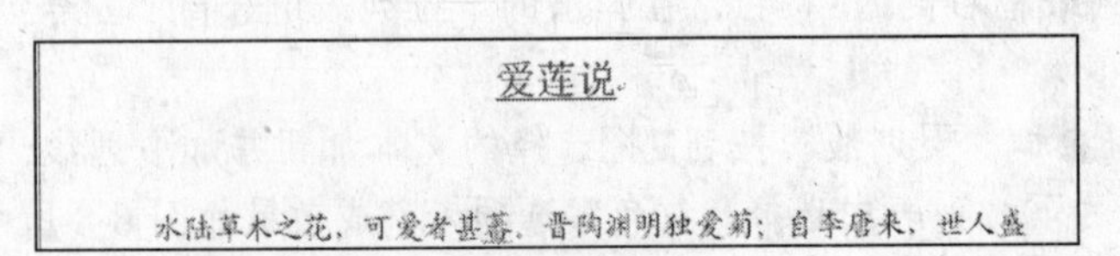

图6-11　设置标题居中对齐

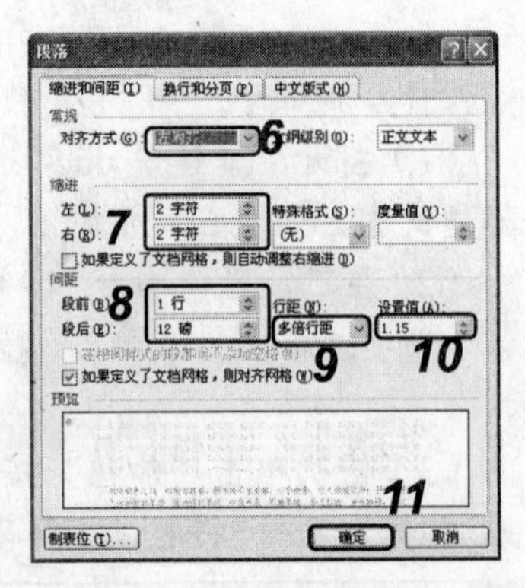

图6-12　设置段落格式

6.2　表格的使用

在Word文档中不仅可以输入文字，还可以插入各种样式的表格，合理地利用表格可以使Word文档的结构更合理，版式更美观。

6.2.1　表格的创建

在Word 2003中创建表格有多种方法，主要可以通过使用“插入表格”按钮、“插入表格”对话框和绘制表格等方法创建表格，下面分别进行讲解。

1. 利用“插入表格”按钮创建

将插入点定位到需插入表格的位置，然后单击“格式”工具栏中“插入表格”按钮，在弹出的方格形菜单中选择需要的行和列，如图6-13所示。默认情况下，方格形菜单只显示4×5大小的表格，如果需要建立的表格大于4×5，则在方格形菜单中按住鼠标左键不放并向右下拖动，达到需要大小后释放鼠标即可插入更大的表格。使用此方法，可以方便而快速地创建一个表格。

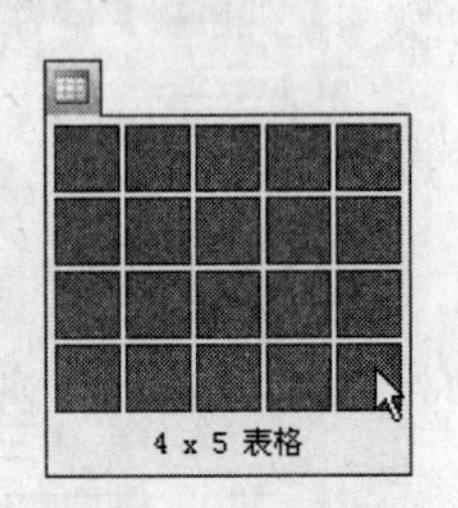

图6-13　创建表格

2. 利用“插入表格”对话框创建

利用“格式”工具栏中“插入表格”按钮插入表格，不能进行特殊设置，不一定能满足需求，当需要创建更为专业的表格时，可通过“插入表格”对话框进行。

将插入点定位到需创建表格的位置，然后依次选择“表格/插入/表格”命令，打开如图6-14

所示的“插入表格”对话框。在该表格中，可以设置表格的行数、列数和表格的调整方式。单击其中的 自动套用格式(A)... 按钮，打开如图 6-15 所示的“表格自动套用格式”对话框。在该对话框中可选择一些特殊的表格样式并设置特殊格式应用的范围。

使用此方法可以设置行列数、列宽及特殊样式，功能比较强大。

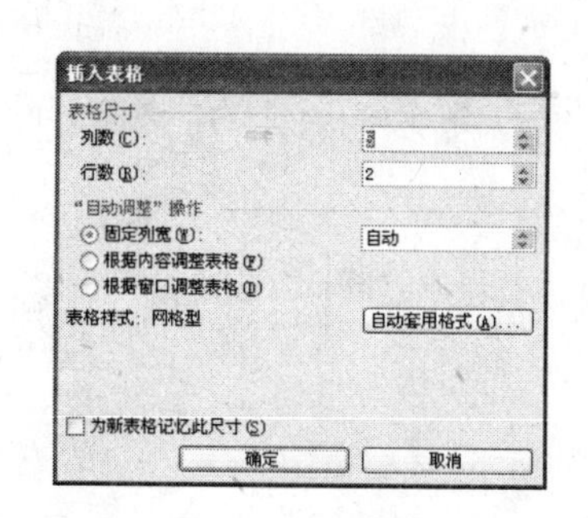

图 6-14　“插入表格”对话框

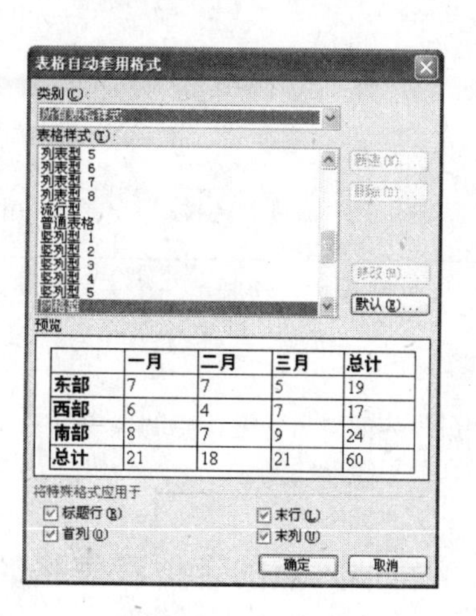

图 6-15　“表格自动套用格式”对话框

3．绘制表格

如需创建任意大小的表格可单击“常用”工具栏中的“表格和边框”按钮或选择“表格/绘制表格”命令，打开“表格和边框”工具栏，如图 6-16 所示，且此时鼠标光标变为形状。然后在需绘制表格的位置按住鼠标左键不放并拖动，达到需求后释放鼠标，即可绘制出一个表格的边框。重复以上操作，可继续在其他位置绘制表格或框线。

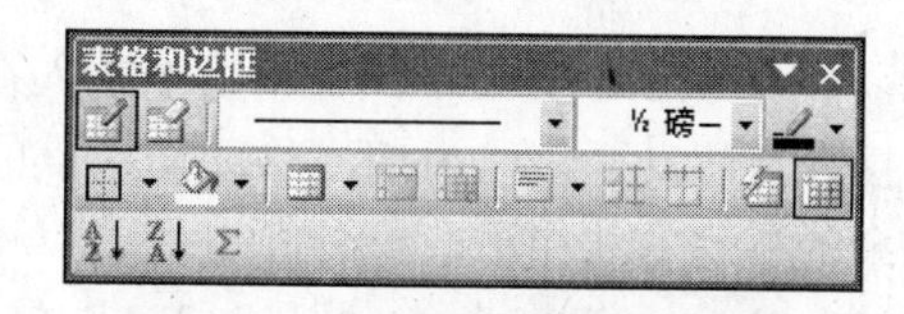

图 6-16　“表格和边框”工具栏

在按钮下方的“外侧边框”、右侧“线性”下拉列表框、“粗细”下拉列表框和“边框颜色”，可以分别对表格进行外侧边框样式、线条格式、粗细以及边框颜色等设置。

【例 6-2】　绘制一个红色双曲线，3 行 3 列的表格。

（1）新建一个 Word 文档，依次选择“表格/绘制表格”命令，打开“表格和边框”工具栏，且鼠标光标变为形状。

（2）单击“表格和边框”工具栏中的“线性”下拉列表右侧的下拉按钮，在弹出的列表中选择双曲线，然后单击“边框颜色”右侧的下拉按钮，在弹出的下拉列表框中选择“红色”选项。

（3）移动鼠标至 Word 文档左上方，按住鼠标左键不放并向右下方拖动，拖动到合适大小后释放鼠标左键，如图 6-17 所示，绘制出第一个表格。

（4）移动鼠标至第一个表格内部边框处，然后按住鼠标左键不放并拖动鼠标，在此表格内部绘制出横竖各两条框线，完成绘制，效果如图 6-18 所示。

图6-17　绘制第一个表格

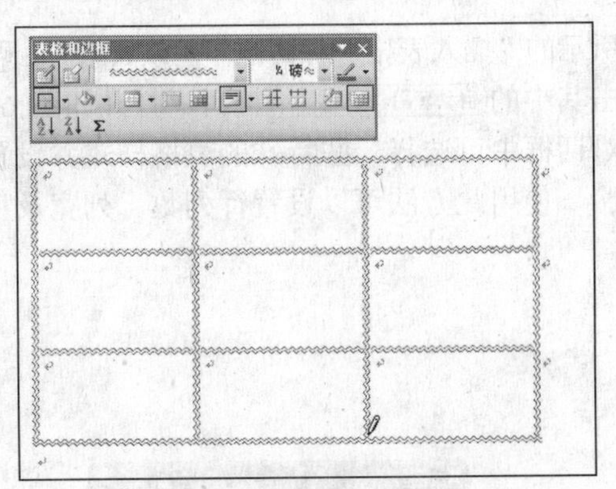

图6-18　绘制内部边框

提示：

绘制过程中如果出现错误绘制，单击“表格和边框”工具栏中的“擦除”按钮可擦除绘制的表格框线，并可重新绘制。

6.2.2　字符插入点的定位和表格的选择

创建表格后，要想在其中输入并编辑字符、设置表格属性、删除表格等，就必须先了解在表格中移动字符插入点、表格的选择等操作。

1．在表格中移动字符插入点

在 Word 文档中，文本只能输入在插入点处。如果想将文本输入到表格内，就需先将插入点移动至表格内部，移动插入点的方法除直接使用鼠标在相应的单元格中单击外，其余的移动方法如下。

- 按“Tab”或“Shift+Tab”键，将插入点移到右侧或左侧相邻的单元格内。
- 按“↑”或者“↓”键，将插入点移到相邻上方或下方的单元格内。
- 按“Alt+Home”或“Alt+End”键，将插入点移到同行最左或最右的单元格内。
- 按“Alt+Page Up”或“Alt+Page Down”键，将插入点移到同列最上或最下的单元格内。

2．在表格中选择单元格

对表格中的字符或表格本身进行设置、调整和删除时，应首先选择表格，其常用的选择方法如下。

- **选择一个单元格**：将鼠标光标移至该单元格左侧，当变为↗形状后单击该单元格。
- **选择一行**：将鼠标光标移至该行左侧，当其变为➡形状后单击选择该行。
- **选择一列**：将鼠标光标移至该列顶端，当其变为⬇形状后单击选择该列。
- **选择连续的单元格**：在需选择的单元格上按住鼠标左键不放并拖动鼠标可选择连续的几行或几列单元格。
- **选择不连续的单元格**：按住“Ctrl”键不放，使用鼠标分别选择不连续的单元格、不连续的几行或几列单元格。
- **选择整个表格**：单击表格左上角的⊞图标，选择该表格。

6.2.3　调整表格框架

根据实际需要，会经常对表格的框架进行一些调整，使其满足不同的需求。除了利用鼠标直接在表格的各边框上拖动鼠标直观地改变表格的高度和宽度外，调整表格框架还包括单元格的插入与删除、合并与拆分以及行高和列宽的调整等。

1．插入行或列

在编辑表格时，有时需插入适当的行或列，以便于数据的输入和管理。在表格中插入行和列的操作方法类似，在表格中选择需插入行或列旁边的表格，然后选择“表格/插入”命令，在弹出的子菜单中选择相应的命令即可插入行或列。

2．插入单元格

在表格中插入单元格的方法是将字符插入点定位到需插入单元格的位置，依次选择“表格/插入/单元格”命令，打开如图 6-19 所示“插入单元格”对话框，在该对话框中根据需要选择其中一个单选按钮，然后单击[确定]按钮，完成单元格的插入。

3．单元格的拆分与合并

根据需要拆分和合并单元格可以使表格更加美观，且更方便对表格进行理解和阅读。

- **单元格的拆分**：将插入点定位到需要拆分的单元格中后，单击鼠标右键，在弹出的快捷菜单中选择“拆分单元格”命令，打开如图 6-20 所示的对话框。在对话框中设置拆分数值后单击[确定]按钮，完成拆分。
- **单元格的合并**：选择需要合并的单元格，单击鼠标右键，在弹出的快捷菜单中选择“合并单元格”命令即可完成对所选单元格的合并操作。

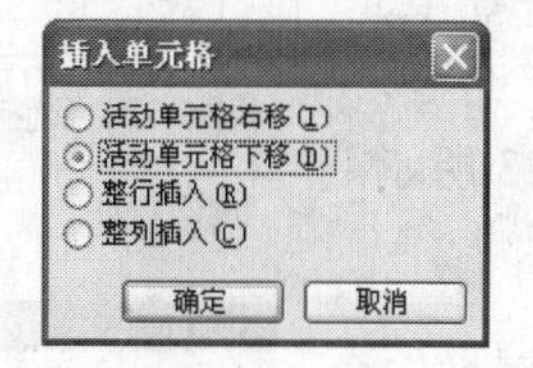

图 6-19　“插入单元格”对话框

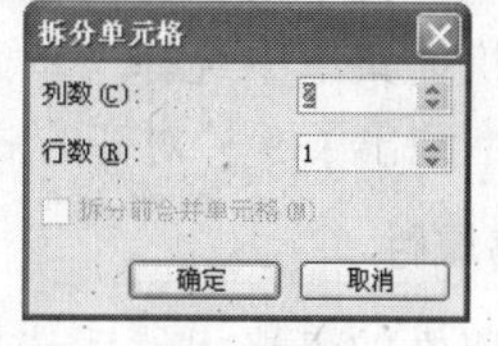

图 6-20　“拆分单元格”对话框

4．删除行、列或单元格

删除表格中的行、列或单元格有多种方法，其主要方法是选择或将插入点移动至需要删除的表格中后，选择“表格/删除”命令，在弹出的下级子菜单中包括表格、列、行和单元格，分别表示删除插入点所在的表格、行、列和单元格等。

技巧：

选中单元格后，依次选择“表格/删除/单元格”命令、按“Back Space”键、单击鼠标右键，在弹出的快捷菜单中选择“删除单元格”命令，三种操作都可弹出“删除单元格”对话框。

6.2.4　设置表格的格式

在表格中输入字符和数据后，和在文档中输入字符和数据后一样，都需进行格式设置。

1．设置表格边框和底纹

Word 2003 默认的表格边框是“1/2 磅”的黑细线，通过“边框和底纹”对话框可以设置表格边框的线型、颜色、底纹等，下面分别对它们进行讲解。

- 选择需要修改的表格，在表格上单击鼠标右键，在弹出的快捷菜单中选择“边框和底纹”或“格式/边框和底纹”命令，弹出如图 6-21 所示的“边框和底纹”对话框。在其中的边框选项卡中可以设置表格的边框样式、颜色、大小等。
- 在“边框和底纹”对话框中选择其中的“底纹”选项卡，如图 6-22 所示。在其中可设置底纹的填充颜色和填充图案的样式等。

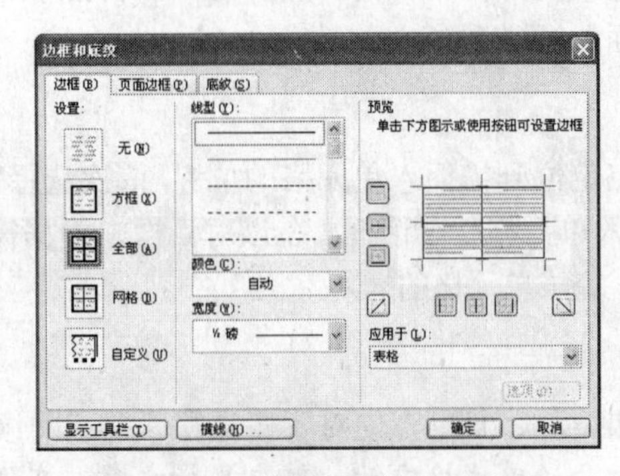

图 6-21　“边框和底纹”对话框

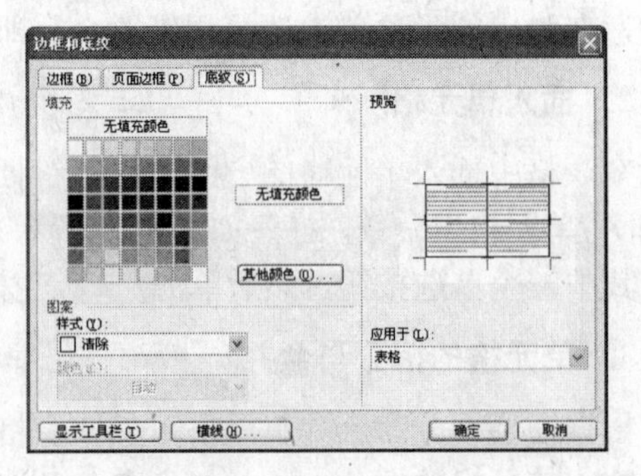

图 6-22　“底纹”选项卡

2．设置字符在表格中的对齐方式

选择需设置对齐方式的单元格，然后通过单击“格式”工具栏上的对齐方式，可以设置表格内文本的对齐方式。

如需将表格内的文本设置为其他对齐方式，则选择单元格后，在弹出的快捷菜单中选择“单元格对齐方式”命令，在弹出的子菜单中列出了 9 种对齐方式命令，如图 6-23 所示。

图 6-23　选择对齐方式命令

3．设置表格属性

选择需设置属性的表格，然后选择“表格/表格属性”命令或者在表格上单击鼠标，在弹出的快捷菜单中选择“表格属性”命令，打开“表格属性”对话框，其可设置表格的对齐方式、尺寸、环绕、单元格的大小等，如图 6-24 所示。

- **对齐方式**：在“表格属性”对话框的“表格”选项卡中的对齐方式栏里面可设置表格的水平对齐方式。
- **环绕方式**：在“文字环绕”栏中可设置表格与字符是否环绕。“无”选项表示无环绕；“环绕”选项则表示字符将围绕在表格周围。

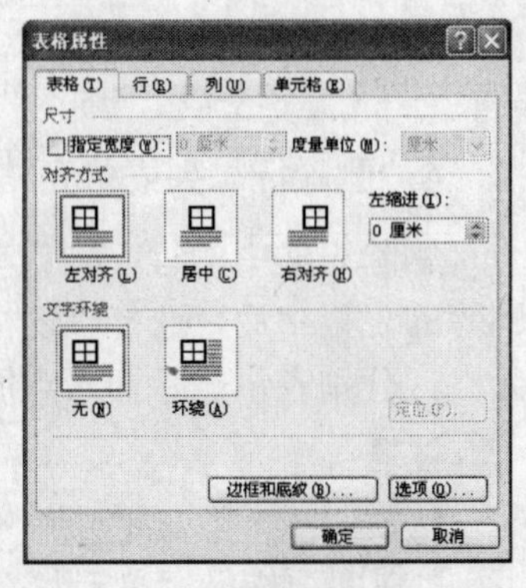

图 6-24　“表格属性”对话框

提示：

分别在“表格属性”对话框中的表格、行、列和单元格 4 个选项卡中的尺寸和大小栏中选中☑指定宽度(W):和☑指定高度(S):等复选框，可激活右侧的数值框，从中设置尺寸和大小。

【例 6-3】 在“卓别林简介”的文档中插入一个表格并利用“表格属性”对话框设置其属性。

（1）启动 Word 2003，打开“卓别林简介”文档（立体化教学:\实例素材\第 6 章\卓别林简介.doc），如图 6-25 所示。

（2）在文本的标题和内容之间插入一个 8 行 2 列的表格，并输入内容。输入内容后选择第一列表格并单击“格式”工具栏中的“分散对齐”按钮、选择第二列表格并单击“格式”工具栏中的“右对齐”按钮，完成效果如图 6-26 所示。

卓别林简介

卓别林幼年丧父，曾在游艺场和巡回剧团卖艺或打杂。1913 年，随卡尔诺哑剧团去美国演出，被美国导演 M.塞纳特看中，从此开始了他的电影生涯。1914 年 2 月 28 日，头戴圆顶礼帽、手持竹手杖、足登大皮靴、走路像鸭子的流浪汉夏尔洛的形象首次出现在影片《阵雨之间》中。这一形象成为卓别林喜剧片的标志，风靡欧美 20 余年。他奠定了现代喜剧电影的基础，卓别林戴著圆顶硬礼帽和礼服的模样几乎成了喜剧电影的重要代表，往后不少艺人都以他的方式表演。

从 1919 年开始，卓别林独立制片，此后一生共拍摄 80 余部喜剧片，其中在电影史上著名的影片有《淘金记》、《城市之光》、《摩登时代》、《大独裁者》、《凡尔杜先生》、《舞台生涯》等。这些影片反映了卓别林从一个普通的人道主义者到一位伟大的批判现实主义艺术大师的过程。卓别林以其精湛的表演艺术，对下层劳动者寄予深切同情，对资本主义社会的种种弊端进行辛辣的讽刺，对法西斯头子希特勒进行了无情的鞭答。1952 年，他受到麦卡锡主义的迫害，被迫离开美国，定居瑞士。在瑞士期间，他拍摄了尖锐讽刺麦卡锡主义的影片《一个国王在纽约》。1972 年，美国隆重邀请卓别林回到好莱坞，授予他奥斯卡终身成就奖，称他“在本世纪为电影艺术作出不可估量的贡献”。

图 6-25　素材文件

卓别林简介

中　文　名	查尔斯·斯宾塞·卓别林
外　文　名	Charles Chaplin
别　　　名	查理
国　　　籍	英国
出 生 日 期	1889 年 4 月 16 日
逝 世 日 期	1977 年 12 月 25 日
职　　　业	电影演员、导演、制片人
卒　　　于	瑞士科西耶

卓别林幼年丧父，曾在游艺场和巡回剧团卖艺或打杂。1913 年，随卡尔诺哑剧团去美国演出，被美国导演 M.塞纳特看中，从此开始了他的电影生涯。1914 年 2 月 28 日，头戴圆顶礼帽、手持竹手杖、足登大皮靴、走路像鸭子的流浪汉夏尔洛的形象首次出现在影片《阵雨之间》中。这一形象成为卓别林喜剧片的标志，风靡欧美 20 余年。他奠定了现代喜剧电影的基础，卓别林戴著圆顶硬礼帽和礼服的模样几乎成了喜剧电影的重要代表，往后不少艺人都以他的方式表演。

图 6-26　插入并设置表格内文本

（3）移动鼠标光标至表格左上角并单击图标，选择表格，然后在表格中单击鼠标右键，在弹出的快捷菜单中选择“表格属性”命令，打开“表格属性”对话框。

（4）在“表格属性”对话框中的“表格”选项卡中，单击“对齐方式”栏中的“右对齐”和“文字环绕”栏中的“环绕”图标，如图 6-27 所示。

（5）选择“行”选项卡，选中“行”选项卡中的☑指定高度(S):复选框并在右侧的数值框中输入“1 厘米”，如图 6-28 所示。

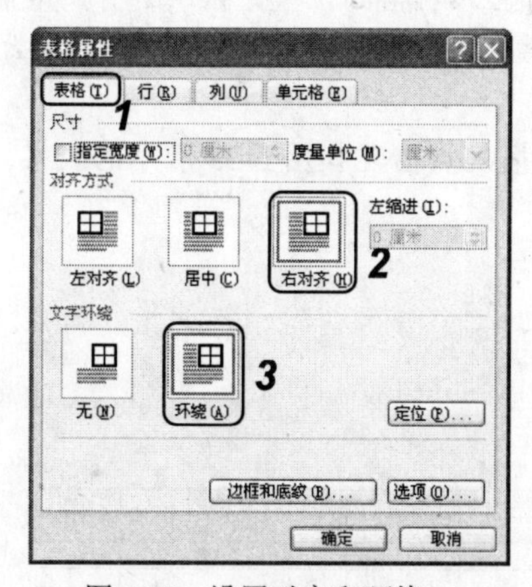

图 6-27　设置对齐和环绕

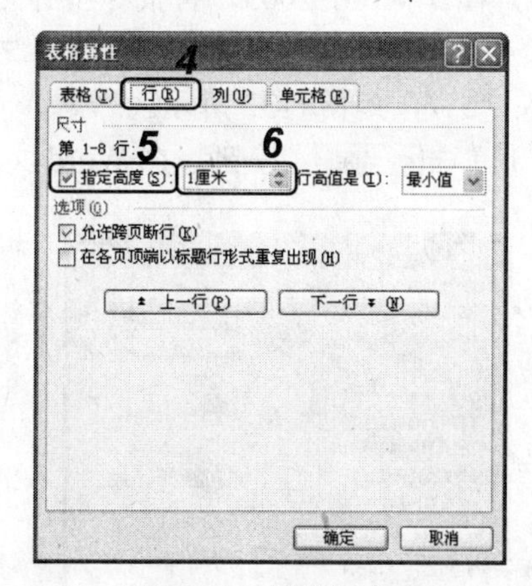

图 6-28　设置行高

（6）再选择“单元格”选项卡，选中☑指定宽度(W):复选框并在右侧的文本框中输入“5 厘米”，并选择“垂直对齐方式”栏中的“居中”选项，如图 6-29 所示。

（7）单击 确定 按钮，完成效果如图 6-30 所示（立体化教学:\源文件\第 6 章\卓别林简介.doc）。

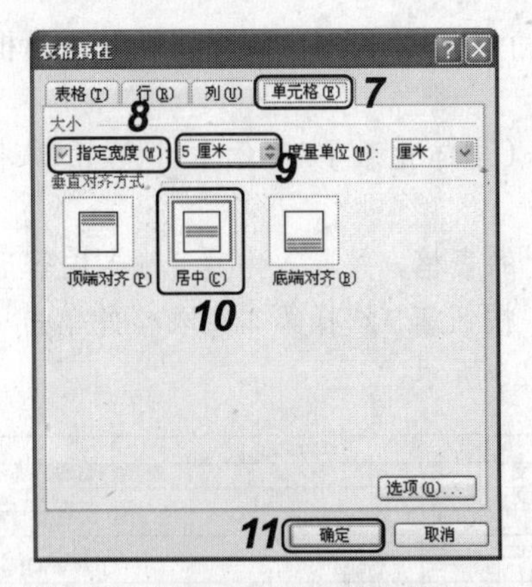

图6-29　设置宽度及垂直对齐方式

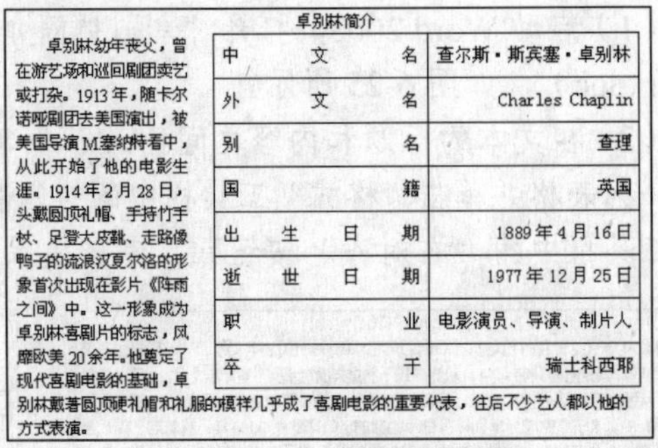

卓别林简介

卓别林幼年丧父，曾在游艺场和巡回剧团卖艺或打杂。1913年，随卡尔诺哑剧团去美国演出，被美国导演M.塞纳特看中，从此开始了他的电影生涯。1914年2月28日，头戴圆顶礼帽、手持竹手杖、足登大皮靴、走路像鸭子的流浪汉夏尔洛的形象首次出现在影片《阵雨之间》中。这一形象成为卓别林喜剧片的标志，风靡欧美20余年。他奠定了现代喜剧电影的基础，卓别林戴着圆顶硬礼帽和礼服的模样几乎成了喜剧电影的重要代表，往后不少艺人都以他的方式表演。

卓别林简介	
中文名	查尔斯·斯宾塞·卓别林
外文名	Charles Chaplin
别名	查理
国籍	英国
出生日期	1889年4月16日
逝世日期	1977年12月25日
职业	电影演员、导演、制片人
卒于	瑞士科西耶

图6-30　设置后效果

6.2.5　应用举例——制作“员工信息表”

下面练习制作一个“员工信息表”，在其中输入相关字符，然后对其进行编辑和美化等设置。完成后的效果如图6-31所示（立体化教学:\源文件\第6章\员工信息表.doc）。

姓名	序号	性别	年龄	部门	家庭住址	联系方式
赵　辉	001	男	25	财务	四川成都	158xxxx1547
张　丽	002	女	22	市场	广东广州	138xxxx2458
陈　旭	003	男	23	销售	西藏拉萨	158xxxx2546
王　跃	004	男	21	售后	四川绵阳	151xxxx7541

图6-31　设置后的效果

操作步骤如下：

（1）启动Word 2003，将鼠标指针定位到需插入表格的位置，依次选择“表格/插入/表格”命令，打开“插入表格”对话框。在“列数”数值框中输入“7”，在“行数”数值框中输入“5”，如图6-32所示。

（2）单击 确定 按钮，在Word文档中的插入点出现如图6-33所示的表格。

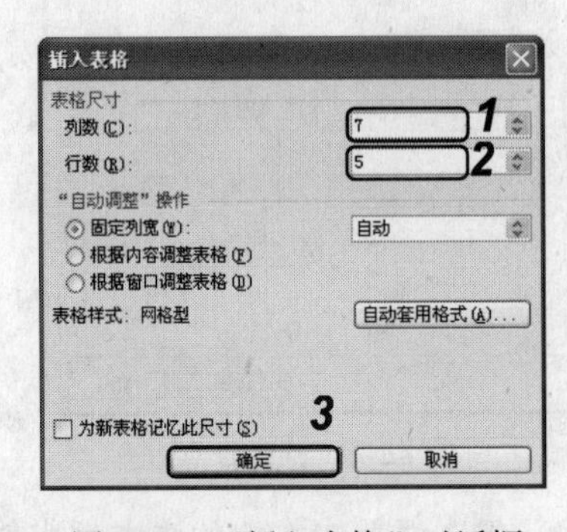

图6-32　“插入表格”对话框

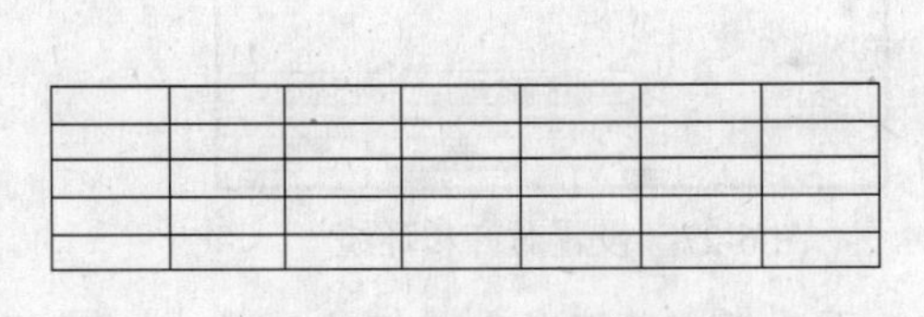

图6-33　调整表格框架

（3）在创建好的表格中输入“员工信息表”的内容，如图6-34所示。

（4）选择第一行单元格，在“工具”工具栏中单击“居中”按钮；选择姓名栏中的姓名，单击“分散对齐”按钮，得到如图6-35所示的效果。

姓名	序号	性别	年龄	部门	家庭住址	联系方式
赵　辉	001	男	25	财务	四川成都	158xxxx1547
张　丽	002	女	22	市场	广东广州	138xxxx2458
陈　旭	003	男	23	销售	西藏拉萨	158xxxx2546
王　跃	004	男	21	售后	四川绵阳	151xxxx7541

图 6-34　输入表格内容

姓名	序号	性别	年龄	部门	家庭住址	联系方式
赵　辉	001	男	25	财务	四川成都	158xxxx1547
张　丽	002	女	22	市场	广东广州	138xxxx2458
陈　旭	003	男	23	销售	西藏拉萨	158xxxx2546
王　跃	004	男	21	售后	四川绵阳	151xxxx7541

图 6-35　设置对齐方式

（5）选择第一行单元格，在“工具”工具栏中的“字体”下拉列表框中选择“黑体”选项，在“字号”下拉列表框中选择“小四”字号，并单击“加粗”按钮**B**和“倾斜”按钮*I*，如图 6-36 所示。

（6）选择表格的第一行，在其上单击鼠标右键，在弹出的快捷菜单中选择“边框和底纹”命令，打开“边框和底纹”对话框。选择“底纹”选项卡，在“填充”栏中选择“青绿”选项，然后单击 确定 按钮；选择正文内容，用同样的方法，将正文底纹颜色填充为“灰色 25%”，如图 6-37 所示。

姓名	***序号***	***性别***	***年龄***	***部门***	***家庭住址***	***联系方式***
赵　辉	001	男	25	财务	四川成都	158xxxx1547
张　丽	002	女	22	市场	广东广州	138xxxx2458
陈　旭	003	男	23	销售	西藏拉萨	158xxxx2546
王　跃	004	男	21	售后	四川绵阳	151xxxx7541

图 6-36　设置内容字体格式

姓名	***序号***	***性别***	***年龄***	***部门***	***家庭住址***	***联系方式***
赵　辉	001	男	25	财务	四川成都	158xxxx1547
张　丽	002	女	22	市场	广东广州	138xxxx2458
陈　旭	003	男	23	销售	西藏拉萨	158xxxx2546
王　跃	004	男	21	售后	四川绵阳	151xxxx7541

图 6-37　设置底纹效果

（7）选择全部表格内容，在表格中单击鼠标右键，在弹出的快捷菜单中选择“边框和底纹”命令，打开“边框和底纹”对话框。

（8）选择“边框”选项卡左侧“设置”栏中的“全部”选项、在线性列表框中选择双实选项、单击颜色栏中的颜色下拉列表框，在弹出的选项中选择“粉红”选项，如图 6-38 所示。最后单击 确定 按钮，完成对表格的设置。

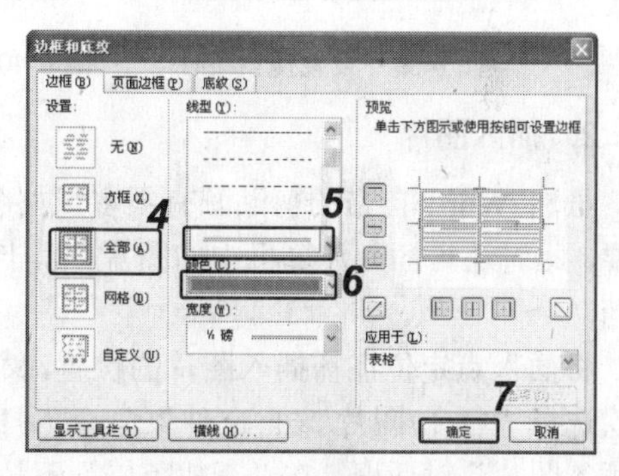

图 6-38　设置表格边框

6.3　文档的美化

在 Word 文档中，适当地插入剪贴画、图片、艺术字等对象，不仅可使文档丰富、美观、形象生动，还可使文档更直观。

6.3.1　插入与设置剪贴画和图片

剪贴画是 Word 自带的图片资料，其中提供了一些常用的图形，使用户可快速地在文档中插入所需图形。

1．插入剪贴画

将插入点定位到需插入剪贴画的位置，依次选择“插入/图片/剪贴画”命令，并在右侧弹出的“剪贴画”任务窗格中单击搜索按钮，将在该任务窗格的空白处出现所有的剪贴画，单击相应的剪贴画就可将该剪贴画插入到 Word 文档中。

【例 6-4】 在文档中插入图形为“牛”的剪贴画。

（1）将文本插入点定位在需插入剪贴画的位置，然后依次选择“插入/图片/剪贴画”命令，打开“剪贴画”任务窗格。

（2）在“结果类型”下拉列表框中选中☑ 剪帖画复选框，如图 6-39 所示。

（3）单击搜索按钮，剪贴画将以缩略图的方式显示在任务窗格中，如图 6-40 所示。

（4）单击图形为“牛”的剪贴画，将其插入到文档中的字符插入点处，如图 6-41 所示。

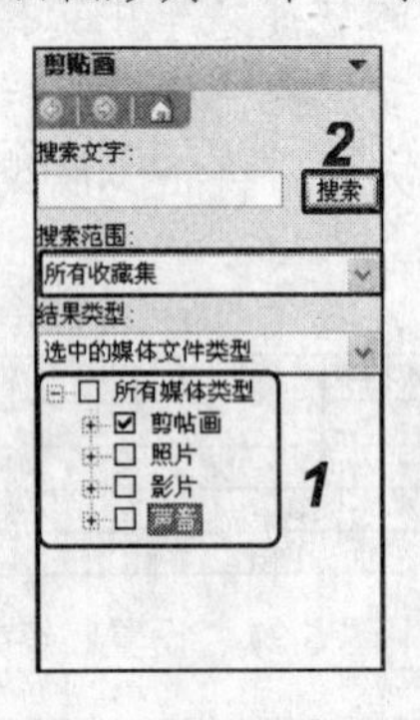

图 6-39　设置搜索条件

图 6-40　搜索结果

图 6-41　插入剪贴画

2. 插入图片

虽然 Word 自带的剪贴画有很多风格各异的图片，但也不一定能满足实际制作文档的需要，此时还可插入计算机中的图片，以丰富文档。

将插入点定位在需插入图片的位置，然后依次选择“插入/图片/来自文件”命令，打开“插入图片”对话框。在“查找范围”下拉列表框中选择需插入图片的保存路径，在其下的列表框中选择一个图片选项，然后单击插入(S)按钮，如图 6-42 所示。

图 6-42　“插入图片”对话框

完成以上操作后，在“插入图片”对话框中所选择的图形将被插入到文档的插入点处。

技巧：

在计算机中找到要插入的图片，然后在图片上单击鼠标右键，在弹出的快捷菜单中选择“复制”命令，然后打开 Word 文档，在文档中单击鼠标右键，在弹出的快捷菜单中选择“粘贴”命令也可插入图片。

6.3.2 设置剪贴画和图片

插入到文档中的剪贴画和图片的位置、大小、版式等并不一定满足实际需要，此时就必须对其进行设置，使其满足需要。剪贴画和图片的常用设置如下。

- **移动图片**：将鼠标光标移至剪贴画或图片上，然后按住鼠标左键不放并拖动鼠标便可移动剪贴画或图片的位置，当拖动到合适位置后释放鼠标即可完成操作。
- **设置大小**：在剪贴画或图片上单击鼠标右键，在弹出的快捷菜单中选择“设置图片格式”命令，打开“设置图片格式”对话框，选择“大小”选项卡，在其中可设置剪贴画或图片的大小，如图 6-43 所示。
- **设置版式**：在“设置图片格式”对话框中选择“版式”选项卡，从中可设置剪贴画或图片与文档中字符的环绕方式，如图 6-44 所示。

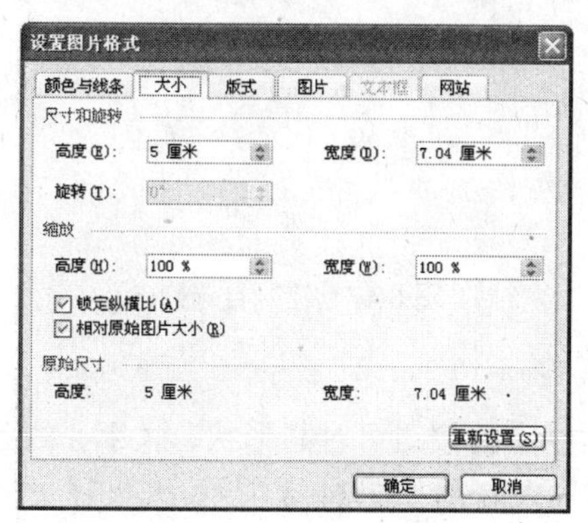

图 6-43　“大小”选项卡

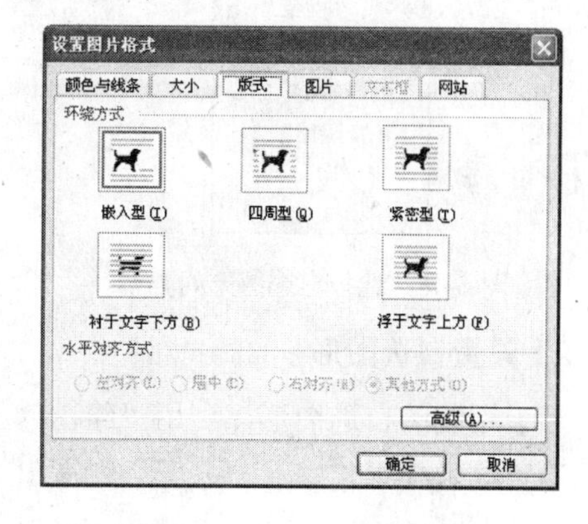

图 6-44　“版式”选项卡

- **通过“图片”工具栏进行综合设置**：单击选择插入的剪贴画或者图片的同时会打开“图片”工具栏，如图 6-45 所示，利用上面的各按钮可对剪贴画的亮度、颜色等各种属性进行设置。

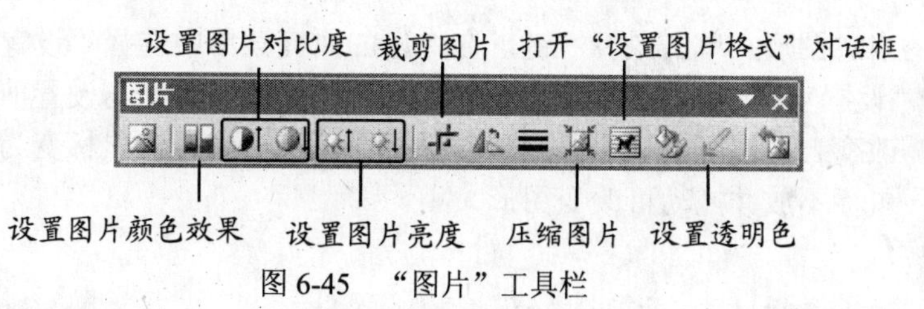

图 6-45　“图片”工具栏

✍技巧：

在剪贴画或图片上双击鼠标左键也可以打开“设置图片格式”对话框。移动鼠标至剪贴画或者图片边缘，当鼠标变为类似↘的双箭头符号时，按住鼠标左键不放并拖动可改变图片大小。

6.3.3　插入与设置自选图形

自选图形是 Word 提供的预先通过绘制产生的图形，包括线条、正方形、椭圆、箭头、流程图、旗帜和星形等一些简单的基本图形。

1．插入自选图形

在文档中可插入 Word 2003 自带的各种自选图形。

【例 6-5】　在文档中插入“禁止”自选图形。

（1）依次选择“插入/图片/自选图形”命令，在打开的“自选图形”工具栏中单击“基本图形”按钮，在弹出的子菜单中选择“禁止符”命令，如图6-46所示。

（2）此时鼠标光标将变成“十”形状，并在文本编辑区中出现“在此处创建图形”的绘图画布，按Esc键将画布关闭，然后按住鼠标左键不放并拖动鼠标到适当位置，释放鼠标即可绘制出相应的图形，如图6-47所示。

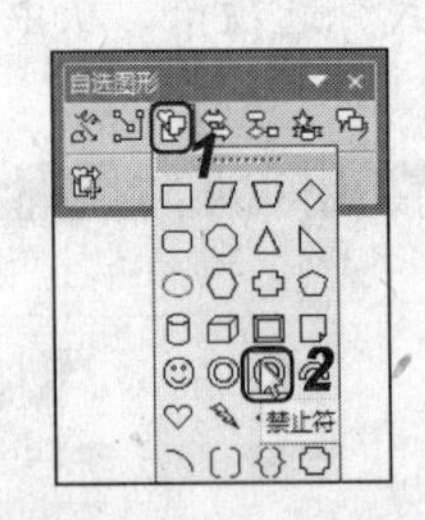

图6-46 选择自选图形的类型

图6-47 绘制自选图形

2. 设置自选图形

对于绘制的自选图形，利用“绘图”工具栏中的按钮可对其形状、大小、线条样式、以及填充效果等进行设置，其中一些常用的按钮及作用如图6-48所示。

图6-48 “绘图”工具栏

在创建的自选图形上单击鼠标右键，在弹出的快捷菜单中选择“设置自选图形格式”命令，打开“设置字形图形格式”对话框，对话框中的设置方法与设置剪贴画和图片的方法类似。若需改变自选图形的大小，则移动鼠标至图形边缘，当鼠标变为类似↖的双箭头符号时，按住鼠标不放并拖动可改变图形大小。

技巧：

除自选图形中的线条外，可在自选图形上添加文字，方法是在自选图形上单击鼠标右键，在弹出的快捷菜单中选择“添加文字”命令。

6.3.4 插入与编辑艺术字

在美化文档时，可在其中插入具有特殊艺术效果的文字，即艺术字，它可以极大地提高文档的可读性和观赏性，具有美观有趣、易认易识、醒目张扬等特性。

1. 插入艺术字

插入艺术字是通过依次选择“插入/图片/艺术字”命令，在打开的对话框中完成的。

【例6-6】 插入一个艺术字。

（1）将文本插入点定位到文档中需插入艺术字的位置。

（2）依次选择“插入/图片/艺术字”命令，打开“艺术字库”对话框，从中可选择艺术字的类型，然后单击 确定 按钮，如图 6-49 所示。

（3）打开“编辑‘艺术字’文字”对话框，在其中的“文字”字符框中输入“插入艺术字”，并在“字体”栏中设置字体为“宋体”、在“字号”栏中设置字号为“36”，如图 6-50 所示。

（4）完成设置后单击 确定 按钮，即在文档的字符插入点位置插入设置的艺术字，效果如图 6-51 所示。

图 6-49　选择艺术字样式

图 6-50　输入文字

图 6-51　插入的艺术字

2. 编辑艺术字

艺术字的编辑操作与剪贴画或图片的编辑方法类似，选择艺术字后，可利用在所选艺术字上出现的控制点更改艺术字的位置、形状和大小等属性。另外，当选择某个艺术字后将打开“艺术字”工具栏，其中一些常用的按钮及作用如图 6-52 所示。

图 6-52　“艺术字”工具栏

6.3.5　插入图表

统计和对比多方数据时，可插入图表，帮助阅读和理解数据内容。

在文档中将字符插入点定位到需插入图表的位置，然后依次选择“插入/图片/图表”命令，即可在字符插入点的位置插入图表并打开相应的“数据表”对话框，如图 6-53 所示。利用编辑剪贴画等对象的方法也可对图表的位置、大小等进行修改。

在“数据表”对话框中相应的单元格中可更改数值，文档中插入的表格内容也会发生改变。

文档 1 - 数据表

		A	B	C	D
		第一季度	第二季度	第三季度	第四季度
1	东部	20.4	27.4	90	20.4
2	西部	30.6	38.6	34.6	31.6
3	北部	45.9	46.9	45	43.9
4					

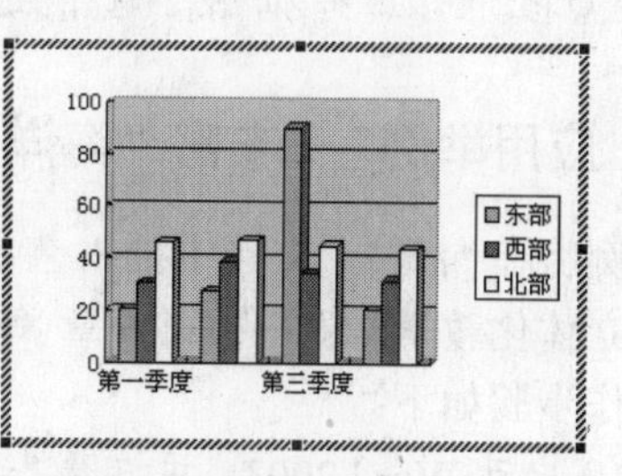

图 6-53　插入图表并打开“数据表”对话框

提示：

在图表上单击鼠标右键，在弹出的快捷菜单中选择“设置对象格式”命令，打开“设置对象格式”对话框，其设置方法与设置剪贴画和图片的方法类似。

6.3.6 插入与编辑文本框

利用 Word 中的文本框可以设计出特殊的文档格式，在文本框中可输入字符，插入图片等对象，从某种程度上说，它是文档中的一个“嵌套文档”。

1. 插入文本框

插入文本框的方法主要有如下几种。

- 单击“绘图”工具栏中的“文本框”按钮或“竖排文本框”按钮。
- 选择“插入/文本框”命令，在弹出的下级菜单中选择“横排”或“竖排”命令可插入横排文本框或竖排文本框。

【例 6-7】 利用“绘图”工具栏创建一个文本框并输入内容。

（1）单击“绘图”工具栏中的“文本框”按钮。

（2）在绘图画布中按住鼠标左键不放并拖动鼠标至适当位置，释放鼠标插入文本框。

（3）此时字符插入点将自动移至插入的文本框中，在该位置可输入如图 6-54 所示内容。

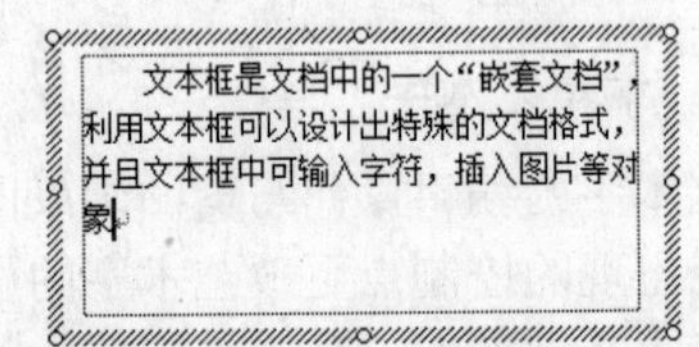

图 6-54 在文本框中输入内容

技巧：

选中文字或图片后，然后单击“绘图”工具栏中的“文本框”按钮或“竖排文本框”按钮，可快速地插入文本框。

2. 编辑文本框

在文本框的框线上单击鼠标右键，在弹出的快捷菜单中选择“设置文本框格式”命令或在文本框的边框上双击鼠标左键，均可弹出“设置文本框格式”对话框，其设置方法和设置图片格式的方法类似。

提示：

在文本框中插入剪贴画、图片、图表等对象的方法以及对其进行设置的方法和在文档中类似，先将插入点移动到文本框内，然后选择相应的插入命令即可插入。

6.3.7 应用举例——丰富“海洋”文档

本例将在“海洋”文档中插入艺术字、文本框和图片丰富该文档的内容，效果如图 6-55 所示（立体化教学:\源文件\第 6 章\海洋.doc）。

操作步骤如下：

（1）启动 Word 2003，并打开“海洋”文档（立体化教学:\实例素材\第 6 章\海洋.doc）。

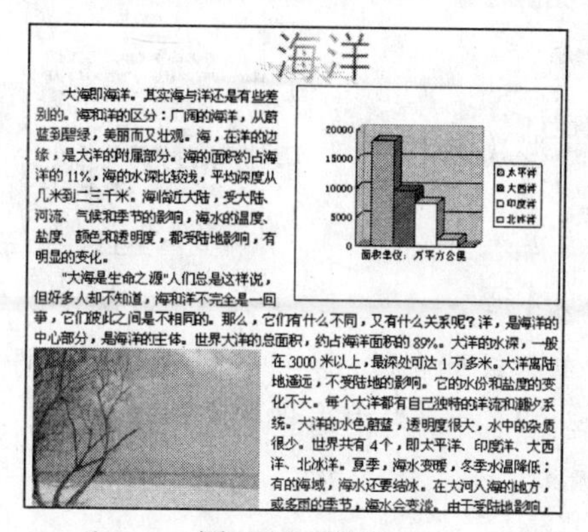

海洋

大海即海洋。其实海与洋还是有些差别的。海和洋的区分：广阔的海洋，从蔚蓝到碧绿，美丽而又壮观。海，在洋的边缘，是大洋的附属部分。海的面积约占海洋的 11%，海的水深比较浅，平均深度从几米到二三千米。海临近大陆，受大陆、河流、气候和季节的影响，海水的温度、盐度、颜色和透明度，都受陆地影响，有明显的变化。

"大海是生命之源"人们总是这样说，但好多人却不知道，海和洋不完全是一回事，它们彼此之间是不相同的。那么，它们有什么不同，又有什么关系呢？洋，是海洋的中心部分，是海洋的主体。世界大洋的总面积，约占海洋面积的 89%。大洋的水深，一般在 3000 米以上，最深处可达 1 万多米。大洋离陆地遥远，不受陆地的影响。它的水份和盐度的变化不大。每个大洋都有自己独特的洋流和潮汐系统。大洋的水色蔚蓝，透明度很大，水中的杂质很少。世界共有 4 个，即太平洋、印度洋、大西洋、北冰洋。夏季，海水变暖，冬季水温降低；有的海域，海水还要结冰。在大河入海的地方，或多雨的季节，海水会变淡。由于受陆地影响，

图 6-55　海洋

（2）选择文档标题“海洋”文本后依次选择“插入/图片/艺术字”命令，打开“艺术字库”对话框，在列表中选择其中一种艺术字样式，如图 6-56 所示，然后单击 确定 按钮。

（3）打开“编辑‘艺术字’文字”对话框，在其中设置字体为“黑体”，字号为“36”，如图 6-57 所示。然后单击 确定 按钮，完成对标题的设置。

图 6-56　选择艺术字

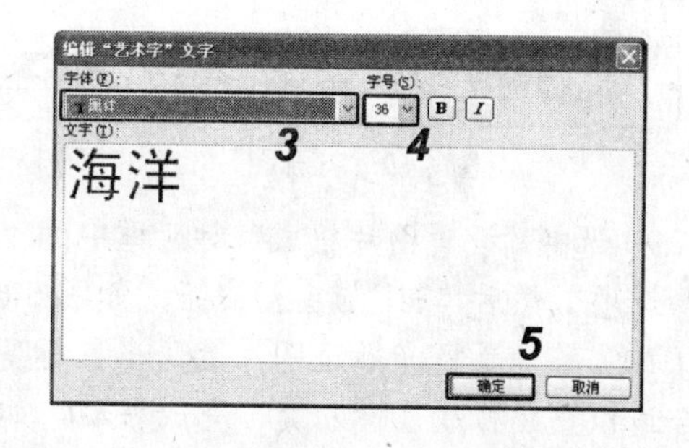

图 6-57　设置艺术字

（4）依次选择“插入/图片/图表”命令，插入图表并打开相应的“数据表”对话框，在“数据表”对话框中输入如图 6-58 所示内容然后单击“关闭”按钮，完成如图 6-59 所示的图表。

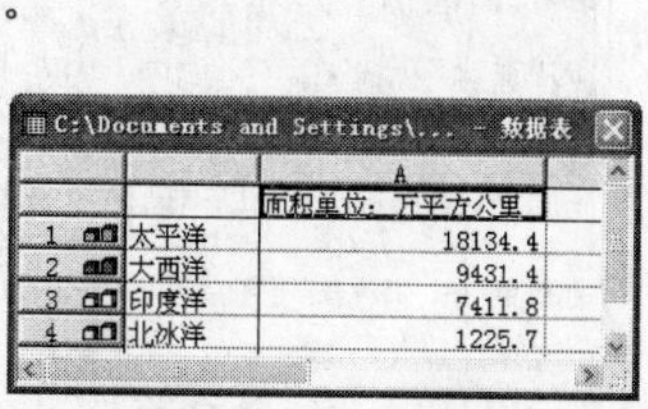

C:\Documents and Settings\... - 数据表

		A
		面积单位：万平方公里
1	太平洋	18134.4
2	大西洋	9431.4
3	印度洋	7411.8
4	北冰洋	1225.7

图 6-58　输入数据

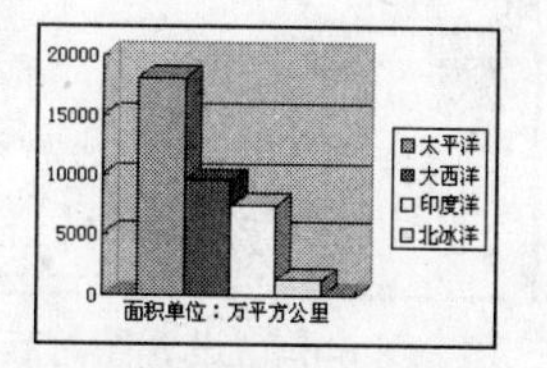

图 6-59　输入数据后图表

（5）单击选择“图表”，然后选择“插入/文本框横排”命令，如图 6-60 所示。

（6）移动鼠标光标至文本框的边框处，当鼠标光标变为✥形状时，按住鼠标左键不放并拖动鼠标移动文本框，当移动到合适位置时，释放鼠标左键，如图 6-61 所示。

（7）依次选择“插入/图片/来自文件”命令，打开插入图片对话框，在对话框中找到图片“海”（立体化教学:\实例素材\第 6 章\海.png），单击 插入(S) 按钮插入图片，如图 6-62 所示。

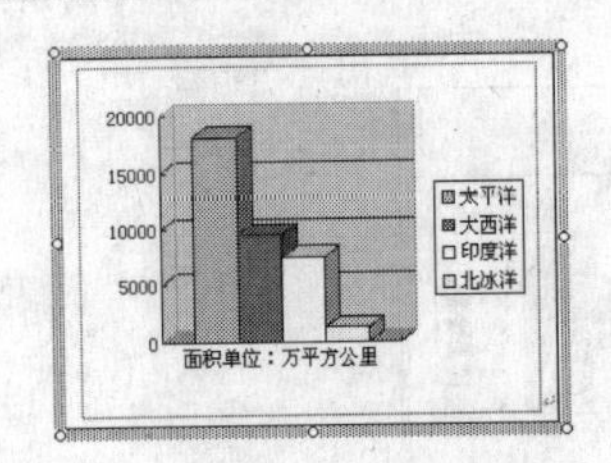

图 6-60　插入文本框

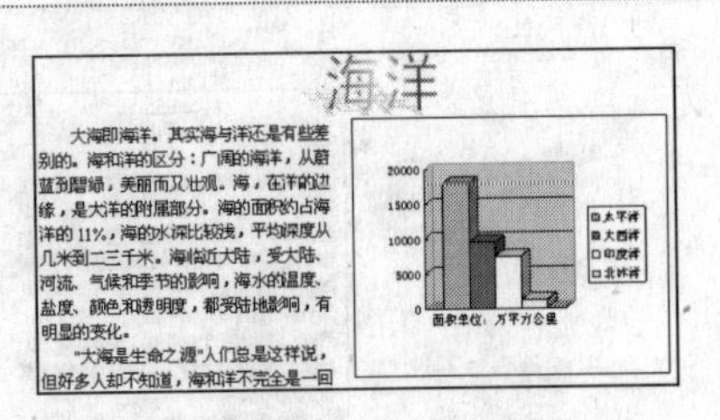

图 6-61　移动文本框

（8）在插入的图片上单击鼠标右键，在弹出的菜单中选择“设置图片格式”命令，然后再在弹出的“设置图片格式”对话框中选择“大小”选项卡，将图片“海”调整到合适大小，如图 6-63 所示。

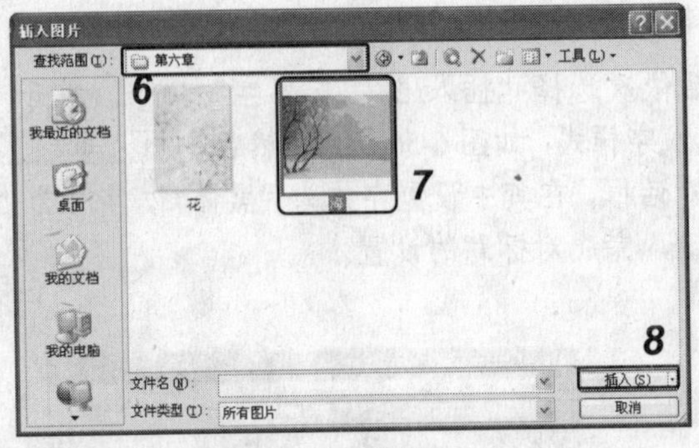

图 6-62　打开图片

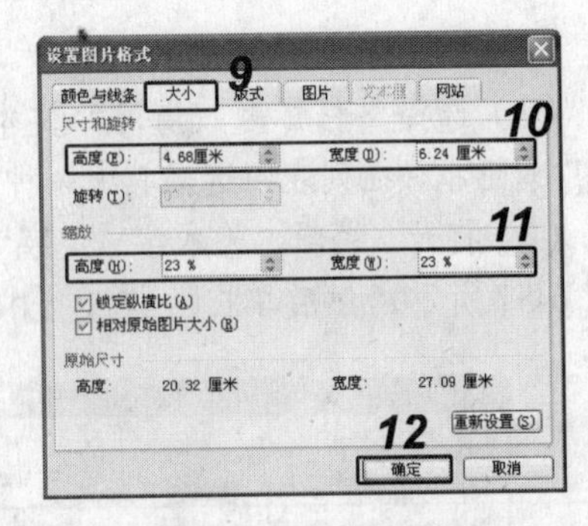

图 6-63　设置图片大小

（9）选择“设置图片格式”对话框中的“版式”选项卡，在“环绕方式”栏中选择“四周型”选项，然后单击 确定 按钮，如图 6-64 所示。

（10）移动鼠标光标至图片上，当鼠标变为✥形状时，按住鼠标左键不放并拖动，移动到合适位置后释放鼠标左键，完成移动，如图 6-65 所示。

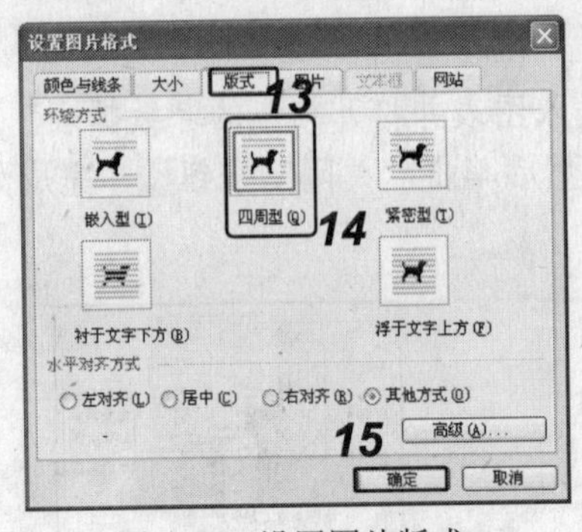

图 6-64　设置图片版式

图 6-65　移动图片

（11）移动图片后，完成对“海洋”文档的设置。

技巧：

插入文档中的图表、图片和文本框大小不合适，不仅可以通过在对话框中输入数据进行设置，还可以通过移动鼠标至图表或者图片的边缘处，当鼠标变为类似↘的双箭头符号时，按住鼠标不放拖动鼠标进行设置。

6.4　样式与模板的使用

在利用 Word 制作文档时，充分运用其提供的模板和样式功能可快速将创建的文档设置为统一规范的格式，大大提高工作效率，本节将对样式和模板的相关知识进行详细讲解。

6.4.1　样式的使用

样式是一组格式命令的集合，样式将字符格式和段落格式集中在一起，可以方便地将其应用于文档，使文档具有统一格式，简化操作。

1．样式的创建与编辑

如果 Word 提供的样式不能满足用户的需求，可根据需要创建符合要求的新样式，也可在已有样式的基础上做一些修改，使其满足需求。

【例 6-8】　在 Word 中创建样式。

（1）选择“格式/样式和格式”命令，打开“样式和格式”任务窗格。

（2）在任务窗格中单击新样式...按钮，打开“新建样式”对话框，如图 6-66 所示。

（3）在“名称”字符框中可设置样式的名称为“样式 1”。

（4）在“样式类型”下拉列表框中可选择“段落”，表示定义的样式是段落样式。

（5）在“样式基于”下拉列表框中选择“正文”。

（6）在“后续段落样式”下拉列表框中选择应用该样式段落的后续段落的样式为“样式 1”。

（7）在“格式”栏中将字体设置为“宋体”；字号设置为“五号”。

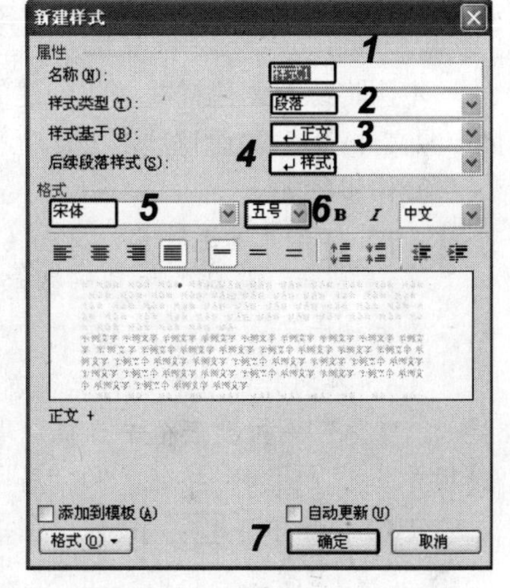

图 6-66　“新建样式”对话框

（8）单击确定按钮完成样式的新建，新建的样式将显示在“样式和格式”任务窗格的“请选择要应用的样式”列表框中。

2．样式的应用

创建好样式后，就可将创建的样式应用于文档中。方法是在文档中选择需应用样式的字符或段落，然后在“样式和格式”任务窗格中的“请选择要应用的样式”列表框中选择需应用的样式选项，即可将所选字符或段落设置为创建的样式。

6.4.2　模板的使用

模板是一种特殊的 Word 文档，其后缀名为“.doc”，图标为。模板与样式类似，不同的是样式是针对段落或字符的格式设置的，而模板是针对整篇文档的格式设置的，与样式相比，模板的内容更加丰富。

1．模板的创建

在 Word 2003 创建模板主要有两种方法，分别如下：

- 创建一个 Word 2003 文档，并在其中输入模板所需的内容并排版，输入完成后选择“文件/另存为”命令，打开“另存为”对话框，在“保存类型”下拉列表框中选择“文档模板”选项，然后再保存即可。
- 选择“文件/新建”命令，在弹出的“新建文档”任务窗格中单击“本机上的模版”超级链接打开“模版”对话框，在其中选择“空白文档”选项，然后选中右下角的“新建”栏中◉模板(T)单选按钮，单击 确定 按钮后在创建的模版中编排格式并保存。

2．模板的应用

应用创建的模板的具体操作是选择“文件/新建”命令，在打开的“新建文档”任务窗格的“模板”栏中单击“本机上的模板”超链接打开“模板”对话框，然后选择“模板”对话框报告、备忘录等选项卡，在右下角的“新建”栏中选中◎文档(D)单选按钮，最后单击 确定 按钮，根据提示一步一步操作，即可完成应用模板的操作。

6.4.3 应用举例——创建并使用样式

本例将练习创建样式并将创建的样式应用于“唐诗欣赏”文档中的各段落（立体化教学:\源文件\第 6 章\唐诗欣赏.doc）。

操作步骤如下：

（1）打开“唐诗欣赏”文档（立体化教学:\实例素材\第 6 章\唐诗欣赏.doc）。

（2）单击“格式”工具栏最左侧的“格式窗口”按钮，打开“样式和格式”任务窗格，单击其中的 新样式... 按钮。

（3）在打开的“新建样式”对话框的“名称”文本框中输入“大标题”；在“格式”栏的“字体”下拉列表框中选择“华文细黑”选项；在“字号”下拉列表框中选择“三号”选项并单击“倾斜”按钮 I 和“居中”按钮，然后单击 确定 按钮，如图 6-67 所示。

（4）再单击 新样式... 按钮，在打开的“新建样式”对话框的“名称”文本框中输入“小标题”；在“格式”栏的“字体”下拉列表框中选择“宋体”选项；在“字号”下拉列表框中选择“小四”选项并单击“居中”按钮，然后单击 确定 按钮，如图 6-68 所示。

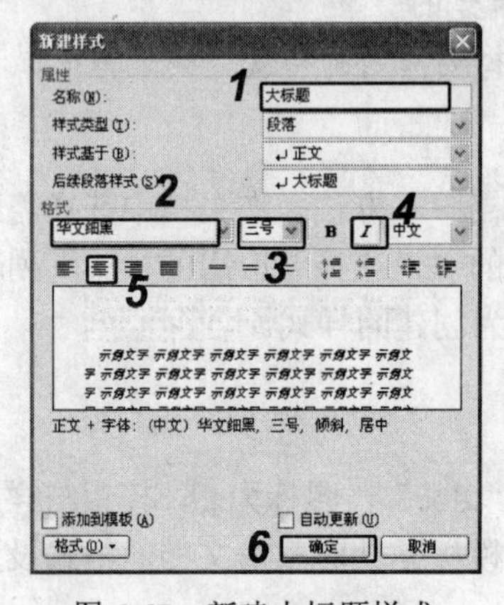

图 6-67 新建大标题样式

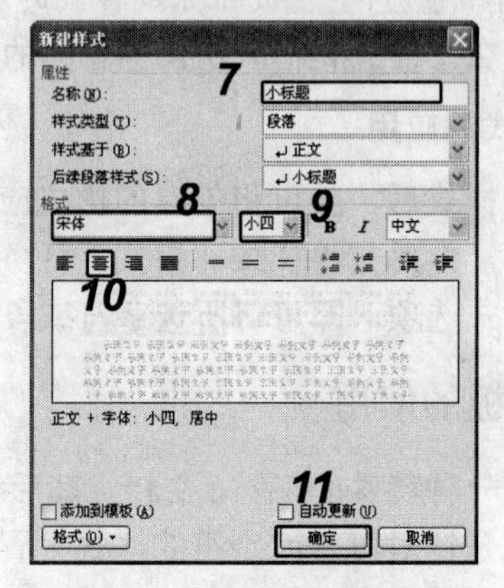

图 6-68 新建小标题样式

（5）再次单击新样式...按钮，在打开的“新建样式”对话框的“名称”文本框中输入“诗内容”；设置字体为“楷体_GB2312”；设置字号为“五号”并单击“居中”按钮，然后单击确定按钮，如图 6-69 所示。

（6）完成以上操作后，在“样式和格式”任务窗格中的“请选择要应用的格式”列表框中将出现所创建的样式，如图 6-70 所示。

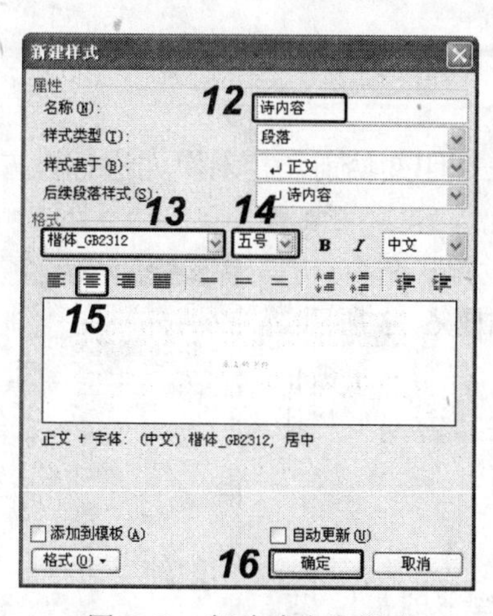

图 6-69　新建诗内容样式

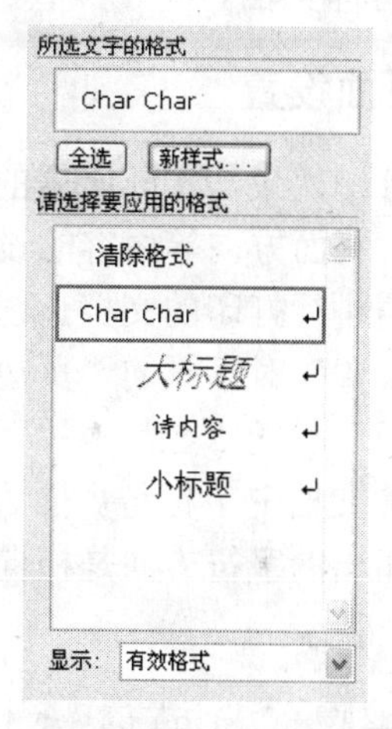

图 6-70　样式列表

（7）选择文档中的“唐诗欣赏”文本，然后选择“样式和格式”任务窗格中的“大标题”选项，“大标题”的样式将应用于“唐诗欣赏”文本，如图 6-71 所示。

（8）用同样的方法，分别选择四首诗的题目“上李邕”、“黄鹤楼”、“悲陈陶”、“池上竹下作”，并选择“样式和格式”任务窗格中的“小标题”选项；继续使用相同的方法，分别选择四首诗的内容，然后选择“样式和格式”任务窗格中的“诗内容”选项，完成样式的应用，如图 6-72 所示。

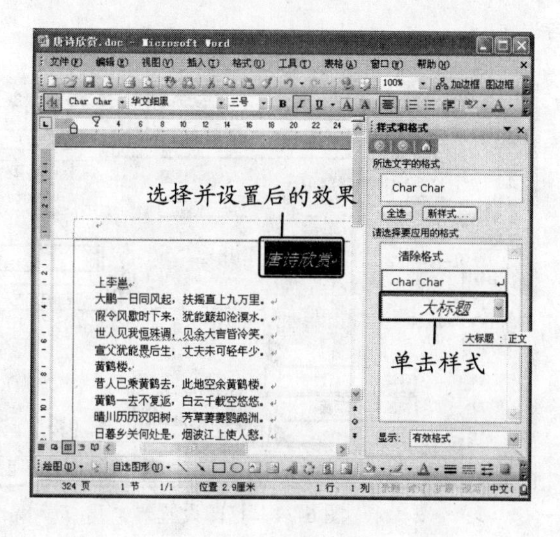

图 6-71　应用大标题

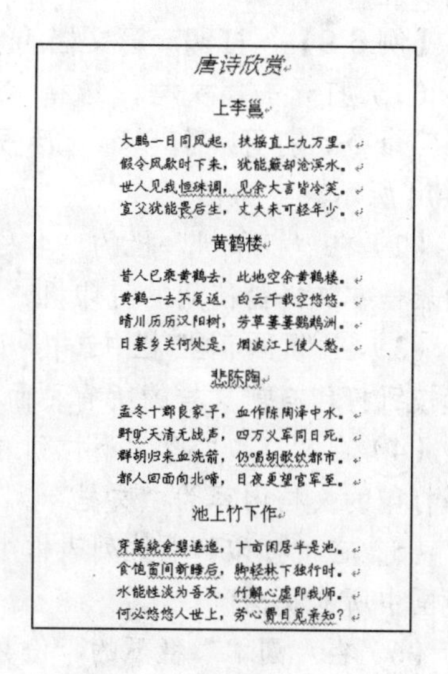

图 6-72　完成应用样式

6.5 文档的打印

编辑完文档后，需将其通过打印机打印在纸上以供使用。将打印机连接到计算机，Word 2003 便可打印文档。

6.5.1 页面设置

为使打印效果与实际所需的要求相符合，在打印文档前还需对页面进行设置，主要包括页边距、页面方向等内容的设置。

打开需进行打印的文档，选择“文件/页面设置”命令，打开“页面设置”对话框的“页边距”选项卡，如图 6-73 所示。在“页边距”栏的“上”、“下”、“左”和“右”4 个数值框中可设置文档中字符与页面边的距离，然后在“方向”栏中可选择打印出的字符方向是横向还是纵向。

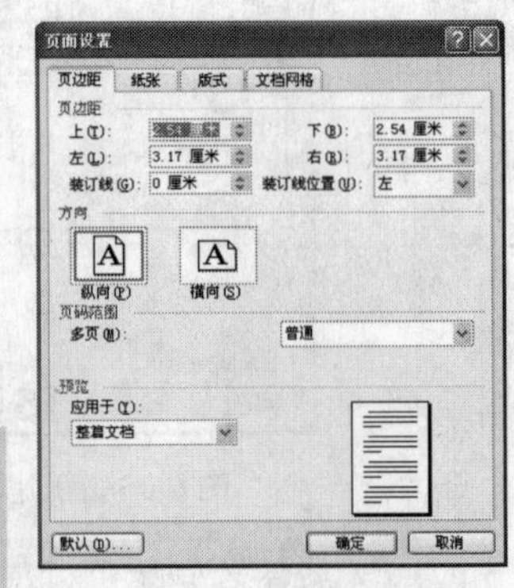

图 6-73 “页边距”选项卡

提示：

在“页面设置”对话框的“纸张”选项卡中可设置纸张的大小。在“版式”选项卡中还可设置页面版式，包括页眉与页脚的设置等，在“文档网格”选项卡中可设置是否在打印时将网格同时打印到页面上等。

6.5.2 打印设置

打印文档之前还需根据不同的需要在“打印”对话框中进行打印范围、打印数量等一系列设置。

【例 6-9】 打印一篇文档的全部内容。

（1）打开一篇文档，选择“文件/打印”命令，打开“打印”对话框，如图 6-74 所示。

（2）在“打印机”栏的“名称”下拉列表框中选择需使用的打印机。

（3）在“页面范围”栏中选中 全部(A) 单选按钮打印当前文档的所有页面。

（4）在“打印内容”下拉列表框中选择打印的文档内容为“文档”。

（5）在“打印”下拉列表框中选择“范围中所有页面”。

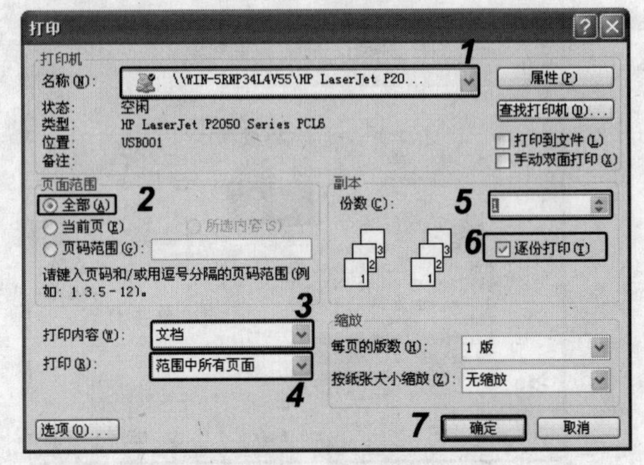

图 6-74 打印设置

（6）在“副本”栏下的“份数”数值框中设置打印份数为“1”，选中 ☑逐份打印(T) 复选框使打印机依次打印文档。

（7）设置完成后单击 确定 按钮，打印机开始打印文档。

提示：

选择“文件/打印预览”命令或单击“常用”工具栏中的按钮可进入打印预览窗口，预览打印效果，可避免打印出的文档不符合需要而浪费纸张。

6.5.3 应用举例——页面设置并打印

本例将“卓别林简介”文档进行页面设置，使文档中的页边距都为“5 厘米”，然后将其打印出 30 份。

操作步骤如下：

（1）打开“卓别林简介”文档（立体化教学:\源文件\第 6 章\卓别林简介.doc），并依次选择“文件/页面设置”命令。

（2）选择“页面设置”对话框的“页边距”选项卡，在“页边距”栏中的“上”、“下”、“左”和“右”4 个数值框中将其中的数值均设置为“5 厘米”，然后单击 确定 按钮，如图 6-75 所示。

（3）返回 Word 的工作窗口，依次选择“文件/打印”命令，打开“打印”对话框，将“副本”栏的“份数”数值框中的数值设置为“30”，然后单击 确定 按钮，如图 6-76 所示，即可开始打印文档。

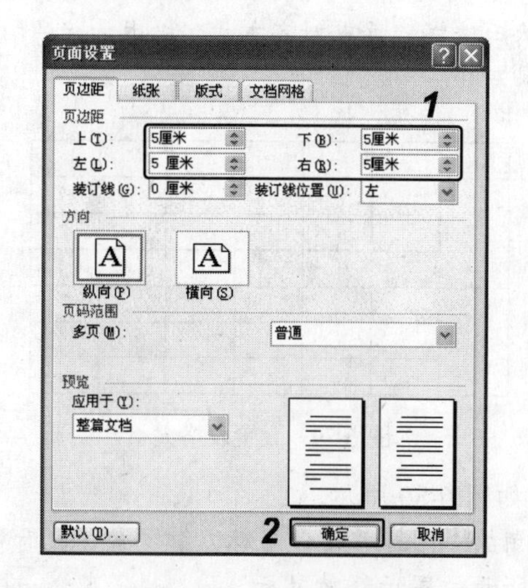

图 6-75 设置页边距

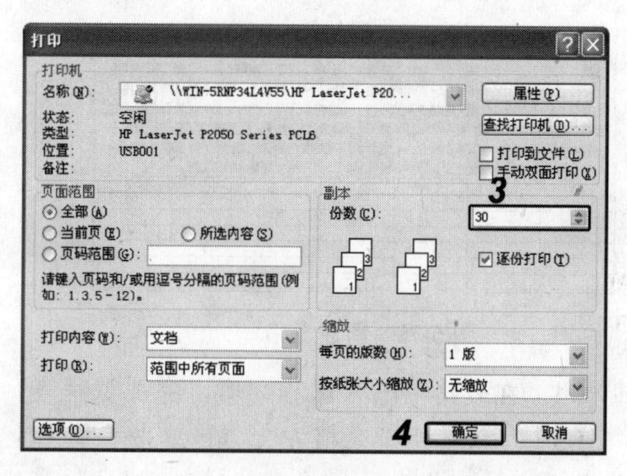

图 6-76 设置打印份数

6.6 上机及项目实训

6.6.1 制作“课程表”文档

本次实训将对“课程表”文档进行格式设置，然后在其中插入表格、艺术字、图片等，最后打印 2 份，其最终效果如图 6-77 所示（立体化教学:\源文件\第 6 章\课程表.doc）。

课程表

课程表是帮助学生了解课程安排的一种简单表格。简称课表。课程表（简称为课表）分为两种：一是学生使用的。二是教师使用的。学生使用的课表与任课师使用的课表在设计结构上都是一个简单的二维表格，基本上没有什么区别，只是填写的内容有所不同。

		星期一	星期二	星期三	星期四	星期五
上午	1	数学	语文	数学	语文	数学
	2	外语	数学	语文	数学	外语
	3	地理	外语	地理	信息	历史
下午	4	体育	历史	生物	外语	音乐
	5	生物	美术	体育	美术	劳技
	6	外语	数学	自习	语文	班会

图 6-77 最终效果图

操作步骤如下：

（1）启动 Word 2003，打开“课程表”文档（立体化教学:\实例素材\第 6 章\课程表.doc），并在文档中插入一个“7×7”表格，如图 6-78 所示。然后将表格的第一行中第一个单元格和第二个单元格合并；第一列的第 2、3、4 个单元格合并；第一列的第 5、6、7 个单元格合并。

（2）选择表格，在表格中单击鼠标右键，在弹出的快捷菜单中选择“表格属性”命令，打开“表格属性”对话框，在对话框中选择“行”选项卡，选中“大小”栏中的☑ 指定高度(S): 复选框，并在后面的数值框中输入“0.75 厘米”，然后单击 确定 按钮。

（3）选择“表格属性”对话框中的“单元格”选项卡，选中“尺寸”栏中的☑ 指定高度(S): 复选框，并在后面的数值框中输入“1.5 厘米”，然后选择“垂直对齐方式”栏中的“居中”选项，单击 确定 按钮，得到如图 6-79 所示的效果。

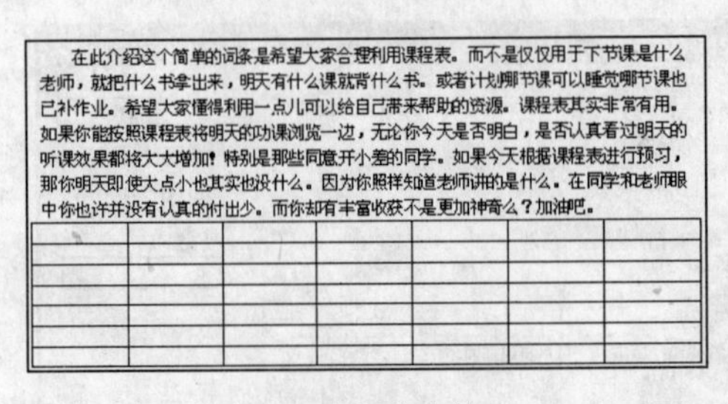

图 6-78 新建表格

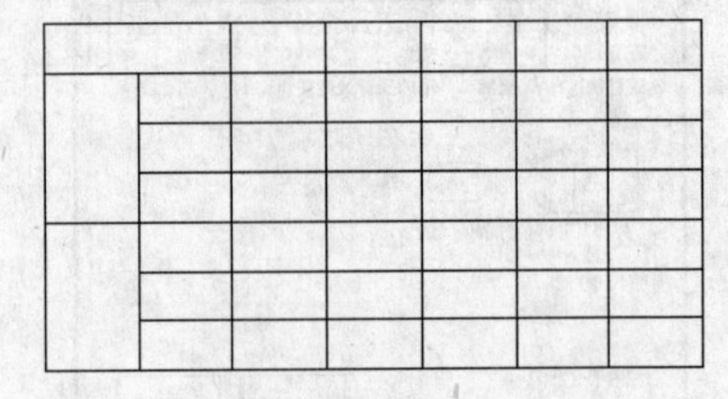

图 6-79 设置表格大小

（4）在表格中输入课程内容，完成课程表，如图 6-80 所示。

（5）移动鼠标至表格左上方，单击表格左上角的⊞图标并按住鼠标左键不放，此时将选择整个表格，拖动鼠标将表格移动到如图 6-81 所示位置后释放鼠标。

		星期一	星期二	星期三	星期四	星期五
上午	1	数学	语文	数学	语文	数学
	2	外语	数学	语文	数学	外语
	3	地理	外语	地理	信息	历史
下午	4	体育	历史	生物	外语	音乐
	5	生物	美术	体育	美术	劳技
	6	外语	数学	自习	语文	班会

图 6-80 输入表格内容

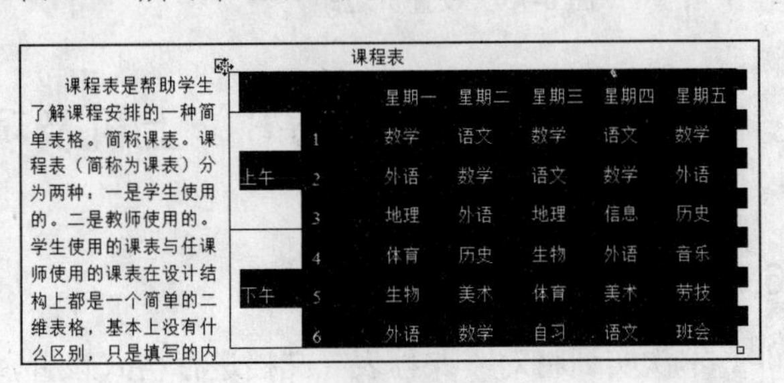

图 6-81 移动表格

（6）选择文档的标题文本，然后依次选择“插入/图片/艺术字”命令，在打开的“艺术字库”对话框中选择一种艺术字样式，然后单击[确定]按钮，如图 6-82 所示。

（7）在打开的“编辑‘艺术字’文字”对话框中，设置艺术字的字体为“华文行楷”，字号为“40”，单击[确定]按钮，得到如图 6-83 所示效果。

图 6-82　选择艺术字样式

课程表

课程表是帮助学生了解课程安排的一种简单表格。简称课表。课程表（简称为课表）分为两种：一是学生使用的。二是教师使用的。学生使用的课表与任课师使用的课表在设计结构上都是一个简单的二维表格，基本上没有什么区别，只是填写的内

		星期一	星期二	星期三	星期四	星期五
上午	1	数学	语文	数学	语文	数学
	2	外语	数学	语文	数学	外语
	3	地理	外语	地理	信息	历史
下午	4	体育	历史	生物	外语	音乐
	5	生物	美术	体育	美术	劳技
	6	外语	数学	自习	语文	班会

图 6-83　艺术字效果

（8）依次选择“插入/图片/来自文件”命令，在打开的“插入图片”对话框中选择图片“花”（立体化教学:\实例素材\第 6 章\花.jpg），单击[插入(S)]按钮，将图片“花”插入到文档中。

（9）在图片“花”上单击鼠标右键，在弹出的快捷菜单中选择“设置图片格式”命令，打开“设置图片格式”对话框。选择对话框中“版式”选项卡并选择“环绕方式”栏中的“衬于文字下方”选项，单击[确定]按钮，如图 6-84 所示。

（10）移动鼠标光标至图片上，当鼠标变为✣形状时，按住鼠标左键不放拖动鼠标，这时可以将图片拖动至“课程表”文本的下方，当移动到如图 6-77 最终效果图所示位置时释放鼠标。

（11）选择“文件/打印”命令，打开“打印”对话框，在其中“副本”栏的“份数”数值框中输入数值“2”，单击[确定]按钮，打印“课程表”文档，如图 6-85 所示。

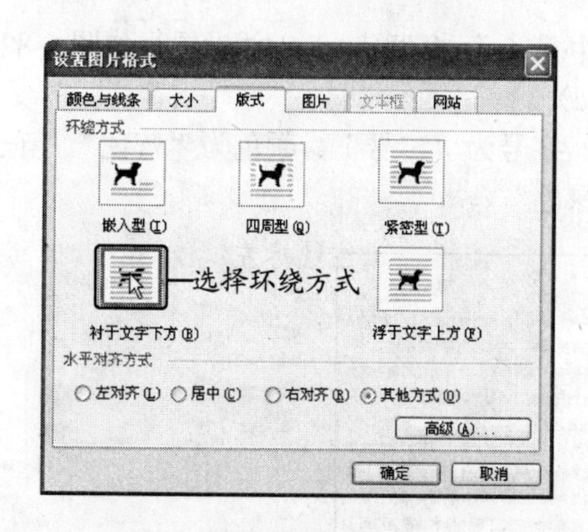

图 6-84　设置图片环绕方式

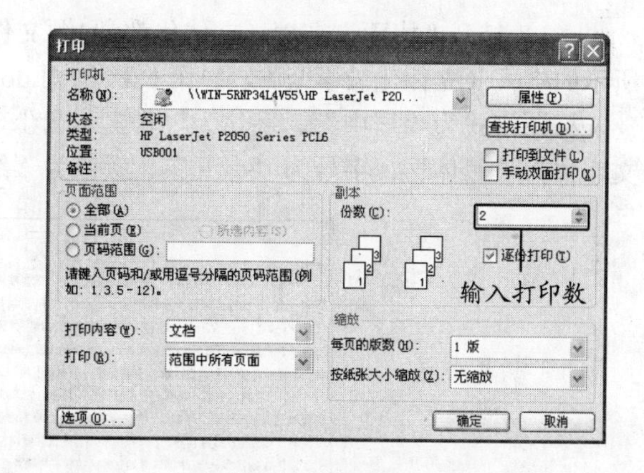

图 6-85　打印文档

6.6.2　丰富“贝多芬简介”文档

综合利用本章和前面所学知识，新建一个文档，在其中输入“贝多芬”文本（立体化

教学:\实例素材\第 6 章\贝多芬.doc），并对其进行格式设置，在其中添加艺术字和剪贴画等，其效果如图 6-86 所示（立体化教学:\源文件\第 6 章\贝多芬.doc）。

贝多芬简介

路德维希·凡·贝多芬（Ludwig Von Beethoven，1770.12.[illegible]-1827.3.26），出生在德国波恩，祖籍佛兰德。家族是科隆选侯宫廷，自幼跟[illegible]父亲学[illegible]音乐，很早就显露了音乐上的才华。八岁便开始登台演出。1792 年到音乐之都维也纳深造，艺术上进步飞快。他信仰共和，崇尚英雄，创作了大量充满时代气息的优秀作品，如交响曲《英[illegible]》、《命运》；序曲《哀格蒙特》；钢琴曲《悲怆》、《[illegible]光曲》、《暴风雨》、[illegible]《热情》等等。他集古典音乐的大成，同时开辟了浪漫时期音乐的道路，对世界音乐[illegible]的作用。

图 6-86　贝多芬简介

本练习可结合立体化教学中的视频演示进行学习（立体化教学:\视频演示\第 6 章\丰富“贝多芬简介”.swf），主要操作步骤如下：

（1）启动 Word 2003，打开“贝多芬”文档（立体化教学:\实例素材\第 6 章\贝多芬.doc），然后将其标题设置为艺术字。

（2）选择正文，将正文的颜色设置为蓝色。

（3）依次选择“插入/图片/剪贴画”命令，在打开的“剪贴画”任务窗格中的“搜索文字”文本框中输入“钢琴”后单击搜索按钮，在搜索结果中选择两幅钢琴图片。

（4）将其中一幅钢琴剪贴画放置于标题右侧，将另一幅剪贴画的“环绕方式”设置为“衬于文字下方”，并调整大小，完成“贝多芬”文档的设置。

6.7　练习与提高

（1）打开“梅雨”文档（立体化教学:\源文件\第 6 章\梅雨.doc），并设置为如图 6-87 所示的格式（立体化教学:\源文件\第 6 章\梅雨.doc）。

标题格式为“居中”、字体为“华文彩云”、字号为“二号”、颜色为“蓝色”；正文字体为“黑体”、字号为“小五”、颜色为“绿色”。

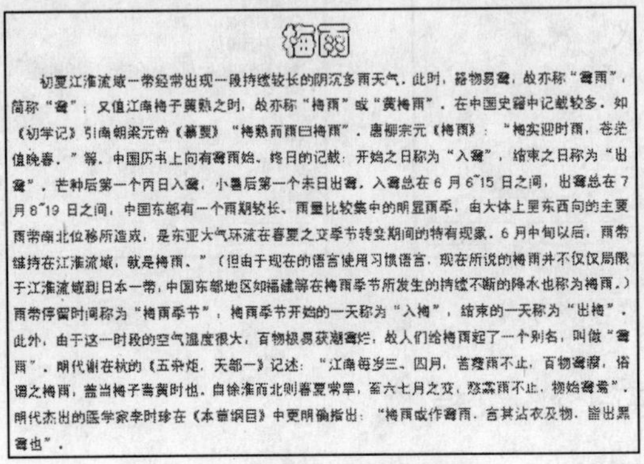

梅雨

初夏江淮流域一带经常出现一段持续较长的阴沉多雨天气。此时，器物易霉，故亦称“霉雨”，简称“霉”；又值江南梅子黄熟之时，故亦称“梅雨”或“黄梅雨”。在中国史籍中记载较多。如《初学记》引南朝梁元帝《纂要》“梅熟而雨曰梅雨”。唐柳宗元《梅雨》：“梅实迎时雨，苍茫值晚春。”等。中国历书上向有霉雨始、终日的记载：开始之日称为“入霉”，结束之日称为“出霉”。芒种后第一个丙日入霉，小暑后第一个未日出霉。入霉总在 6 月 6~15 日之间，出霉总在 7 月 8~19 日之间。中国东部有一个雨期较长、雨量比较集中的明显雨季，由大体上呈东西向的主要雨带南北位移所造成，是东亚大气环流在春夏之交季节转变期间的特有现象。6 月中旬以后，雨带维持在江淮流域，就是梅雨。”（但由于现在的语言使用习惯语言，现在所说的梅雨并不仅仅局限于江淮流域到日本一带，中国东部地区如福建等在梅雨季节所发生的持续不断的降水也称为梅雨。）雨带停留时间称为“梅雨季节”，梅雨季节开始的一天称为“入梅”，结束的一天称为“出梅”。此外，由于这一时段的空气湿度很大，百物极易获潮霉烂，故人们给梅雨起了一个别名，叫做“霉雨”。明代谢在杭的《五杂炬．天部一》记述：“江南每岁三、四月，苦霪雨不止，百物霉腐，俗谓之梅雨，盖当梅子青黄时也。自徐淮而北则春夏常旱，至六七月之交，愁霖雨不止，物始霉焉”。明代杰出的医学家李时珍在《本草纲目》中更明确指出：“梅雨或作霉雨，言其沾衣及物，皆出黑霉也”。

图 6-87　“梅雨”文档

（2）新建一个 Word 文档，在其中制作一个“月球资料”的表格，如图 6-88 所示（立体化教学:\源文件\第 6 章\月球资料.doc）。

第一列表格中的文本设置为分散对齐；第二列表格中的文本设置为右对齐。

（3）在 Word 文档中制作一个课程表，并在其中插入艺术字和剪贴画，如图 6-89 所示（立体化教学: \源文件\第 6 章\课程表 练习.doc）。

标题为艺术字、标题左方的为剪贴画。

名　　称	月球
别　　名	月亮
年　　龄	46千米
直　　径	3476亿亿吨
质　　量	7350亿亿顿
平均轨道半径	384401千米

图 6-88　“月球资料”表

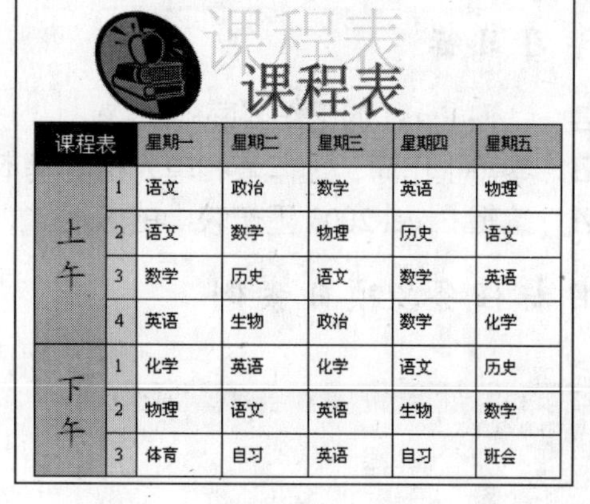
课程表

课程表		星期一	星期二	星期三	星期四	星期五
上午	1	语文	政治	数学	英语	物理
	2	语文	数学	物理	历史	语文
	3	数学	历史	语文	数学	英语
	4	英语	生物	政治	数学	化学
下午	1	化学	英语	化学	语文	历史
	2	物理	语文	英语	生物	数学
	3	体育	自习	英语	自习	班会

图 6-89　课程表

本章主要介绍了美化与丰富 Word 文档的操作方法，主要包括字符和段落格式设置、表格的使用、插入图形、使用模板等。这些操作设置都不复杂，认真学好，可以将文档设置得更加美观，也方便其他人阅读和理解。这里总结以下几点设置文档的技巧供大家参考和探索。

- 拖动水平标尺上的各个按钮可以方便准确地设置段落缩进量。
- 使用“常用”工具栏中的“格式刷”工具，快速为其他文本应用相同的样式。方法是将鼠标光标移动到已创建样式的文本中，单击工具栏中的“格式刷”按钮，然后用鼠标拖动选择目标文本内容，即可为选择的文本应用相同样式。
- 在其他 Word 文档中已经创建好的表格可以将其复制，然后粘贴到现在的文档中，这样可以节省很多用于创建表格的时间。
- 对文档中的字符和段落的格式设置，插入表格等都可以美化文档。

第 7 章　Excel 2003 基本操作

学习目标

☑　认识 Excel 的工作界面
☑　熟悉工作簿、工作表和单元格的基本操作
☑　编辑 Excel 2003 工作表中的数据

目标任务&项目案例

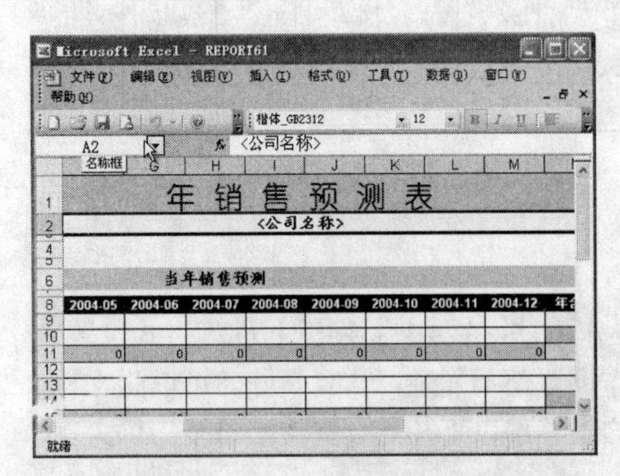

应用本机模板

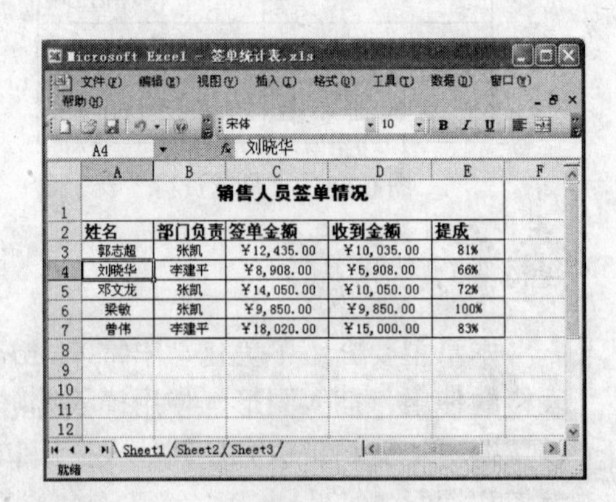

姓名	部门负责	签单金额	收到金额	提成
郭志超	张凯	￥12,435.00	￥10,035.00	81%
刘晓华	李建平	￥8,908.00	￥6,908.00	66%
邓文龙	张凯	￥14,050.00	￥10,050.00	72%
梁敏	张凯	￥9,850.00	￥9,850.00	100%
曾伟	李建平	￥18,020.00	￥15,000.00	83%

操作工作表

海燕计算机图书工作室

图书编号	图书名称	附带光盘	图书销量（本）
hy0601	电脑基础	是	8000
hy0602	网络基础	否	6500
hy0603	电脑入门	否	10000
hy0604	电脑办公	否	15000
hy0605	五笔字典	否	12000
hy0606	电脑硬件	否	9500
hy0607	电脑绘图	是	11000
hy0608	电脑设计	是	9800
hy0609	编程语言	是	7000

销售业绩表

职位搜索记录

申请日期	申请职位	申请方式	公司名称	联系人	电话	关注度
9月2日	营销策划	网站	呈祥酒业	王小姐	86985065	☆
9月3日	营销策划	网站	德帮房产	李先生	82106587	☆☆☆
9月4日	营销策划	网站	多维文化	陈先生	87652301	☆☆☆☆
9月5日	企划专员	网站	四川汉科	汪小姐	88962264	☆☆
9月6日	企划专员	网站	自贡郎博	赵小姐	55234871	☆☆☆☆
9月7日	企划专员	网站	春风摄影	王先生	84530621	☆☆
9月8日	市场策划	网站	世纪图书	李小姐	85640329	☆☆☆
9月9日	市场策划	网站	沐语布艺	邓小姐	88751246	☆☆☆☆☆
9月10日	市场策划	网站	港府实业	龚小姐	84102963	☆☆☆

职位登记表

Excel 2003 是 Office 2003 的另一核心组件，利用它不仅可以制作各种电子表格，如工资表、业绩表等，还可以对其中的数据进行复杂的计算、统计和管理，甚至可以在表格中创建图标对数据进行分析与预测等，它是目前最为流行的表格处理软件。本章将着重介绍 Excel 2003 的一些基础知识，包括认识 Excel 2003 的工作界面、工作簿的基本操作、工作表的基本操作、单元格的基本操作以及数据的输入和编辑等，为后面的学习打下坚实的基础。

7.1　认识 Excel 2003

使用 Excel 2003 之前，首先应认识 Excel 2003，并了解 Excel 2003 各部分以及各菜单的功能，为之后学习使用 Excel 2003 打下基础。

7.1.1　Excel 2003 的工作界面

启动 Excel 2003 的方法与启动 Word 2003 相同，依次选择“开始/所有程序/Microsoft Office/Microsoft Office Excel 2003”命令即可启动，并打开如图 7-1 所示的操作界面。

Excel 2003 工作界面中的标题栏、菜单栏、工具栏、任务窗格、滚动条以及状态栏等组成部分与 Word 2003 中相应部分的作用和操作方法基本相同，这里只对 Excel 特有的部分进行讲解。

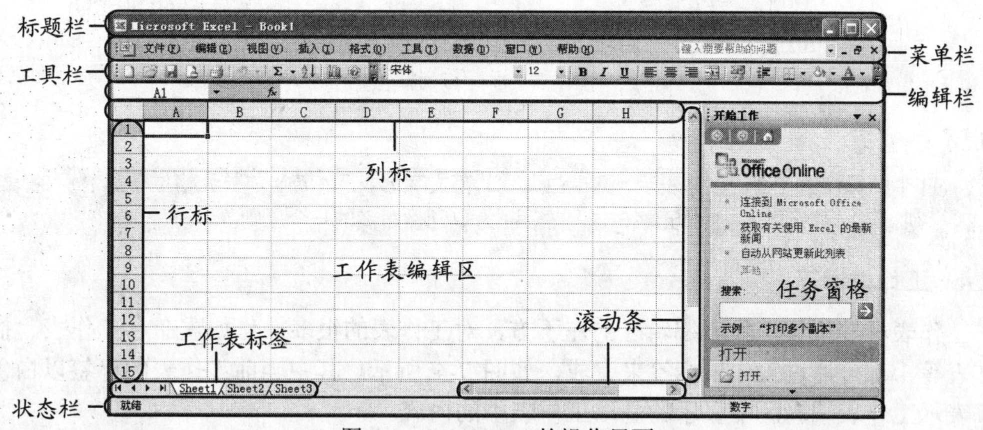

图 7-1　Excel 2003 的操作界面

1．编辑栏

编辑栏主要用于显示和编辑当前单元格中的数据（包括公式），它包括名称框、函数按钮框和编辑框等 3 个部分，如图 7-2 所示。

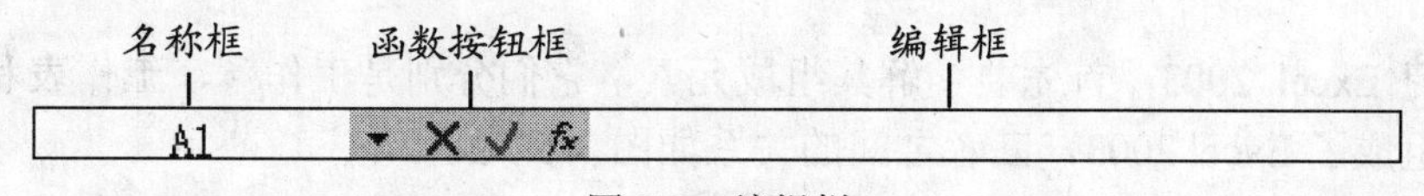

图 7-2　编辑栏

其中各部分的作用如下。

- **名称框**：显示当前单元格的名称，其中单元格的名称可以是程序自动默认的，也可以是自定义设置的。
- **函数按钮框**：包括✕、✓和fx 3 个按钮，当在单元格中输入公式或插入函数后，单击✕按钮可取消当前在单元格中的设置；单击✓按钮可确定单元格中输入的公式或函数；单击fx按钮可在打开的“插入函数”对话框中选择需在当前单元格中插入的函数。
- **编辑框**：在该框中可显示或编辑当前单元格中已有的内容。

2．工作表编辑区

工作表编辑区是 Excel 的工作平台，是工作界面中最大的区域，呈网格状显示，它是在 Excel 中编辑表格的主要场所。

3．行标与列标

在工作表编辑区上方和左方以字母或数字显示的部分即为 Excel 表格中的列标与行标，如图 7-3 所示。它们是确定单元格位置的依据，也是显示工作状态的一种导航工具。

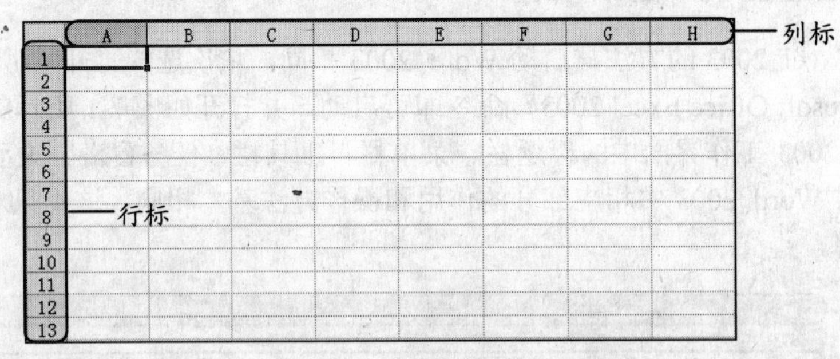

图 7-3　行标与列标

提示：

Excel 中的行标由阿拉伯数字表示，列标由大写的英文字母表示，若当前单元格位于第 E 列的第 8 行时，则称当前单元格为 E8 单元格，这是 Excel 为单元格命名的一个原则。

4．工作表标签

工作表标签位于工作表编辑区的左下方，对工作表的很多操作如重命名工作表、插入工作表等，都可通过工作表标签来完成，如图 7-4 所示。其中当前工作表的标签以白色显示，表示工作表编辑区中显示的是该工作表中的内容。

Sheet1 / Sheet2 / Sheet3

图 7-4　工作表标签

7.1.2　认识 Excel 2003 的三大组成元素

要学习 Excel 2003，首先要了解其组成元素，它们分别是工作簿、工作表和单元格，它们共同组成了 Excel 2003，三者之间的关系如图 7-5 所示。

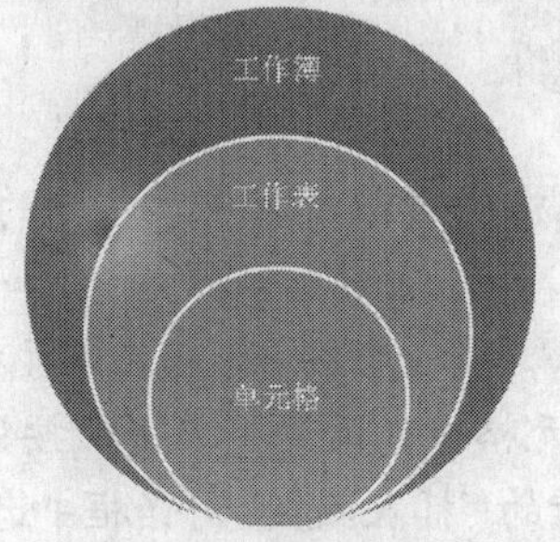

图 7-5　工作簿、工作表和单元格的关系

工作簿包含多张工作表；工作表是处理数据的主要场所；单元格是工作表中存储和处理数据的最基本单元。

7.1.3　应用举例——自定义工具栏

本例将启动 Excel 2003，并自定义 Excel 的工具栏，使其在使用过程中更加方便。

操作步骤如下：

（1）依次选择“开始/所有程序/Microsoft office/Microsoft office Excel 2003”命令，启动 Excel 2003，如图 7-6 所示。

（2）在打开的 Excel 工作界面中单击×按钮，关闭“开始工作”窗格，如图 7-7 所示。

图 7-6　打开工作界面

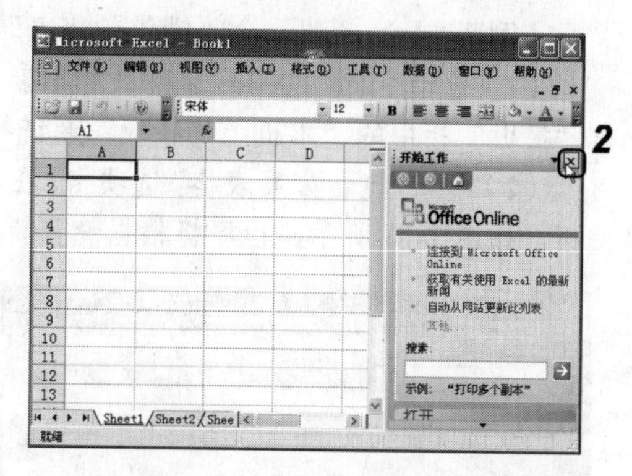

图 7-7　关闭“开始工作”窗格

（3）选择“工具/自定义”命令，打开“自定义”对话框，在对话框的“工具栏”下拉列表框中选中要显示的对象前的复选框，这里选中☑边框和☑绘图复选框，单击 关闭 按钮，如图 7-8 所示。

（4）在 Excel 工作界面中将显示出“边框”和“绘图”工具的图标，如图 7-9 所示。

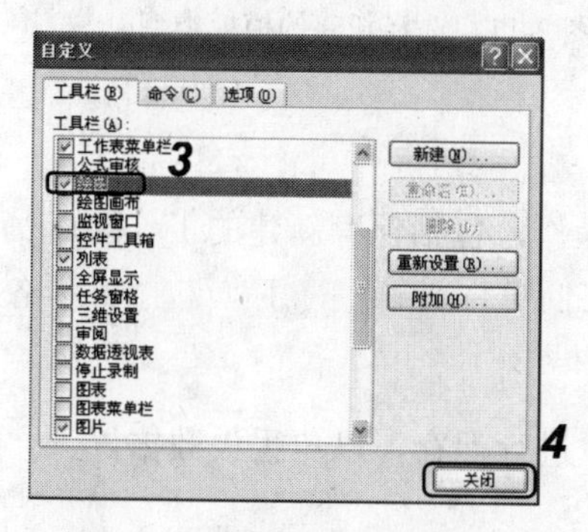

图 7-8　“自定义”对话框

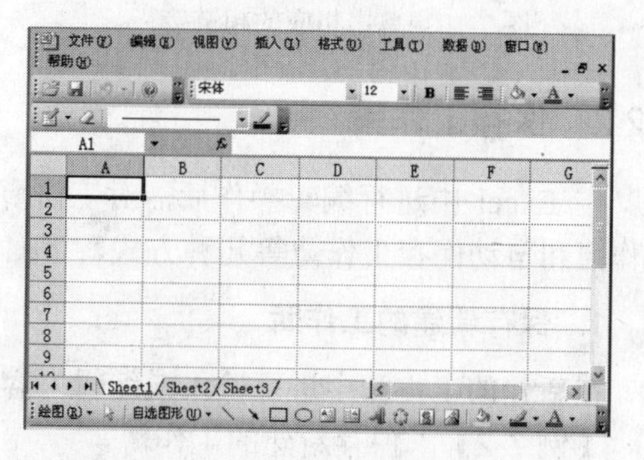

图 7-9　“边框”和“绘图”工具栏

7.2　工作簿的基本操作

Excel 工作簿的基本操作包括新建、保存、打开和关闭等，下面将分别对它们进行介绍。

7.2.1 新建工作簿

在 Excel 2003 中可创建一个空白的工作簿，也可套用模板创建一个较为专业的工作簿。Excel 2003 中自带有多种专业表格的模板，用户可按照 Word 中根据模板新建文档的方法新建带有模板的工作簿。

提示：

除启动 Excel 2003 时会自动创建一个空白工作簿外，还可通过在 Excel 2003 的操作界面中选择“文件/新建”命令，在“新建工作簿”任务窗格中单击“新建”栏中的“空白工作簿”超链接创建或单击 Excel 2003 操作界面的“常用”工具栏中的“新建”按钮创建，也可按“Ctrl+N”键创建。

【例 7-1】 新建一个“销售预测表”工作簿。

（1）启动 Excel 2003，选择“文件/新建”命令，在打开的“新建工作簿”任务窗格单击“模板”栏中的“本机上的模板”超链接，如图 7-10 所示，打开“模板”对话框。

（2）选择“电子方案表格”选项卡，在其中选择“销售预测表”选项，然后单击 确定 按钮，如图 7-11 所示，程序将根据设置新建一个“销售预测表”工作簿。

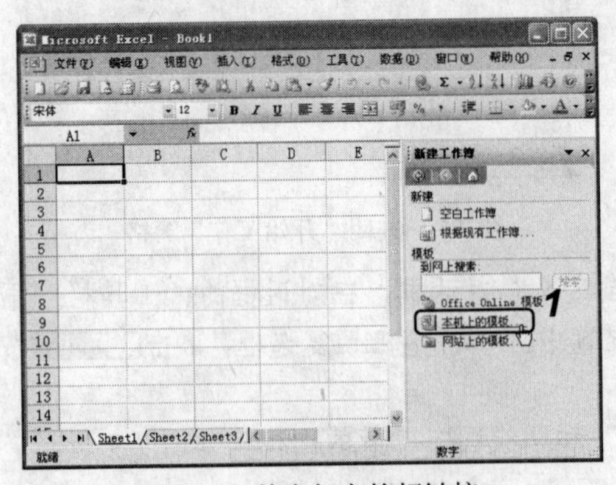

图 7-10 单击相应的超链接

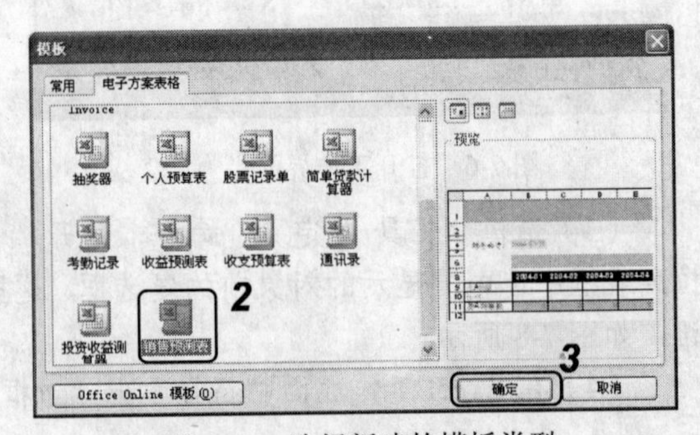

图 7-11 选择新建的模板类型

7.2.2 保存工作簿

在 Excel 中进行编辑操作后需对工作簿进行保存操作，包括保存新建的工作簿、另存工作簿和自动保存工作簿等几种方式，下面将分别对它们进行讲解。

1. 保存新建的工作簿

在新建的工作簿中进行输入或编辑内容后，应及时进行保存，以免丢失数据。

【例 7-2】 保存新建的工作簿。

（1）在 Excel 2003 的工作界面中选择“文件/保存”命令或单击“常用”工具栏中的“保存”按钮，第一次保存会打开“另存为”对话框。

（2）在“保存位置”下拉列表框中可设置工作簿的保存路径，在“文件名”下拉列表框中输入保存名称，在“保存类型”下拉列表框中选择工作簿的保存类型。

（3）设置完后单击 保存(S) 按钮。

提示：

另存工作簿可避免对原工作簿错误修改而造成丢失数据的情况发生。其方法为：选择"文件/另存为"命令，打开"另存为"对话框；按照保存新建工作簿的方法将工作簿另外保存一份。

2. 自动保存工作簿

Excel 2003 也可以设置自动保存的功能，下面简单进行介绍。

【例 7-3】　设置自动保存工作簿。

(1)在需保存的工作簿中选择"工具/选项"命令，打开"选项"对话框。

(2)选择"保存"选项卡并选中"设置"栏中的☑保存自动恢复信息，每隔(S):复选框，然后在该复选框右侧的数值框中输入自动保存的时间，如图 7-12 所示。

(3)单击[确定]按钮完成设置，Excel 便会按照设置的时间对当前编辑的工作簿自动进行保存。

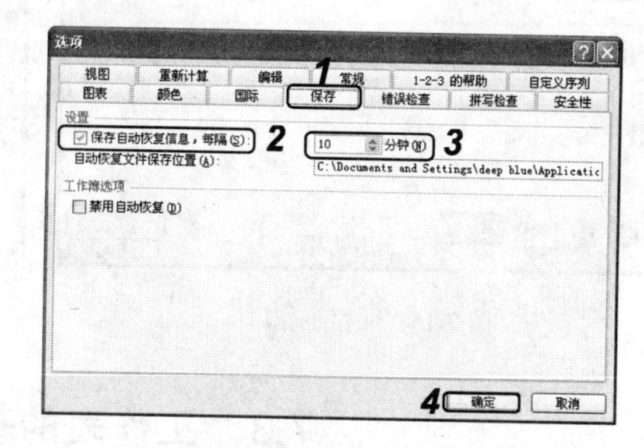

图 7-12　设置自动保存工作簿

注意：

打开和关闭 Excel 工作簿的方法与打开和关闭 Word 文档的方法相同，用户可参照前面章节的介绍进行学习，这里不再赘述。

7.2.3　应用举例——新建并保存"报销单"工作簿

根据模板新建一个"报销单"工作簿，并将其保存在桌面上。操作步骤如下：

(1)启动 Excel 2003，选择"文件/新建"命令，在打开的"新建工作簿"任务窗格中单击"模板"栏中的"本机上的模板"超链接，打开"模板"对话框。

(2)在"电子方案表格"选项卡中选择"报销单"选项，如图 7-13 所示，单击[确定]按钮。

(3)在"报销单"模板工作簿中单击"常用"工具栏中的保存按钮，如图 7-14 所示。

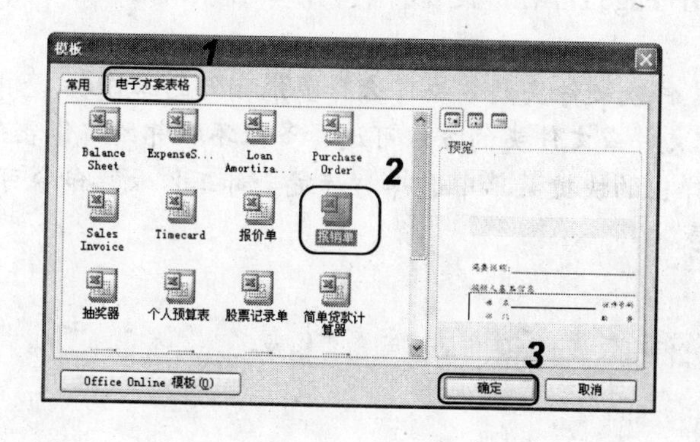

图 7-13　选择"报销单"选项

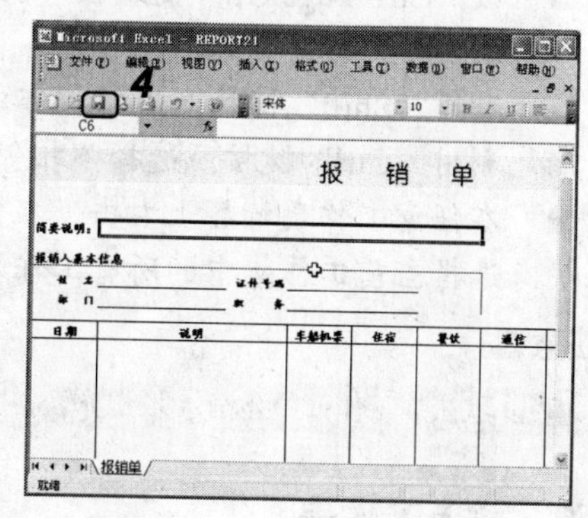

图 7-14　单击"保存"按钮

（4）在打开的“另存为”对话框的“保存位置”下拉列表框中选择“桌面”选项，在“文件名”下拉列表框中输入“报销单”，然后单击 保存(S) 按钮，如图7-15所示。

（5）完成工作簿的保存操作后，工作簿名称将自动变为保存的名称，如图7-16所示。

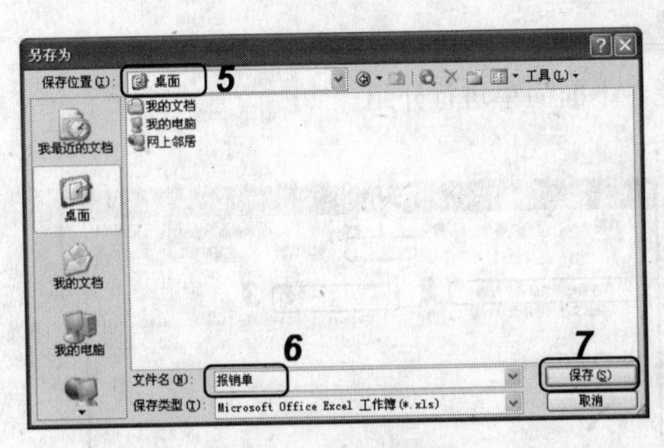

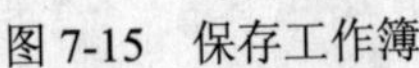
图7-15　保存工作簿

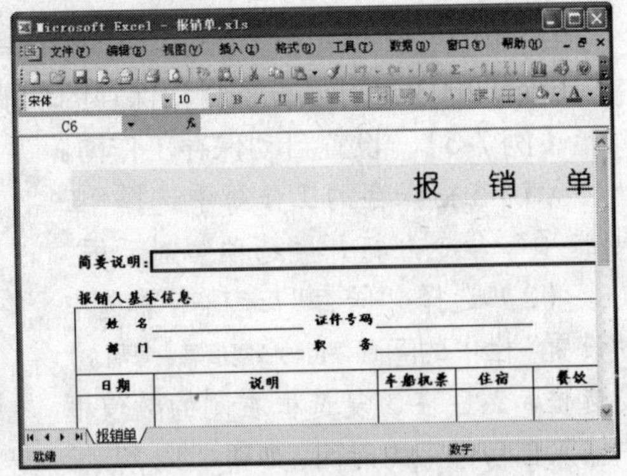

图7-16　保存后的工作簿

7.3　工作表的基本操作

工作表是Excel处理数据的主要场所，任何电子表格都涉及工作表的操作，工作表的基本操作包括选择、插入、移动、复制、重命名以及删除等，下面将分别对它们进行讲解。

7.3.1　选择工作表

在制作电子表格时，经常需要选择不同的工作表，以便实现在不同的工作表之间切换，从而完成不同的工作。选择工作表的方法主要有如下几种。

- 将鼠标指针移至需选择的工作表标签上单击鼠标可将其切换为当前工作表。
- 利用工作表标签上的按钮进行切换。其中，单击◀或▶按钮可以按顺序将上一张或下一张工作表切换为当前工作表，单击|◀或▶|按钮可将工作簿中的第一张或最后一张工作表切换为当前工作表。
- 按“Ctrl+Page Up”键或按“Ctrl+Page Down”键可将前一张工作表或后一张工作表切换为当前工作表。
- 利用“Shift”键按照选择相邻文件或文件夹的方法可选择多张相邻的工作表。
- 利用“Ctrl”键按照选择不相邻文件或文件夹的方法可选择多张不相邻的工作表。
- 在任意工作表标签上右击，在弹出的快捷菜单中选择“选定全部工作表”命令可选择当前工作簿中的所有工作表。

注意：

Excel默认的工作簿中含有3张工作表，它们中只有一张工作表是当前工作表。

7.3.2　插入工作表

在进行表格制作时，有时需在已有的工作表基础上添加新的工作表。通过右键菜单除

了可插入空白工作表之外，还可插入带有模板的工作表，下面将对通过单击鼠标右键插入工作表的方式进行讲解。

【例 7-4】　通过右键菜单在“Sheet3”工作表之前插入一个“考勤记录”工作表。

（1）选择“Sheet3”工作表，并在该工作表上单击鼠标右键，在弹出的快捷菜单中选择“插入”命令，如图 7-17 所示。

（2）在打开的“插入”对话框中单击“电子方案表格”选项卡，在其中的列表框中选择“考勤记录”选项，单击 确定 按钮，如图 7-18 所示。

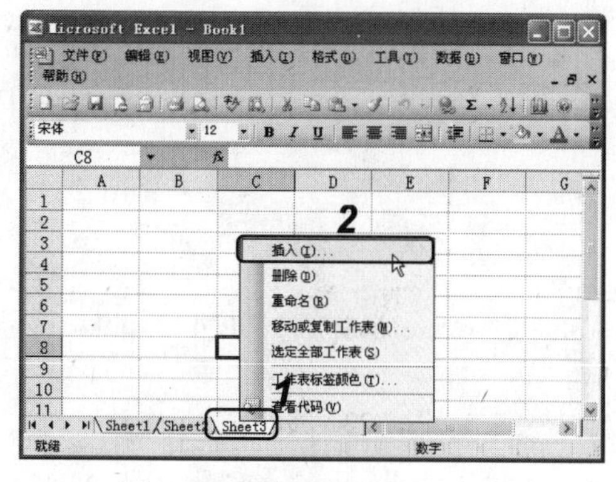

图 7-17　选择“插入”命令

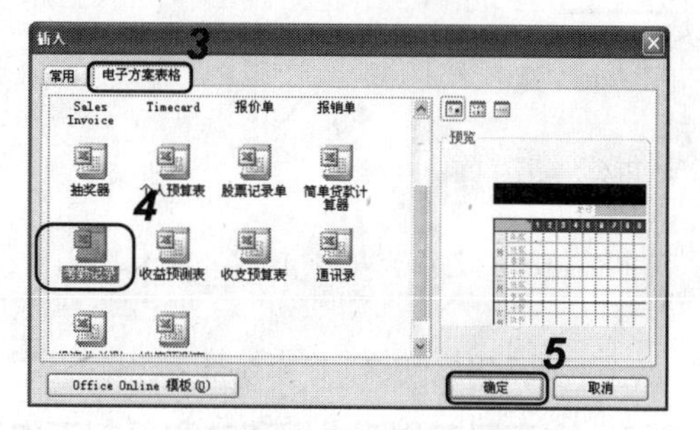

图 7-18　“插入”对话框

（3）插入的“考勤记录”模板的“Sheet1（2）”工作表如图 7-19 所示。

（4）将工作表命名为“考勤记录.xls”并保存在系统桌面上，如图 7-20 所示。

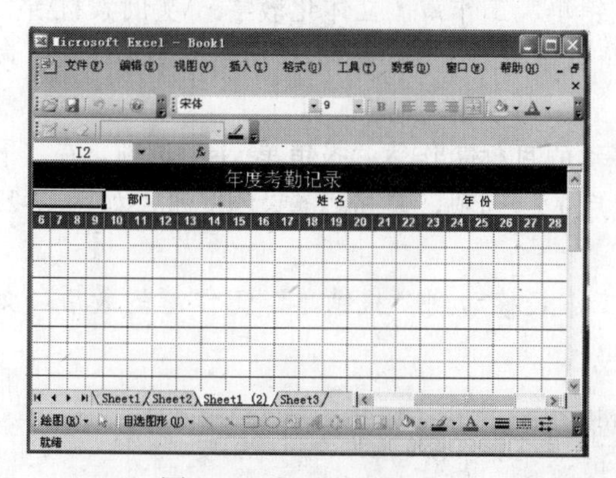

图 7-19　插入的工作表

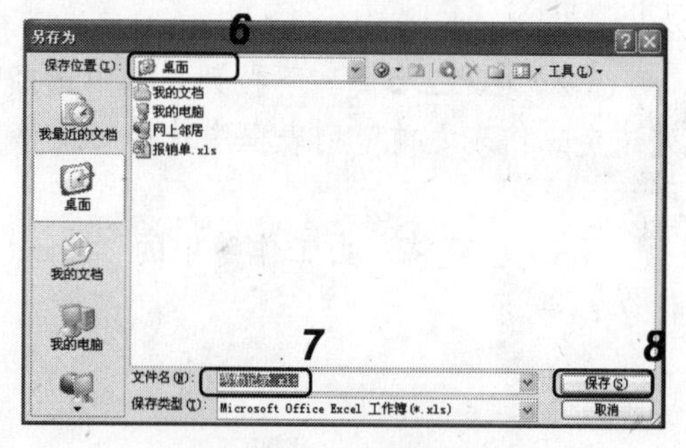

图 7-20　保存工作表

提示：

除通过单击鼠标右键的方式外，还可通过菜单命令插入工作表。其方法为：选择一张工作表，然后选择“插入/工作表”命令，即可在当前工作表之前插入一张空白工作表。

7.3.3　移动和复制工作表

需要调整工作表顺序或编辑相同的工作表时，使用移动和复制操作可提高工作效率。在 Excel 中移动和复制工作表包括在同一工作簿中移动或复制工作表以及在不同的工作簿之间移动或复制工作表两种情况，下面将分别对这两种情况进行讲解。

1. 在同一工作簿中移动和复制工作表

在同一工作簿中移动和复制工作表的操作非常简单，只需使用鼠标进行拖动。

其方法为：在需进行移动或复制的工作表标签上按住鼠标左键不放并拖动，此时鼠标指针将变为形状，并在工作表标签上出现图标，如图7-21所示；当到达需要的位置时释放鼠标，所选择的工作表将移动到图标所指的位置，如图7-22所示。

若在拖动时按住“Ctrl”键可实现复制工作表的操作。

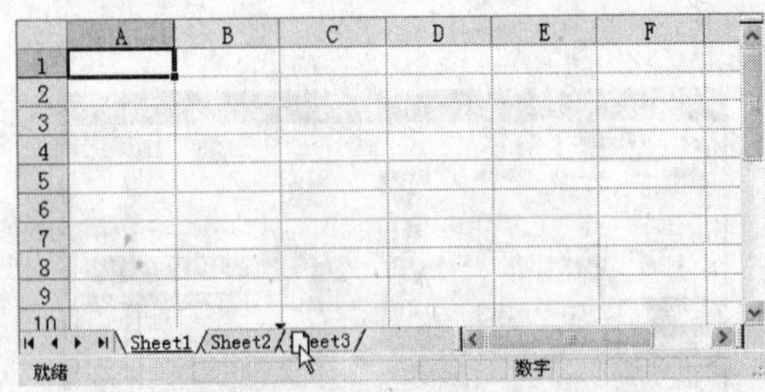

图7-21 拖动工作表标签　　图7-22 移动后的工作表

2. 在不同工作簿之间移动和复制工作表

在不同的工作簿之间移动和复制工作表需利用“移动或复制工作表”对话框进行操作。

【例7-5】 将空白工作簿中的“Sheet1”工作表移至“报销单”工作簿的最后。

（1）新建一个空白工作簿，然后打开“报销单”工作簿（立体化教学：\实例素材\第7章\报销单.xls），在空白工作簿中选择“Sheet1”工作表后选择“编辑/移动或复制工作表”命令。

（2）在“工作簿”下拉列表框中选择需移动的目标工作簿“报销单.xls”选项，在“下列选定工作表之前”列表框中选择“（移至最后）”选项，单击确定按钮，如图7-23所示。

（3）程序将空白工作簿中的“Sheet1”工作表移动到“报销单”工作簿的最后，如图7-24所示。

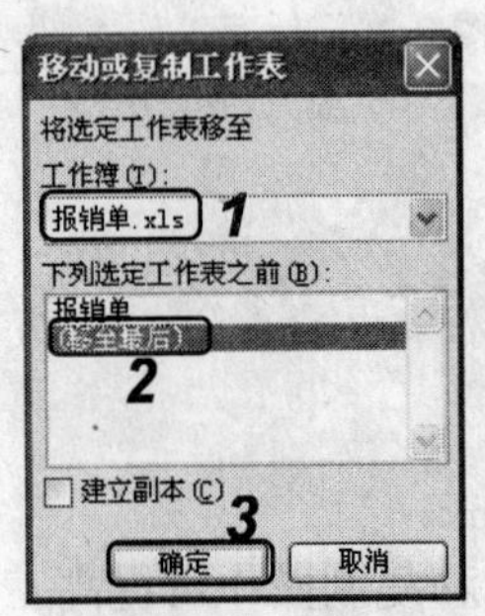

图7-23 “移动或复制工作表”对话框

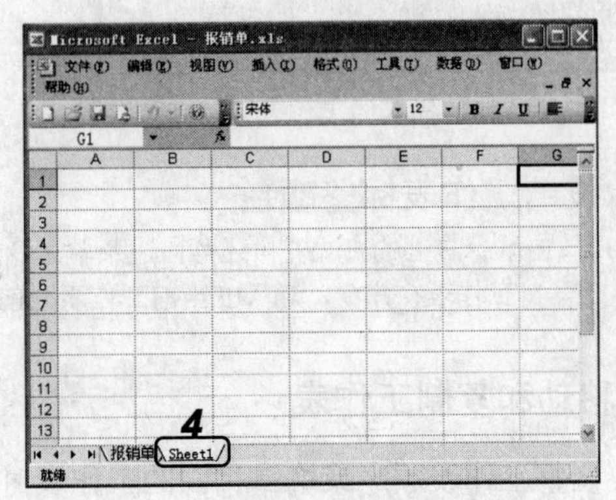

图7-24 移动工作簿后的效果

7.3.4　重命名工作表

当一个工作簿中的工作表数量较多时，可为工作表重新命名以便于操作和管理。

【例 7-6】　将工作簿中的“Sheet1”工作表命名为“工资表”。

（1）选择需重命名的工作表，依次选择“格式/工作表/重命名”命令，如图 7-25 所示。

（2）被选择的工作表标签名称呈可编辑状态，输入重新命名后的名称“工资表”，按“Enter”键或单击工作表中的其他位置，确认更改后的名称，如图 7-26 所示。

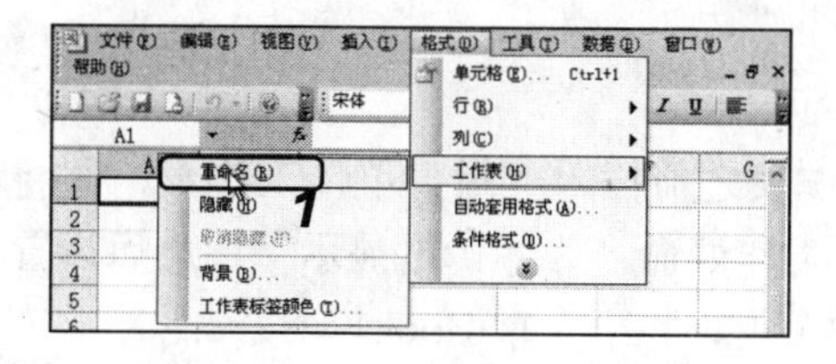

图 7-25　选择“重命名”命令

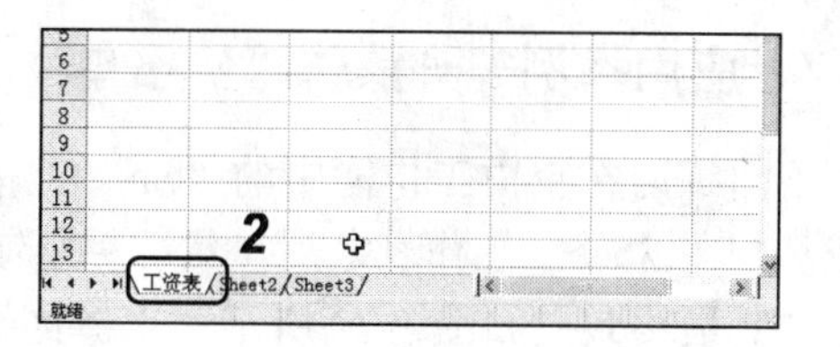

图 7-26　重命名后的工作表标签

技巧：

双击工作表标签或在该工作表标签上右击，在弹出的快捷菜单中选择“重命名”命令也可使其呈可编辑状态。

7.3.5　删除工作表

对于工作簿中不需要的工作表，可将其删除以方便管理。其方法为：选择需删除的工作表，在该工作表标签上单击鼠标右键，在弹出的快捷菜单中选择“删除”命令将该工作表从工作簿中删除。同时，后面的第一个工作表自动变为当前工作表，其过程如图 7-27 所示。

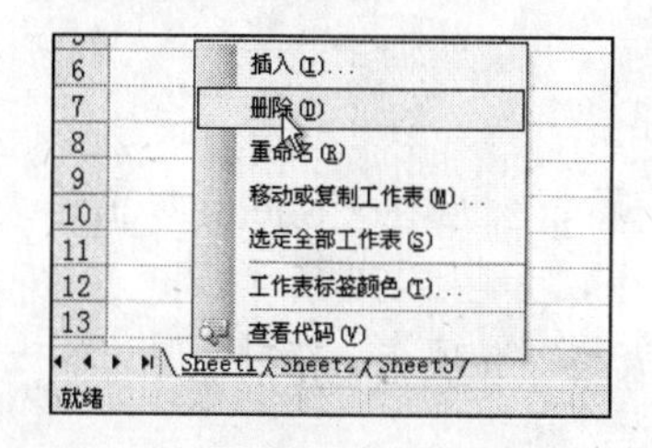

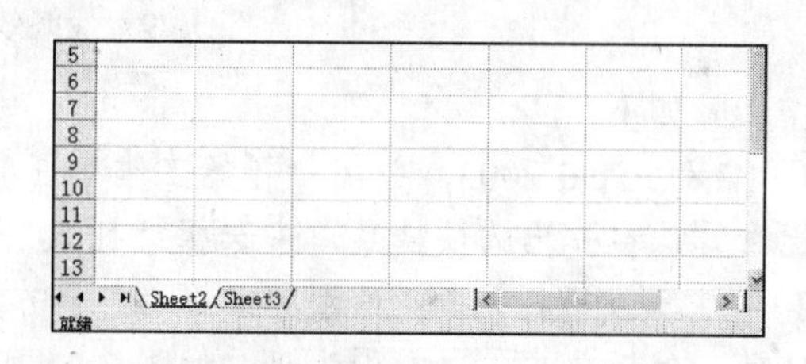

图 7-27　删除工作表

7.3.6　设置工作表标签颜色

Excel 默认的工作表标签颜色并非一成不变，根据实际需要可对标签颜色进行设置。

【例 7-7】　设置工作表标签颜色。

（1）在需设置颜色的工作表标签上单击鼠标右键，在弹出的快捷菜单中选择“工作表标签颜色”命令打开“设置工作表标签颜色”对话框。

（2）在“设置工作表标签颜色”列表框中选择一种颜色选项后单击 确定 按钮，如图 7-28 所示。

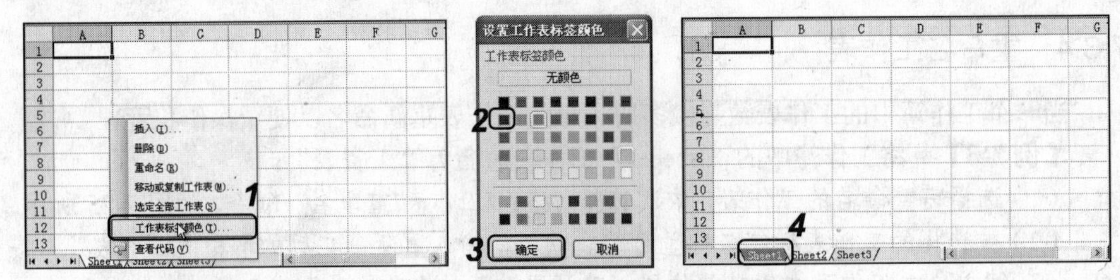
图 7-28　设置工作表标签颜色

7.3.7　应用举例——操作“价格单”工作表

下面练习在空白工作簿中的“Sheet2”工作表之前插入“报价单”工作表，并将该工作表复制在Sheet3工作表之后，然后将复制的工作表命名为“价格显示”，最后设置标签颜色，其最终效果如图7-29所示（立体化教学:\源文件\第7章\Book1.xls）。

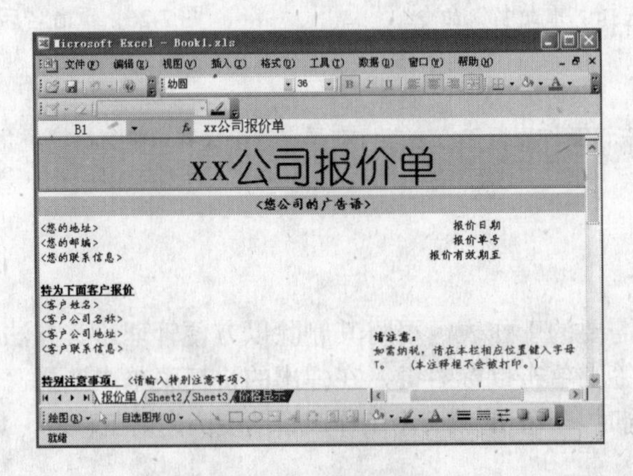
图 7-29　最终效果

操作步骤如下：

（1）启动Excel 2003，关闭“开始工作”任务窗格，然后在“Sheet2”工作表标签上单击鼠标右键，在弹出的快捷菜单中选择“插入”命令，如图7-30所示。

（2）在打开的“插入”对话框中选择“电子方案表格”选项卡，在其列表框中选择“报价单”选项，然后单击 确定 按钮，如图7-31所示。

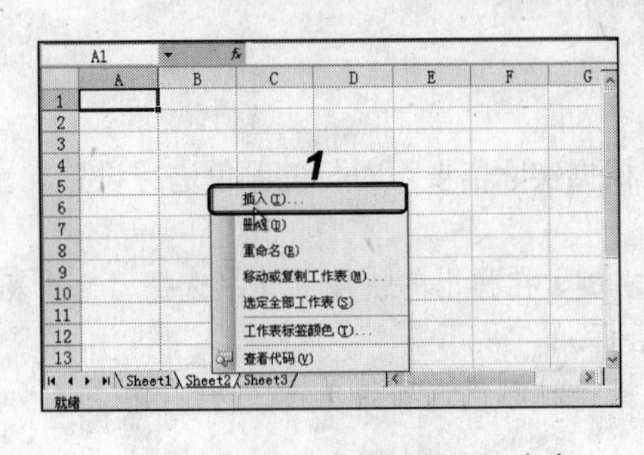
图 7-30　选择“插入”命令

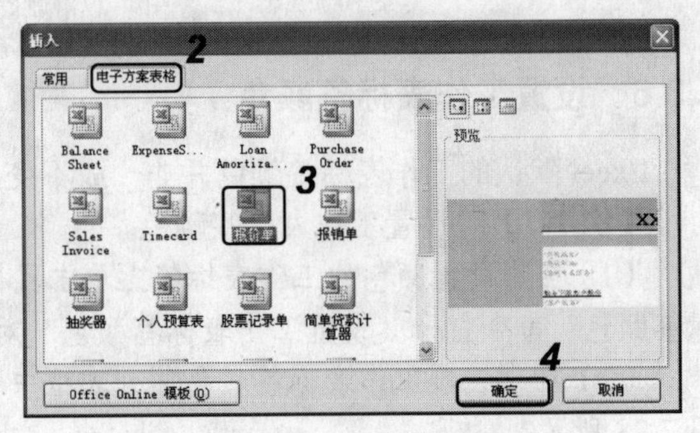
图 7-31　选择“报价单”选项

（3）在插入的“报价单”工作表标签上按住“Ctrl”键，然后拖动鼠标至“Sheet3”工作表标签后，如图 7-32 所示。

（4）释放鼠标，在“Sheet3”工作表后将复制一个工作表，在其标签上单击鼠标右键，在弹出的快捷菜单中选择“重命名”命令，如图 7-33 所示。

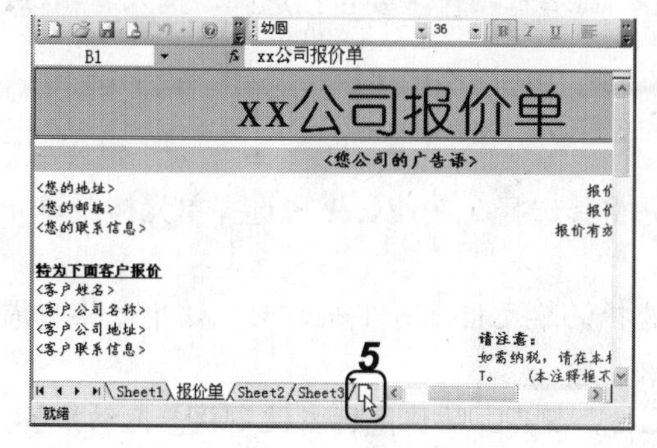

图 7-32　拖动鼠标

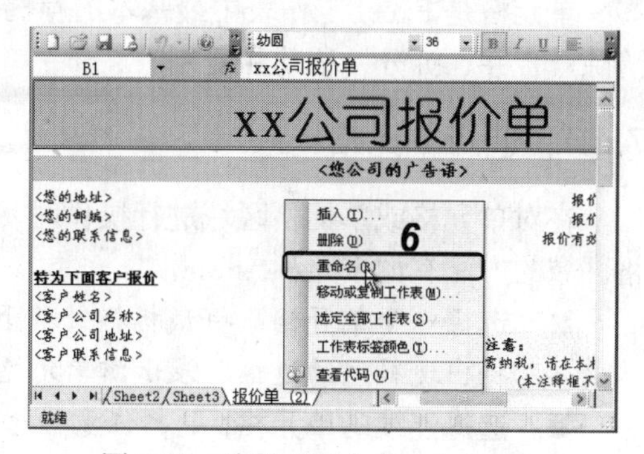

图 7-33　选择“重命名”命令

（5）将其重命名为“价格显示”，如图 7-34 所示。

（6）在其标签上单击鼠标右键，在弹出的快捷菜单中选择“工作表标签颜色”命令，如图 7-35 所示。

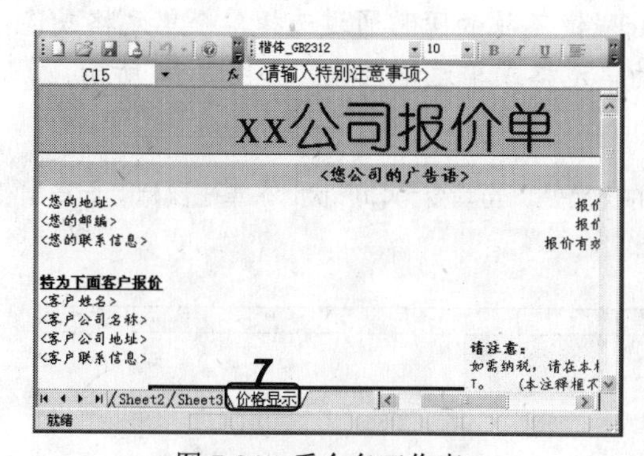

图 7-34　重命名工作表

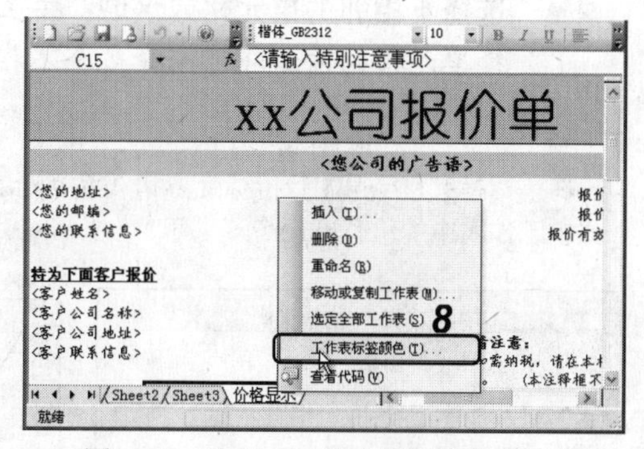

图 7-35　选择“工作表标签颜色”命令

（7）在打开的对话框中选择颜色，单击确定按钮保存设置，如图 7-36 所示。

（8）将工作表切换到“Sheet3”可查看设置工作表标签的颜色，如图 7-37 所示。

图 7-36　设置颜色

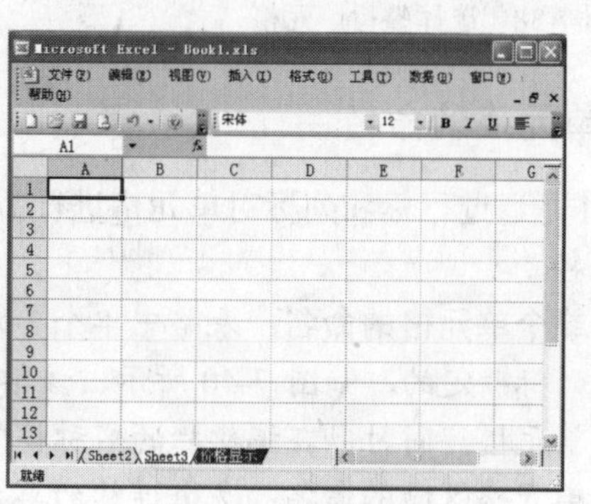

图 7-37　设置结果

7.4 单元格的基本操作

单元格是 Excel 工作表中最基本的存储单元，其基本操作主要包括选择、插入、删除、清除、合并、拆分、移动和复制等。

7.4.1 选择单元格

在对单元格或单元格区域进行操作时，需先将其选择，在 Excel 中选择单元格或单元格区域的方法有如下几种。

- **选择一个单元格**：将鼠标指针移至需选择的单元格上并单击，此时该单元格四周将出现黑色的边框，表示该单元格已被选择。
- **选择连续的单元格**：选择任意一个单元格，在其上按住鼠标左键不放并拖动鼠标，移至需要的区域后释放鼠标即可选择连续的单元格。其中，除区域左上角的单元格以外，区域中其他单元格都以蓝色为底色显示。
- **选择整行或整列**：将鼠标指针移至工作表编辑区的某一行标或列标上单击，可选择指针所处的整行或整列单元格，如图 7-38 所示为选择一行单元格。
- **选择不相邻的单元格或区域**：按住“Ctrl”键不放的同时通过选择单个单元格或连续单元格的方法即可选择多个不相邻的单元格或单元格区域，如图 7-39 所示。

技巧：

将鼠标指针移至第 1 行行标上方和 A 列列标左侧的交叉处，当其变为✚形状时，单击鼠标可选择当前工作表中的所有单元格。

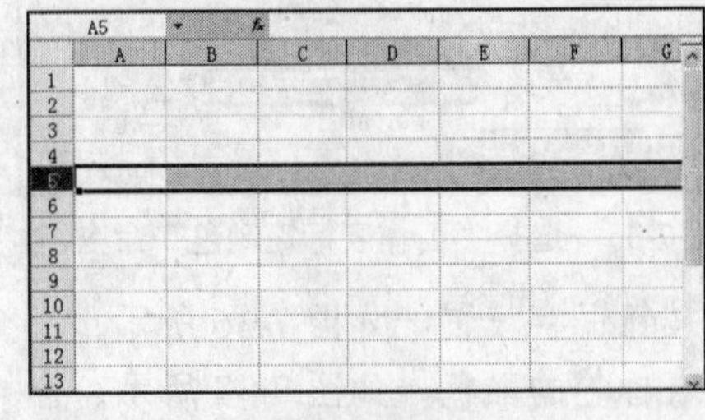

图 7-38 选择整行单元格

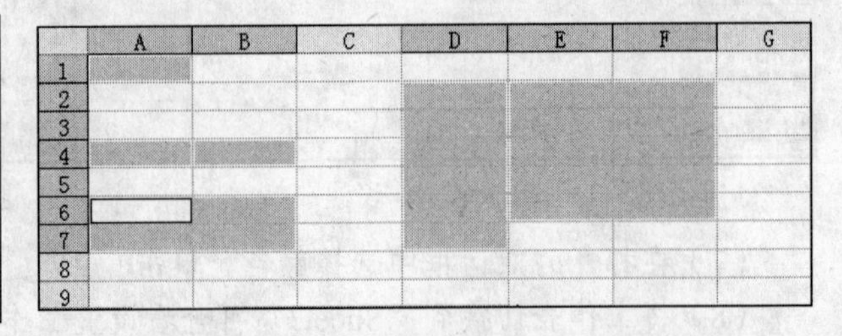

图 7-39 选择不相邻的单元格及单元格区域

7.4.2 单元格的命名

Excel 是通过行标和列标对单元格进行命名的，其中又分为单个单元格的命名和单元格区域的命名。

- **单个单元格的命名**：表格中单个单元格的名称是根据其所在行的行标和所在列的列标确定的，如图 7-40 所示，该单元格处于 B 列第 2 行，因此该单元格名为 B2 单元格。同时，在编辑栏的名称框中也将显示该单元格的名称。
- **单元格区域的命名**：多个连续的单元格称为单元格区域。其命名规则为：单元格区域中左上角的单元格名称+“:”+单元格区域中右下角的单元格名称，如图 7-41

所示的单元格区域名为 A1:F11 单元格区域。

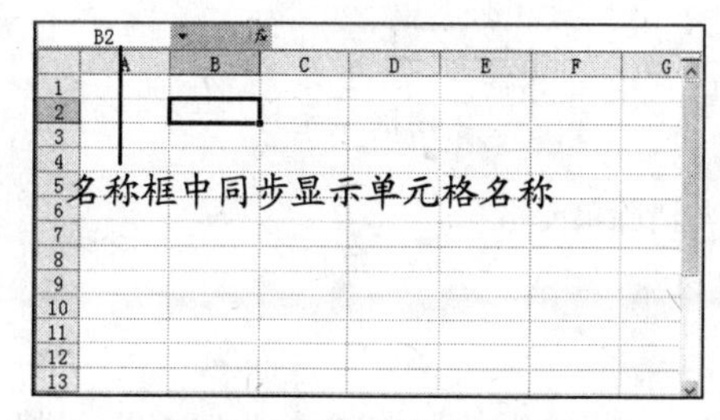

图 7-40　单元格的名称

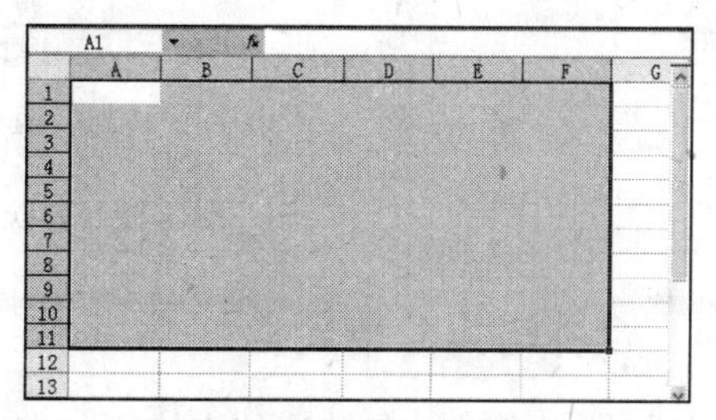

图 7-41　单元格区域的名称

7.4.3　插入与删除单元格

在对工作表进行操作时，有时需在表格中插入或删除单元格，使制作的表格符合实际需求，利用 Excel 提供的插入与删除单元格的对话框可轻松实现该操作。

1．插入单元格

在表格中插入单元格的主要方法是选择“插入/单元格”命令或在表格中单击鼠标右键，在弹出的快捷菜单中选择“插入”命令，两种方式都可打开“插入”对话框。

【例 7-8】　在表格中插入单元格。

（1）选择需插入单元格下方的单元格。

（2）选择“插入/单元格”命令，打开“插入”对话框。

（3）在“插入”栏中选中 活动单元格下移(D) 单选按钮，然后单击 确定 按钮，如图 7-42 所示。

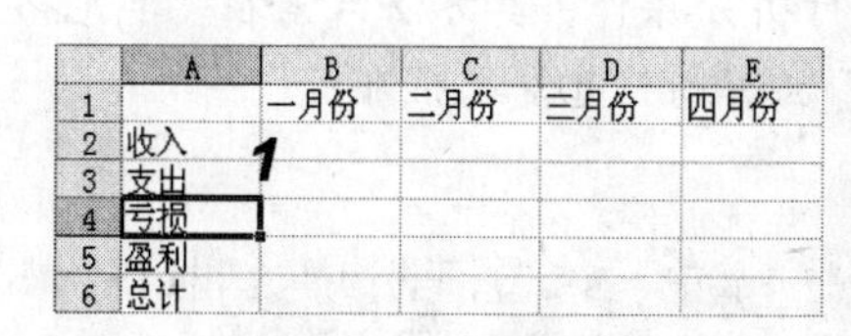

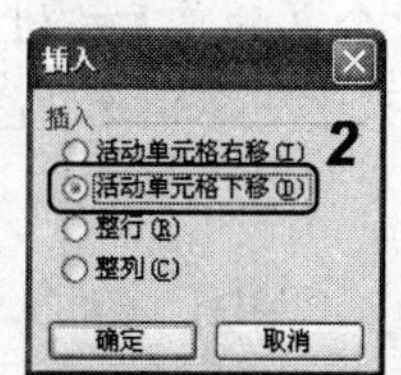

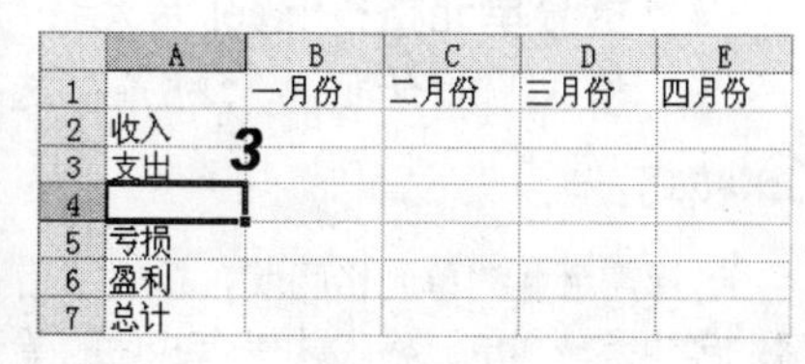

图 7-42　在当前单元格上方插入单元格

2．删除和清除单元格

在 Excel 中删除单元格和清除单元格是不同的两个概念。删除单元格是将该单元格从工作表中删除，而清除单元格只是删除单元格中的数据，而单元格本身并没有被删除。删除和清除单元格的具体介绍如下。

- **删除单元格**：删除单元格与插入单元格的操作类似，只需选择需删除的单元格，然后选择“编辑/删除”命令，或在选择的单元格上右击，在弹出的快捷菜单中选择“删除”命令，打开“删除”对话框，从中选择所需的单选按钮，然后单击 确定 按钮即可。
- **清除单元格**：清除单元格的方法为：选择需清除的单元格，然后选择“编辑/清除/内容”命令或按“Delete”键。

如图 7-43 所示分别为删除单元格与清除单元格的效果。

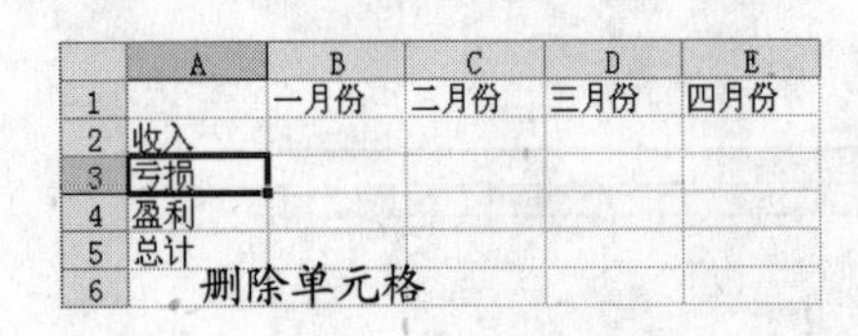

	A	B
1		一月份
2	收入	
3	支出	
4	亏损	
5	盈利	
6	总计	

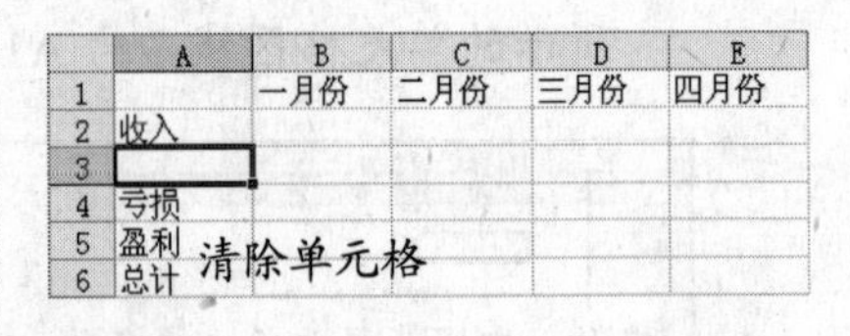

图 7-43　删除单元格与清除单元格

7.4.4　合并与拆分单元格

在制作表格时，有时为使表格更加美观，需将一些单元格区域合并为一个单元格，这就是合并单元格，而将合并的单元格重新分开为组合前的单元格区域则称之为拆分单元格。其操作方法分别如下。

- **合并单元格**：选择需合并的单元格区域，然后选择“格式/单元格”命令，打开“单元格格式”对话框。选择其中的“对齐”选项卡并选中“文本控制”栏中的 ☑合并单元格(M) 复选框，如图 7-44 所示，然后单击 确定 按钮即可将选择的单元格区域合并为一个单元格。需注意的是，对有数据的单元格进行合并操作时，合并后的单元格中将只保留原单元格选中区域中左上角单元格中的数据。

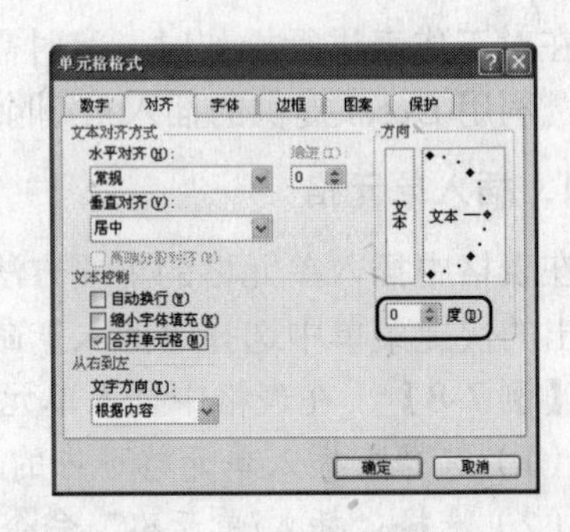

图 7-44　“单元格格式”对话框

- **拆分单元格**：Excel 只允许对合并的单元格进行拆分操作。其方法只需在“单元格格式”对话框的“对齐”选项卡中取消选中 ☐合并单元格(M) 复选框即可。

技巧：

选择需合并的单元格区域，单击“格式”工具栏中的“合并并居中”按钮 可将选择的单元格区域合并为一个单元格，并使合并后的单元格中的数据居中对齐，再次单击该按钮可取消合并。

7.4.5　移动和复制单元格

在制作 Excel 表格时，若要在其他单元格中输入与已有单元格中相同的数据，可采用移动或复制单元格的方法。

在选择的单元格上右击，在弹出的快捷菜单中选择“剪切”或“复制”命令，此时选择的单元格四周将出现一个闪烁的虚线框。在目标单元格上右击，在弹出的快捷菜单中选择“粘贴”命令，即可将数据移动或复制到指定的单元格中。

选择单元格后，选择“编辑/剪切”或“编辑/复制”命令，然后再选择目标单元格，并选择“编辑/粘贴”命令，即可完成数据的移动或复制

技巧：

选择某个单元格，按“Ctrl+X”键或“Ctrl+C”键，并在目标单元格上按“Ctrl+V”键，也可实现单元格的移动或复制操作。

7.4.6　应用举例——编辑单元格

下面练习单元格的基本操作，包括选择单元格，合并单元格和移动单元格等操作，完成的最终效果如图 7-45 所示（立体化教学:\源文件\第 7 章\签单统计表.xls）。

操作步骤如下：

（1）打开“签单统计表”工作簿（立体化教学:\实例素材\第 7 章\签单统计表.xls），选择 A1:E1 单元格区域，如图 7-46 所示。

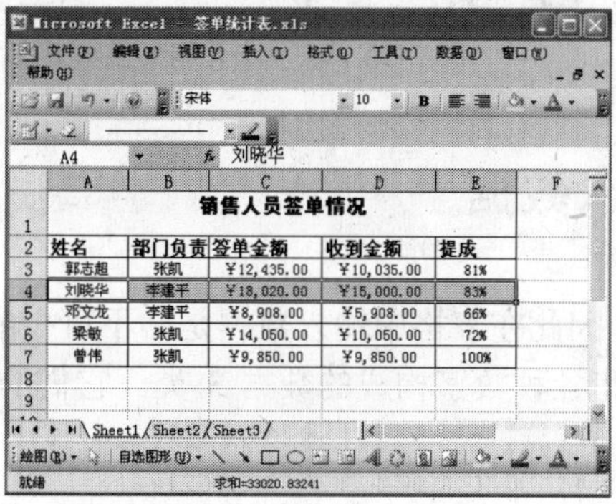

图 7-45　最终效果 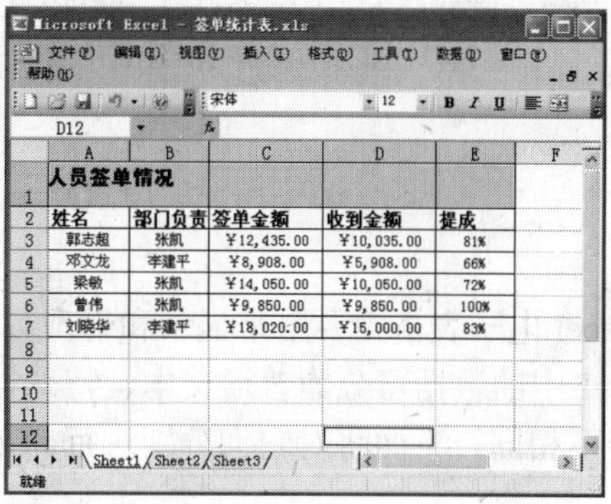　　　　图 7-46　选择单元格区域

（2）单击按钮合并单元格，然后选择 A4 单元格，单击鼠标右键，选择“插入”命令，如图 7-47 所示。

（3）在打开的“插入”对话框中选中⊙整行(R)单选按钮，单击确定按钮插入单元格，如图 7-48 所示。

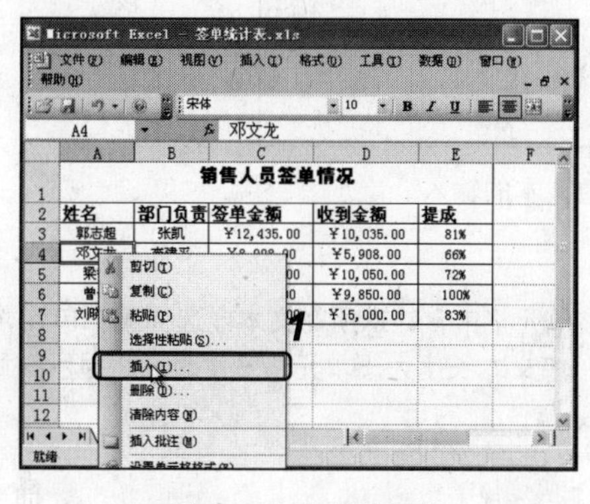

图 7-47　合并单元格

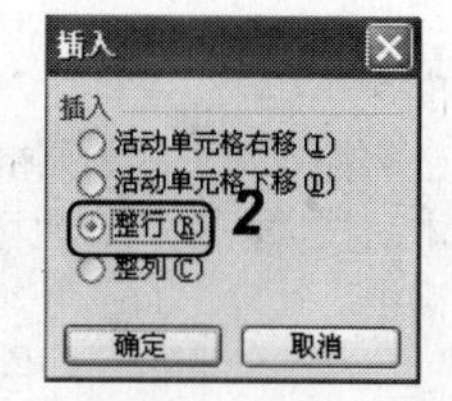

图 7-48　插入单元格

（4）在表格中将查看到插入的整行单元格，如图 7-49 所示，原位置的单元格内容将下移。

（5）选择 A8:E8 单元格区域，选择“编辑/剪切”命令，该单元格区域将呈现闪烁的虚线框，表示此单元格区域已被剪切，如图 7-50 所示。

（6）选择 A4 单元格，按“Ctrl+V”键，粘贴单元格内容，单元格中将显示粘贴的内容，完成后的最终效果如图 7-45 所示。

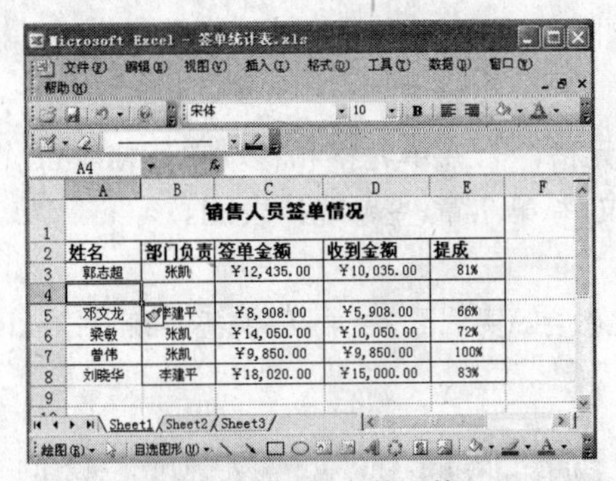

图 7-49　显示插入单元格

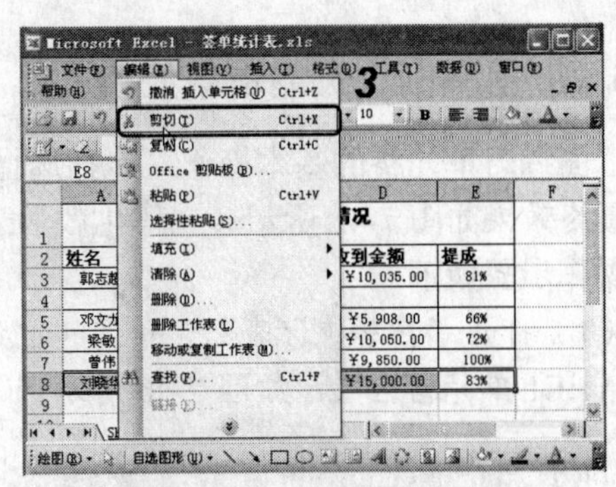

图 7-50　剪切单元格

7.5　输入数据

Excel 电子表格主要用来显示和管理数据，因此在表格中输入数据是必不可少的操作，在 Excel 中的数据可分为普通文本、特殊符号和各种数字构成的数据 3 类。它们的输入方法也各不相同，下面将对它们分别进行介绍。

7.5.1　输入文本内容

通过键盘上相应的键位和汉字输入法，可在表格中输入普通文本。其方法为：选择需输入普通文本的单元格，将文本插入点定位在编辑栏中，输入文本后按“Enter”键。Excel 默认输入的文本将自动靠左对齐，如图 7-51 所示。

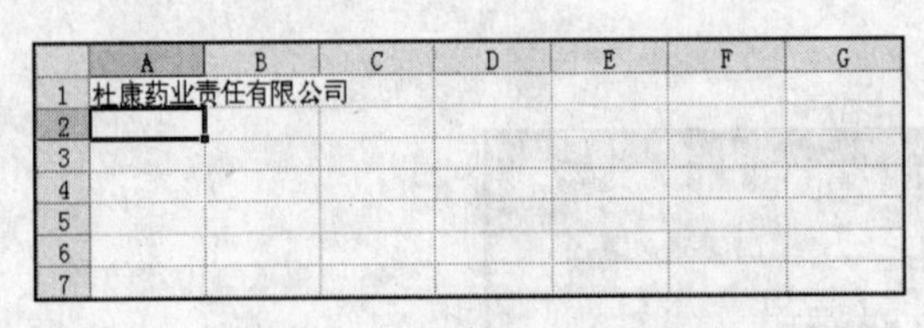

图 7-51　普通文本的输入

技巧：

双击需输入文本的单元格，可将插入点定位到该单元格中，输入所需文本或选择某个单元格，输入文本后按“Enter”键也可在单元格中输入文本。如文本长度大于单元格宽度时，将显示在后面的单元格中。

7.5.2　输入特殊符号

当需要输入键盘中没有的特殊符号时，可利用“插入特殊符号”对话框进行输入。

在表格中输入键盘中没有的特殊符号只需选择需输入特殊符号的单元格，然后选择“插入/特殊符号”命令，打开“插入特殊符号”对话框，如图 7-52 所示。在该对

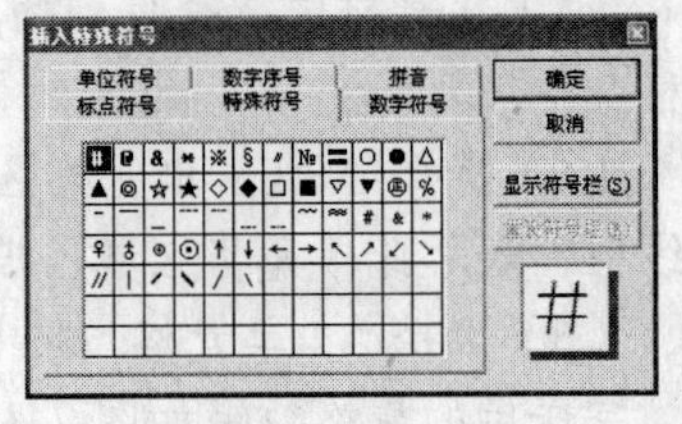

图 7-52　“插入特殊符号”对话框

话框中单击所需的选项卡，各选项卡分别含有多个特殊符号，选择相应的特殊符号选项，然后单击确定按钮即可在单元格中输入选择的特殊符号。

7.5.3　数据的输入

Excel 中输入数据默认的对齐方式为右对齐；若输入的数据超过 11 位，程序会将数据用科学计数法形式表示；当输入的数据长度小于 11 位但大于单元格的宽度时，程序将会使其以“#####”的形式表示。

提示：

若在输入数据之前，先输入一个英文状态下的单引号“'”，可使后面输入的数据靠左对齐。

1．输入普通数据

输入普通数据的方法与输入文本的方法相同，即选择需输入数值的单元格后，直接输入数据或在编辑栏中输入数据，然后按“Enter”键。

2．输入特殊数据

在表格中有时需要特殊类型的数据，虽按照普通数据的输入方法仍可将其输入，但这样的输入方法显得十分繁琐，通过“单元格格式”对话框便可在单元格中方便地输入此类型的数据。

【例 7-9】　在空白工作表中输入货币类型的数据。

（1）在空白工作表中输入一般的数据，如图 7-53 所示。

（2）选择输入数据的单元格，然后选择“格式/单元格”命令，打开“单元格格式”对话框，选择“数字”选项卡，在“分类”列表框中选择“货币”选项，在右侧设置其属性，如图 7-54 所示，完成后单击确定按钮。

（3）输入的数据将自动转换为货币型数据，效果如图 7-55 所示。

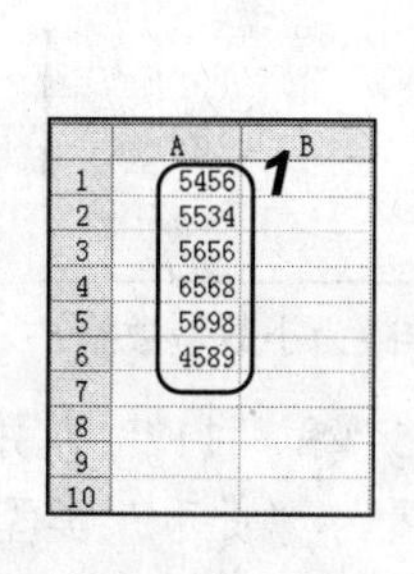

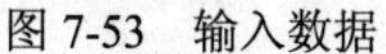
图 7-53　输入数据

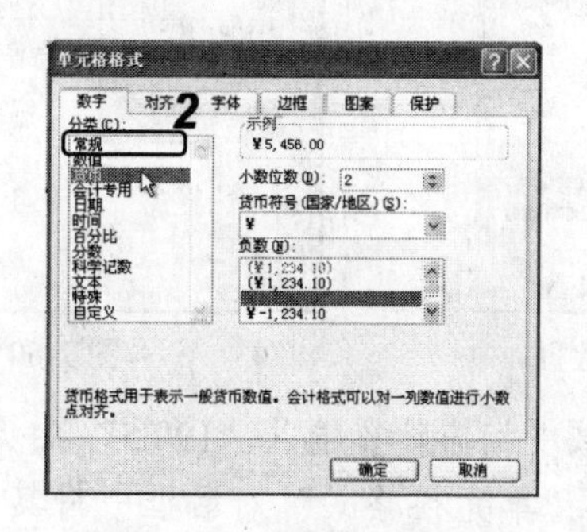

图 7-54　“数字”选项卡

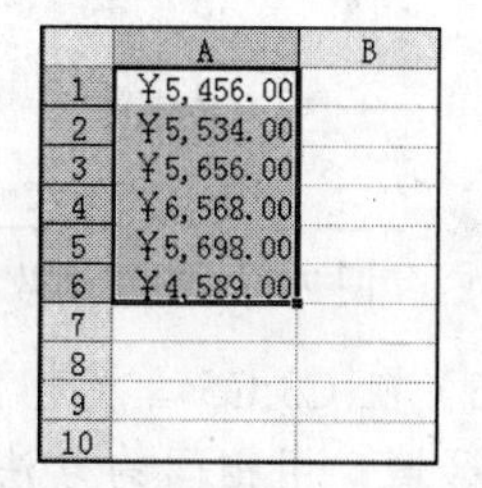

图 7-55　转换为货币型数据

7.5.4　应用举例——在表格中输入数据

下面练习制作一个简单的表格，其中将涉及各种数据的输入，包括普通文本、小数型数据和货币型数据等，输入数据后的最终效果如图 7-56 所示（立体化教学:\源文件\第 7 章\水果价格统计表.xls）。

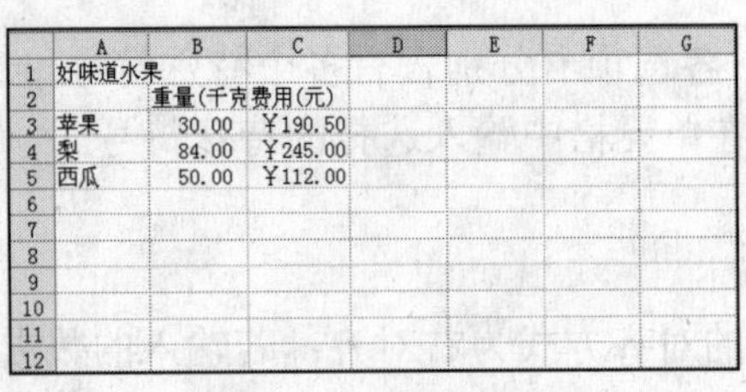

图 7-56　最终效果

操作步骤如下：

（1）启动 Excel 2003，关闭任务窗格，然后选择 A1 单元格，切换至中文输入法，输入“好味道水果”，并按“Enter”键，如图 7-57 所示。

（2）用相同方法分别输入其他的文本和数据，如图 7-58 所示。

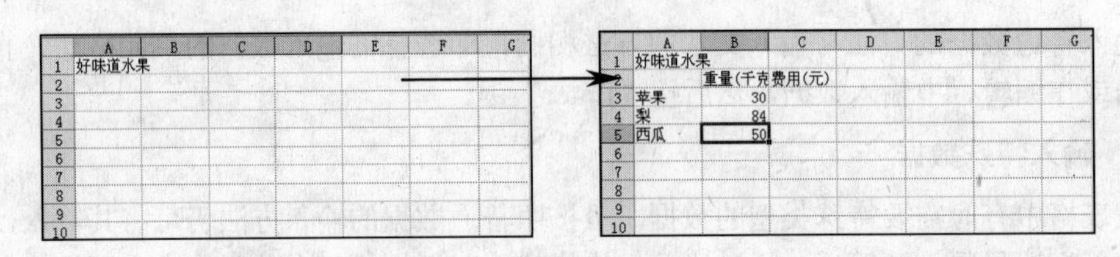

图 7-57　输入公司名称　　　　图 7-58　输入数据

（3）选择 B3:B5 单元格区域，然后选择“格式/单元格”命令，打开“单元格格式”对话框的“数字”选项卡。在该选项卡的“分类”列表框中选择“数值”选项，在“小数位数”数值框中输入“2”，然后单击 确定 按钮，如图 7-59 所示。

（4）B3:B5 单元格区域中的数据将变为小数型数据，如图 7-60 所示。

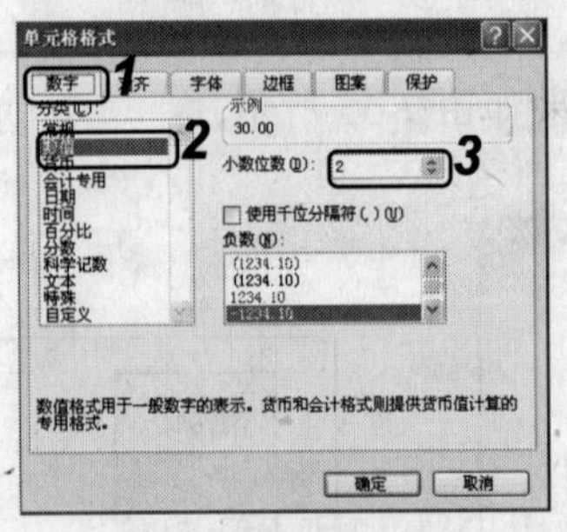

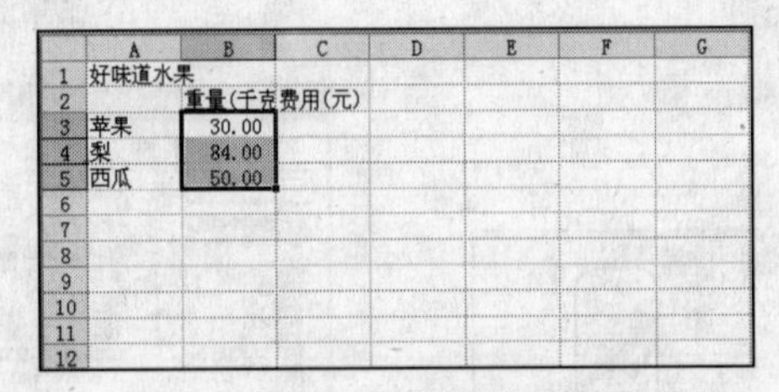

图 7-59　设置小数型数据　　　　图 7-60　转换为小数型数据

（5）在 C3:C5 单元格区域中相应位置输入“190.5”、“245”和“112”，并选择该单元格区域，用相同的方法在“单元格格式”对话框中将其设置为“货币”类型，单击 确定 按钮即可，如图 7-61 所示。

（6）单击 确定 按钮，C3:C5 单元格区域中的数据将变为货币型数据，如图 7-62 所示。

提示：

在“单元格格式”对话框中设置数据的分类时，要根据情况应用合适的类型，如在表示价格时，可将其数据类型设置为货币型。

单元格格式
数字 对齐 字体 边框 图案 保护
分类(C):
常规
数值
货币
会计专用
日期
时间
百分比
分数
科学记数
文本
特殊
自定义
示例
￥3.90
小数位数(D): 2
货币符号(国家/地区)(S):
负数(N):
(￥1,234.10)
(￥1,234.10)
￥1,234.10
￥-1,234.10
货币格式用于表示一般货币数值。会计格式可以对一列数值进行小数点对齐。
确定
取消
4
5

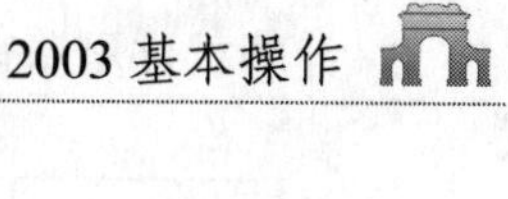

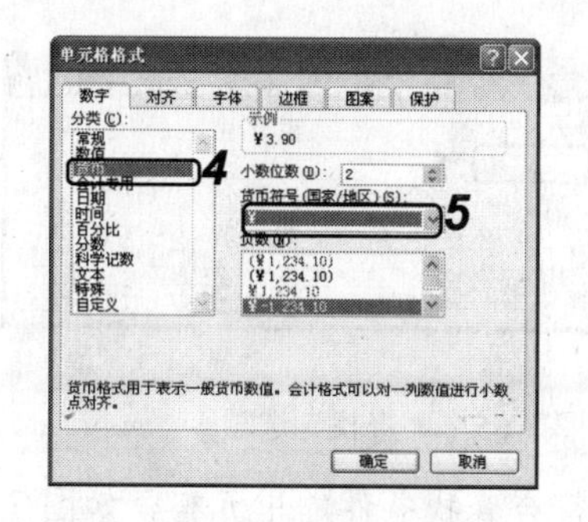

图 7-61　设置货币型数据

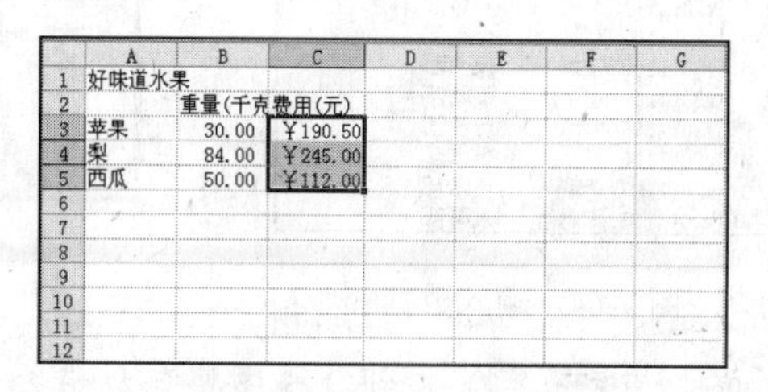

A B C D E F G
1 好味道水果
2 重量(千克) 费用(元)
3 苹果 30.00 ￥190.50
4 梨 84.00 ￥245.00
5 西瓜 50.00 ￥112.00
6
7
8
9
10
11
12

图 7-62　转换为货币型数据

7.6　编辑数据

当在表格中输入的数据不符合实际需求时，可及时对其进行编辑操作，包括数据的修改、查找、替换以及快速填充数据等。

7.6.1　修改数据

制作电子表格时，有时会出现在单元格中输入错误数据的情况，此时可在单元格或编辑栏中对错误进行修改。

- 当单元格中的数据均需进行修改时，只需选择该单元格，并输入正确的数据，然后按“Enter”键。
- 当单元格中只有部分数据需要修改时，可先选择该单元格，将文本插入点定位到编辑栏，按照修改 Word 文档中错误文本的方法进行修改后按“Enter”键。

7.6.2　查找与替换数据

通过 Excel 2003 提供的查找和替换功能可快速定位到满足查找条件的单元格，并将其中的数据替换为所需内容。

【例 7-10】　将单元格中含有“x”的数据中的“x”替换为“z”，如图 7-63 所示为替换前后的对比。

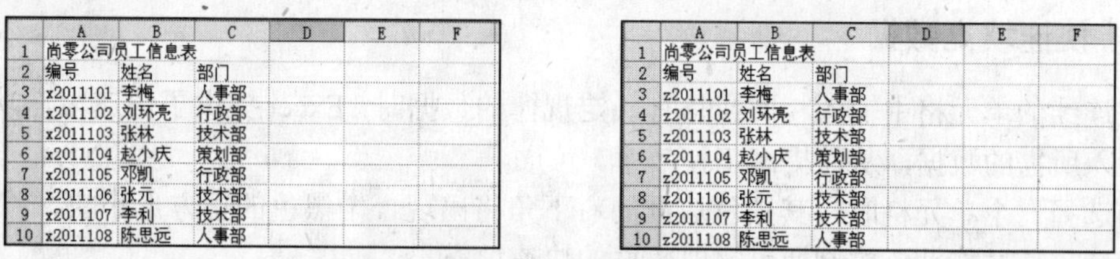

A B C D E F
1 尚零公司员工信息表
2 编号 姓名 部门
3 x2011101 李梅 人事部
4 x2011102 刘环亮 行政部
5 x2011103 张林 技术部
6 x2011104 赵小庆 策划部
7 x2011105 邓凯 行政部
8 x2011106 张元 技术部
9 x2011107 李利 技术部
10 x2011108 陈思远 人事部
A B C D E F
1 尚零公司员工信息表
2 编号 姓名 部门
3 z2011101 李梅 人事部
4 z2011102 刘环亮 行政部
5 z2011103 张林 技术部
6 z2011104 赵小庆 策划部
7 z2011105 邓凯 行政部
8 z2011106 张元 技术部
9 z2011107 李利 技术部
10 z2011108 陈思远 人事部

图 7-63　替换前后数据对比

（1）启动 Excel 2003，在工作表中输入如图 7-64 所示的数据。

（2）选择“编辑/查找”命令，打开“查找和替换”对话框，在“查找”选项卡的“查找内容”文本框中输入“x”，如图 7-65 所示。

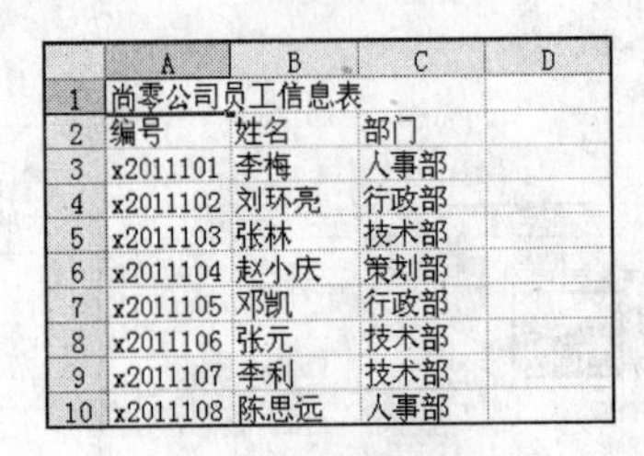

	A	B	C	D
1	尚零公司员工信息表			
2	编号	姓名	部门	
3	x2011101	李梅	人事部	
4	x2011102	刘环亮	行政部	
5	x2011103	张林	技术部	
6	x2011104	赵小庆	策划部	
7	x2011105	邓凯	行政部	
8	x2011106	张元	技术部	
9	x2011107	李利	技术部	
10	x2011108	陈思远	人事部	

图 7-64　输入数据

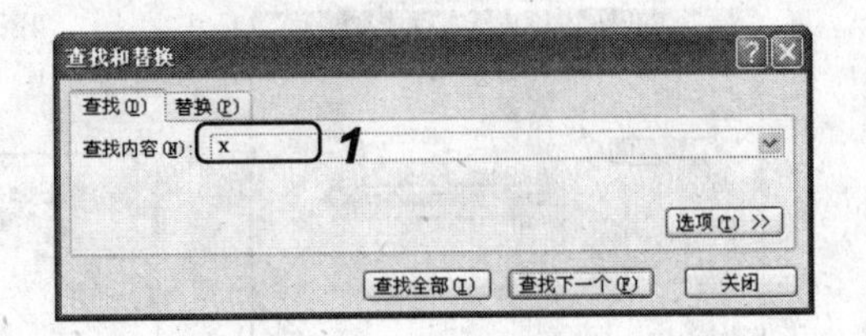

图 7-65　“查找”选项卡

（3）单击查找下一个(F)按钮，程序将自动选择符合查找条件的单元格，如图 7-66 所示。

（4）选择“查找和替换”对话框的“替换”选项卡，在“替换为”下拉列表框中输入“z”，然后单击替换(R)按钮，如图 7-67 所示。

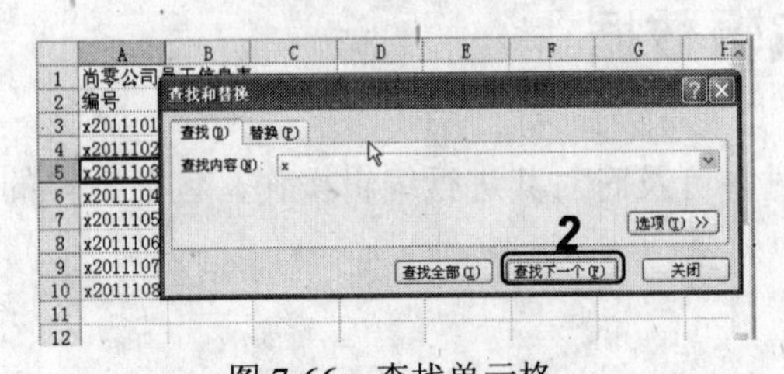

图 7-66　查找单元格

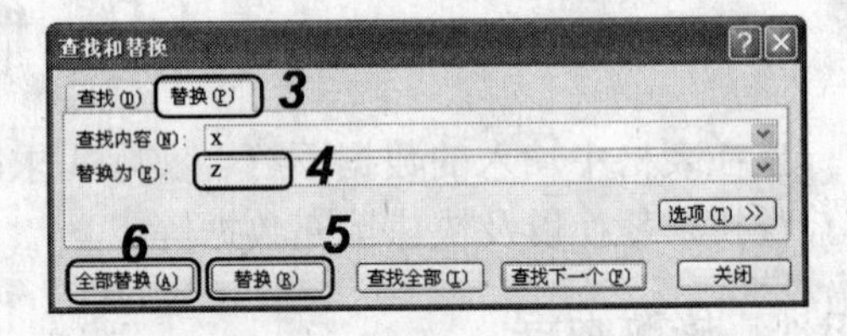

图 7-67　“替换”选项卡

（5）单击全部替换(A)按钮可将工作表中所有符合条件的数据替换为设置的数据，并打开提示对话框，如图 7-68 所示，单击确定按钮。

（6）完成所有数据的替换操作，单击关闭按钮关闭“查找和替换”对话框，替换后效果如图 7-69 所示（立体化教学:\源文件\第 7 章\员工信息表.xls）。

图 7-68　提示对话框

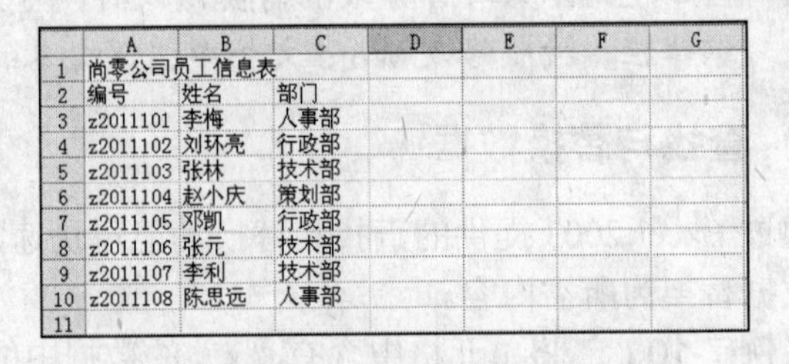

	A	B	C	D	E	F	G
1	尚零公司员工信息表						
2	编号	姓名	部门				
3	z2011101	李梅	人事部				
4	z2011102	刘环亮	行政部				
5	z2011103	张林	技术部				
6	z2011104	赵小庆	策划部				
7	z2011105	邓凯	行政部				
8	z2011106	张元	技术部				
9	z2011107	李利	技术部				
10	z2011108	陈思远	人事部				
11							

图 7-69　替换数据后的效果

7.6.3　快速填充数据

在连续的单元格中输入相同或具有一定规律的数据时，Excel 提供了快速填充功能，可快速输入所需的数据，从而提高工作效率。

当选择一个单元格时，其黑色边框的右下角将出现一个黑色的正方形小块，将其称之为控制柄，通过拖动该控制柄可实现数据的快速填充。

1. 填充相同数据

在起始单元格中输入数据后，拖动其右下角的控制柄可快速填充相同的数据。

【例 7-11】　在 A2:A10 单元格区域中填充数据“2011.5”。

（1）启动 Excel 2003，在 A1 单元格中输入“2011.5”，然后将鼠标指针移至该单元格的控制柄上，使其变为✚形状，如图 7-70 所示。

（2）按住鼠标左键不放并拖动至 A10 单元格，如图 7-71 所示。

（3）释放鼠标，程序自动在 A2:A10 单元格区域中填充“2011.5”，如图 7-72 所示。

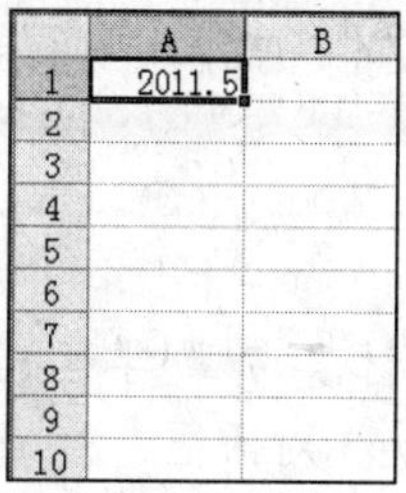

图 7-70　输入数据

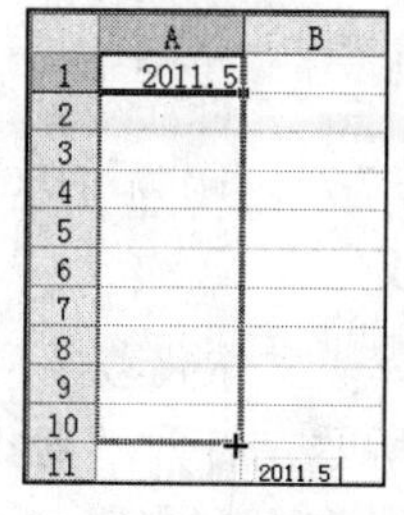

图 7-71　拖动鼠标

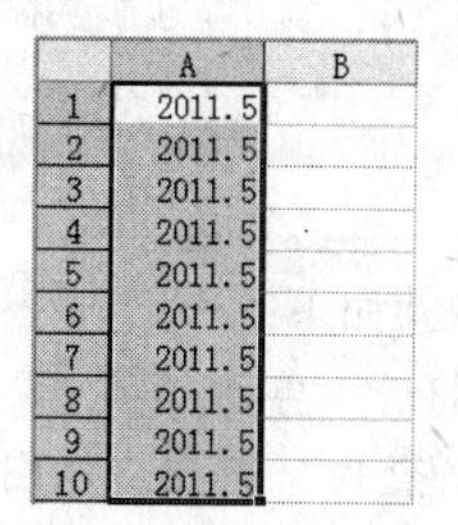

图 7-72　释放鼠标

注意：

> 快速填充数据后将出现图标，将鼠标光标移至其上，在出现的▾按钮上单击，可弹出下拉列表框，从中可选择相应的选项对填充的数据进行修改，如只填充数据的格式等填充形式。

2．填充有规律的数据

当需在相邻的单元格中输入如等差或等比等有规律的数据时，也可通过拖动控制柄的方法进行快速填充。

【例 7-12】　在 A3:A10 单元格区域中填充数据连续的等差数据。

（1）启动 Excel 2003，在 A1 和 A2 单元格中分别输入“4”和“8”，然后选择这两个单元格，并将鼠标指针移至 A2 单元格的控制柄上，如图 7-73 所示。

（2）按住鼠标左键不放并拖动至 A10 单元格，如图 7-74 所示。

（3）释放鼠标，程序自动在 A3:A10 单元格区域中填充相邻的数据，如图 7-75 所示。

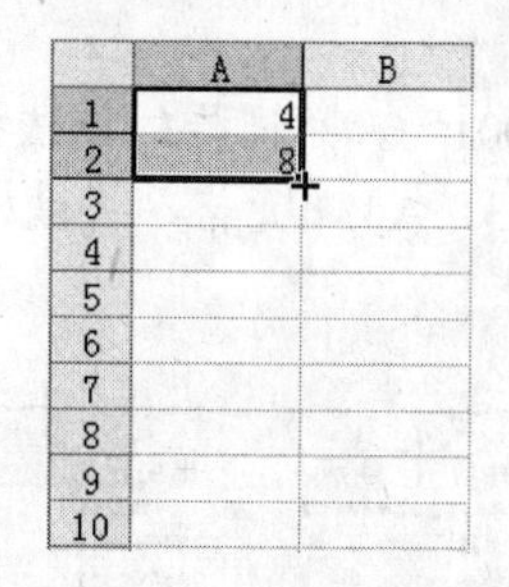

图 7-73　输入数据

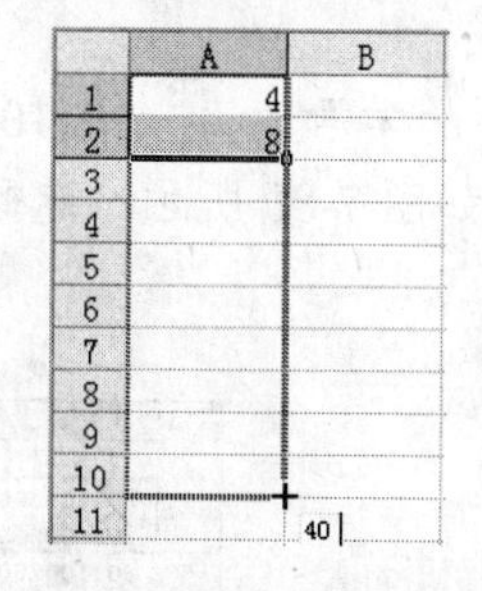

图 7-74　拖动鼠标

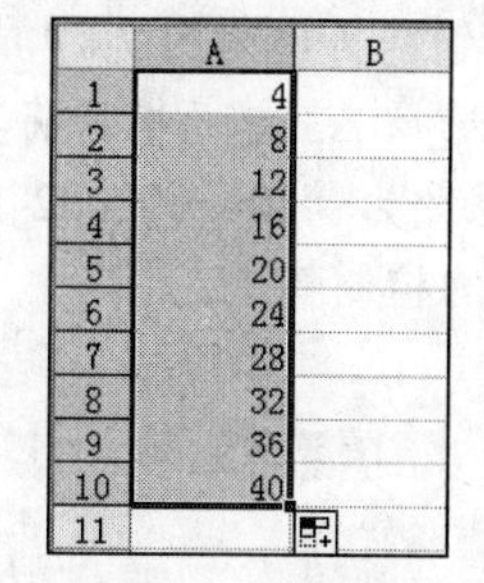

图 7-75　填充数据

7.6.4　应用举例——编辑“学生档案表”

本例将通过修改“学生档案表”，熟练掌握在表格中编辑数据的方法，灵活应用数据的查找和替换、快速填充数据等操作。编辑后的效果如图 7-76 所示（立体化教学:\源文件\第 7 章\学生档案表.xls）。

	A	B	C	D	E	F
2	学号	姓名	性别	出生日期	家庭住址	邮编
3	2011002001	#######	#######	2011002001	成都市武侯区6号	610000
4	2011002002	李洋	男	1983年9月6日	成都市武侯区8号	610000
5	2011002003	孙杰	男	1984年2月7日	成都市武侯区12号	610000
6	2011002004	白雪	女	1983年6月14日	成都市武侯区9号	610000
7	2011002005	靳小强	男	1983年4月9日	成都市武侯区10号	610000
8	2011002006	王浩	男	1983年9月2日	成都市武侯区15号	610000
9	2011002007	陈明	男	1984年2月3日	成都市武侯区17号	610000
10	2011002008	蒋雪	女	1985年1月3日	成都市武侯区13号	610000
11	2011002009	牟杰	男	1983年10月1日	成都市武侯区14号	610000
12	2011002010	雷芳	女	1983年5月8日	成都市武侯区15号	610000
13	2011002011	周丽	女	1983年12月20日	成都市武侯区16号	610000

图 7-76　编辑后的效果

操作步骤如下：

（1）打开“学生档案表”工作簿（立体化教学:\实例素材\第 7 章\学生档案表.xls），选择“编辑/查找”命令，如图 7-77 所示，打开“查找和替换”对话框。

（2）在打开的对话框中选择“替换”选项卡，分别在“查找内容”和“替换为”下拉列表框中输入“高新区”和“武侯区”文本，单击全部替换(A)按钮，如图 7-78 所示。

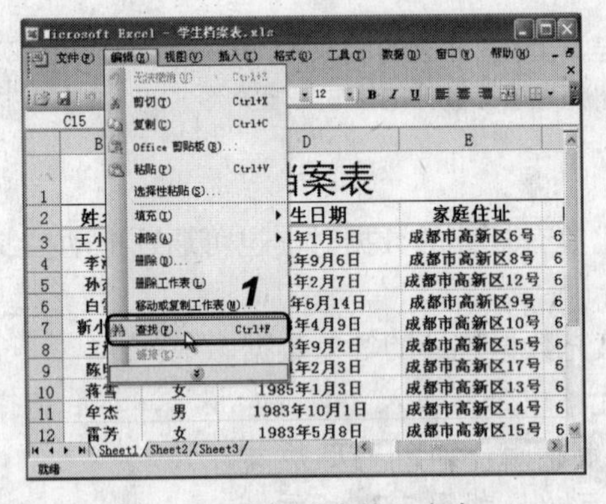

图 7-77　选择“查找”命令

图 7-78　“查找和替换”对话框

（3）在打开的提示对话框中单击确定按钮，返回“查找和替换”对话框中单击关闭按钮即可，如图 7-79 所示。

（4）选择 A3 单元格，将其中的学号改为“2011002001”，用同样的方法将 A4 单元格中的数据改为“2011002002”，如图 7-80 所示，选择 A3、A4 单元格，将鼠标指针移至 A4 单元格的控制柄上。

图 7-79　提示对话框

	A	B	C	D	
2	学号	姓名	性别	出生日期	家
3	2011002001	#######	#######	2011002001	成都市
4	2011002002	李洋	男	1983年9月6日	成都市
5	2011002001	孙杰	男	1984年2月7日	成都市
6	2011002001	白雪	女	1983年6月14日	成都市
7	2011002001	靳小强	男	1983年4月9日	成都市
8	2011002001	王浩	男	1983年9月2日	成都市
9	2011002001	陈明	男	1984年2月3日	成都市
10	2011002001	蒋雪	女	1985年1月3日	成都市
11	2011002001	牟杰	男	1983年10月1日	成都市
12	2011002001	雷芳	女	1983年5月8日	成都市
13	2011002001	周丽	女	1983年12月20日	成都市

图 7-80　修改单元格数据

（5）按住鼠标左键不放并拖动至 A13 单元格，如图 7-81 所示。

（6）释放鼠标，程序自动在 A3:A13 单元格区域中填充数据，如图 7-82 所示。

	A	B	C	D	
2	学号	姓名	性别	出生日期	家
3	2011002001	#######	#######	2011002001	成都市
4	2011002002	李洋	男	1983年9月6日	成都市
5	2011002001	孙杰	男	1984年2月7日	成都市
6	2011002001	白雪	女	1983年6月14日	成都市
7	2011002001	靳小强	男	1983年4月9日	成都市
8	2011002001	王浩	男	1983年9月2日	成都市
9	2011002001	陈明	男	1984年2月3日	成都市
10	2011002001	蒋雪	女	1985年1月3日	成都市
11	2011002001	牟杰	男	1983年10月1日	成都市
12	2011002001	2011002011	女	1983年5月8日	成都市
13	2011002001	周丽	女	1983年12月20日	成都市

Sheet1 / Sheet2 / Sheet3

图 7-81　拖动鼠标

	A	B	C	D	
2	学号	姓名	性别	出生日期	家
3	2011002001	#######	#######	2011002001	成都市
4	2011002002	李洋	男	1983年9月6日	成都市
5	2011002003	孙杰	男	1984年2月7日	成都市
6	2011002004	白雪	女	1983年6月14日	成都市
7	2011002005	靳小强	男	1983年4月9日	成都市
8	2011002006	王浩	男	1983年9月2日	成都市
9	2011002007	陈明	男	1984年2月3日	成都市
10	2011002008	蒋雪	女	1985年1月3日	成都市
11	2011002009	牟杰	男	1983年10月1日	成都市
12	2011002010	雷芳	女	1983年5月8日	成都市
13	2011002011	周丽	女	1983年12月20日	成都市

Sheet1 / Sheet2 / Sheet3

图 7-82　填充数据

7.7　上机及项目实训

7.7.1　制作“销售业绩表”

本次上机练习将制作“销售业绩表”，通过本次练习巩固 Excel 2003 基本操作，完成效果如图 7-83 所示（立体化教学:\源文件\第 7 章\销售业绩表.xls）。

	A	B	C	D	E	F	G
1	海燕计算机图书工作室						
2	图书编号	图书名称	附带光盘	图书销量（本）			
3	hy0601	电脑基础	是	8000			
4	hy0602	网络基础	否	6500			
5	hy0603	电脑入门	否	10000			
6	hy0604	电脑办公	否	15000			
7	hy0605	五笔字典	否	12000			
8	hy0606	电脑硬件	否	9500			
9	hy0607	电脑绘图	是	11000			
10	hy0608	电脑设计	是	9800			
11	hy0609	编程语言	是	7000			

图 7-83　“销售业绩表”的最终效果

操作步骤如下：

（1）依次选择“开始/所有程序/Microsoft Office/Microsoft Office Excel 2003”命令启动 Excel 2003，关闭任务窗格，然后单击“常用”工具栏中的按钮。

（2）在打开的“另存为”对话框“保存位置”下拉列表框中选择“桌面”选项，在“文件名”下拉列表框中输入“销售业绩表”，然后单击 保存(S) 按钮。

（3）工作簿标题栏中的名称将变为“销售业绩表”。选择 A1 单元格，如图 7-84 所示。

（4）输入“海燕计算机图书工作室”，然后按“Enter”键确定输入，如图 7-85 所示。

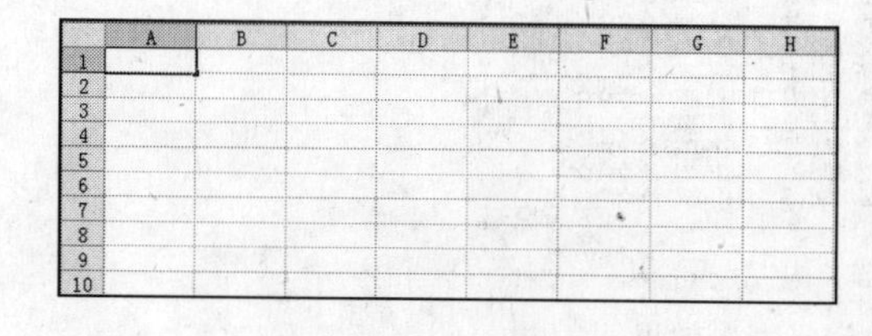

图 7-84　选择单元格

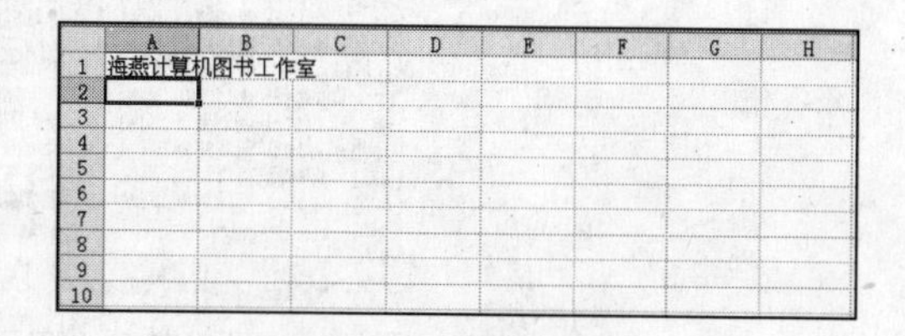

图 7-85　输入文本

（5）用相同的方法在单元格区域中输入如图 7-86 所示的文本和数字。

（6）在 A4 单元格中输入“hy0602”，然后选择 A3:A4 单元格区域，将鼠标指针移至控制柄上，并拖动鼠标至 A11 单元格，如图 7-87 所示。

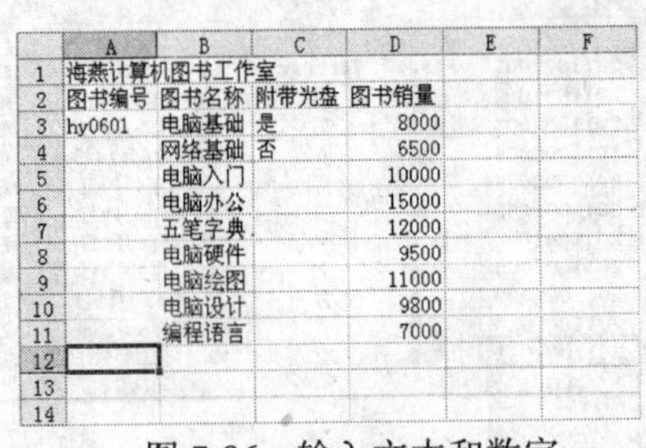

	A	B	C	D	E	F
1	海燕计算机图书工作室					
2	图书编号	图书名称	附带光盘	图书销量		
3	hy0601	电脑基础	是	8000		
4		网络基础	否	6500		
5		电脑入门		10000		
6		电脑办公		15000		
7		五笔字典		12000		
8		电脑硬件		9500		
9		电脑绘图		11000		
10		电脑设计		9800		
11		编程语言		7000		
12						
13						
14						

图 7-86 输入文本和数字

	A	B	C	D	E	F
1	海燕计算机图书工作室					
2	图书编号	图书名称	附带光盘	图书销量		
3	hy0601	电脑基础	是	8000		
4	hy0602	网络基础	否	6500		
5		电脑入门		10000		
6		电脑办公		15000		
7		五笔字典		12000		
8		电脑硬件		9500		
9		电脑绘图		11000		
10		电脑设计		9800		
11		编程语言		7000		
12		hy0609				
13						
14						

图 7-87 拖动鼠标

（7）释放鼠标，快速填充图书的编号，如图 7-88 所示。将文本插入点定位到 D2 单元格中，在其中添加“（本）”文本。

（8）选择 C3 单元格，选择“编辑/复制”命令，然后选择 C9:C11 单元格区域，按“Ctrl+V”键，复制文本，如图 7-89 所示，用相同的方法输入其他的文本，并合并 A1:D1 单元格。

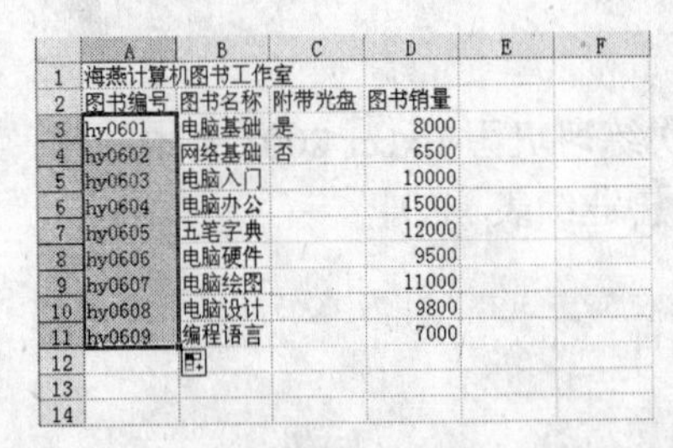

	A	B	C	D	E	F
1	海燕计算机图书工作室					
2	图书编号	图书名称	附带光盘	图书销量		
3	hy0601	电脑基础	是	8000		
4	hy0602	网络基础	否	6500		
5	hy0603	电脑入门		10000		
6	hy0604	电脑办公		15000		
7	hy0605	五笔字典		12000		
8	hy0606	电脑硬件		9500		
9	hy0607	电脑绘图		11000		
10	hy0608	电脑设计		9800		
11	hy0609	编程语言		7000		
12						
13						
14						

图 7-88 填充编号

	A	B	C	D	E	F
1	海燕计算机图书工作室					
2	图书编号	图书名称	附带光盘	图书销量（本）		
3	hy0601	电脑基础	是	8000		
4	hy0602	网络基础	否	6500		
5	hy0603	电脑入门	否	10000		
6	hy0604	电脑办公	否	15000		
7	hy0605	五笔字典	否	12000		
8	hy0606	电脑硬件	否	9500		
9	hy0607	电脑绘图	是	11000		
10	hy0608	电脑设计	是	9800		
11	hy0609	编程语言	是	7000		

图 7-89 复制并粘贴数据

注意：

将表格制作完成后，注意将其进行保存，避免因没有及时保存造成操作的重复。

7.7.2 制作“职位记录表”

本例将制作“职位记录表”，进一步巩固 Excel 2003 工作表的基本操作。其中将练习 Excel 2003 的启动与退出、工作簿的创建和保存以及数据输入和编辑，完成的效果如图 7-90 所示（立体化教学:\源文件\第 7 章\职位记录表.xls）。

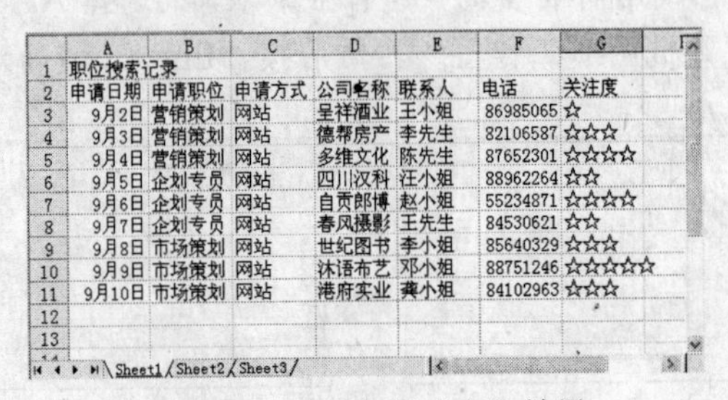

	A	B	C	D	E	F	G
1	职位搜索记录						
2	申请日期	申请职位	申请方式	公司名称	联系人	电话	关注度
3	9月2日	营销策划	网站	呈祥酒业	王小姐	86985065	☆
4	9月3日	营销策划	网站	德帮房产	李先生	82106587	☆☆☆
5	9月4日	营销策划	网站	多维文化	陈先生	87652301	☆☆☆☆
6	9月5日	企划专员	网站	四川汉科	汪小姐	88962264	☆☆
7	9月6日	企划专员	网站	自贡郎博	赵小姐	55234871	☆☆☆☆
8	9月7日	企划专员	网站	春风摄影	王先生	84530621	☆☆
9	9月8日	市场策划	网站	世纪图书	李小姐	85640329	☆☆☆
10	9月9日	市场策划	网站	沐语布艺	邓小姐	88751246	☆☆☆☆☆
11	9月10日	市场策划	网站	港府实业	龚小姐	84102963	☆☆☆
12							
13							

图 7-90 “职位记录表”效果

本练习可结合立体化教学中的视频演示进行学习（立体化教学：\视频演示\第 7 章\制

作“职位记录表”工作簿.swf）。

主要操作步骤如下：

（1）启动 Excel 2003，将打开的表格保存为“职位记录表.xls”。

（2）在表格中输入数据，其中“申请日期”和“申请方式”列可用“快速填充数据”的方式进行输入。

（3）“申请职位”列可利用“复制”的方式进行输入，其他数据可使用汉字输入法进行输入，完成表格的制作。

（4）单击按钮，将制作好的表格进行保存，然后单击按钮关闭即可。

7.8　练习与提高

（1）启动 Excel 2003，在 Sheet3 工作表之前插入一张空白工作表，并分别将工作簿中的工作表命名为“一月份”、“二月份”、“三月份”和“四月份”，如图 7-91 所示。

图 7-91　重命名工作表

（2）新建一个带有“收支预算表”模板的工作簿，将其以“收支预算”为名保存在桌面上。

（3）应用本章所讲解的知识，制作如图 7-92 所示的“期末考试成绩表”工作表。

本练习可结合立体化教学中的视频演示进行学习（立体化教学：\视频演示\第 7 章\制作“期末考试成绩表”工作表.swf）。

	A	B	C	D	E	F	G	H
1	期末考试成绩表							
2	学号	姓名	性别	语文	数学	英语	计算机	
3	20051201	柳林	女	99	90	93	72	
4	20051202	郭小明	男	80	100	87	95	
5	20051203	康宏	女	88	97	100	90	
6	20051204	赵征	男	100	95	80	80	
7	20051205	刘金贵	男	75	100	95	100	
8								

图 7-92　期末考试成绩表

本章主要认识 Excel 的基本组成和基本操作，在学习的过程中主要注意以下几点。

- 了解工作簿、工作表以及单元格的定义，理解它们之间的联系和区别。
- 为了管理的方便，可在一个工作簿中应用多个工作表。
- 在表格中输入数据时应灵活应用各种方法，如快速填充数据和复制等方式，可以有效地提高制作表格的工作效率。

第 8 章 Excel 2003 的高级应用

学习目标

- ☑ 设置单元格格式，美化输入的数据
- ☑ 在表格中应用函数
- ☑ 在表格中创建图表及美化图表
- ☑ 对表格数据的管理，包括数据的筛选、数据的分类汇总
- ☑ 设置打印选项，打印工作表

目标任务&项目案例

	A	B	C	D	E	F	G
1	居委会成员信息表						
2	姓名	性别	年龄	籍贯	政治面貌	入党日期	联系方式
3	刘启华	男	56	四川	党员	1983-7-12	86347486
4	赵静	女	54	上海	党员	1990-5-25	88673541
5	孙淑贤	男	48	重庆	党员	1980-10-13	82347681
6	郭绍奇	男	52	北京	党员	1988-8-1	83476712
7	李建年	女	57	四川	党员	1984-9-5	89634742
8	唐灵蓉	女	56	上海	党员	1979-10-10	85437242
9	张达	女	49	重庆	党员	1996-7-3	86324375
10	古玉珍	女	53	北京	党员	1985-12-6	88768738
11	谢云华	男	53	山东	党员	1987-6-30	83427657
12	毛学亮	男	57	上海	党员	1984-2-18	84137568
13	龚淑清	女	46	北京	党员	1988-4-28	86537249
14	宋子才	男	55	北京	党员	1983-9-4	82134089
15							

美化工作表

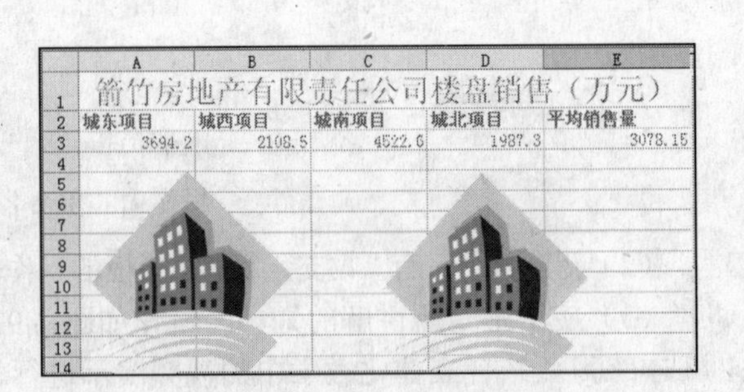

	A	B	C	D	E
1	箭竹房地产有限责任公司楼盘销售（万元）				
2	城东项目	城西项目	城南项目	城北项目	平均销售量
3	3694.2	2108.5	4522.6	1987.3	3078.15

使用函数

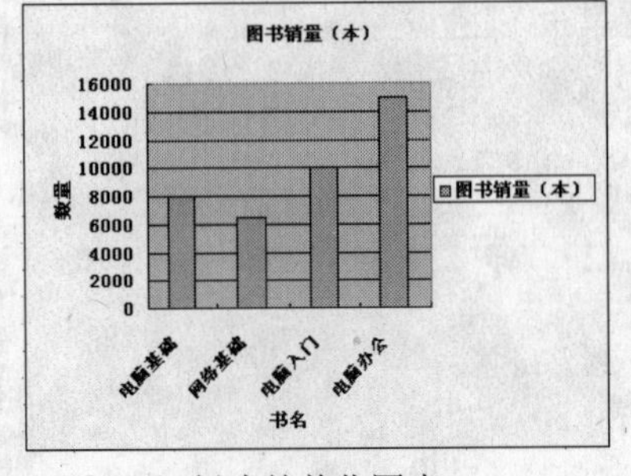

创建并美化图表

	A	B	C	D	E	F
4	高文秀	女	四川	586.00	计算机	￥5,400.00
5	曾凯	男	广东	523.00	计算机	￥5,400.00
6				**计算机**	-	￥16,200.00
7	夏磊	男	福建	517.00	机电一体化	￥5,200.00
8	周丽华	女	黑龙江	509.50	机电一体化	￥5,200.00
9				**机电一体**	-	￥10,400.00
10	鲁文清	男	湖南	536.50	国际贸易	￥5,500.00
11	熊婷	女	甘肃	512.00	国际贸易	￥5,500.00
12	吴珍妮	女	湖北	554.00	国际贸易	￥5,500.00
13				**国际贸易**	-	￥16,500.00
14	龚鸣	女	贵州	540.50	电子信息	￥5,350.00
15	郭家明	女	北京	506.50	电子信息	￥5,350.00
16				**电子信息**	-	￥10,700.00
17				**总计**	-	￥53,800.00

数据的管理

在 Excel 工作表中输入数据后，可利用 Excel 2003 提供的各种功能对数据进行美化、统计、管理和打印等。本章主要讲解工作表的美化、公式与函数的使用、图表的使用、数据管理和工作表的打印等 Excel 高级应用知识。通过本章的学习，使用户在利用 Excel 制作电子表格时更加得心应手。

8.1　工作表的美化

为工作表进行美化操作，不仅可以增强数据的可读性，而且能使数据更加清晰明了。在 Excel 中对工作表进行美化操作时，可利用“单元格格式”对话框和“格式”工具栏进行，还可以在其中插入图片对象。

8.1.1　使用“单元格格式”对话框美化工作表

在前面输入小数型或货币型数据时，已经涉及过“单元格格式”对话框的使用，选择“格式/单元格”命令可打开该对话框，其中有 5 种选项卡可对工作表进行各种美化设置，下面分别对它们的使用方法进行介绍。

- **设置数字**：在单元格中输入数据后，选择该单元格，然后利用“单元格格式”对话框的“数字”选项卡可对输入的数据进行各种类型的设置。
- **设置对齐方式**：选择“对齐”选项卡，如图 8-1 所示。然后在“文本对齐方式”栏设置对齐方式；在“方向”栏中设置文本的显示方向；在“文本控制”栏中设置数据换行方式、填充方式以及单元格的合并等操作；在“文字方向”下拉列表框中设置数据的排列方式。
- **设置字体**：选择“字体”选项卡，可按照 Word 2003 中设置字体的方法对单元格或单元格区域中的数据进行设置，如图 8-2 所示。

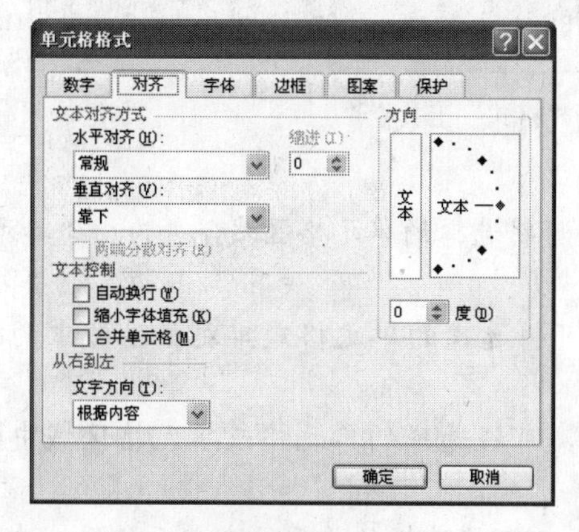

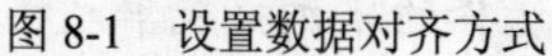
图 8-1　设置数据对齐方式

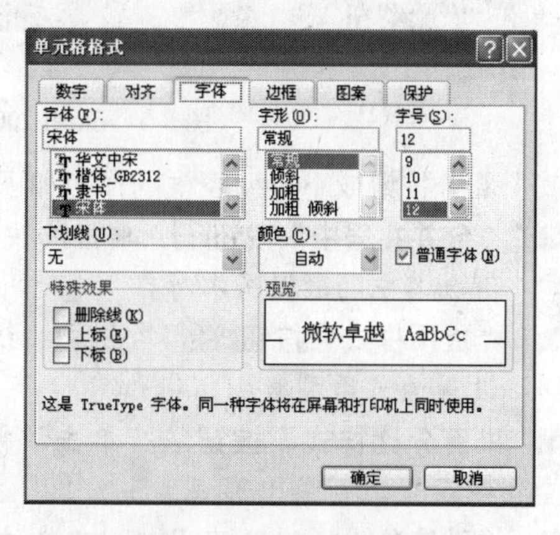

图 8-2　设置字体

- **设置单元格边框**：选择“边框”选项卡，如图 8-3 所示，在“预置”栏中单击相应的按钮可选择设置边框的范围；在“边框”栏中单击相应的按钮选择单元格应用设置的边框；在“线条”栏的“样式”列表框中可以选择边框的样式，在“颜色”下拉列表框中可以设置边框的颜色。
- **设置单元格及图案**：选择“图案”选项卡，如图 8-4 所示。在“颜色”列表框中可设置单元格或单元格区域的背景颜色。在“图案”下拉列表框中不仅可设置单元格的底纹颜色，还可选择不同的图案和颜色进行搭配。

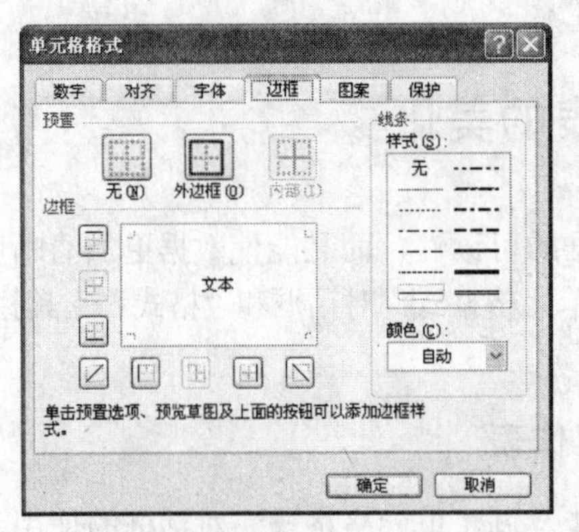

图 8-3　设置单元格边框

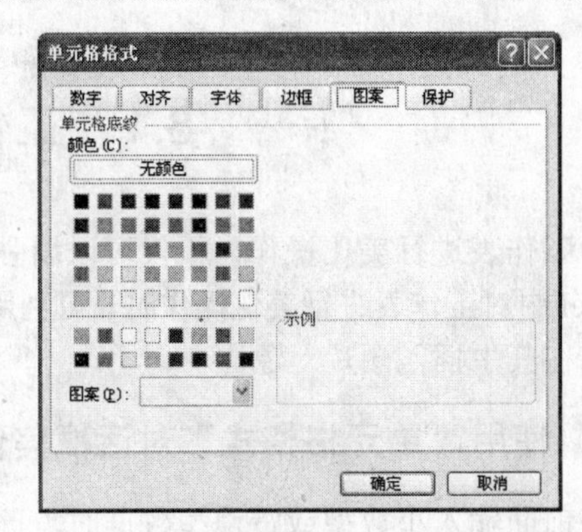

图 8-4　设置单元格底纹及图案

注意：

在“单元格格式”对话框中还有“保护”选项卡，从中可对单元格进行锁定或隐藏设置。该功能只能在工作表处于保护状态下才能生效。

8.1.2　使用“格式”工具栏美化工作表

在 Excel 操作界面的“格式”工具栏中有许多美化工作表的按钮和下拉列表框，其中有一部分的功能与 Word 2003 的“格式”工具栏中的按钮或下拉列表框的功能相同，通过它们可快速完成美化工作表的操作，如图 8-5 所示。

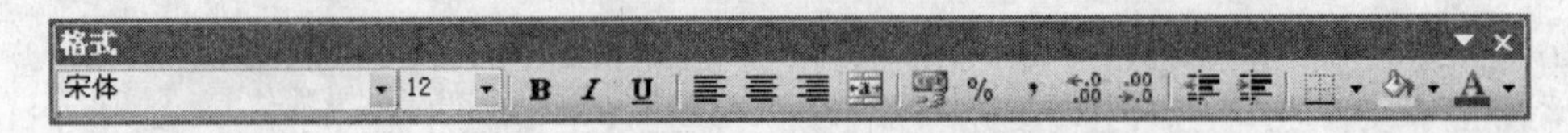

图 8-5　Excel 2003 的“格式”工具栏

其中部分按钮或下拉列表框的作用如下。

- **“合并并居中”按钮**：单击该按钮，可将选择的单元格区域合并为一个单元格，并使其中的数据居中对齐。
- **“货币样式”按钮**：单击该按钮，可将选择的单元格或单元格区域中的数据设置为货币型数据。
- **“百分比样式”按钮%**：单击该按钮，可将选择的单元格或单元格区域中的数据设置为百分比形式。
- **“千位分隔样式”按钮,**：单击该按钮，可将选择的单元格或单元格区域中的数据设置为千位分隔符形式。
- **“增加小数”按钮和“减少小数”按钮**：单击按钮可增加选择的单元格或单元格区域中数据的小数位数；单击按钮可减少选择的单元格或单元格区域中数据的小数位数。

8.1.3　在工作表中插入图像对象

Office 2003 的组件都自带有剪贴画、自选图形等图片，Excel 2003 也可以在工作表中插入各种图片。其方法为：在需插入图片的工作表中选择“插入/图片”命令，在弹出的子菜单中选择命令即可插入相应的图片来源，其中部分命令对应的功能如下。

- **剪贴画**：选择该命令可打开“剪贴画”任务窗格，从中可搜索 Excel 中所有的剪贴画，单击搜索到的任意一个剪贴画文件即可将其插入到工作表中。
- **来自文件**：选择该命令可打开“插入图片”对话框，从中可选择计算机中保存的图片。
- **自选图形**：选择该命令可打开“自选图形”工具栏，从中可选择各种 Excel 自带的自选图形。
- **艺术字**：选择该命令可打开“艺术字库”对话框，从中可选择需插入的艺术字样式。

8.1.4 应用举例——美化“居委会成员信息表”

下面将已输入数据的“居委会成员信息表”工作簿进行美化操作，最终效果如图 8-6 所示（立体化教学:\源文件\第 8 章\居委会成员信息表.xls）。

	A	B	C	D	E	F	G	H
1	居委会成员信息表							
2	姓名	性别	年龄	籍贯	政治面貌	入党日期	联系方式	
3	刘启华	男	56	四川	党员	1983-7-12	86347486	
4	赵静	女	54	上海	党员	1990-5-25	88673541	
5	孙淑贤	男	48	重庆	党员	1980-10-13	82347681	
6	郭绍奇	男	52	北京	党员	1988-8-1	83476712	
7	李建年	女	57	四川	党员	1984-9-5	89634742	
8	唐灵蓉	女	56	上海	党员	1979-10-10	85437242	
9	张达	女	49	重庆	党员	1996-7-3	86324375	
10	古玉珍	女	53	北京	党员	1985-12-6	88768738	
11	谢云华	男	53	山东	党员	1987-6-30	83427657	
12	毛学亮	男	57	上海	党员	1984-2-18	84137568	
13	龚淑清	女	46	北京	党员	1988-4-28	86537249	
14	宋子才	男	55	北京	党员	1983-9-4	82134089	
15								

图 8-6 “居委会成员信息表”最终效果

操作步骤如下：

（1）启动 Excel 2003，并打开“居委会成员信息表”工作簿（立体化教学:\实例素材\第 8 章\居委会成员信息表.xls），如图 8-7 所示。

（2）选择 A1:G1 单元格区域，单击“格式”工具栏中的“合并并居中”按钮，合并选中的单元格，并使其中的数据居中对齐，如图 8-8 所示。

	A	B	C	D	E	F	G	H
1	居委会成员信息表							
2	姓名	性别	年龄	籍贯	政治面貌	入党日期	联系方式	
3	刘启华	男	56	四川	党员	1983/7/12	86347486	
4	赵静	女	54	上海	党员	1990/5/25	88673541	
5	孙淑贤	男	48	重庆	党员	1980/10/13	82347681	
6	郭绍奇	男	52	北京	党员	1988/8/1	83476712	
7	李建年	女	57	四川	党员	1984/9/5	89634742	
8	唐灵蓉	女	56	上海	党员	1979/10/10	85437242	
9	张达	女	49	重庆	党员	1996/7/3	86324375	
10	古玉珍	女	53	北京	党员	1985/12/6	88768738	
11	谢云华	男	53	山东	党员	1987/6/30	83427657	
12	毛学亮	男	57	上海	党员	1984/2/18	84137568	
13	龚淑清	女	46	北京	党员	1988/4/28	86537249	
14	宋子才	男	55	北京	党员	1983/9/4	82134089	
15								

图 8-7 打开工作表

	A	B	C	D	E	F	G	H
1				居委会成员信息表				
2	姓名	性别	年龄	籍贯	政治面貌	入党日期	联系方式	
3	刘启华	男	56	四川	党员	1983/7/12	86347486	
4	赵静	女	54	上海	党员	1990/5/25	88673541	
5	孙淑贤	男	48	重庆	党员	1980/10/13	82347681	
6	郭绍奇	男	52	北京	党员	1988/8/1	83476712	
7	李建年	女	57	四川	党员	1984/9/5	89634742	
8	唐灵蓉	女	56	上海	党员	1979/10/10	85437242	
9	张达	女	49	重庆	党员	1996/7/3	86324375	
10	古玉珍	女	53	北京	党员	1985/12/6	88768738	
11	谢云华	男	53	山东	党员	1987/6/30	83427657	
12	毛学亮	男	57	上海	党员	1984/2/18	84137568	
13	龚淑清	女	46	北京	党员	1988/4/28	86537249	
14	宋子才	男	55	北京	党员	1983/9/4	82134089	
15								

图 8-8 合并单元格并将数据居中

（3）保持 A1 单元格的选中状态，选择“格式/单元格”命令，在打开的对话框中单击“字体”选项卡。

（4）在“字体”列表框中选择“华文细黑”选项，在“字形”列表框中选择“加粗”选项；在“字号”列表框中选择“24”选项，如图 8-9 所示。

（5）单击 确定 按钮，完成对A1单元格的格式设置，然后选择A2:G2单元格区域，如图8-10所示。

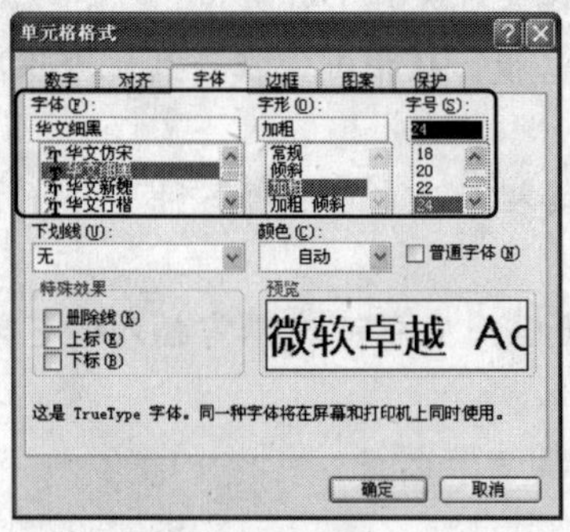

图8-9 设置字体

	A	B	C	D	E	F	G	H
1	居委会成员信息表							
2	姓名	性别	年龄	籍贯	政治面貌	入党日期	联系方式	
3	刘启华	男	56	四川	党员	1983/7/12	86347486	
4	赵静	女	54	上海	党员	1990/5/25	88673541	
5	孙淑贤	男	48	重庆	党员	1980/10/13	82347681	
6	郭绍奇	男	52	北京	党员	1988/8/1	83476712	
7	李建年	女	57	四川	党员	1984/9/5	89634742	
8	唐灵蓉	女	56	上海	党员	1979/10/10	85437242	
9	张达	女	49	重庆	党员	1996/7/3	86324375	
10	古玉珍	女	53	北京	党员	1985/12/6	88768738	
11	谢云华	男	53	山东	党员	1987/6/30	83427657	
12	毛学亮	男	57	上海	党员	1984/2/18	84137568	
13	龚淑清	女	46	北京	党员	1988/4/28	86537249	
14	宋子才	男	55	北京	党员	1983/9/4	82134089	

图8-10 选择单元格区域

（6）用相同的方法在“单元格格式”对话框中将选择的单元格区域设置为“居中、黑体”，如图8-11所示。

（7）选择A3:G14单元格区域，并将其中的数据设置为居中对齐，如图8-12所示。

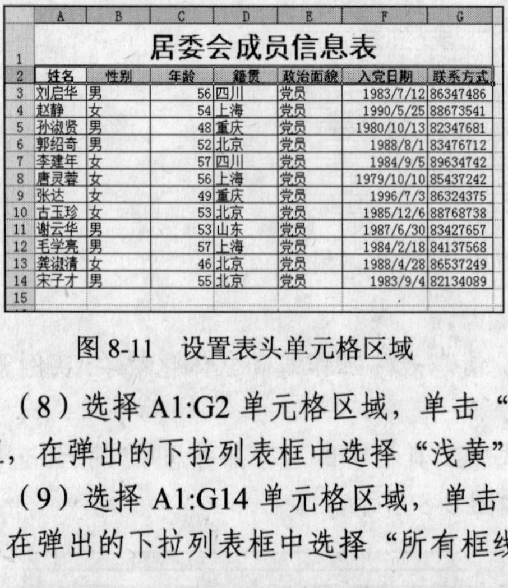

	A	B	C	D	E	F	G
1	居委会成员信息表						
2	姓名	性别	年龄	籍贯	政治面貌	入党日期	联系方式
3	刘启华	男	56	四川	党员	1983/7/12	86347486
4	赵静	女	54	上海	党员	1990/5/25	88673541
5	孙淑贤	男	48	重庆	党员	1980/10/13	82347681
6	郭绍奇	男	52	北京	党员	1988/8/1	83476712
7	李建年	女	57	四川	党员	1984/9/5	89634742
8	唐灵蓉	女	56	上海	党员	1979/10/10	85437242
9	张达	女	49	重庆	党员	1996/7/3	86324375
10	古玉珍	女	53	北京	党员	1985/12/6	88768738
11	谢云华	男	53	山东	党员	1987/6/30	83427657
12	毛学亮	男	57	上海	党员	1984/2/18	84137568
13	龚淑清	女	46	北京	党员	1988/4/28	86537249
14	宋子才	男	55	北京	党员	1983/9/4	82134089
15							

图8-11 设置表头单元格区域

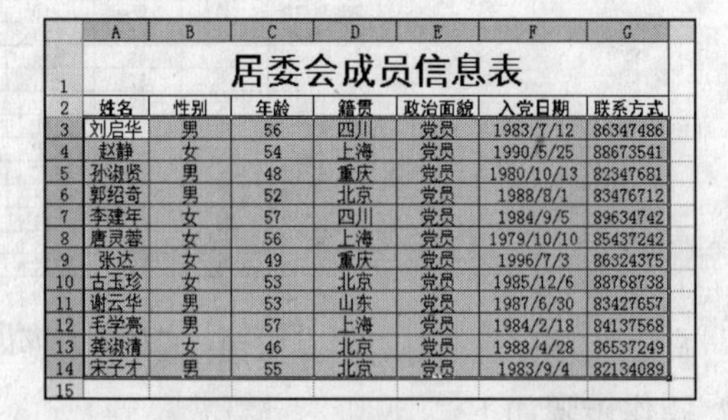

	A	B	C	D	E	F	G
1	居委会成员信息表						
2	姓名	性别	年龄	籍贯	政治面貌	入党日期	联系方式
3	刘启华	男	56	四川	党员	1983/7/12	86347486
4	赵静	女	54	上海	党员	1990/5/25	88673541
5	孙淑贤	男	48	重庆	党员	1980/10/13	82347681
6	郭绍奇	男	52	北京	党员	1988/8/1	83476712
7	李建年	女	57	四川	党员	1984/9/5	89634742
8	唐灵蓉	女	56	上海	党员	1979/10/10	85437242
9	张达	女	49	重庆	党员	1996/7/3	86324375
10	古玉珍	女	53	北京	党员	1985/12/6	88768738
11	谢云华	男	53	山东	党员	1987/6/30	83427657
12	毛学亮	男	57	上海	党员	1984/2/18	84137568
13	龚淑清	女	46	北京	党员	1988/4/28	86537249
14	宋子才	男	55	北京	党员	1983/9/4	82134089
15							

图8-12 设置其他单元格区域

（8）选择A1:G2单元格区域，单击“格式”工具栏中的“填充颜色”按钮右侧的按钮，在弹出的下拉列表框中选择“浅黄”选项，其效果如图8-13所示。

（9）选择A1:G14单元格区域，单击“格式”工具栏中的“边框”按钮右侧的按钮，在弹出的下拉列表框中选择“所有框线”选项，其效果如图8-14所示。

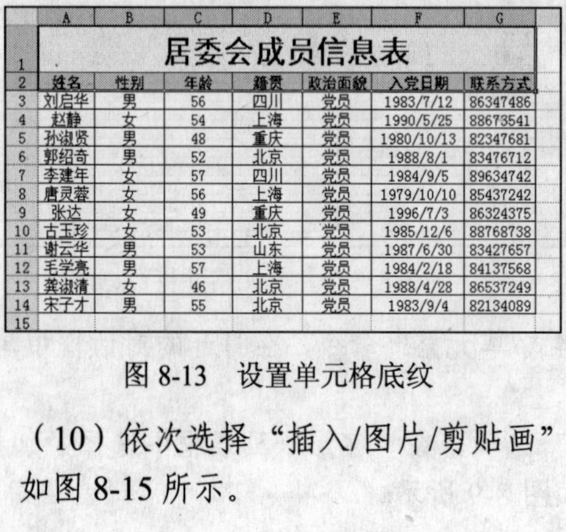

	A	B	C	D	E	F	G
1	居委会成员信息表						
2	姓名	性别	年龄	籍贯	政治面貌	入党日期	联系方式
3	刘启华	男	56	四川	党员	1983/7/12	86347486
4	赵静	女	54	上海	党员	1990/5/25	88673541
5	孙淑贤	男	48	重庆	党员	1980/10/13	82347681
6	郭绍奇	男	52	北京	党员	1988/8/1	83476712
7	李建年	女	57	四川	党员	1984/9/5	89634742
8	唐灵蓉	女	56	上海	党员	1979/10/10	85437242
9	张达	女	49	重庆	党员	1996/7/3	86324375
10	古玉珍	女	53	北京	党员	1985/12/6	88768738
11	谢云华	男	53	山东	党员	1987/6/30	83427657
12	毛学亮	男	57	上海	党员	1984/2/18	84137568
13	龚淑清	女	46	北京	党员	1988/4/28	86537249
14	宋子才	男	55	北京	党员	1983/9/4	82134089
15							

图8-13 设置单元格底纹

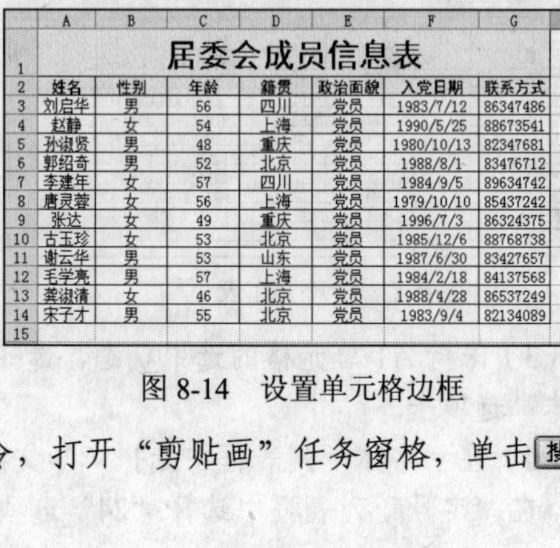

	A	B	C	D	E	F	G
1	居委会成员信息表						
2	姓名	性别	年龄	籍贯	政治面貌	入党日期	联系方式
3	刘启华	男	56	四川	党员	1983/7/12	86347486
4	赵静	女	54	上海	党员	1990/5/25	88673541
5	孙淑贤	男	48	重庆	党员	1980/10/13	82347681
6	郭绍奇	男	52	北京	党员	1988/8/1	83476712
7	李建年	女	57	四川	党员	1984/9/5	89634742
8	唐灵蓉	女	56	上海	党员	1979/10/10	85437242
9	张达	女	49	重庆	党员	1996/7/3	86324375
10	古玉珍	女	53	北京	党员	1985/12/6	88768738
11	谢云华	男	53	山东	党员	1987/6/30	83427657
12	毛学亮	男	57	上海	党员	1984/2/18	84137568
13	龚淑清	女	46	北京	党员	1988/4/28	86537249
14	宋子才	男	55	北京	党员	1983/9/4	82134089
15							

图8-14 设置单元格边框

（10）依次选择“插入/图片/剪贴画”命令，打开“剪贴画”任务窗格，单击 搜索 按钮，如图8-15所示。

（11）在右侧任务窗格下方的列表框中选择“buildings”选项，将其插入到工作表中，然后关闭任务窗格，如图 8-16 所示，将插入的剪贴画放至适当的位置完成操作。

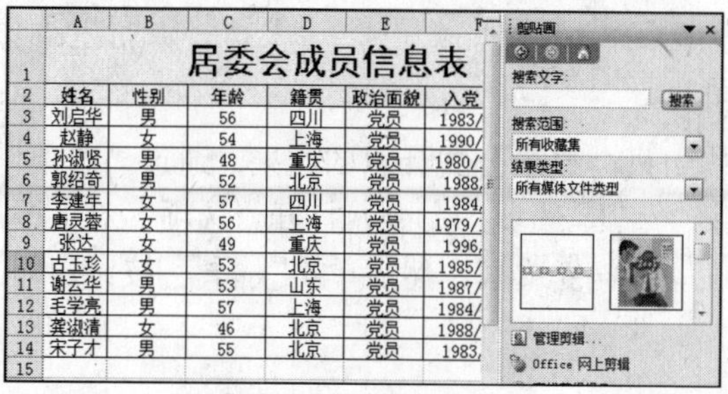

居委会成员信息表
姓名 性别 年龄 籍贯 政治面貌 入党
刘启华 男 56 四川 党员 1983/
赵静 女 54 上海 党员 1990/
孙淑贤 男 48 重庆 党员 1980/
郭绍奇 男 52 北京 党员 1988/
李建年 女 57 四川 党员 1984/
唐灵蓉 女 56 上海 党员 1979/
张达 女 49 重庆 党员 1996/
古玉珍 女 53 北京 党员 1985/
谢云华 男 53 山东 党员 1987/
毛学亮 男 57 上海 党员 1984/
龚淑清 女 46 北京 党员 1988/
宋子才 男 55 北京 党员 1983/
剪贴画
搜索文字:
搜索
搜索范围:
所有收藏集
结果类型:
所有媒体文件类型
管理剪辑...
Office 网上剪辑

图 8-15　搜索剪贴画

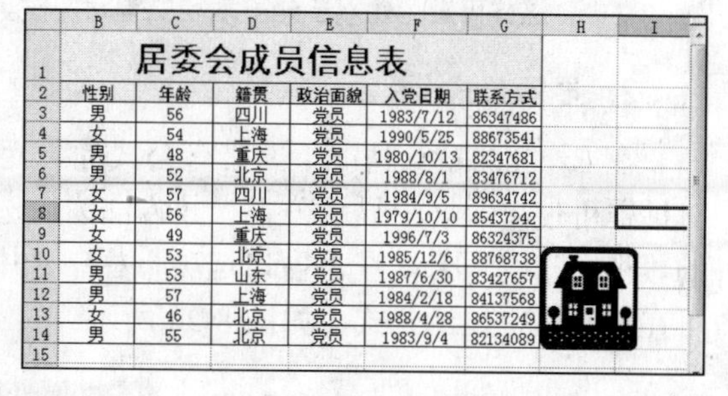

居委会成员信息表
性别 年龄 籍贯 政治面貌 入党日期 联系方式
男 56 四川 党员 1983/7/12 86347486
女 54 上海 党员 1990/5/25 88673541
男 48 重庆 党员 1980/10/13 82347681
男 52 北京 党员 1988/8/1 83476712
女 57 四川 党员 1984/9/5 89634742
女 56 上海 党员 1979/10/10 85437242
女 49 重庆 党员 1996/7/3 86324375
女 53 北京 党员 1985/12/6 88768738
男 53 山东 党员 1987/6/30 83427657
男 57 上海 党员 1984/2/18 84137568
女 46 北京 党员 1988/4/28 86537249
男 55 北京 党员 1983/9/4 82134089

图 8-16　插入剪贴画

8.2　公式与函数

在工作表中输入数据后，通过 Excel 提供的公式与函数功能对数据进行精确和高速的运算处理，不仅能简化工作量，还能提高了工作效率。

8.2.1　公式的使用

在 Excel 中使用公式对数据进行计算处理时，需要对公式进行输入、编辑、移动、复制或删除等操作，下面分别对它们进行讲解。

1．输入公式

Excel 2003 中的公式由一个或多个单元格名称及运算符组成，在输入公式时，首先应输入“＝”，然后输入参与计算的元素和运算符。如公式“=A1−A2+A3”，表示将 A1 和 A2 单元格中的数值进行减法运算，再将得到的值与 A3 单元格中的数据相加，最后将得到的值显示在单元格中。

【例 8-1】　在 A1:A3 单元格区域中分别输入数据，然后在 A4 单元格中输入公式求出 A1:A3 单元格区域中数据之和。

（1）启动 Excel 2003，分别在 A1、A2 和 A3 单元格中输入“12.5”、“398.7”和“−879.2”，如图 8-17 所示。

（2）选择 A4 单元格，在编辑栏中输入“=A1+A2+A3”，如图 8-18 所示。

（3）输入完成后按“Enter”键，A4 单元格中自动出现计算后的结果，如图 8-19 所示。

E15
12.5
398.7
-879.2

图 8-17　输入数据

SUM
=A1+A2+A3
12.5
398.7
-879.2
+A2+A3

图 8-18　输入公式

A5
12.5
398.7
-879.2
-468

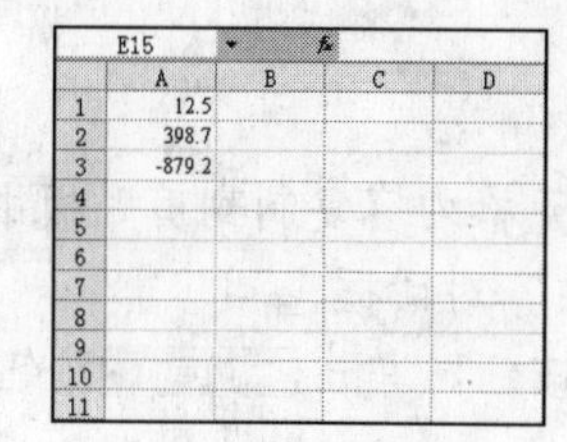

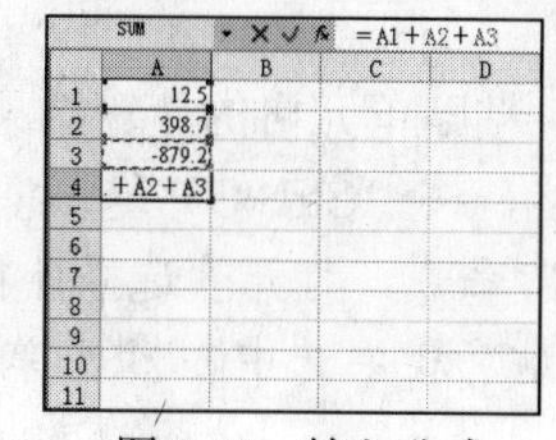

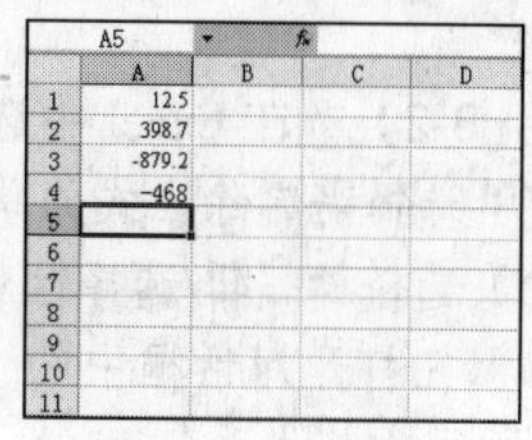

图 8-19　计算结果

提示：

在输入公式时，当输入了运算符号后，单击需进行计算的单元格可直接将该单元格地址引用到编辑栏中，这样可避免输入单元格地址的繁琐操作。

2．显示公式

在 Excel 的默认情况下，带有公式的单元格中只会显示公式计算的结果，通过“选项”对话框可使单元格中显示公式。其方法为：选择“工具/选项”命令，打开“选项”对话框的“视图”选项卡，在“窗口选项”栏中选中☑公式(R)复选框，然后单击［确定］按钮，即可在单元格中显示公式，如图 8-20 所示。

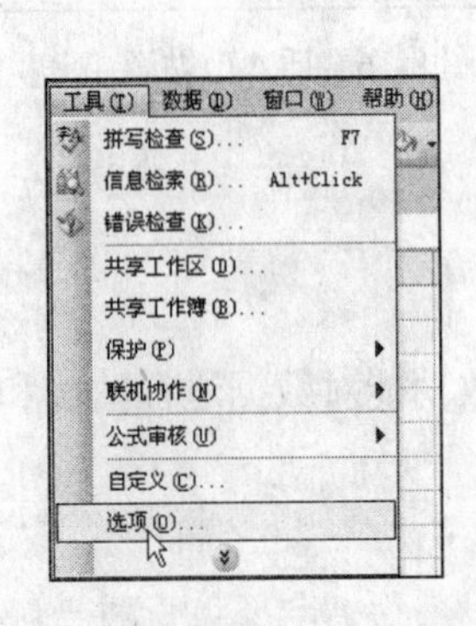

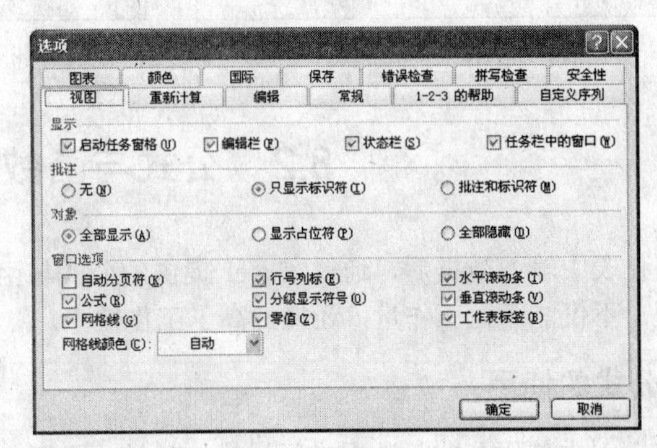

图 8-20　显示公式

3．编辑公式

在单元格中输入公式后，可根据实际需要进行修改编辑。其方法为：双击含有公式的单元格，或选择该单元格，然后将文本插入点定位在编辑栏中，按照修改数据的方法进行修改即可。

4．移动与复制公式

按照移动或复制数据的方法可对公式进行移动或复制操作，但在移动过程中公式将做相应的改变如将 A4 单元格中的公式“＝A1+A2+A3”移动或复制到 B4 单元格中时，公式会自动变为“=B1+B2+B3”。

5．删除公式

选择含有公式的单元格，按“Delete”键将删除单元格中的所有数据，包括公式和计算的结果，若在实际操作中只需删除公式而保留计算结果时，可利用“选择性粘贴”对话框进行操作。

【例 8-2】　在 Excel 中选择性粘贴单元格的计算结果。

（1）选择需删除公式的单元格，按“Ctrl+C”键，将单元格内容复制到剪贴板中。

（2）选择“编辑/选择性粘贴”命令，打开“选择性粘贴”对话框。

（3）在打开对话框中的“粘贴”栏中选中◉数值(V)单选按钮，单击［确定］按钮，如图 8-21 所示。

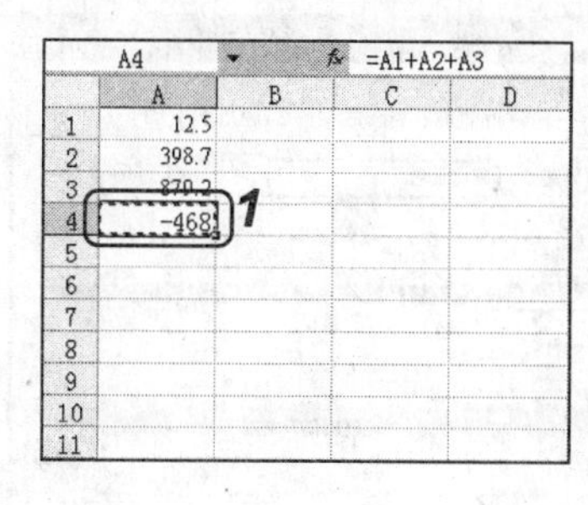

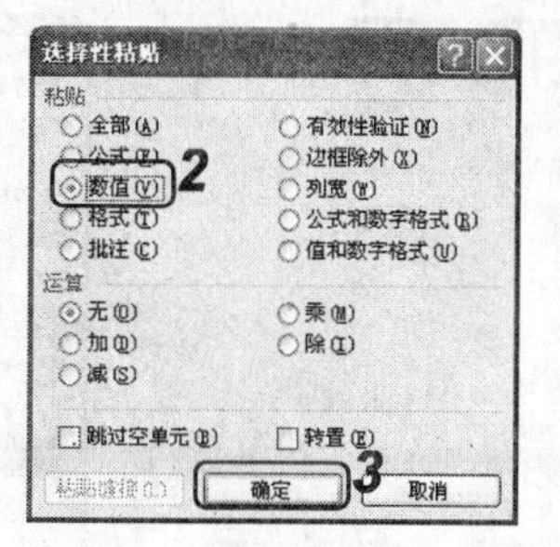

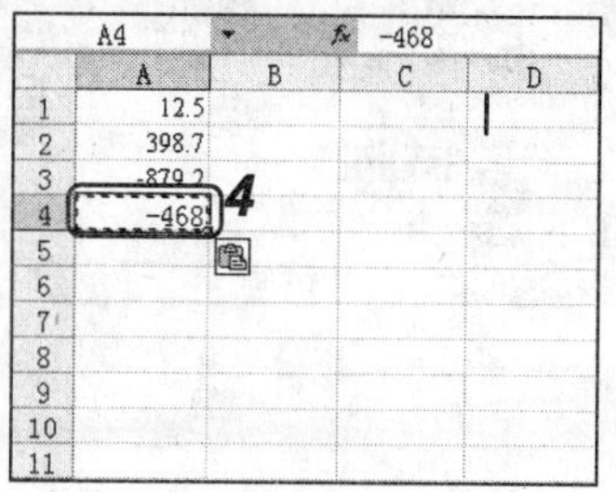

图 8-21　删除单元格中的公式

6．单元格引用

在对公式进行移动或复制等操作时，会涉及单元格地址的引用问题，在 Excel 中单元格引用可分为相对引用和绝对引用，它们的作用分别介绍如下。

- **相对引用**：相对引用包含了当前单元格与公式所在单元格的相对位置。在相对引用下将公式复制到某一单元格时，单元格中的公式是相对改变的，但引用的单元格与包含公式的单元格的相对位置不变。
- **绝对引用**：对含有公式的单元格进行移动操作时，即将公式复制到新位置后，公式中的单元格地址固定不变。

相对引用与绝对引用的转换：通过“F4”键为公式中的单元格地址前面添加“$”符号可对相对引用与绝对引用进行转换，过程如图 8-22 所示。

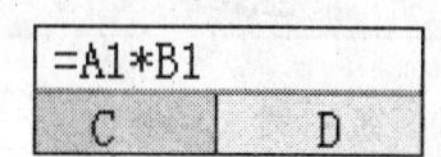

图 8-22　转换过程

在同一个公式中可同时使用公式的相对引用和绝对引用。使用混合引用的公式中绝对引用部分的单元格地址不会随地址的变化发生变化，而相对引用部分的单元格则会随地址发生改变，这称为单元格的混合引用。

8.2.2　函数的应用

函数是预先定义的公式，它使用被称为参数的特定数值，按被称为语法的特定顺序进行的程序进行计算操作。

1．插入函数

函数可像公式一样进行输入，通过“插入函数”对话框插入函数可不需记忆各种函数的结构。

【例 8-3】　在表格中插入“MAX”函数，得到表格中的最大值。

（1）启动 Excel，在 A1:A5 单元格区域分别输入数据，选择需插入函数的单元格，选择“插入/函数”命令，打开“插入函数”对话框，如图 8-23 所示。

（2）在“或选择类别”下拉列表框中选择需插入函数的类别为“常用函数”，在“选择函数”列表框中选择 MAX 选项，单击 确定 按钮，如图 8-24 所示。

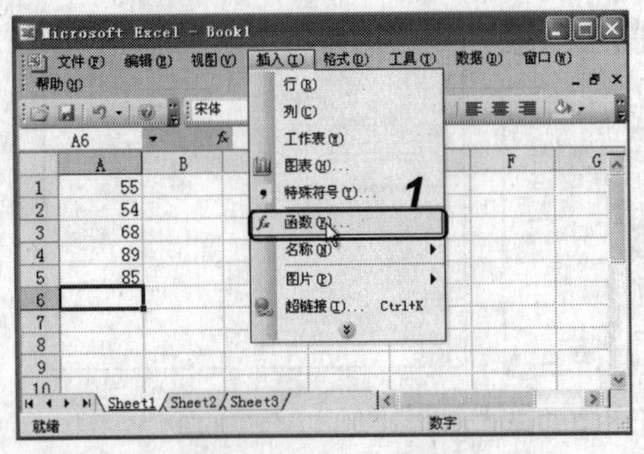

图 8-23　打开“插入函数”对话框

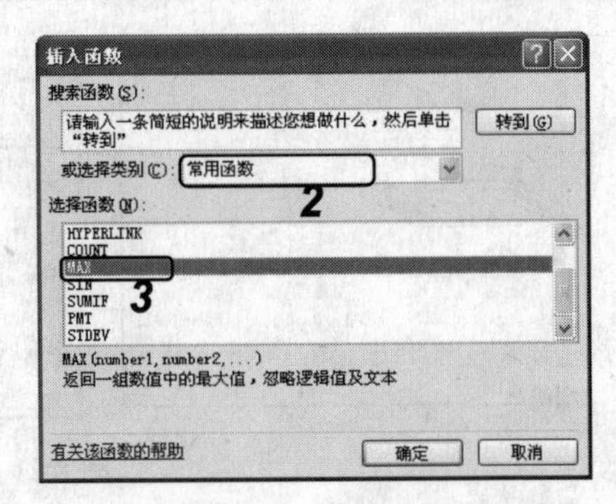

图 8-24　选择函数

（3）打开“函数参数”对话框，从中设置参与函数计算的单元格或单元格区域，单击 确定 按钮，如图 8-25 所示。

（4）此时所选的单元格中即插入了设置的函数并得出所选单元格区域的最大值，如图 8-26 所示。

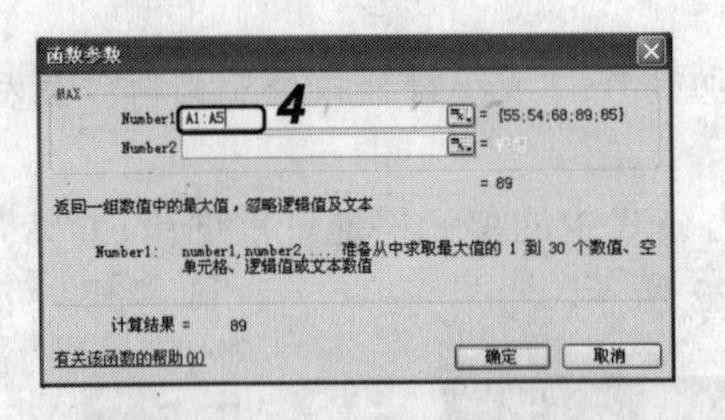

图 8-25　设置参数

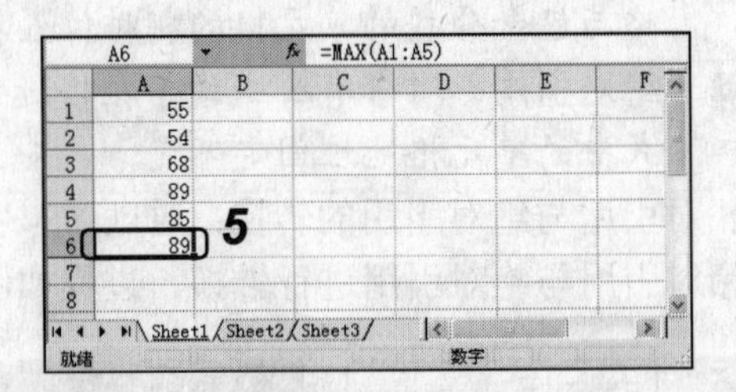

图 8-26　显示最大值

2．求和函数

求和函数可用于对一系列数据进行求和操作，常用于办公中的员工工资求和、销售业绩求和等情况，这属于简单的函数运算。

【例 8-4】　利用求和函数使 Excel 自动在 D16 单元格中插入求和函数并计算出准确的数据求和，结果如图 8-27 所示（立体化教学:\源文件\第 8 章\办公费用开支.xls）。

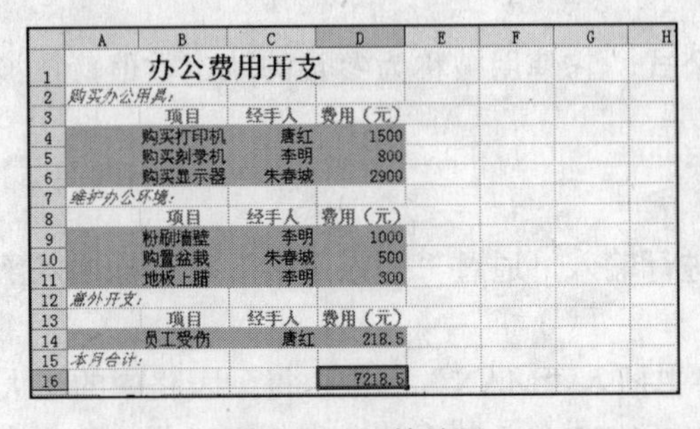

	A	B	C	D	E	F	G	H
1	办公费用开支							
2	购买办公用具:							
3		项目	经手人	费用（元）				
4		购买打印机	唐红	1500				
5		购买刻录机	李明	800				
6		购买显示器	朱春城	2900				
7	维护办公环境:							
8		项目	经手人	费用（元）				
9		粉刷墙壁	李明	1000				
10		购置盆栽	朱春城	500				
11		地板上腊	李明	300				
12	意外开支:							
13		项目	经手人	费用（元）				
14		员工受伤	唐红	218.5				
15	本月合计:							
16				7218.5				

图 8-27　计算结果

（1）打开“办公费用开支表”工作簿（立体化教学:\实例素材\第 8 章\办公费用开支表.xls），选择“D16”单元格，选择“插入/函数”命令，打开“插入函数”对话框，如图 8-28 所示。

（2）在打开对话框的“或选择类别”下拉列表框中选择“常用函数”选项，在“选择

函数”列表框中选择 SUM 选项，单击 确定 按钮，如图 8-29 所示。

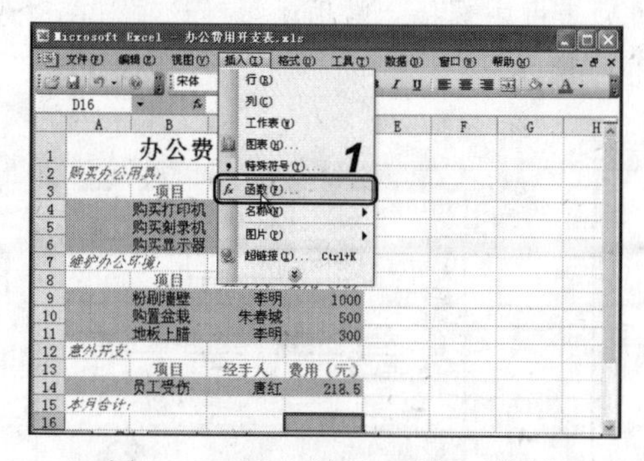

图 8-28　打开“插入函数”对话框

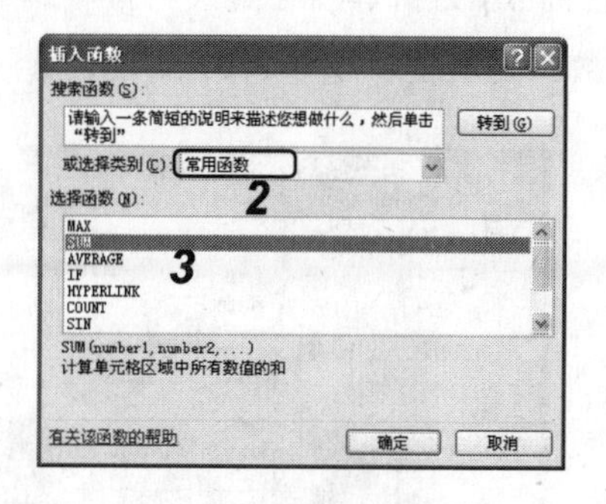

图 8-29　选择求和函数

（3）打开“函数参数”对话框，单击 Number1 文本框右侧的按钮，然后选择工作表中的 D4:D6、D9:D11 单元格区域和 D14 单元格，如图 8-30 所示。

（4）单击按钮返回“函数参数”对话框，如图 8-31 所示。

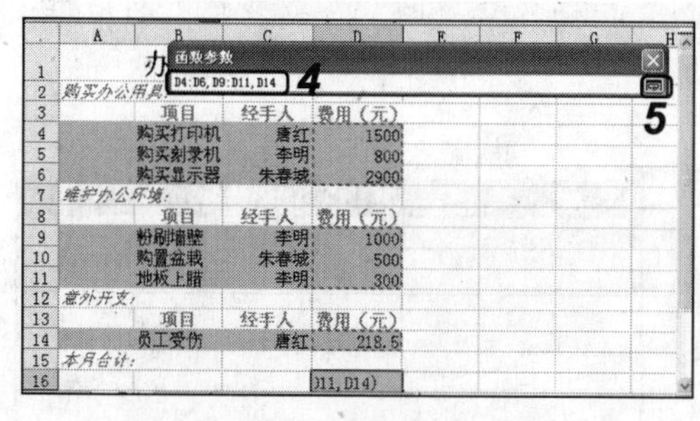

图 8-30　选择函数参数

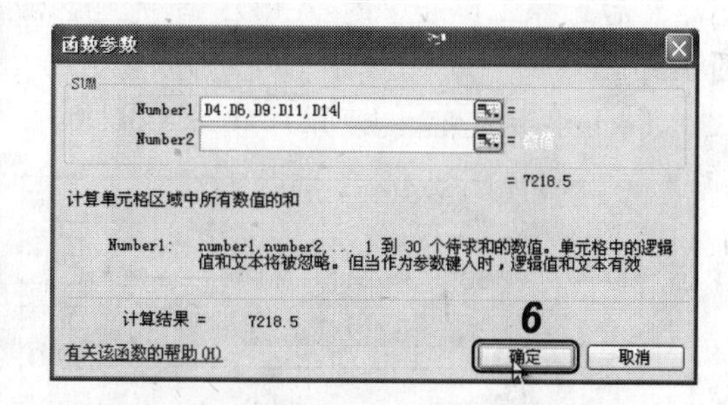

图 8-31　“函数参数”对话框

（5）单击 确定 按钮，关闭对话框，完成对数据的计算操作。

3．求平均值函数

求平均值函数可用于对一系列数据进行求平均值操作，常用于教学中对学生考试成绩求平均值、公司统计中对相关数据求平均值等情况。

【例 8-5】　利用求平均值函数求出本月公司在各个项目的销售平均数，其结果如图 8-32 所示（立体化教学:\源文件\第 8 章\楼盘销售表.xls）。

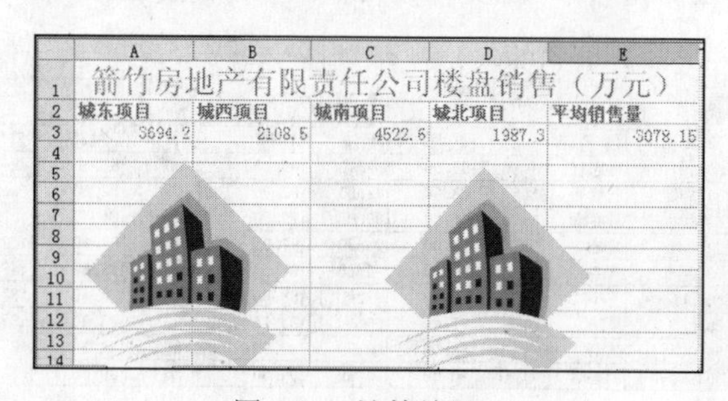

图 8-32　计算结果

（1）打开“楼盘销售表”（立体化教学:\实例素材\第 8 章\楼盘销售表.xls），选择 E3

单元格，选择“插入/函数”命令，打开“插入函数”对话框，如图 8-33 所示。

（2）在打开对话框的“或选择类别”下拉列表框中选择“常用函数”选项，在“选择函数”列表框中选择 AVERAGE 选项，如图 8-34 所示。

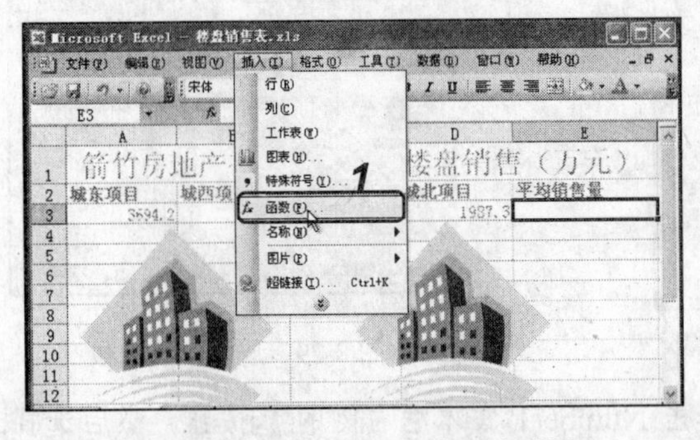

图 8-33 打开“插入函数”对话框

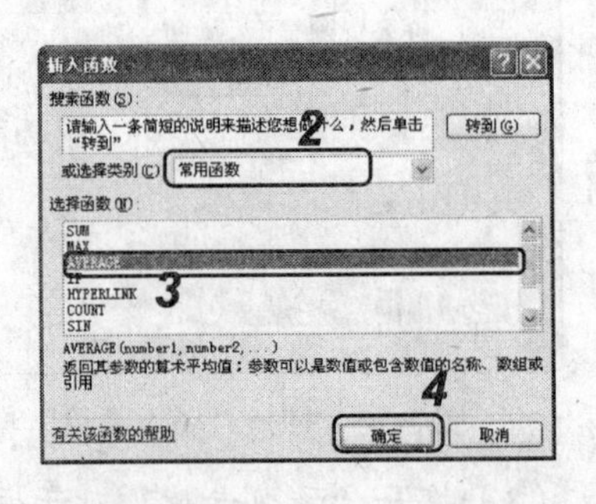

图 8-34 选择函数类型

（3）单击 确定 按钮，打开“函数参数”对话框，单击 Number1 文本框右侧的按钮，然后选择工作表中的 A3:D3 单元格区域，单击按钮返回“函数参数”对话框，如图 8-35 所示。

（4）单击 确定 按钮，如图 8-36 所示。

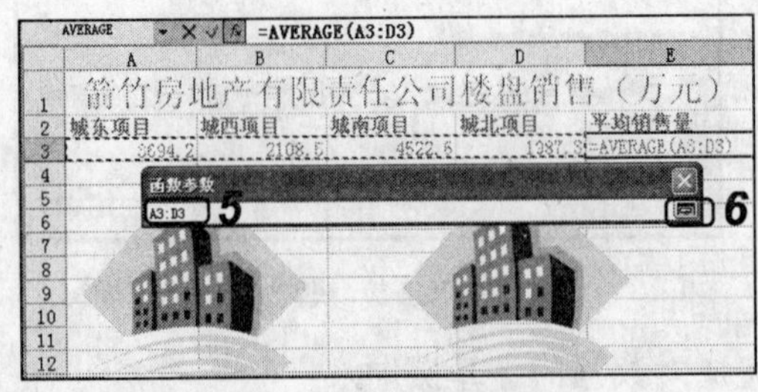

图 8-35 选择函数参数

图 8-36 “函数参数”对话框

（5）关闭对话框，完成对表格数据的平均值计算。

8.2.3 应用举例——使用函数计算学生成绩

下面利用求和函数和求平均值函数以及单元格的引用对学生考试成绩进行计算，最终效果如图 8-37 所示（立体化教学:\源文件\第 8 章\考试成绩表.xls）。

	A	B	C	D	E	F	G	H	I
1	学生考试成绩表								
2	准考证号	姓名	语文	数学	英语	物理	化学	平均分	总分
3	607001	程旭	67.00	98.00	79.00	90.00	95.00	85.80	429.00
4	607002	倪铭亮	88.00	68.00	79.00	82.00	97.00	82.80	414.00
5	607003	孙丽梅	89.00	95.00	69.00	79.00	90.00	84.40	422.00
6	607004	候峰	76.00	99.00	98.00	97.00	98.00	93.60	468.00
7	607005	黄宇	80.00	89.00	92.00	94.00	93.00	89.60	448.00
8	607006	王小欢	79.00	89.00	88.00	58.00	69.00	76.60	383.00
9	607007	夏艳	90.00	97.00	95.00	93.00	94.00	93.80	469.00
10	607008	陈丽	97.00	88.00	68.00	80.00	90.00	84.60	423.00
11	607009	郭旭朋	87.00	90.00	93.00	84.00	99.00	90.60	453.00

图 8-37 最终效果

操作步骤如下：

（1）打开“考试成绩表”工作簿（立体化教学：\实例素材\第 8 章\考试成绩表.xls），选择 H3 单元格，然后单击编辑栏的按钮，在打开的“插入函数”对话框的“或选择类别”下拉列表框中选择“常用函数”选项，在“选择函数”列表框中选择 AVERAGE 选项，然后单击 确定 按钮，如图 8-38 所示。

（2）打开“函数参数”对话框，单击 Number1 文本框右侧的按钮，然后选择工作表中的 B3:G3 单元格区域，再单击按钮，如图 8-39 所示。

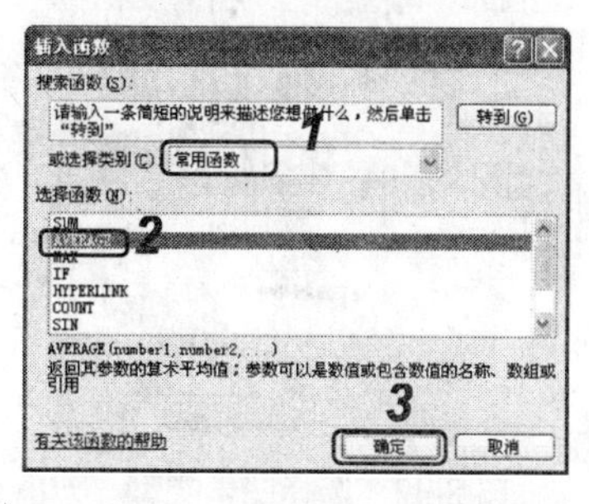

图 8-38　选择求平均值函数

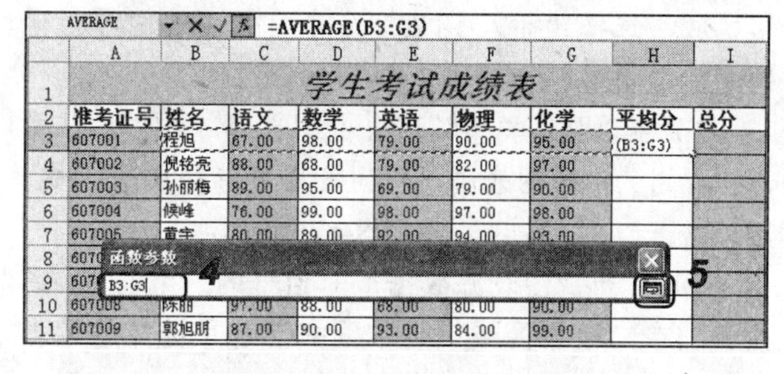

图 8-39　选择函数参数

（3）返回“函数参数”对话框，单击 确定 按钮，如图 8-40 所示，Excel 自动在 H3 单元格中计算出结果。

（4）利用快速填充数据的方法拖动该单元格右下角的控制柄至 H11 单元格，程序自动利用单元格的相对引用计算出其他学生的平均成绩，如图 8-41 所示。

图 8-40　“函数参数”对话框

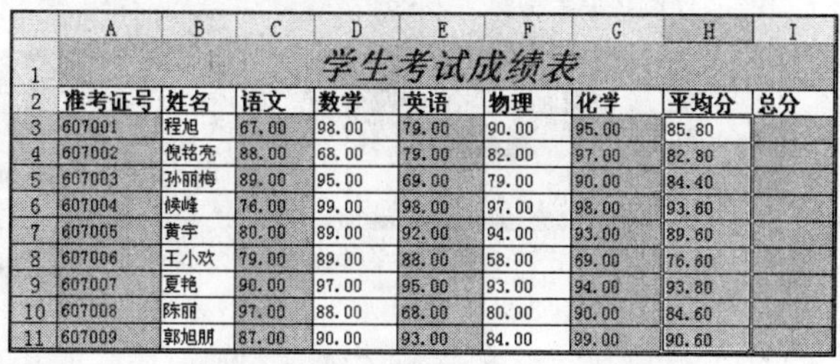

学生考试成绩表

准考证号	姓名	语文	数学	英语	物理	化学	平均分	总分
607001	程旭	67.00	98.00	79.00	90.00	95.00	85.80	
607002	倪铭亮	88.00	68.00	79.00	82.00	97.00	82.80	
607003	孙丽梅	89.00	95.00	69.00	79.00	90.00	84.40	
607004	候峰	76.00	99.00	98.00	97.00	98.00	93.60	
607005	黄宇	80.00	89.00	92.00	94.00	93.00	89.60	
607006	王小欢	79.00	89.00	88.00	58.00	69.00	76.60	
607007	夏艳	90.00	97.00	95.00	93.00	94.00	93.80	
607008	陈丽	97.00	88.00	68.00	80.00	90.00	84.60	
607009	郭旭朋	87.00	90.00	93.00	84.00	99.00	90.60	

图 8-41　单元格引用

（5）使用相同的方法在 I3 单元格中选择 SUM 函数，计算总分数，然后利用快速填充数据的方法填充 I3: I11 单元格区域，完成对表格中数据的计算。

8.3　图表的使用

为使制作出的 Excel 工作表中的各类数据之间关系更加明了和直观，可在已制作的表格中添加图表，以方便对数据进行收集、分析和总结。

8.3.1　图表的创建与编辑

Excel 2003 中提供了各种各样的图表，包括柱形图、条形图和折线图等，根据实际需要进行选择，下面将对图表的创建和编辑分别进行讲解。

1．创建图表

在 Excel 中可通过单击“常用”工具栏中的“图表向导”按钮或选择“插入/图表”命令两种方法打开“图表向导”对话框。

【例 8-6】 在表格中打开“图表向导”对话框，根据向导的提示为数据创建图表。

（1）打开“考试成绩表”工作簿（立体化教学:\实例素材\第 8 章\考试成绩表 1.xls），选择 B3:D6 单元格区域，选择“插入/图表”命令打开图表向导对话框的“标准类型”选项卡。

（2）在“图表类型”列表框中选择“柱形图”类型，在右侧的“子图表类型”列表框中选择图表样式，然后单击下一步(N) >按钮，如图 8-42 所示。

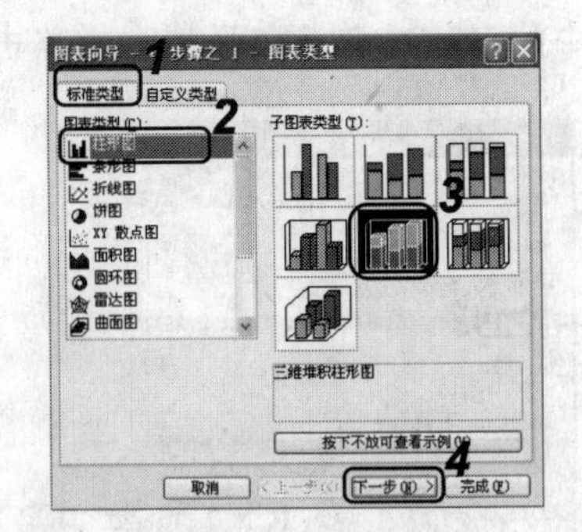

图 8-42 选择图表类型

（3）打开“图表源数据”对话框的“数据区域”选项卡，在“数据区域”文本框中显示了选择的数据范围，在“系列产生在”栏中选择⊙列(L)单选按钮，然后单击下一步(N) >按钮，如图 8-43 所示。

（4）打开“图表选项”对话框的“标题”选项卡，从中可设置图表标题、X 轴和 Y 轴的名称，这里直接单击下一步(N) >按钮，如图 8-44 所示。

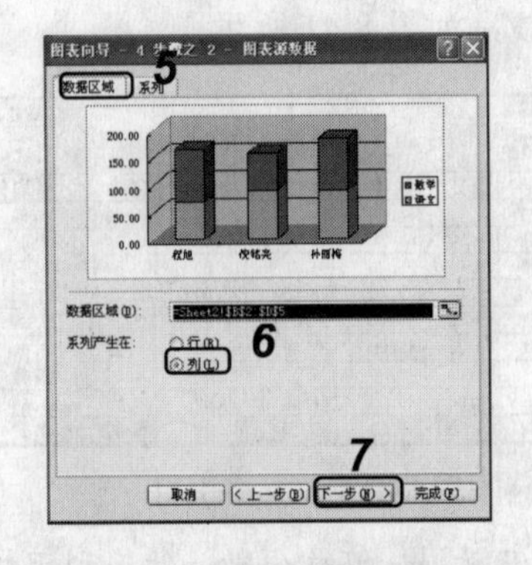

图 8-43 “数据区域”选项卡

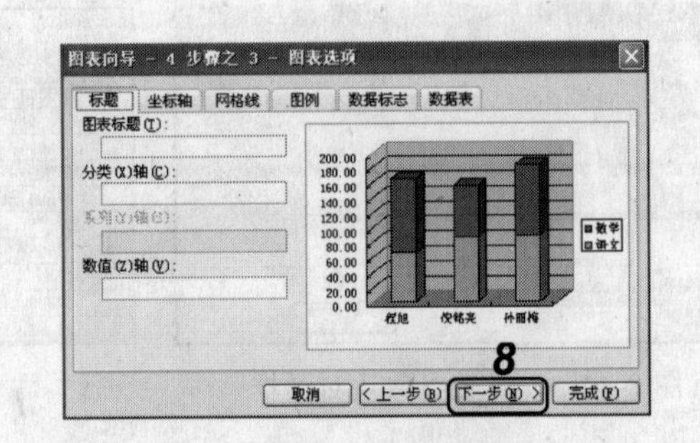

图 8-44 “标题”选项卡

（5）打开图表位置对话框，选中⊙作为其中的对象插入(O)单选按钮，如图 8-45 所示，单击完成(F)按钮，即可按所做设置创建图表，效果如图 8-46 所示（立体化教学:\源文件\第 8 章\考试成绩表 1.xls）。

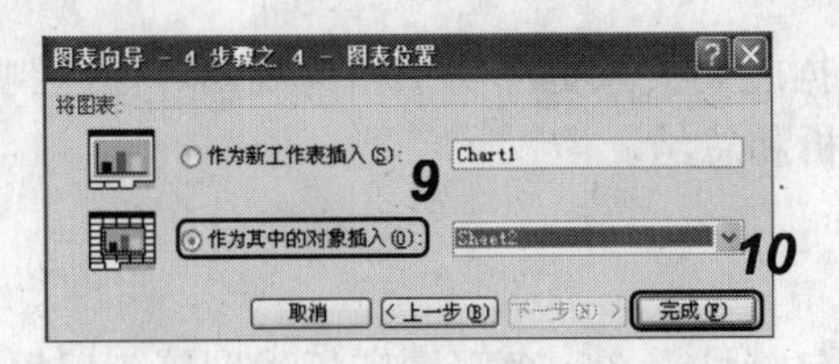

图 8-45 选择插入方式

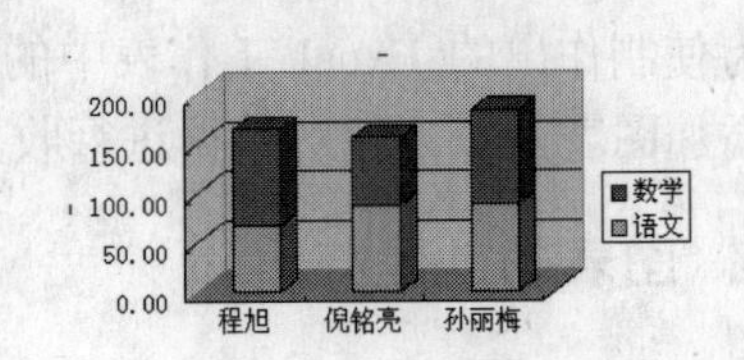

图 8-46 插入的效果

2．更改图表类型

Excel 2003 中提供了多个图标类型，若创建的图表类型不符合实际需要，可随时对其进行修改。

【例 8-7】　将考试成绩表中的柱形图表更改为条形图表。

（1）打开“考试成绩表 2”（立体化教学:\实例素材\第 8 章\考试成绩表 2.xls），选择其中的图表，然后在图表上右击，在弹出的快捷菜单中选择“图表类型”命令，如图 8-47 所示。

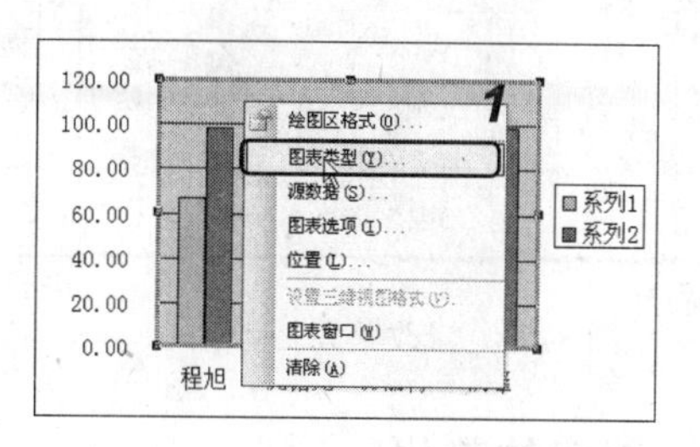

图 8-47　选择“图表类型”命令

（2）打开“图表类型”对话框，在“图表类型”列表框中选择“条形图”选项，在“子图表类型”列表框中选择一种图表类型，单击 确定 按钮，如图 8-48 所示。更改后的效果如图 8-49 所示（立体化教学:\源文件\第 8 章\考试成绩表 2.xls）。

图 8-48　更改图表类型

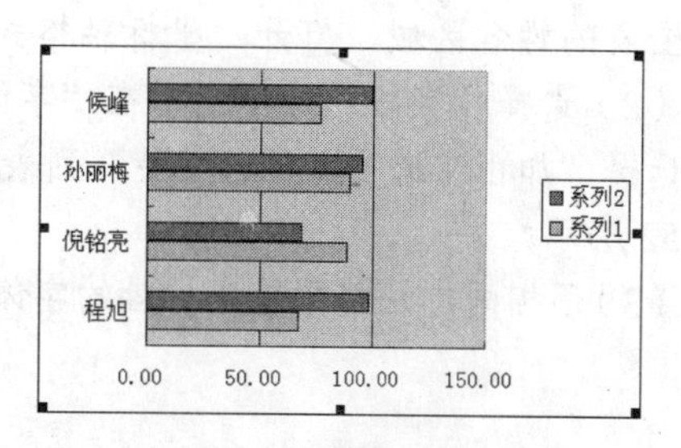

图 8-49　更改后的效果

3．更改图表数据

创建的图表与单元格中的数据是动态链接的，即修改单元格的数据时，图表中的图形会同步发生变化，修改图表中的数据区域时，单元格中的数据也会同步发生变化。

【例 8-8】　在“考试成绩表 3”工作簿中通过修改单元格中的数据将姓名为“程旭”的语文成绩更改为“80”，通过调整“孙丽梅”数学成绩对应的矩形条将其更改为“100”。

（1）打开“考试成绩表 3”工作簿（立体化教学:\实例素材\第 8 章\考试成绩表 3.xls），选择 C3 单元格，在其中输入“80”，然后按“Enter”键，此时图表中该数据对应的矩形条也同步发生变化，如图 8-50 所示。

（2）单击两次孙丽梅数学成绩对应的矩形条，然后在该矩形条上方出现的控制点上按住鼠标左键不放并拖动至“100”坐标处，释放鼠标，即可调整该矩形条对应的单元格数据，如图 8-51 所示（立体化教学:\源文件\第 8 章\考试成绩表 3.xls）。

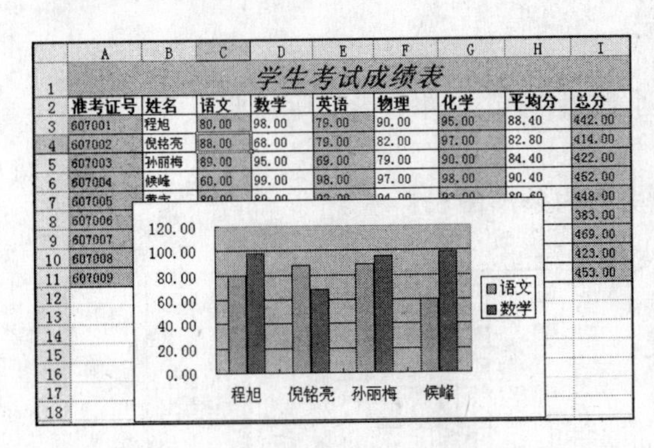

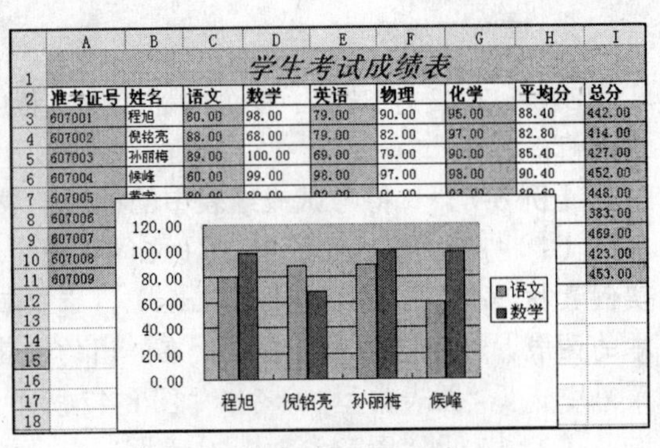

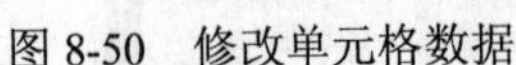
图 8-50　修改单元格数据

图 8-51　修改图表数据

8.3.2　图表的美化

在 Excel 中创建的图表，其格式与实际需要相差较大，通过对图表进行美化操作，可使图表更加美观，不仅增强了工作表的可读性，也使数据更加清晰。

【例 8-9】　将“员工工资表”工作簿中的图表进行美化操作，包括设置字体格式和背景颜色等。

（1）打开“员工工资表”工作簿（立体化教学:\实例素材\第 8 章\员工工资表.xls），双击图表的姓名区域，打开“坐标轴格式”对话框。

（2）选择“字体”选项卡，在“字体”列表框中选择“隶书”选项，在“字形”列表框中选择“加粗”选项，在“字号”列表框中选择“10”选项，然后单击 确定 按钮，如图 8-52 所示。

（3）用相同方法将数值坐标轴的字体设置为相同的格式，设置后的效果如图 8-53 所示。

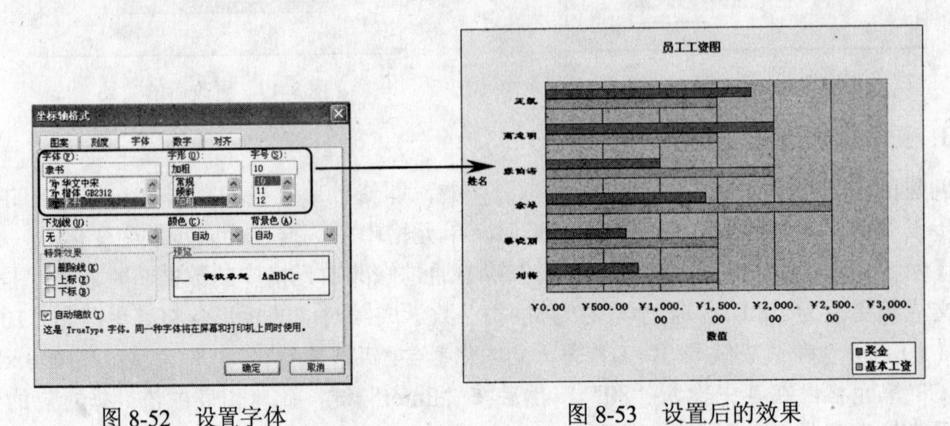

图 8-52　设置字体

图 8-53　设置后的效果

（4）双击图表右侧的图例区域，打开“图例格式”对话框，在“字体”选项卡的“字体”列表框中选择“宋体”选项，在“字号”列表框中选择“10”选项，然后单击 确定 按钮，如图 8-54 所示。

（5）双击图表的绘图区，在打开的对话框中将绘图区的背景颜色设置为蓝色，效果如图 8-55 所示（立体化教学:\源文件\第 8 章\员工工资表.xls）。

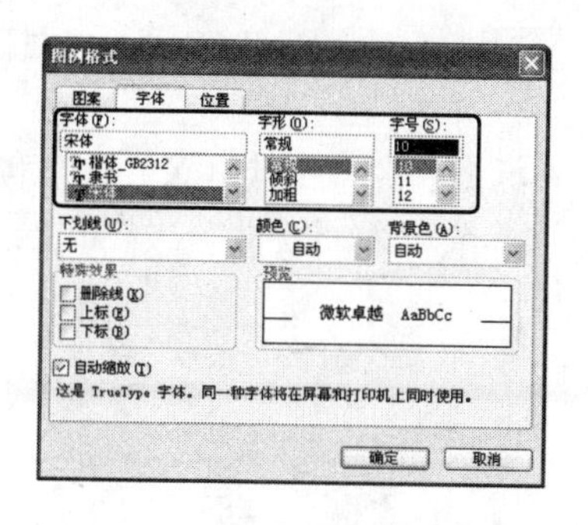

图 8-54　设置的图例格式

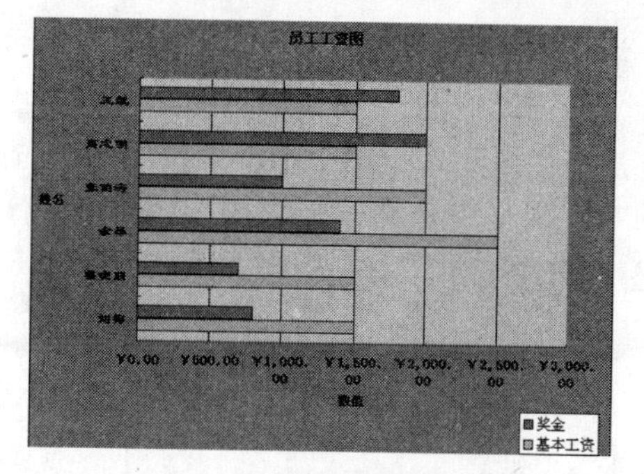

图 8-55　设置绘图区背景颜色

8.3.3　应用举例——创建并美化图表

下面将在前面制作的"销售业绩表"工作簿中创建图表并对其进行美化，以巩固在 Excel 工作表中使用图表的方法，最终效果如图 8-56 所示（立体化教学:\源文件\第 8 章\销售业绩表.xls）。

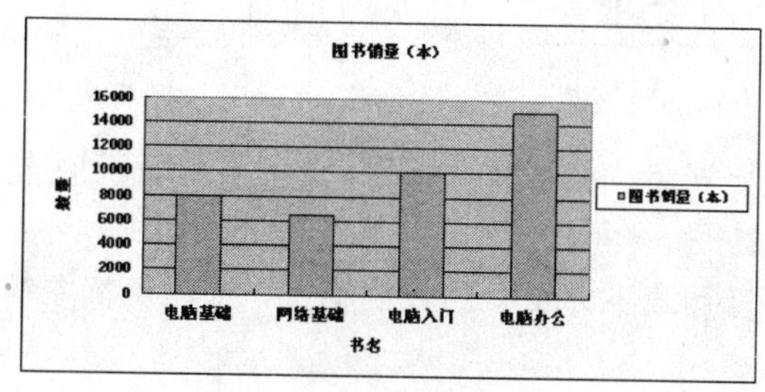

图 8-56　最终效果

操作步骤如下：

（1）打开"销售业绩表"工作簿（立体化教学:\实例素材\第 8 章\销售业绩表.xls），选择"插入/图表"命令，打开图表向导对话框的"标准类型"选项卡。在"图表类型"列表框中选择"柱形图"选项，单击下一步(N) >按钮，如图 8-57 所示。

（2）打开图表"源数据"对话框的"数据区域"选项卡，单击"数据区域"文本框右侧的按钮，在工作表中按住"Ctrl"键的同时选择 B2:B6 单元格区域和 D2:D6 单元格区域，然后单击按钮，如图 8-58 所示。

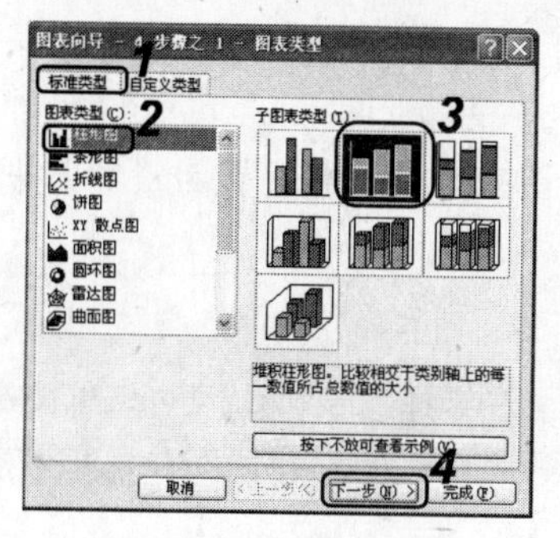

图 8-57　选择图表类型

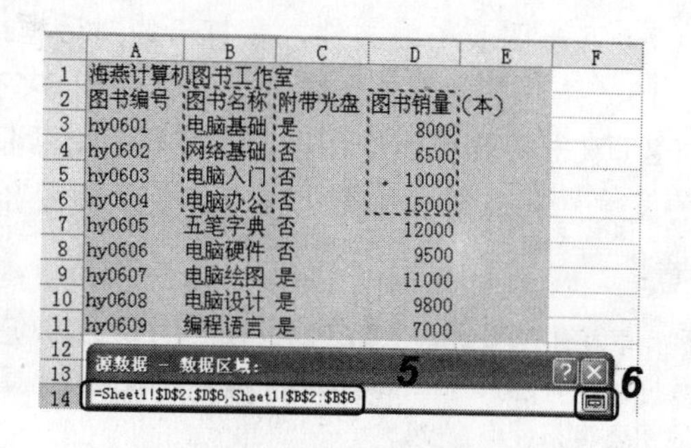

图 8-58　选择源数据

（3）返回“源数据”对话框，在其中单击[下一步(N) >]按钮，如图 8-59 所示，打开“图表选项”对话框。

（4）在打开对话框的“标题”选项卡中的“图表标题”、“分类（X）轴”和“数值（Y）轴”文本框中分别输入“图书销量（本）”、“书名”和“数量”，单击[下一步(N) >]按钮，如图 8-60 所示。

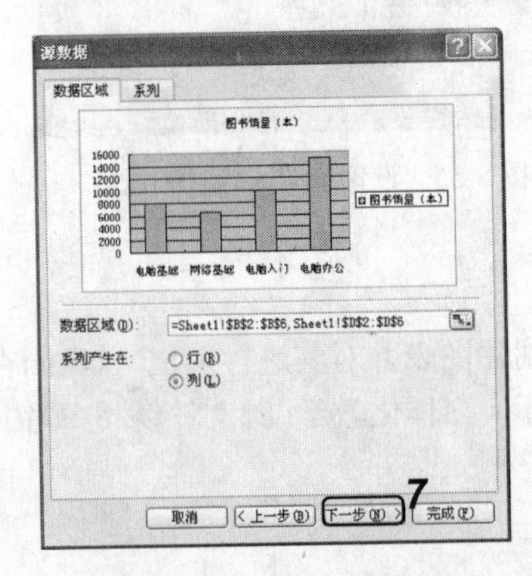

图 8-59　确认设置的数据源

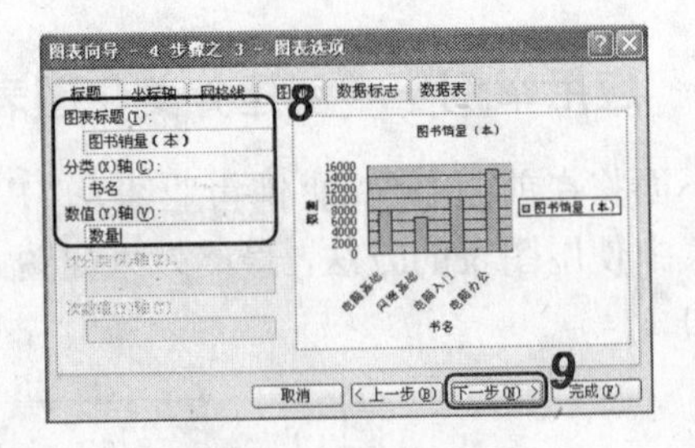

图 8-60　设置图表

（5）打开图表位置对话框，保持默认设置，单击[完成(F)]按钮，将图表插入到工作表中，效果如图 8-61 所示。

（6）将鼠标光标移至图表下方中心的控制柄上，按住鼠标左键不放并拖动，将图表的高度增高，如图 8-62 所示。

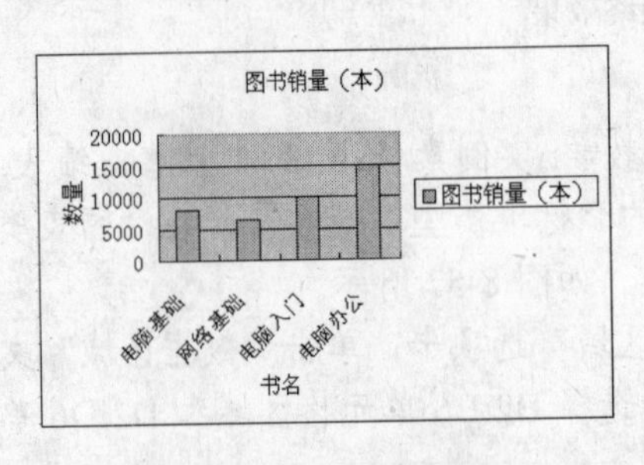

图 8-61　插入图表的效果

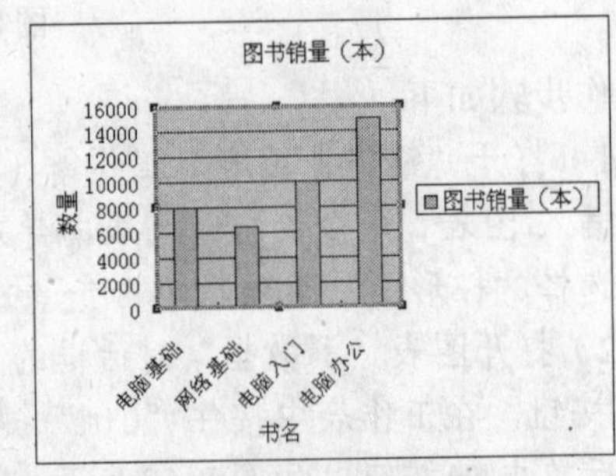

图 8-62　增高图表高度

（7）双击图表中的文件，在打卡的对话框中将图表中所有字体的格式设置为：宋体、加粗、10，并适当调整各区域的位置，如图 8-63 所示。

（8）双击图表中的绘图区，在打开的对话框中将图表背景颜色设置为淡黄，并调整绘图区的宽度，完成图表的美化操作，效果如图 8-64 所示。

注意：

利用表格中的数据创建图表时，在打开的“源数据”对话框中选择数据区域时可以选择表格的全部数据，也可以只选择部分区域，并且要确定所选择的数据之间的区域存在相关联系，否则建立起来的图表将无任何意义。

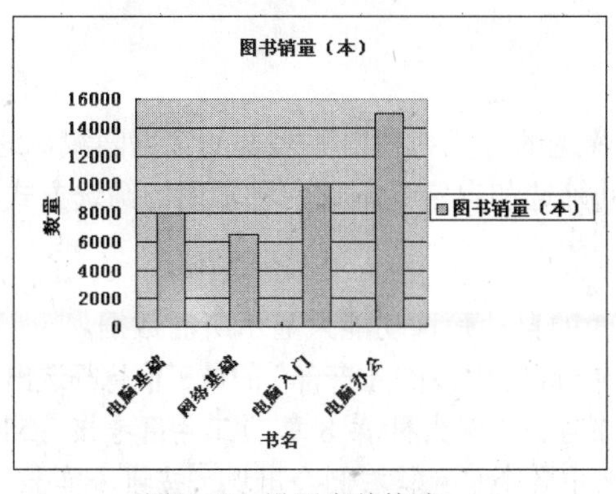

图 8-63　设置字体格式

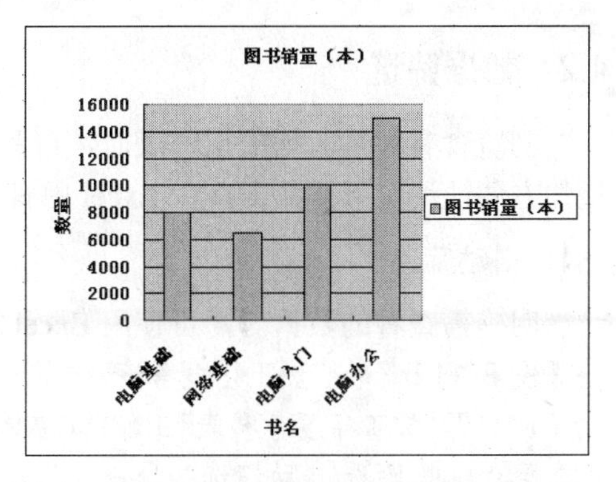

图 8-64　图表美化后的效果

8.4　数据的管理

Excel 2003 不仅可对数据进行各种计算，还可对数据进行排序、筛选和分类汇总等各种管理操作，从而有效地提高工作效率。

8.4.1　数据排序

当需要按照一定的规律对表格中的数据进行分析整理时，可利用 Excel 的排序功能进行操作。

【例 8-10】　将“员工年度考核表”工作簿中的数据按罚款金额从高到低进行排序。

（1）打开“员工年度考核表”工作簿（立体化教学:\实例素材\第 8 章\员工年度考核表.xls），选择“数据/排序”命令，在打开对话框的“主要关键字”下拉列表框中选择“全年总收入”选项，选中⊙降序(D)单选按钮，单击 确定 按钮，如图 8-65 所示。

（2）此时打开的工作表中的数据便以全年总收入从高到低进行排序，如图 8-66 所示。

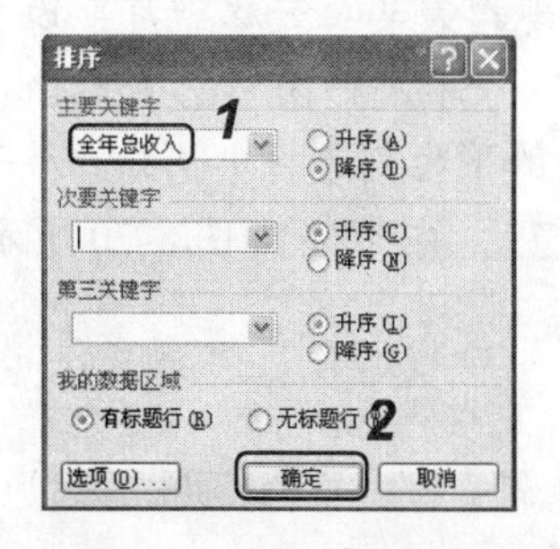

图 8-65　设置排序条件

员工年度考核表

部门	职务	姓名	学历	月平均工资	年终奖	补贴	通讯费	交通费	全年总收入
市场部	部门经理	王小蒙	本科	¥5,500	¥45,000	¥3,200	¥3,200	¥3,200	¥120,600
质量部	部门经理	冯云胜	博士	¥5,500	¥43,000	¥3,200	¥3,200	¥3,200	¥118,600
生产部	部门经理	刘长春	硕士	¥5,000	¥41,000	¥3,200	¥3,200	¥3,200	¥110,600
技术部	部门经理	刘恬	硕士	¥5,000	¥40,000	¥3,200	¥3,200	¥3,200	¥109,600
质量部	员工	常雯	本科	¥3,700	¥25,000	¥3,200	¥2,600	¥2,600	¥77,800
技术部	员工	王小燕	大专	¥3,300	¥25,000	¥3,000	¥2,600	¥2,600	¥72,800
技术部	员工	冯丽丽	本科	¥3,250	¥25,000	¥3,000	¥2,600	¥2,600	¥72,200
生产部	员工	刘晓鸥	大专	¥3,970	¥15,000	¥3,000	¥2,600	¥2,600	¥70,840
生产部	员工	刘小丽	大专	¥3,900	¥15,000	¥3,000	¥2,600	¥2,600	¥70,000
生产部	员工	刘红	大专	¥3,870	¥15,000	¥3,000	¥2,600	¥2,600	¥69,640
质量部	员工	仇琳	硕士	¥3,400	¥20,000	¥3,000	¥2,600	¥2,600	¥69,000
市场部	员工	刘成	大专	¥3,050	¥20,000	¥3,000	¥2,800	¥2,600	¥65,000
市场部	员工	卢月	大专	¥3,150	¥15,000	¥3,000	¥2,800	¥2,600	¥61,200

图 8-66　排序的结果

注意：

在排序的结果中若出现相同值，可在“排序”对话框中设置“次要关键字”和“第三关键字”下拉列表框中的排序条件，此时当程序根据主要关键字排序后如果有相同数据便会自动根据次要关键字甚至第三关键字进行排序。

8.4.2 数据筛选

在浏览含有大量数据的工作表时，可利用筛选的方式将暂时不需要的数据隐藏，这样可更加方便地浏览所需数据。在 Excel 中有自动筛选和自定义筛选两种常用的筛选方式。

1. 自动筛选

当明确需查看的数据时，可使用 Excel 2003 的自动筛选功能只显示所需数据。

【例 8-11】 将“员工年度考核表”工作簿中部门类别为“生产部”的员工信息筛选出来。

（1）打开“员工年度考核表”工作簿（立体化教学:\实例素材\第 8 章\员工年度考核表.xls），依次选择“数据/筛选/自动筛选”命令，此时表头中各个单元格右侧会出现按钮，单击“部门”单元格右侧的按钮，在弹出的下拉列表中选择“生产部”选项，如图 8-67 所示。

（2）此时工作表中将仅显示生产部的员工信息，如图 8-68 所示。

员工年度考核表

部门	职务	姓名	学历	月平均工资	年终奖	补贴	通讯费	交通费
	部门经理	王小蒙	本科	¥5,500	¥45,000	¥3,200	¥3,200	¥3,200
	部门经理	冯云胜	博士	¥5,500	¥43,000	¥3,200	¥3,200	¥3,200
	部门经理	刘长青	硕士	¥5,000	¥41,000	¥3,200	¥3,200	¥3,200
	部门经理	刘恬	硕士	¥5,000	¥40,000	¥3,200	¥3,200	¥3,200
	员工	常雯	本科	¥3,700	¥25,000	¥3,200	¥2,600	¥2,600
技术部	员工	王小燕	大专	¥3,300	¥25,000	¥3,000	¥2,600	¥2,600
技术部	员工	冯丽丽	本科	¥3,250	¥25,000	¥3,000	¥2,600	¥2,600
生产部	员工	刘晓鸥	大专	¥3,970	¥15,000	¥3,000	¥2,600	¥2,600
生产部	员工	刘小丽	大专	¥3,900	¥15,000	¥3,000	¥2,600	¥2,600
生产部	员工	刘红	大专	¥3,870	¥15,000	¥3,000	¥2,600	¥2,600
质量部	员工	仇琳	硕士	¥3,400	¥20,000	¥3,000	¥2,600	¥2,600
市场部	员工	刘成	大专	¥3,050	¥20,000	¥3,000	¥2,800	¥2,600
市场部	员工	卢月	大专	¥3,150	¥15,000	¥3,000	¥2,800	¥2,600

图 8-67 选择筛选条件

员工年度考核表

部门	职务	姓名	学历	月平均工资	年终奖	补贴	通讯费	交通费
生产部	部门经理	刘长青	硕士	¥5,000	¥41,000	¥3,200	¥3,200	¥3,200
生产部	员工	刘晓鸥	大专	¥3,970	¥15,000	¥3,000	¥2,600	¥2,600
生产部	员工	刘小丽	大专	¥3,900	¥15,000	¥3,000	¥2,600	¥2,600
生产部	员工	刘红	大专	¥3,870	¥15,000	¥3,000	¥2,600	¥2,600

图 8-68 筛选结果

2. 自定义筛选

通过自定义筛选功能，可筛选出满足设置条件的一系列数据。

【例 8-12】 筛选出“年度考核表”工作簿中月平均工资低于 3500 的员工信息。

（1）打开“员工年度考核表”工作簿（立体化教学:\实例素材\第 8 章\员工年度考核表.xls），依次选择“数据/筛选/自动筛选”命令，单击出现在表头单元格“月平均工资”右侧的按钮，在弹出的下拉列表中选择“（自定义...）”选项，如图 8-69 所示。

（2）打开“自定义自动筛选方式”对话框，在左上角的下拉列表框中选择“小于”选项，在其右侧的下拉列表框中输入“3500”，然后单击 确定 按钮，如图 8-70 所示。

员工年度考核表

部门	职务	姓名	学历	月平均工资	年终奖	补贴	通讯费	交通费
市场部	部门经理	王小蒙	本科		¥45,000	¥3,200	¥3,200	¥3,200
质量部	部门经理	冯云胜	博士		¥43,000	¥3,200	¥3,200	¥3,200
生产部	部门经理	刘长青	硕士		¥41,000	¥3,200	¥3,200	¥3,200
技术部	部门经理	刘恬	硕士		¥40,000	¥3,200	¥3,200	¥3,200
质量部	员工	常雯	本科		¥25,000	¥3,200	¥2,600	¥2,600
技术部	员工	王小燕	大专		¥25,000	¥3,000	¥2,600	¥2,600
技术部	员工	冯丽丽	本科		¥25,000	¥3,000	¥2,600	¥2,600
生产部	员工	刘晓鸥	大专		¥15,000	¥3,000	¥2,600	¥2,600
生产部	员工	刘小丽	大专		¥15,000	¥3,000	¥2,600	¥2,600
生产部	员工	刘红	大专	¥3,870	¥15,000	¥3,000	¥2,600	¥2,600
质量部	员工	仇琳	硕士	¥3,400	¥20,000	¥3,000	¥2,600	¥2,600
市场部	员工	刘成	大专	¥3,050	¥20,000	¥3,000	¥2,800	¥2,600
市场部	员工	卢月	大专	¥3,150	¥15,000	¥3,000	¥2,800	¥2,600

图 8-69 选择筛选条件

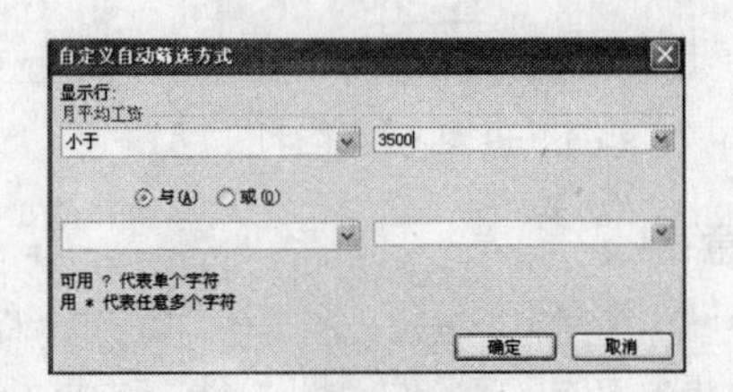

图 8-70 设置筛选条件

（3）此时工作表中将显示满足条件的员工信息，如图 8-71 所示。

员工年度考核表

部门	职务	姓名	学历	月平均工资	年终奖	补贴	通讯费	交通费	全年总收入
技术部	员工	王小燕	大专	¥3,300	¥25,000	¥3,000	¥2,600	¥2,600	¥72,800
技术部	员工	冯丽丽	本科	¥3,250	¥25,000	¥3,000	¥2,600	¥2,600	¥72,200
质量部	员工	仇琳	硕士	¥3,400	¥20,000	¥3,000	¥2,600	¥2,600	¥69,000
市场部	员工	刘成	大专	¥3,050	¥20,000	¥3,000	¥2,800	¥2,600	¥65,000
市场部	员工	卢月	大专	¥3,150	¥15,000	¥3,000	¥2,800	¥2,600	¥61,200

图 8-71　筛选结果

技巧：

筛选操作完成后，依次选择“数据/筛选/自动筛选”命令可退出筛选状态，并将工作表中的所有数据重新显示出来。

8.4.3　数据分类汇总

当在办公中统计各部门的销售业绩或发放员工工资时，可利用 Excel 提供的分类汇总功能。该功能可在对数据进行排序或筛选操作的同时，对同类数据进行统计运算。

数据分类汇总的方法为：打开需进行分类汇总的工作表，然后将需进行分类的关键字按照前面所讲的方法进行排序。

选择需要进行分类汇总的任一单元格，选择“数据/分类汇总”命令，打开“分类汇总”对话框，在“分类字段”下拉列表框中选择与前面排序一致的关键字选项，在“汇总方式”下拉列表框中可选择汇总的方式，在“选定汇总项”列表框中可选择需进行汇总的项目，如图 8-72 所示。单击 确定 按钮完成分类汇总操作。

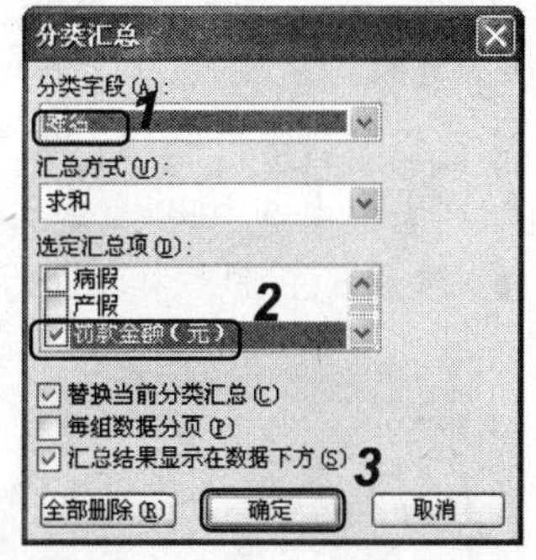

图 8-72　“分类汇总”对话框

技巧：

在“分类汇总”对话框中单击 全部删除(R) 按钮可撤销工作表中数据的汇总状态。

8.4.4　应用举例——对“学生录取情况表”进行分类汇总

本练习将“学生录取情况表”工作簿按专业进行排序，然后分类汇总，并统计出各专业学生所缴学费，最终效果如图 8-73 所示（立体化教学:\源文件\第 8 章\学生录取情况表.xls）。

	A	B	C	D	E	F
4	高文秀	女	四川	586.00	计算机	¥5,400.00
5	曾凯	男	广东	523.00	计算机	¥5,400.00
6				计算机	-	¥16,200.00
7	夏磊	男	福建	517.00	机电一体化	¥5,200.00
8	周丽华	女	黑龙江	509.50	机电一体化	¥5,200.00
9				机电一体	-	¥10,400.00
10	鲁文清	男	湖南	536.50	国际贸易	¥5,500.00
11	熊婷	女	甘肃	512.00	国际贸易	¥5,500.00
12	吴珍妮	女	湖北	554.00	国际贸易	¥5,500.00
13				国际贸易	-	¥16,500.00
14	龚鸣	女	贵州	540.50	电子信息	¥5,350.00
15	郭家明	女	北京	506.50	电子信息	¥5,350.00
16				电子信息	-	¥10,700.00
17				总计	-	¥53,800.00

图 8-73　最终效果

操作步骤如下：

（1）打开“学生录取情况表”工作簿（立体化教学:\实例素材\第 8 章\学生录取情况表.xls），选择“数据/排序”命令，打开“排序”对话框，如图 8-74 所示。

（2）在“主要关键字”下拉列表框中选择“专业”选项，单击 确定 按钮，如图 8-75 所示。

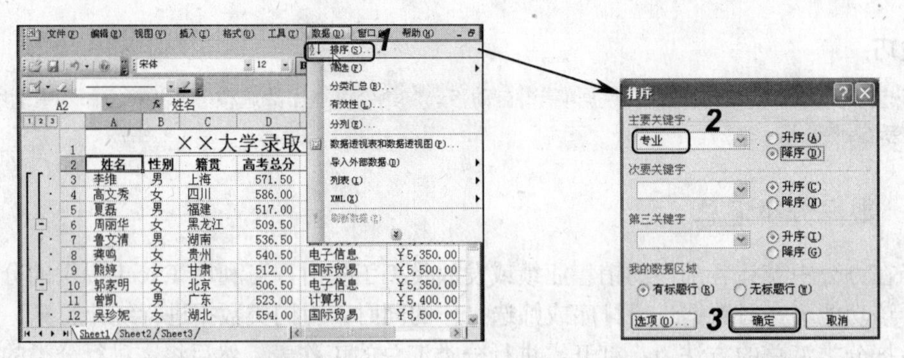

图 8-74　数据排序　　　　图 8-75　设置排序方式

（3）选择“数据/分类汇总”命令，打开“分类汇总”对话框。在“分类字段”下拉列表框中选择“姓名”选项，在“汇总方式”下拉列表框中选择“求和”选项，在“选定汇总项”列表框中选中☑专业复选框，单击 确定 按钮，如图 8-76 所示。

（4）完成对工作表中数据的汇总操作，效果如图 8-77 所示。

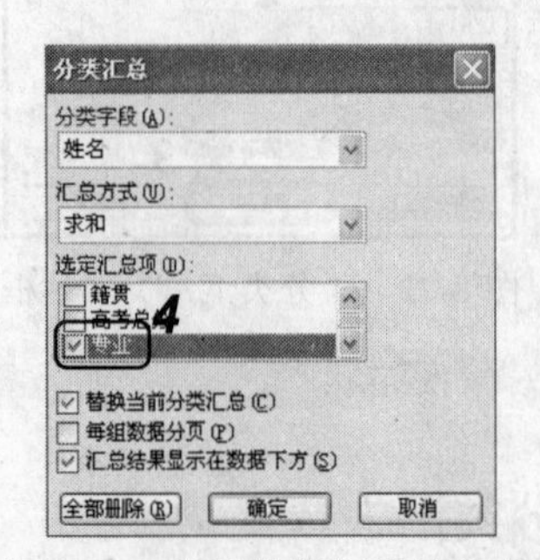

图 8-76　设置分类汇总的方式

2	姓名	性别	籍贯	高考总分	专业	所缴学费
3	李维	男	上海	571.50	计算机	￥5,400.00
4	高文秀	女	四川	586.00	计算机	￥5,400.00
5	曾凯	男	广东	523.00	计算机	￥5,400.00
6				计算机	-	￥16,200.00
7	夏磊	男	福建	517.00	机电一体化	￥5,200.00
8	周丽华	女	黑龙江	509.50	机电一体化	￥5,200.00
9				机电一	-	￥10,400.00
10	鲁文清	男	湖南	536.50	国际贸易	￥5,500.00
11	熊婷	女	甘肃	512.00	国际贸易	￥5,500.00
12	吴珍妮	女	湖北	554.00	国际贸易	￥5,500.00
13				国际贸	-	￥16,500.00
14	龚鸣	女	贵州	540.50	电子信息	￥5,350.00
15	郭家明	女	北京	506.50	电子信息	￥5,350.00
16				电子信	-	￥10,700.00
17				总计	-	￥53,800.00

图 8-77　分类汇总后的效果

8.5　工作表的打印

制作好电子表格后，需将其通过打印机打印出来供学习或工作研究。打印工作表的流程主要包括页面设置、打印预览和打印 3 个主要步骤。

8.5.1　页面设置

在打印工作表之前需对页面进行适当设置，这样可使打印出的工作表的页面布局和表格结构更加合理。打开需打印的工作表，选择“文件/页面设置”命令，打开“页面设置”对话框进行页面设置，下面对其主要的选项设置进行介绍。

- **“页面”选项卡：**在“方向”栏中可对打印方向进行设置，在对话框下方可对纸张大小和打印质量等参数进行具体设置，如图 8-78 所示。
- **“页边距”选项卡：**可设置表格与页面四周以及页眉和页脚与页面四周的距离，如图 8-79 所示。

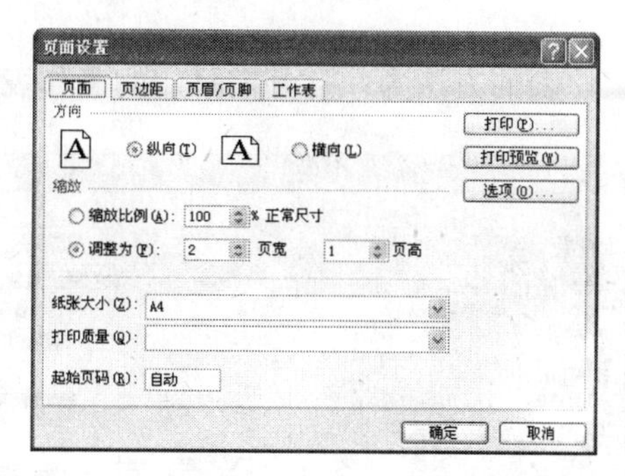

图 8-78 “页面”选项卡

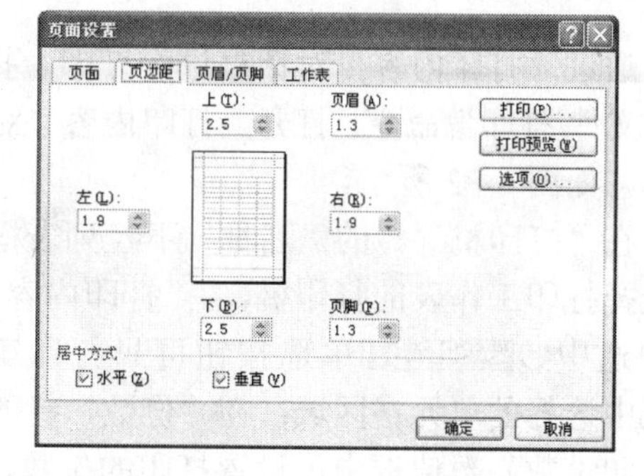

图 8-79 “页边距”选项卡

- **“页眉/页脚”选项卡：**在“页眉”和“页脚”下拉列表框中可选择 Excel 自带的格式设置工作表的页眉与页脚，如图 8-80 所示。单击 自定义页眉(C)... 或 自定义页脚(U)... 按钮，可在打开的对话框中自定义页眉或页脚的类型。
- **“工作表”选项卡：**在“打印区域”文本框中可设置打印区域；在“打印标题”栏的“顶端标题行”文本框中可设置水平标题行；在“左端标题列”文本框中可设置垂直标题的列；在“打印”栏中可指定工作表打印的方式；在“打印顺序”栏中可控制超过一页的数据的打印顺序，如图 8-81 所示。

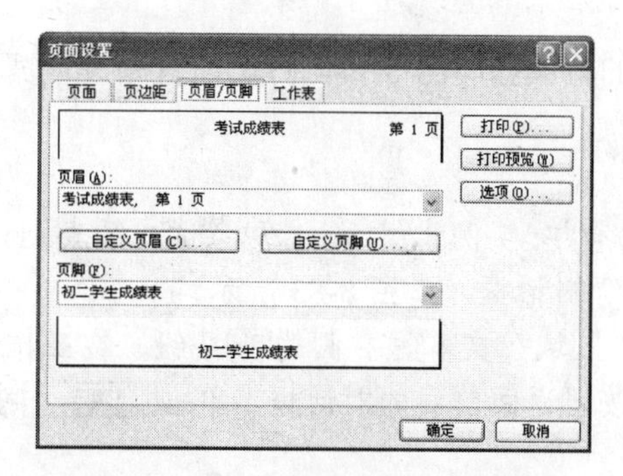

图 8-80 “页眉/页脚”选项卡

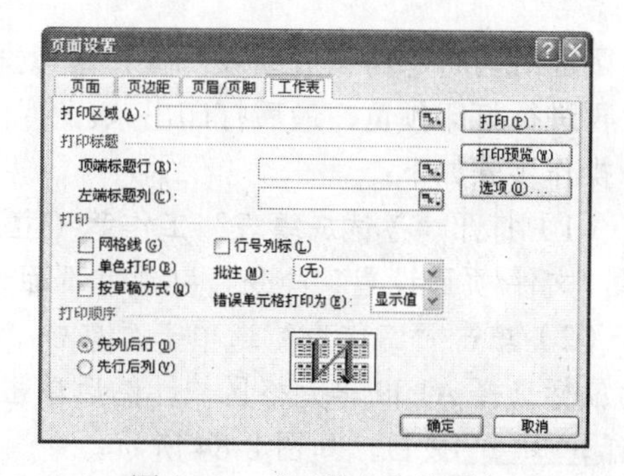

图 8-81 “工作表”选项卡

注意：

当选择工作表中的图表后，“页面设置”对话框的“工作表”选项卡将变为“图表”选项卡，从中可对图表打印的大小以及打印质量等参数进行设置。

8.5.2 打印预览

对需打印的工作表进行页面设置后，还需进行打印预览，预览打印效果，这样可避免打印出错而浪费纸张。

打印预览的方法为：打开需打印的工作表，选择“文件/打印预览”命令，切换到打印预览窗口。直接单击 打印(P)... 按钮可进行打印，若发现问题需再次进行调整，可按“Esc”键或单击 关闭(L) 按钮退出打印预览窗口，然后进行修改。

8.5.3 打印工作表

通过“打印内容”对话框进行打印。打印工作表的方法为：打开需打印的工作表，选择“文件/打印”命令，打开“打印内容”对话框，如图8-82所示。

在“打印机”栏的“名称”下拉列表框中选择打印工作表的打印机，在“打印内容”栏中选中 ⊙选定区域(N) 单选按钮可只打印工作表中选择的单元格区域；在“份数”栏的“打印份数”数值框中可设置打印的份数，选中其下的☑逐份打印(O)复选框可设置当打印多份时的打印顺序。完成后单击 确定 按钮即可按照设置打印工作表。

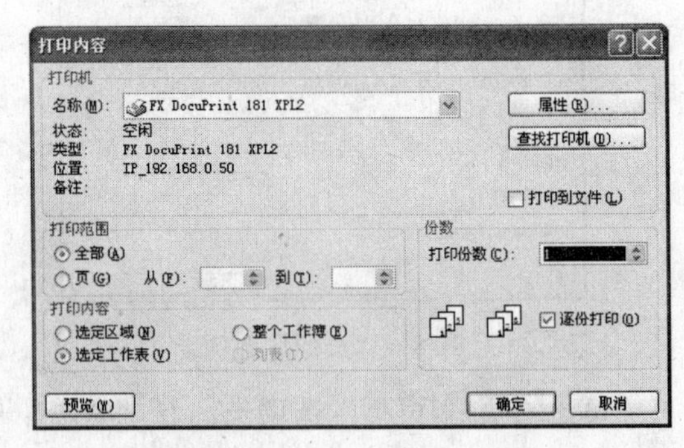

图8-82 “打印内容”对话框

注意：

在“打印内容栏中”选中⊙整个工作簿(E)单选按钮可打印工作簿中所有的工作表；选中⊙选定工作表(V)单选按钮可打印当前工作表或选择的工作表组。

8.5.4 应用举例——打印“考试成绩表”

下面练习将“考试成绩表”工作簿以选定的范围打印出5份，打印前首先设置页面属性，再进行打印预览，最后打印出来。

操作步骤如下：

（1）打开“考试成绩表”工作簿（立体化教学:\实例素材\第8章\考试成绩表.xls），选择“文件/页面设置”命令，打开“页面设置”对话框，如图8-83所示。

（2）单击“工作表”选项卡，单击“打印区域”文本框右侧的按钮，在工作表中拖动鼠标选择A1:I9单元格区域，然后单击按钮返回前面的对话框，单击 确定 按钮，单击 打印预览(W) 按钮，如图8-84所示。

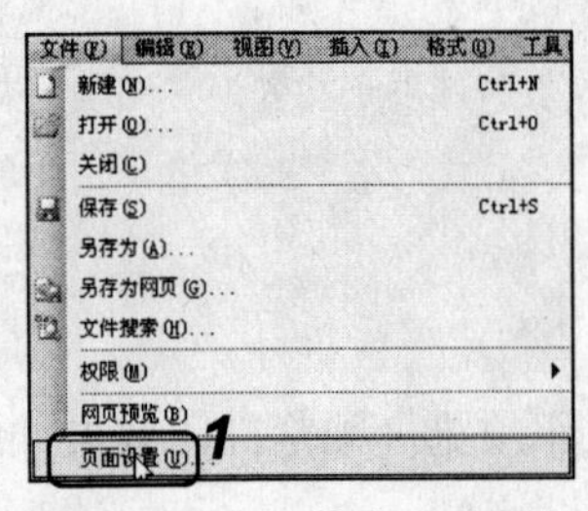

图8-83 “工作表”选项卡

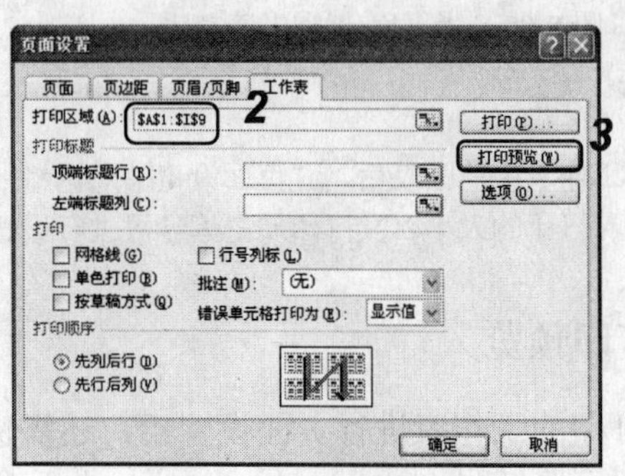

图8-84 设置打印范围

（3）预览打印效果，如图 8-85 所示。

（4）选择“文件/打印”命令，打开“打印内容”对话框。选中 选定区域(N) 单选按钮，在“打印份数”数值框中将打印份数设置为“5”，如图 8-86 所示，单击 确定 按钮打印。

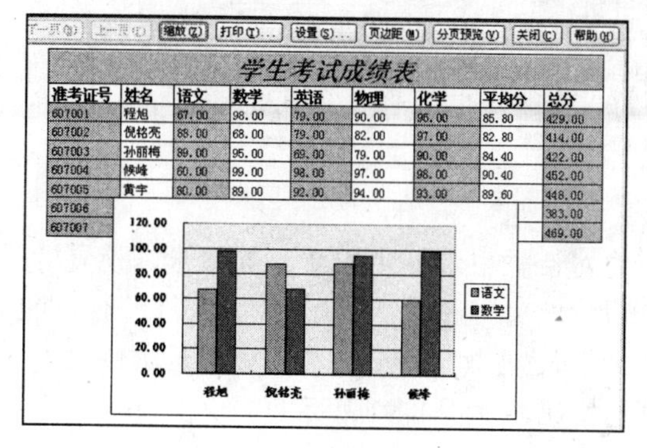

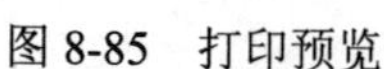
图 8-85　打印预览

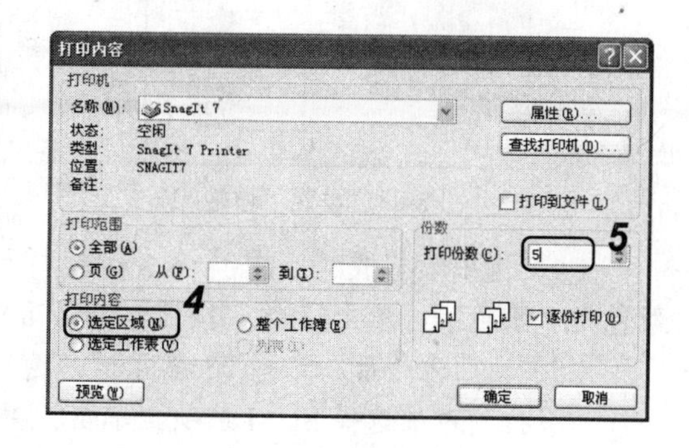

图 8-86　“打印内容”对话框

8.6　上机及项目实训

8.6.1　美化“蛋糕年销量”工作表

本例将通过上机练习，将“蛋糕年销量”工作簿进行美化，然后应用函数计算出其“合计”，再利用此表格创建图表，最终效果如图 8-87 所示（立体化教学:\源文件\第 8 章\蛋糕年销量.xls）。

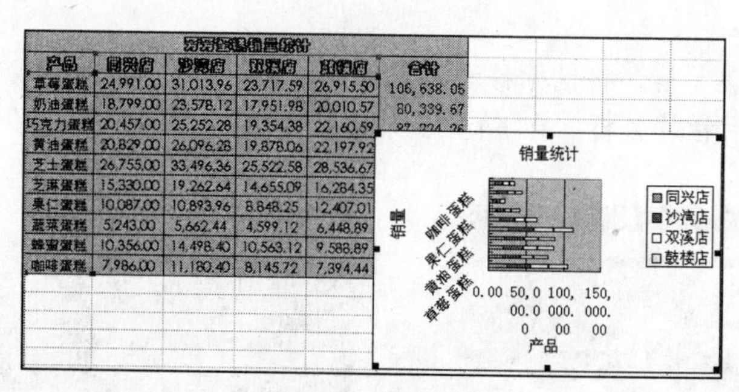

图 8-87　最终效果

操作步骤如下：

（1）打开“蛋糕年销量”工作簿（立体化教学:\实例素材\第 8 章\蛋糕年销量.xls），在 F1 单元格输入“合计”。

（2）选择 A1:F2 单元格区域，选择“格式/单元格”命令，在打开的对话框中选择“字体”选项卡，设置字体格式为：华文彩云、加粗、12，单击 确定 按钮，如图 8-88 所示。

（3）选择 A1:F7 单元格区域，如图 8-89 所示。

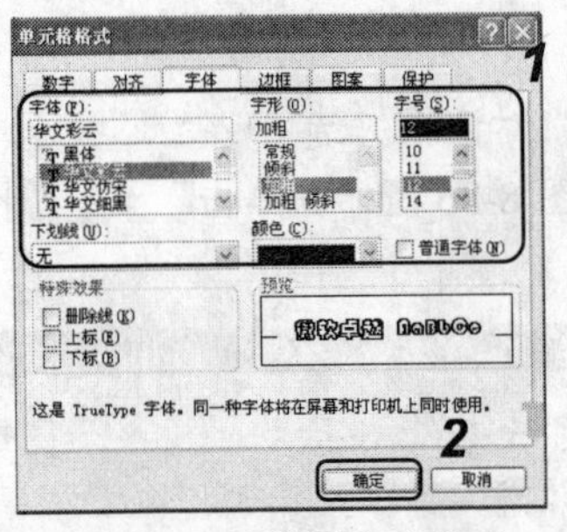

图 8-88　设置字体格式

	A	B	C	D	E	F
1	[illegible]					
2	产品	[illegible]	[illegible]	[illegible]	[illegible]	合计
3	[illegible]	24,991.00	31,013.96	23,717.59	26,915.50	
4	奶油蛋糕	18,799.00	23,578.12	17,951.98	20,010.57	
5	巧克力蛋糕	20,457.00	25,252.28	19,354.38	22,160.59	
6	黄油蛋糕	20,829.00	26,096.28	19,878.06	22,197.92	
7	芝士蛋糕	26,755.00	33,496.36	25,522.58	28,536.67	
8	芝麻蛋糕	15,330.00	19,262.64	14,655.09	16,284.35	
9	果仁蛋糕	10,087.00	10,893.96	8,848.25	12,407.01	
10	蔬菜蛋糕	5,243.00	5,662.44	4,599.12	6,448.89	
11	蜂蜜蛋糕	10,356.00	14,498.40	10,563.12	9,588.89	
12	咖啡蛋糕	7,986.00	11,180.40	8,145.72	7,394.44	

图 8-89　选择单元格区域

（4）选中“格式/单元格”命令，在打开的对话框中选择“图案”选项卡，设置背景颜色为“紫色”，单击 确定 按钮，如图 8-90 所示。

（5）返回表格后，选择 F3 单元格，选择“插入/函数”命令，在打开对话框的“选择函数”下拉列表中选择 SUM 选项，单击 确定 按钮，如图 8-91 所示。

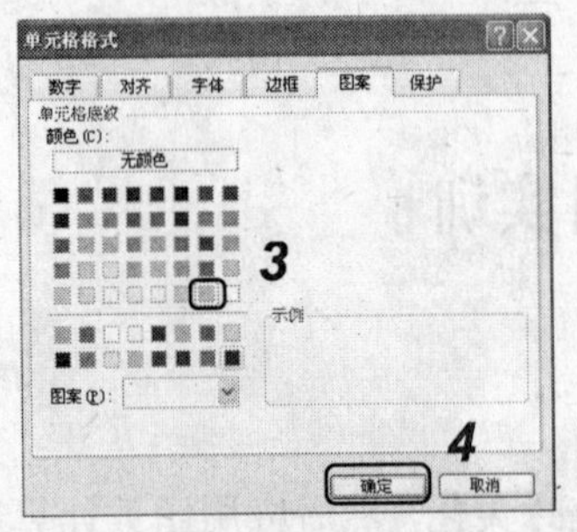

图 8-90　设置背景颜色

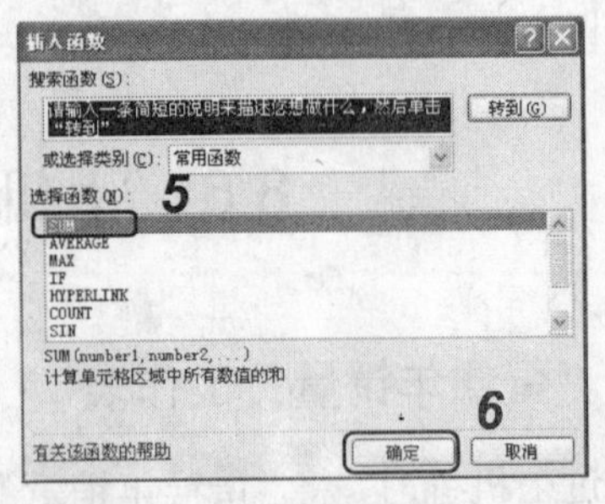

图 8-91　选择函数类型

（6）在打开的对话框中单击 确定 按钮，如图 8-92 所示，在 F3 单元格中将得到“草莓蛋糕”的合计值。

（7）选择 F3 单元格，将鼠标移动到单元格的右下角的控制柄上，按住鼠标不放将其拖动到 F12 单元格后释放鼠标，在 F4:F12 单元格中填充合计值，如图 8-93 所示。

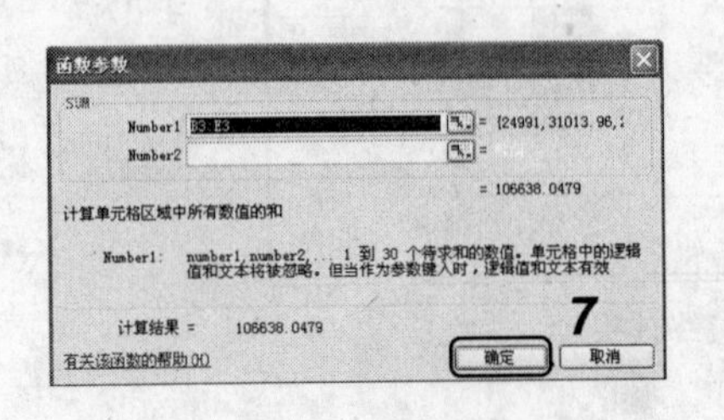

图 8-92　设置函数参数

	A	B	C	D	E	F
1	[illegible]					
2	产品	[illegible]	[illegible]	[illegible]	[illegible]	合计
3	草莓蛋糕	24,991.00	31,013.96	23,717.59	26,915.50	106,638.05
4	奶油蛋糕	18,799.00	23,578.12	17,951.98	20,010.57	80,339.67
5	巧克力蛋糕	20,457.00	25,252.28	19,354.38	22,160.59	87,224.26
6	黄油蛋糕	20,829.00	26,096.28	19,878.06	22,197.92	89,001.26
7	芝士蛋糕	26,755.00	33,496.36	25,522.58	28,536.67	114,310.61
8	芝麻蛋糕	15,330.00	19,262.64	14,655.09	16,284.35	65,532.07
9	果仁蛋糕	10,087.00	10,893.96	8,848.25	12,407.01	42,236.22
10	蔬菜蛋糕	5,243.00	5,662.44	4,599.12	6,448.89	21,953.45
11	蜂蜜蛋糕	10,356.00	14,498.40	10,563.12	9,588.89	45,006.41
12	咖啡蛋糕	7,986.00	11,180.40	8,145.72	7,394.44	34,706.56

图 8-93　计算函数值

（8）选择“插入/图表”命令，在打开对话框的“图表类型”下拉列表框中选择“条型图”选项，在右侧选择子图表类型，单击 下一步(N) > 按钮，如图 8-94 所示。

（9）在打开的对话框中选择 B3:E12 单元格区域，单击 下一步(N) > 按钮可打开如图 8-95 所示的对话框，在其中设置图表标题为“销量统计”，分类为“销量”，数值为“产品”，然后单击 下一步(N) > 按钮完成图表的创建。

图 8-94　选择图表类型

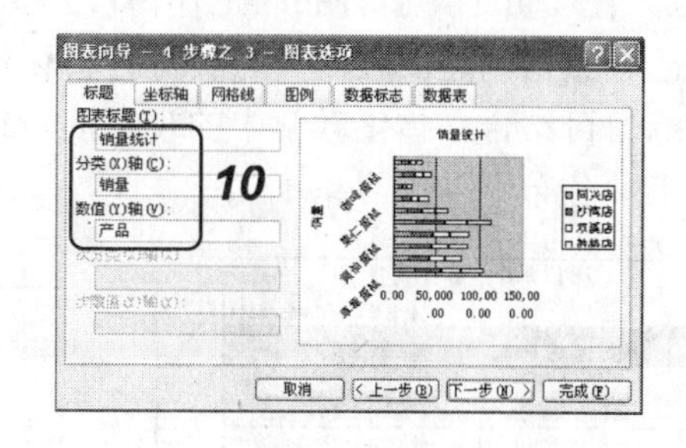

图 8-95　设置图表标题

8.6.2　管理“员工通讯录”数据

本例将对“员工通讯录”工作簿中的数据进行排序，然后设置数据筛选，使工作表中的数据更加清晰，最终效果如图 8-96 所示（立体化教学:\源文件\第 8 章\员工通讯录.xls）。

姓名	性别	学历	部门	职务	移动电话	Email地址
刘晓鸥	男	大学	生产部	经理	16224092184	LXO@SCXINYUE.COM
张小蒙	男	大专	生产部	职员	16224092190	ZXM@SCXINYUE.COM
李红	男	大专	生产部	职员	16224092189	LH@SCXINYUE.COM
卢月	女	大专	生产部	职员	16224092191	LY@SCXINYUE.COM
唐芳	女	大学	生产部	经理助理	16224092185	TF@SCXINYUE.COM
张月	女	大专	生产部	职员	16224092186	ZY@SCXINYUE.COM
李成	男	博士	市场部	经理	16224092192	LC@SCXINYUE.COM
杜云胜	男	大学	市场部	经理助理	16224092193	DYS@SCXINYUE.COM
卢艳霞	女	大学	市场部	职员	16224092196	LYX@SCXINYUE.COM
杜丽丽	女	大学	质量部	经理助理	16224092198	DLL@SCXINYUE.COM
张小燕	女	大学	质量部	职员	16224092199	ZXY@SCXINYUE.COM
李恬	女	大学	质量部	经理	16224092197	LT@SCXINYUE.COM

图 8-96　最终效果

本练习可结合立体化教学中的视频演示进行学习（立体化教学:\视频演示\第 8 章\管理“员工通讯录”数据.swf）。

主要操作步骤如下：

（1）打开“员工通讯录”工作簿（立体化教学:\实例素材\第 8 章\员工通讯录.xls），选择“数据/排序”命令，将工作表中的数据按照部门进行排序。

（2）依次选择“数据/筛选/自动筛选”命令，设置筛选条件，单击其中的▾按钮，选择相应的选项，在表格中将自动筛选出满足条件的内容。

（3）单击▾按钮，选择“自定义”选项，在打开的对话框中设置其筛选方式对表格内容进行筛选。

8.7　练习与提高

（1）创建“周末值班表”工作簿，输入相关内容，并设置其字体格式和背景颜色等，根据实际情况美化工作表，效果如图 8-97 所示。

本练习可结合立体化教学中的视频演示进行学习（立体化教学:\视频演示\第 8 章\设置“周末值班表”.swf）。

（2）在“员工年龄分布”工作簿（立体化教学:\实例素材\第 8 章\员工年龄分布.xls）中利用已有数据创建图表，并对其进行美化操作，完成效果如图 8-98 所示。

本练习可结合立体化教学中的视频演示进行学习（立体化教学:\视频演示\第 8 章\美化“员工工龄分布”工作簿.swf）。

2011年6月周末值班表			
			值班室电话：86523541
周数	值班日期	上午	下午
第1周	2011/6/2	陶民、王兵	孙健、刘见永
	2011/6/3	周涛、蒋海	钱静、孔斌
第2周	2011/6/9	王兵、周涛	吴辉、钱静
	2011/6/6	蒋海、陶民	孔斌、张嘉
第3周	2011/6/16	陶民、王兵	张嘉、吴辉
	2011/6/17	周涛、蒋海	冯佳、孙健
第4周	2011/6/23	王兵、周涛	吴辉、钱静
	2011/6/24	蒋海、陶民	孔斌、张嘉
第5周	2011/6/30	陶民、王兵	张嘉、吴辉
	2011/6/31	周涛、蒋海	钱静、孔斌

图 8-97　周末值班表

员工年龄分布	
年龄	人数
30岁以下	5
30～40岁	10
40～50岁	6
50～60岁	3
60岁以上	2

员工年龄分布

5　10　6　3　2

30岁以下　30～40岁　40～50岁　50～60岁　60岁以上

图 8-98　员工年龄分布

（3）在“客户回款统计明细”工作簿（立体化教学:\实例素材\第 8 章\客户回款统计明细.xls）中添加数据筛选，并创建如图 8-99 所示图表。

本练习可结合立体化教学中的视频演示进行学习（立体化教学:\视频演示\第 8 章\筛选“客户回款统计明细”工作簿.swf）。

客户回款统计明细				
签单客户	预付款	项目总额	已达款额	未收款比例
蓝翔公司	¥1,000	¥18,000	¥5,000	72%
鸿网科技	¥1,000	¥20,000	¥3,000	85%
可达企业	¥2,000	¥25,000	¥12,000	52%

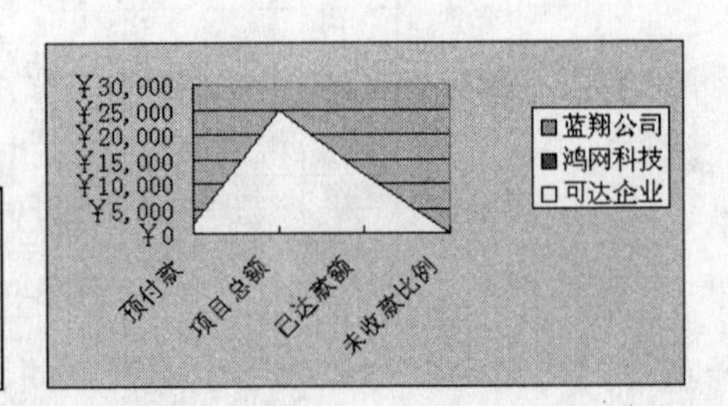

图 8-99　客户回款统计明细

在本章的学习中，对 Excel 2003 的高级应用掌握的同时应该了解一些简单的技巧，下面将介绍几项简单的应用技巧。

- 在表格中插入函数时，除在菜单栏中选择“插入/函数”命令外，还可以单击编辑栏旁的 *fx* 按钮，打开“插入函数”对话框进行设置。
- 使用函数公式时，一定要确保公式的正确性，避免因公式错误而导致数据的计算错误。
- 在进行多级汇总时需要注意汇总前应对汇总列进行多重排序，并将第一级排序的分类字段作为排序的第一关键字，将第二级排序的分类字段作为排序的第二关键字，依次类推；进行下一级汇总时必须取消选中“分类汇总”对话框中的“替换当前分类汇总”复选框，否则会将前一级的分类汇总清除。

第 9 章　常用工具软件

学习目标

☑　熟悉使用 WinRAR 压缩软件的方法
☑　掌握使用千千静听播放音频文件的方法
☑　掌握操作 ACDSee 看图软件的方法
☑　掌握使用有道词典的方法

目标任务&项目案例

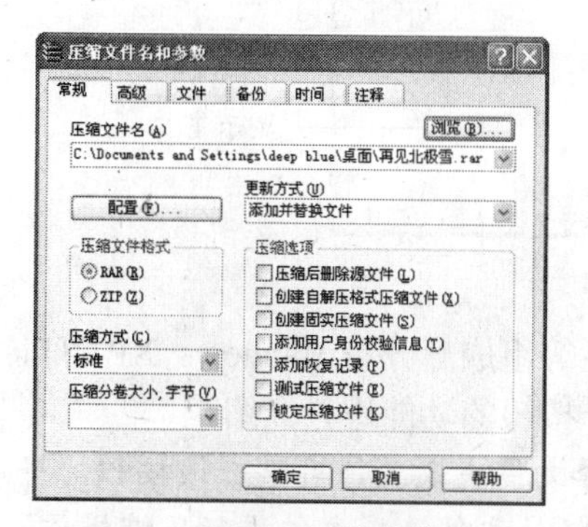

WinRAR 压缩软件

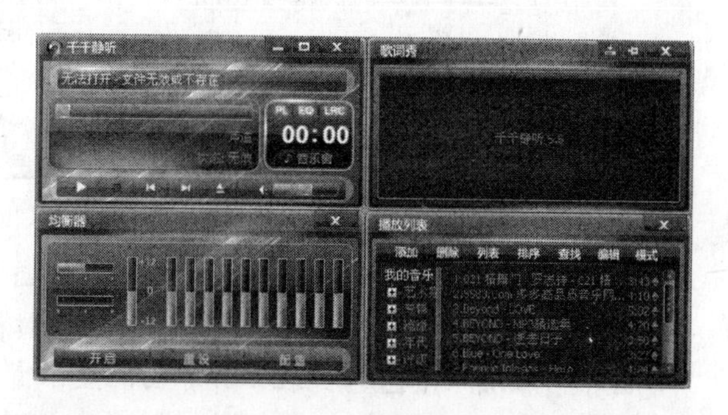

千千静听

ACDSee

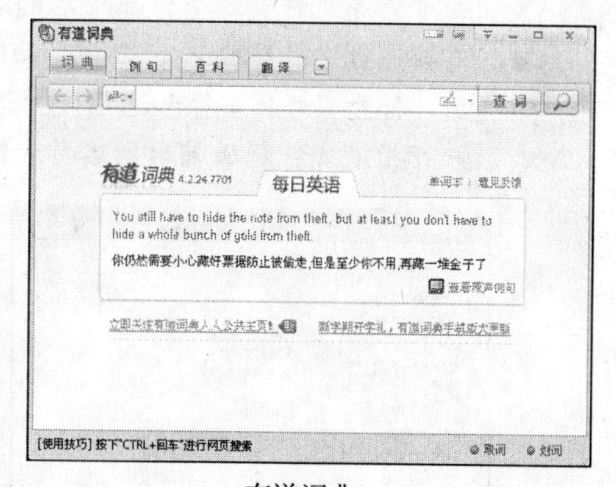

有道词典

在计算机中安装一些常用的工具软件可以让计算机实现更多的功能。本章主要讲解一些具有代表性的常用工具软件的使用方法，包括压缩软件 WinRAR、播放软件千千静听、看图软件 ACDSee 和翻译软件有道词典等。

9.1 WinRAR 压缩软件

利用 WinRAR 压缩软件可对计算机中的各种文件进行压缩，以减少文件在计算机中占用的硬盘空间，当需要使用压缩的文件时，又可利用 WinRAR 将其进行解压缩操作。WinRAR 是日常工作、学习和生活中必备的工具软件。

9.1.1 WinRAR 的工作界面

使用 WinRAR 之前，需将其安装在计算机上，完成安装后依次选择“开始/所有程序/WinRAR/WinRAR”命令，将其启动，打开如图 9-1 所示的工作界面。

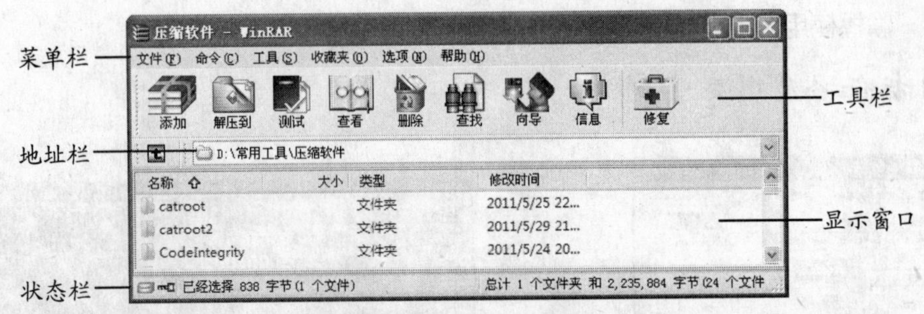

图 9-1 WinRAR 的操作界面

该工作界面中的菜单栏、地址栏、显示窗口、状态栏等组成部分与 Windows XP 窗口中的相应部分的作用大致相同，下面主要对工具栏中各个按钮的功能进行介绍。

- “添加”按钮：在工作界面的显示窗口中选择文件夹或文件后单击该按钮，将打开“压缩文件名和参数”对话框。从中可对选择的文件夹或文件进行压缩操作，并可指定文件夹或文件压缩后的名称和保存路径等，如图 9-2 所示。
- “解压到”按钮：在工作界面的显示窗口中选择压缩后的文件，然后单击该按钮，打开“解压路径和选项”对话框。从中可对选择的压缩文件进行解压缩操作，并可指定文件解压缩后的名称和保存路径等，如图 9-3 所示。

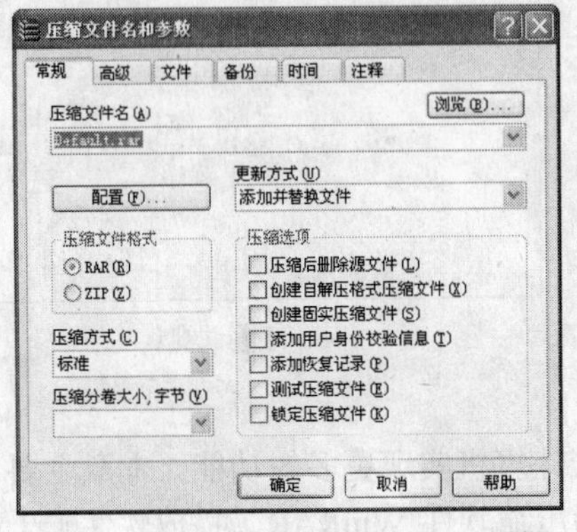

图 9-2 “压缩文件名和参数”对话框

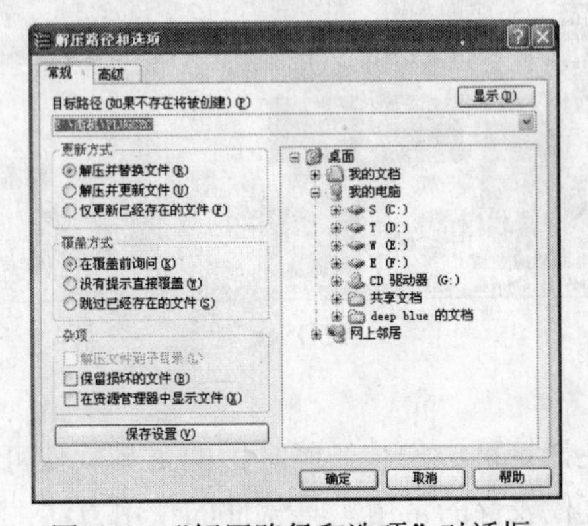

图 9-3 “解压路径和选项”对话框

- "测试"按钮：在工作界面的显示窗口中选择压缩文件，然后单击该按钮，可打开"正在测试"对话框。从中可对选择的压缩文件进行解压测试，完成后打开提示对话框，提示在测试过程中是否发现错误，如图 9-4 所示，单击 确定 按钮关闭对话框。

图 9-4　对文件进行解压缩测试

- "查看"按钮：在显示窗口中选择文件夹后单击该按钮，可查看该文件夹中含有的文件；选择文件后单击该按钮，可打开显示该文件内容的窗口，如果文件内容不是文本等信息时，窗口中会以乱码显示信息。
- "删除"按钮：在显示窗口中选择文件夹或文件后单击该按钮，可删除所选的文件夹或文件。
- "查找"按钮：单击该按钮将打开"查找文件"对话框，如图 9-5 所示。从中可设置具体的查找条件，然后对所需文件进行查找。
- "向导"按钮：单击该按钮将打开"向导：选择操作"对话框，如图 9-6 所示。从中可根据提示对文件进行压缩和解压缩操作。

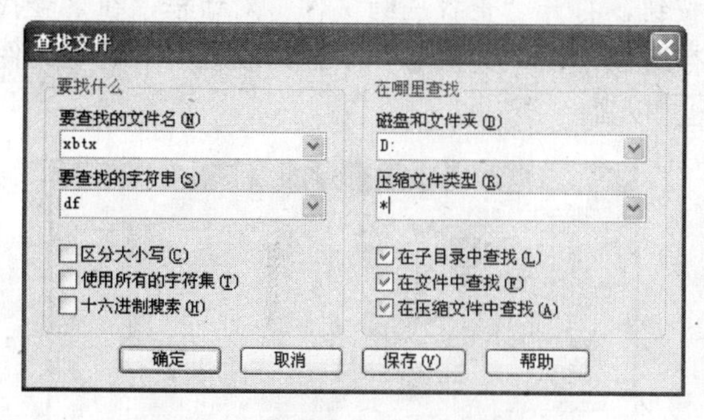

图 9-5　"查找文件"对话框

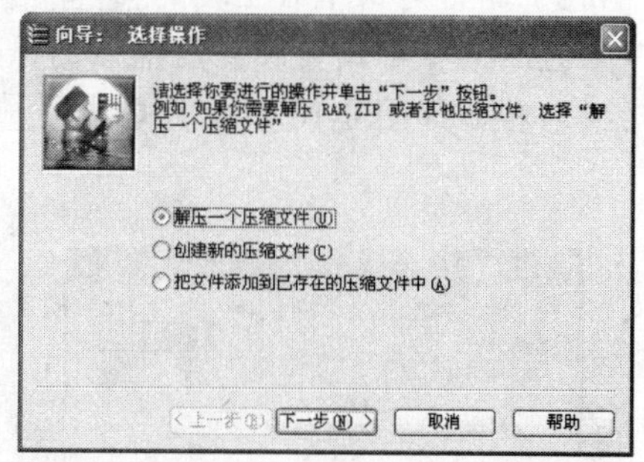

图 9-6　"向导：选择操作"对话框

- "信息"按钮：单击该按钮将打开"文件信息"对话框，如图 9-7 所示。从中将显示所选文件夹或文件容量的详细信息。
- "修复"按钮：在显示窗口中选择压缩文件后单击该按钮，将打开"正在修复"对话框，如图 9-8 所示。从中可对损坏的压缩文件进行修复操作。

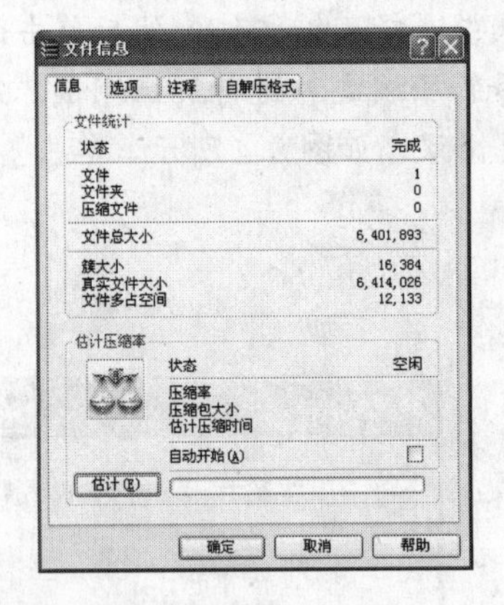

图 9-7 “文件信息”对话框

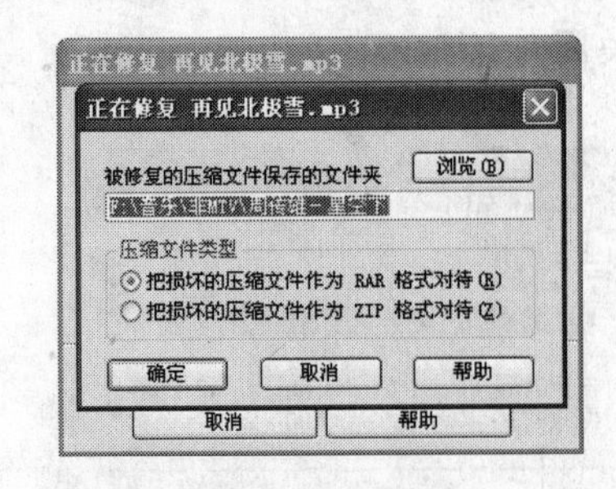

图 9-8 正在修复对话框

9.1.2 压缩文件

利用 WinRAR 压缩文件有两种方法，即通过 WinRAR 操作界面进行压缩和通过右键菜单进行压缩，下面分别讲解这两种方式。

1. 通过 WinRAR 操作界面压缩

在进行文件保存的时候，通常可以将其进行压缩以节约占用的磁盘资源。

【例 9-1】 通过 WinRAR 操作界面压缩文件。

（1）启动 WinRAR，用鼠标单击地址栏右侧的下拉按钮，在弹出的下拉列表中选择需压缩文件所在的文件夹。

（2）在显示窗口中选择需压缩的文件，单击工具栏中的“添加”按钮，打开“压缩文件名和参数”对话框的“常规”选项卡，如图 9-9 所示。

（3）单击对话框右上角的 浏览(B)... 按钮，打开“查找压缩文件”对话框，在“查找范围”下拉列表框中设置文件压缩后的保存路径，在“文件名”下拉列表框中可设置文件压缩后的名称，如图 9-10 所示，单击 打开(O) 按钮。

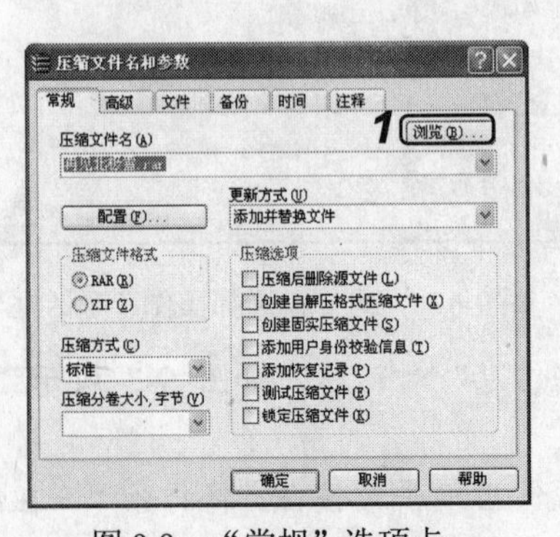

图 9-9 “常规”选项卡

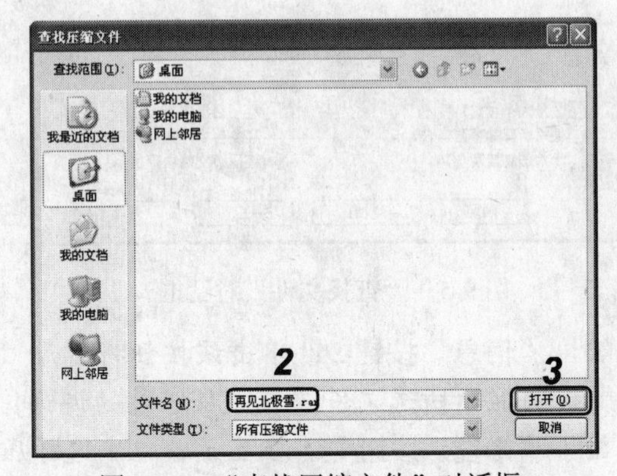

图 9-10 “查找压缩文件”对话框

（4）返回“压缩文件名和参数”对话框，在“压缩文件格式”栏中选择文件压缩后的格式为 RAR 格式，如图 9-11 所示。

（5）单击 确定 按钮开始压缩文件，并打开显示压缩进度的对话框，如图 9-12 所示。

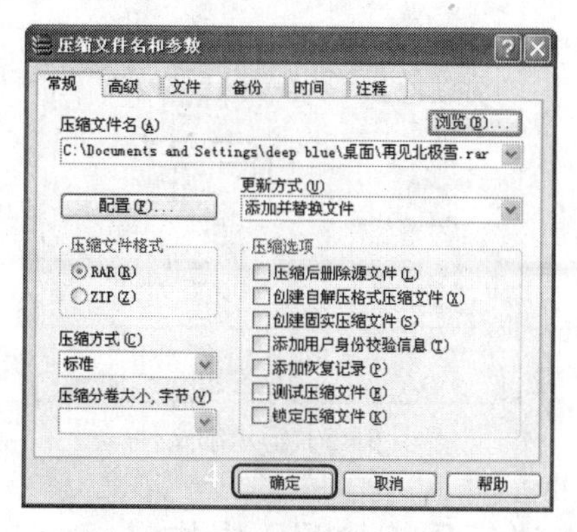

图 9-11　选择压缩的文件格式

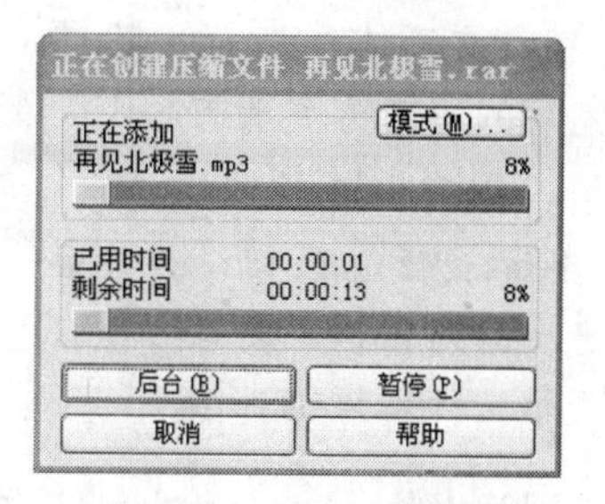

图 9-12　显示压缩进度

2. 通过右键菜单压缩

除了通过 WinRAR 操作界面压缩文件外，还可以通过鼠标右键菜单压缩文件。

【例 9-2】　通过右键菜单，选择压缩命令压缩文件。

（1）选择多个需压缩的文件夹和文件，然后单击鼠标右键，在弹出的快捷菜单中选择“添加到压缩文件”命令，如图 9-13 所示。

（2）启动 WinRAR 压缩软件，并打开“压缩文件名和参数”对话框的“常规”选项卡，从中按照通过 WinRAR 操作界面压缩文件的方法进行设置，如图 9-14 所示。

（3）单击 确定 按钮即可开始压缩文件。

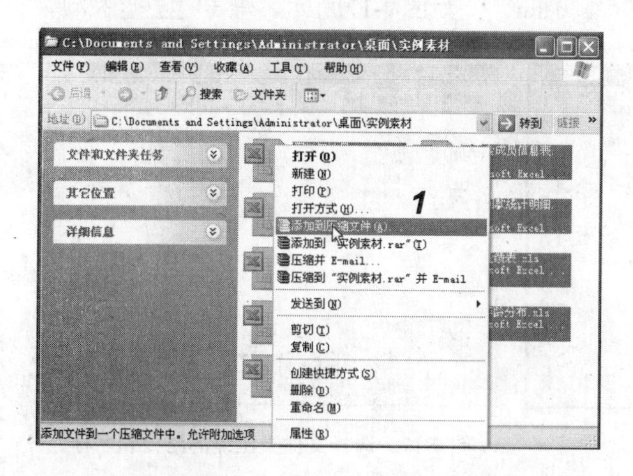

图 9-13　右击并选择命令

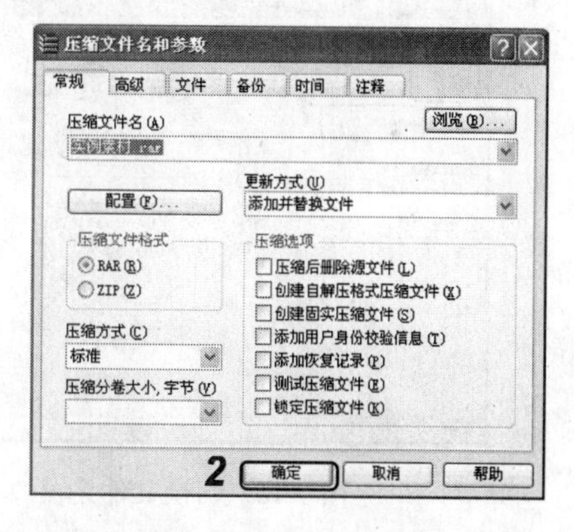

图 9-14　设置压缩文件

9.1.3　解压缩文件

进行压缩后的文件，需先对其进行解压缩操作后才能使用。

【例 9-3】　将“再见北极雪”压缩文件以“周传雄”为名解压到 D 盘的根目录下。

（1）双击“再见北极雪”压缩文件，启动 WinRAR，单击按钮，打开“解压路径和选项”对话框的“常规”选项卡。

（2）在对话框右侧出现的目录中选择 D 盘选项。

（3）在上方的下拉列表框中的“D:\”文本右侧输入“周传雄”。

（4）在“更新方式”栏中设置文件解压缩后的更新方式为“解压并替换文件”，如图 9-15 所示。

（5）单击[确定]按钮，打开显示解压缩进度的对话框。该对话框自动关闭后表示文件解压缩完成。

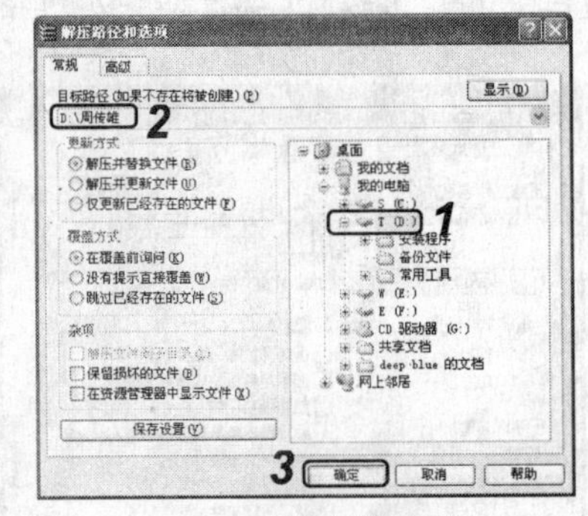

图 9-15　解压缩文件

9.1.4　应用举例——对“文档”文件夹进行压缩和解压操作

下面利用 WinRAR 将“文档”文件夹以“练习”为名压缩并保存到桌面上，练习压缩文件夹的方法。

操作步骤如下：

（1）启动 WinRAR，单击地址栏右侧的按钮，在弹出的下拉列表中选择 F 盘，然后在 WinRAR 操作界面将显示“文档”所在的窗口，选择该文件夹，然后单击工具栏中的按钮，如图 9-16 所示。

（2）打开“压缩文件名和参数”对话框的“常规”选项卡，单击右上角的[浏览(B)...]按钮。

（3）在打开的“查找压缩文件”对话框的“查找范围”下拉列表框中选择“桌面”选项，在“文件名”下拉列表框中输入“练习.rar”，如图 9-17 所示，单击[打开(O)]按钮。

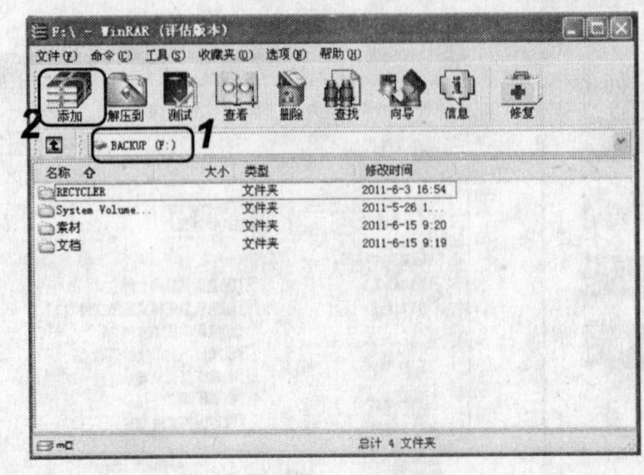

图 9-16　切换文件夹窗口

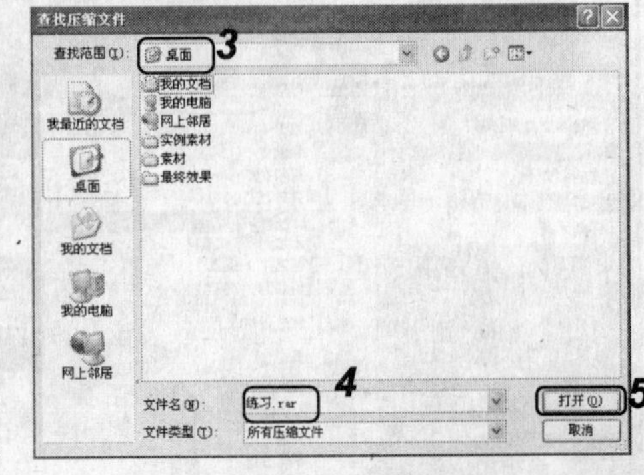

图 9-17　选择文件夹压缩的路径和名称

（4）返回“压缩文件名和参数”对话框，如图 9-18 所示，单击[确定]按钮开始压缩文件夹，并打开显示压缩进度的对话框。

（5）文件夹压缩后的效果如图 9-19 所示。

技巧：

在“压缩文件名和参数”对话框中可根据需要对压缩选项进行设置，如压缩文件格式、压缩方式和压缩选项等。

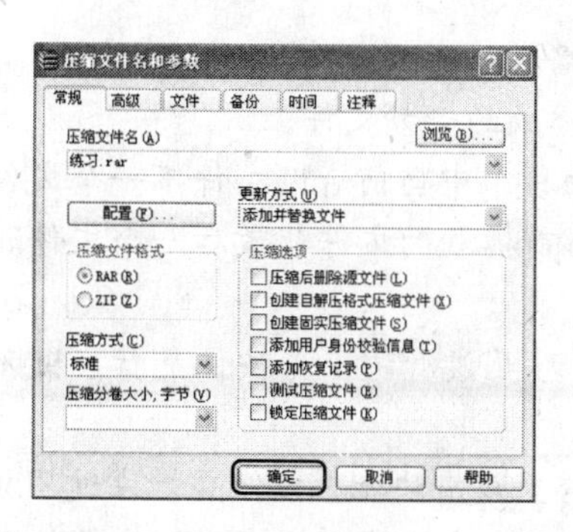

图 9-18　“压缩文件名和参数”对话框

图 9-19　压缩后的效果

9.2　千千静听

千千静听播放软件是目前使用最为广泛的音频播放软件之一，它支持多种音频格式，并且以界面美观、操作容易、播放音质好等特点深受用户青睐。

9.2.1　千千静听的工作界面

在计算机中安装千千静听播放软件后，依次选择“开始/所有程序/千千静听/千千静听”命令，启动该软件，打开如图 9-20 所示的操作界面。

图 9-20　千千静听的操作界面

其工作界面主要由 4 个部分组成：播放控制窗口、均衡器窗口、播放列表窗口和歌词秀窗口。

1. 播放控制窗口

该窗口用于控制当前音频文件的播放和显示该文件的相关信息，其中一些常用的控制按钮作用如下。

- **“上一首”按钮**：单击该按钮可播放歌曲目录中当前音频文件上一个文件的歌曲，只有在歌曲目录中有多个音频文件且当前播放的文件非首个文件时才处于可用状态。
- **“播放”按钮**：单击该按钮可播放在歌曲目录中选择的音频文件。

- **“暂停”按钮**：单击该按钮可暂停当前播放的音频文件。
- **“停止”按钮**：单击该按钮可停止当前播放的音频文件。
- **“下一首”按钮**：单击该按钮可播放歌曲目录中当前音频文件下一个文件的歌曲，只有在歌曲目录中有多个音频文件且当前播放的文件非最后一个文件时才处于可用状态。
- **“音量”调节滑块**：将鼠标光标移至该滑块上，按住鼠标左键不放并拖动鼠标，可调节音量大小。
- **“左右声道”调节滑块**：将鼠标光标移至该滑块上，按住鼠标左键不放并拖动鼠标，可调节声道。其中，向左拖动可增大左声道减小右声道，向右拖动可增大右声道减小左声道。
- **“切换到图形均衡器”按钮**：单击该按钮可隐藏和显示音效调节窗口。
- **“切换到播放清单编辑器”按钮**：单击该按钮可隐藏和显示歌曲目录窗口。
- **“切换到随机播放”按钮**：单击该按钮可随机播放歌曲目录中的音频文件。
- **“切换到循环播放”按钮**：单击该按钮可按照目录顺序循环播放歌曲目录中的音频文件。

2. 均衡器窗口

上下拖动该窗口中的各种滑块可调节音乐的播放效果。

3. 播放列表窗口

在该窗口中将显示添加的音频文件，利用该窗口中的按钮也可对音频文件实现添加、删除等操作。

4. 歌词秀窗口

当计算机联网后，播放某个音频文件时将自动下载该文件对应的歌词文件，并同步显示歌词内容，如图 9-21 所示即为同步显示歌词的效果。

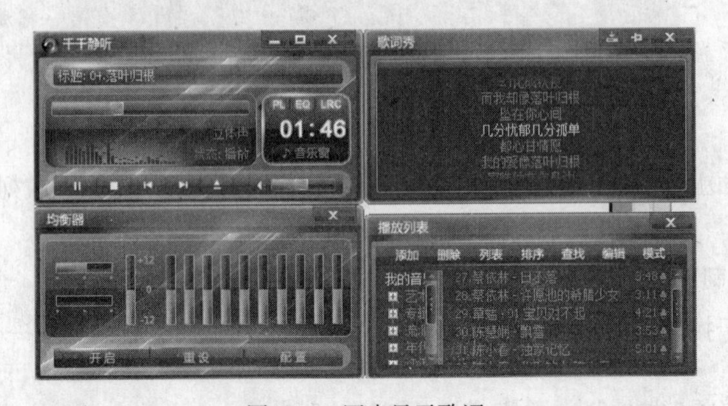

图 9-21　同步显示歌词

9.2.2　使用千千静听听歌

使用千千静听听歌时，其步骤为添加音频文件、播放音频文件和管理音频文件。下面

以这种步骤为例讲解使用千千静听听歌的方法。

1．添加音频文件

在播放音频文件之前，需先将播放的多个文件添加到歌曲播放列表窗口中。

【例 9-4】　将“music”文件夹下的“轻音乐&背景音乐”文件夹中的所有音频文件添加到歌曲目录中。

（1）单击“播放列表”窗口中的添加按钮，然后在打开的列表框中选择“文件夹”选项，如图 9-22 所示。

（2）打开“浏览文件夹”对话框，选择“轻音乐&背景音乐”选项，然后单击确定按钮，如图 9-23 所示。

（3）程序自动将该文件夹中的所有音频文件添加到播放列表窗口中，如图 9-24 所示。

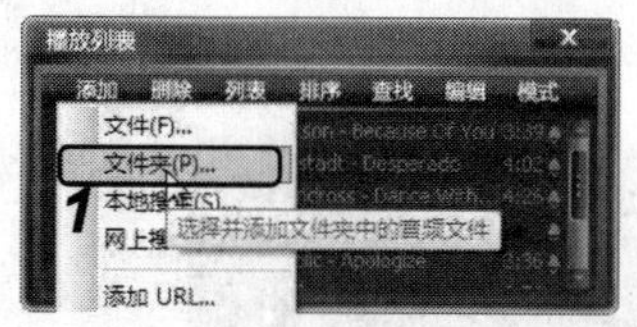

图 9-22　选择选项

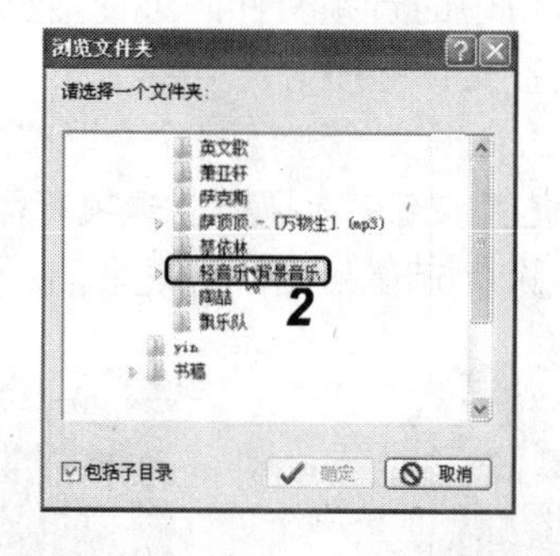

图 9-23　“浏览文件夹”对话框

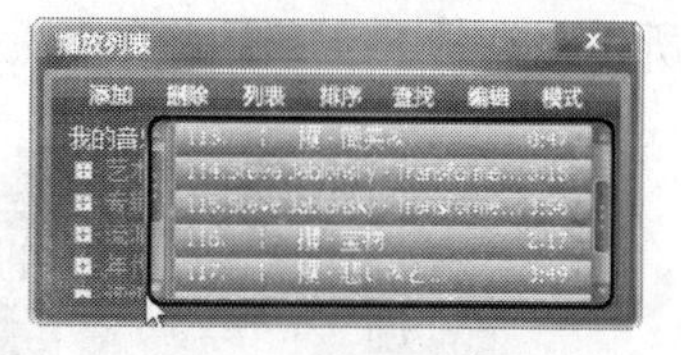

图 9-24　添加的歌曲

技巧：

单击播放列表窗口中的添加按钮，然后在打开的列表框中选择添加 URL...选项，可在打开的对话框的文本框中输入需添加的音频文件所在的网址，然后单击确定按钮即可在线添加音频文件。

2．播放音频文件

将音频文件添加到播放列表窗口中后，双击相应的音频文件或选择文件，然后单击播放控制窗口中的“播放”按钮即可播放歌曲。

【例 9-5】　添加并播放“英文歌”文件夹中的“amarantine-enya”音频文件。

（1）单击播放列表窗口中的添加按钮，在打开的列表框中选择“文件”选项，即可打开“打开”对话框。

（2）在“打开”对话框的“查找范围”下拉列表框中选择“英文歌”选项，在其下的列表框中选择 amarantine-enya 选项，然后单击打开(O)按钮，如图 9-25 所示。

（3）此时在千千静听播放列表框中双击添加的歌曲，即可播放选择的音频文件，如图 9-26 所示。

提示：

在“打开”对话框中利用“Ctrl”键、“Shift”键或拖动鼠标框选等操作可选择多个音频文件，添加到播放列表框中可进行音频的播放。

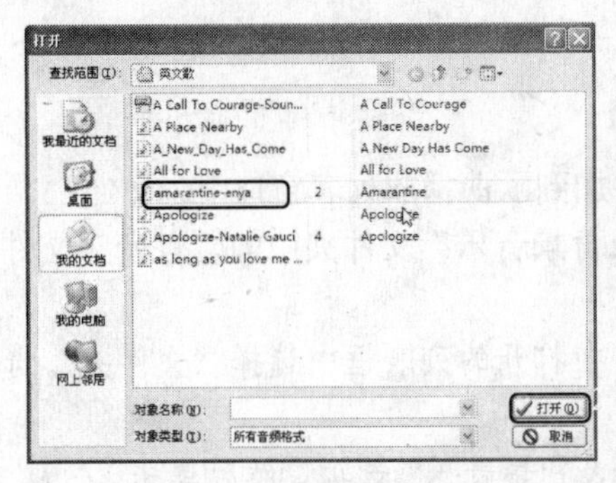

图 9-25　“打开”对话框　　　　图 9-26　播放选择的音频文件

3．管理音频文件

通过管理添加到播放列表窗口中的音频文件，可使播放的歌曲更加适合个人的喜好。管理音频文件包括删除文件、调整文件顺序等。

【例 9-6】　对播放列表中的音频文件进行删除、调整顺序等操作。

(1)单击播放列表窗口中的删除按钮，选择相应选项可删除对应的音频文件，如图 9-27 所示为选择“全部删除”选项删除所有音频文件的效果。

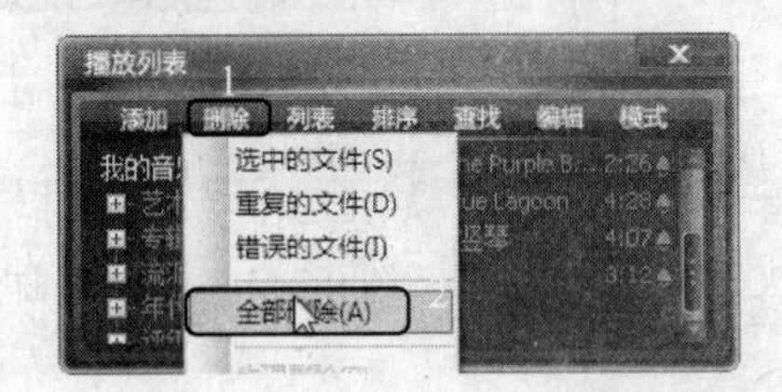

图 9-27　删除所有的音频文件

(2) 将鼠标光标移至 4.郭富城 - 永远爱不完 音频文件上，然后按住鼠标左键不放并上下拖动鼠标，调整音频文件在播放列表窗口中的位置，如图 9-28 所示为调整文件后的效果。

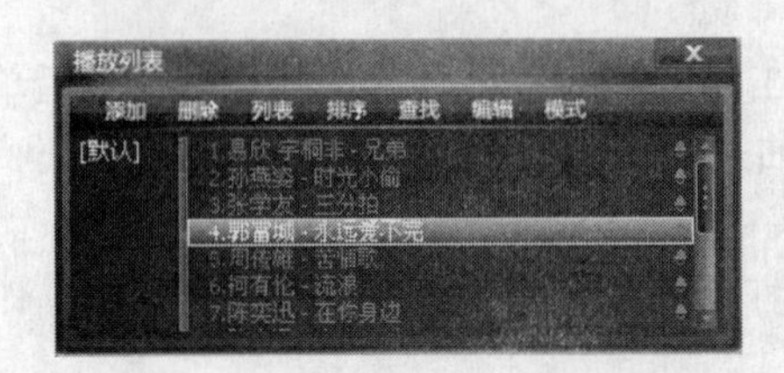

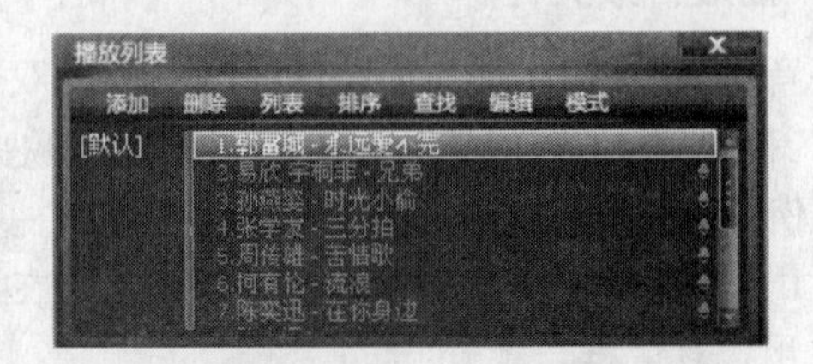

图 9-28　调整音频文件的顺序

技巧：

单击播放列表窗口的排序按钮，在打开的列表框中选择相应的选项可将当前播放列表窗口中的所有音频文件进行排序。

9.2.3　应用举例——设置千千静听的属性

将“仙境”文件夹中的所有音频文件添加到千千静听的歌曲目录窗口中，然后按照“按

路径名”排序的方式对其中的音频文件进行排序，最后播放其中的音频文件。

操作步骤如下：

（1）启动千千静听，单击播放列表窗口中的添加按钮，然后在打开的列表框中选择“文件夹”选项。

（2）在打开的“浏览文件夹”对话框中选择“仙境”文件夹，单击确定按钮，如图 9-29 所示，将选择的文件夹中的音频文件添加到播放列表窗口中，如图 9-30 所示。

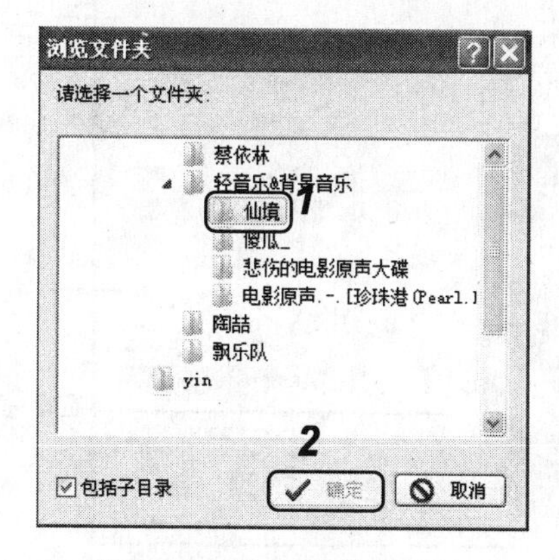

图 9-29　选择“仙境”文件夹

图 9-30　添加的音频文件

（3）单击播放列表窗口的排序按钮，然后在打开的列表框中选择“按路径名”选项，如图 9-31 所示。

（4）此时音频文件的顺序发生了相应的变化，双击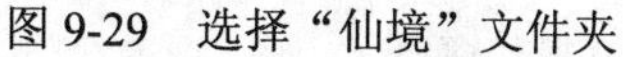歌曲名称，播放该音频文件，如图 9-32 所示。

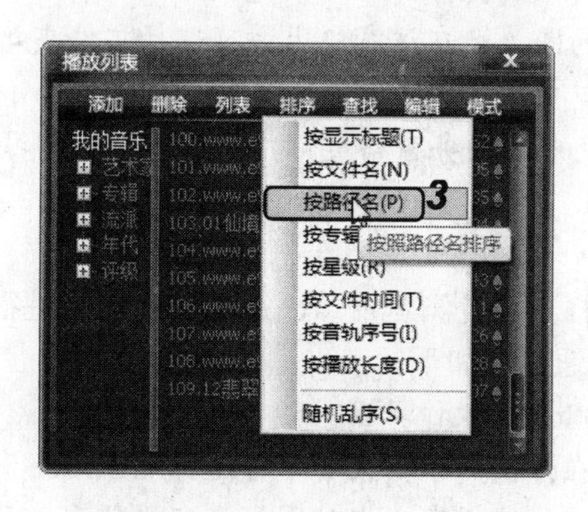

图 9-31　选择排序命令

图 9-32　播放选择的音频文件

9.3　ACDSee 看图软件

ACDSee 看图软件是一款功能较强的图形浏览软件，它支持多种图像格式，可对图片进行编辑、设置为桌面墙纸和转换图片格式等多种操作，下面以 ACDSee 相片管理器 2009 为例讲解该软件的使用方法。

9.3.1 ACDSee 的工作界面

在计算机中安装好 ACDSee 软件后，依次选择“开始/所有程序/ACD Systems/ACDSee 相片管理器 2009”命令，启动该软件，打开如图 9-33 所示的工作界面。

图 9-33 ACDSee 2009 操作窗口

界面中各组成部分的功能如下。

- **菜单栏**：该栏包括 7 个菜单项，它集合了 ACDSee 所有的操作命令。
- **工具栏**：该栏中集合了许多对图片进行浏览和处理的命令按钮。
- **文件夹窗口**：在该窗口中可切换文件夹，以选择需进行浏览或处理的图片文件。
- **显示窗口**：该窗口用于显示文件夹中的图片，在该窗口上方可选择文件夹路径。
- **预览窗口**：在该窗口中可预览显示窗口中选择的图片。
- **任务窗格**：其使用方法与 Windows XP 中的任务窗格类似，可参照进行学习。

9.3.2 浏览图片

在显示窗口中双击需查看的图片文件，可打开图片浏览窗口，从中可对图片进行浏览或处理，如图 9-34 所示。该窗口中较常用的按钮功能如下。

- 浏览 按钮：单击该按钮可返回到 ACDSee 的操作界面。
- 按钮：单击该按钮右侧的▾按钮，在弹出的下拉菜单中可选择 ACDSee 和“配置编辑器”两种命令，可分别切换到图片编辑窗口中对图片进行编辑和打开“设置相片编辑器”对话框，从中对编辑器进行设置。
- 按钮：单击该按钮打开“打开文件”对话框，如图 9-35 所示，在“查找范围”下拉列表框中选择图片文件的保存路径，在其下的列表框中选择需打开的图片文件，然后单击 打开(O) 按钮可将图片在图片浏览窗口中显示出来。

技巧：

在要浏览的图片上单击鼠标右键，从弹出的菜单中选择“查看”命令，也可打开浏览窗口。

图 9-34　图片浏览窗口

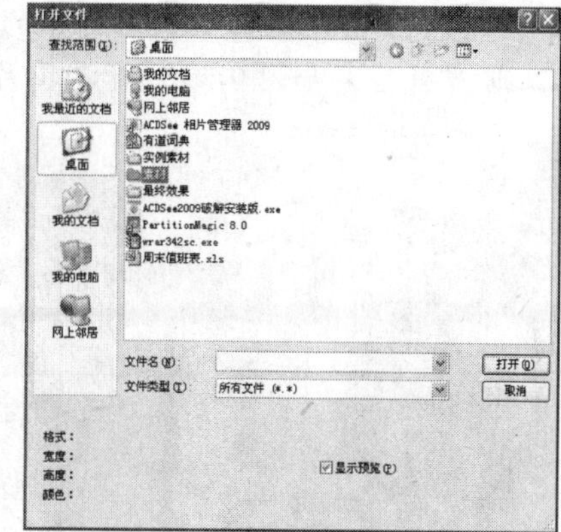

图 9-35　“打开文件”对话框

- 按钮：单击该按钮，可在打开的“图像另存为”对话框的“保存在”下拉列表框中选择图片的保存位置，在“文件名”文本框中设置图片的名称，然后单击 保存(S) 按钮将图片保存，如图 9-36 所示。

图 9-36　“图像另存为”对话框

- 、和按钮：单击按钮可查看文件夹中当前图片的上一张图片；单击按钮可查看文件夹中当前图片的下一张图片；单击按钮可自动播放图片。
- 、和按钮：单击按钮后，鼠标光标将呈形状，此时在图片中按住鼠标左键不放可拖动图片以浏览未显示的部分；单击按钮后，鼠标光标将呈形状，此时在图片中按住鼠标左键不放可绘制一个矩形框，释放鼠标后该矩形框中的图片将放大；单击按钮后，鼠标光标将呈形状，此时在图片中单击可放大图片，右击可缩小图片。
- 和按钮：单击按钮将使图片以每次旋转 90° 的方式逆时针旋转；单击按钮将使图片以每次旋转 90° 的方式顺时针旋转。

提示：

除上述按钮外，ACDSee 相片管理器 2009 还提供了移动、复制图片等命令按钮，其操作方法可参照其他工具软件中相应按钮的使用方法。

9.3.3　处理图片

利用 ACDSee 相片管理器处理图片的功能，可对图片或照片等文件进行设置，使其效果更加理想。图片浏览窗口左侧的工具栏的各种命令按钮即是处理图片的快速工具，其中常用的按钮作用如下。

- 和按钮：单击按钮可撤销对图片的最近一次处理操作；单击按钮可还原撤销的操作。

- 按钮：单击该按钮，在弹出的面板中拖动“拉伸”栏的滑块可对图片进行自动曝光处理。如图9-37所示为图片曝光前后的效果。

图9-37　对图片进行曝光处理前后的对比

- 按钮：单击该按钮，在弹出的面板中拖动“亮度”、“对比度”和“伽马值”栏中的滑块可对图片进行亮度处理。如图9-38所示为亮度处理前后的效果。

图9-38　对图片进行亮度处理前后的对比

- 按钮：单击该按钮，在弹出的面板中拖动各种颜色值的滑块或直接在数值框中改变数值大小可对图片的对比度进行处理。如图9-39所示为图片对比度处理前后的效果。

图9-39　对图片进行对比度处理前后的对比

- 按钮：单击该按钮，待相应的面板弹出后，利用鼠标光标单击图片中的某一颜色，可将该颜色在图片中全部删除。如图 9-40 所示为删除绿色后的效果。

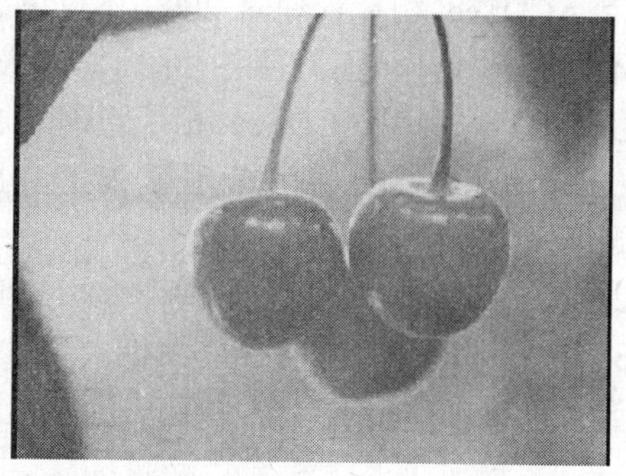

图 9-40 对图片颜色进行删除处理前后的对比

- 按钮：单击该按钮，在弹出的面板中可对参数进行相应的设置，以消除照片上人物的红眼现象。

技巧：

在对图片进行各种处理操作时，单击相应面板中的 重置 按钮可使图片恢复到最初的效果，单击 完成 按钮确定处理的操作，单击 取消 按钮可取消操作并关闭面板。

9.3.4 设置为桌面背景

在浏览图片的过程中，可利用 ACDSee 将自己喜爱的图片设置为桌面背景。

【例 9-7】 将“梦里水乡.jpg”图片设置为桌面背景。

（1）启动 ACDSee 相片管理器 2009，在文件夹窗口中选择“素材”文件夹，在显示窗口中选择“梦里水乡.jpg”图片。

（2）在其上右击，在弹出的快捷菜单中依次选择“设置壁纸/平铺”命令，如图 9-41 所示。

（3）待程序处理好之后，桌面背景便设置为所选择的图片文件，如图 9-42 所示。

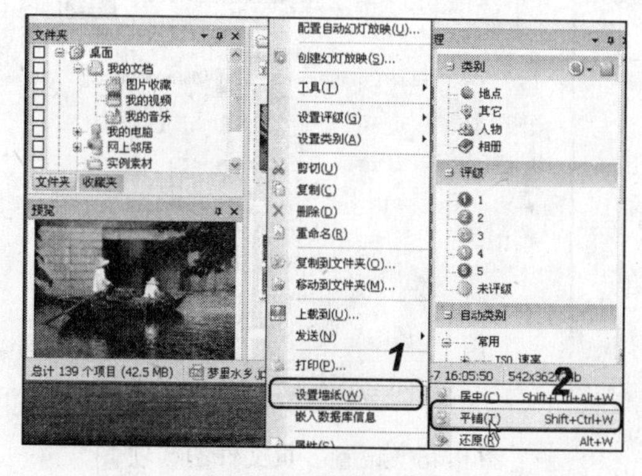

图 9-41 选择命令

图 9-42 将图片设置为桌面墙纸

9.3.5 转换图片格式

利用 ACDSee 相片管理器 2009 不仅可以对图片进行浏览和处理等操作，还可将图片转换为不同的格式，从而方便各种图形软件对图片的使用。

【例 9-8】 利用 ACDSee 相片管理器 2009 将“别墅.jpg”图片转换为.tif 格式。

（1）启动 ACDSee 相片管理器 2009，在文件夹窗口中选择“素材”文件夹，在显示窗口中选择“别墅.jpg”文件。

（2）单击工具栏中的 批量转换文件格式 按钮，如图 9-43 所示。

（3）在打开的“批量转换文件格式”对话框的“格式”选项卡的列表框中选择“TIFF 标注图像文件格式”选项，然后单击 下一步(N) > 按钮，如图 9-44 所示。

图 9-43 选择转换格式的命令

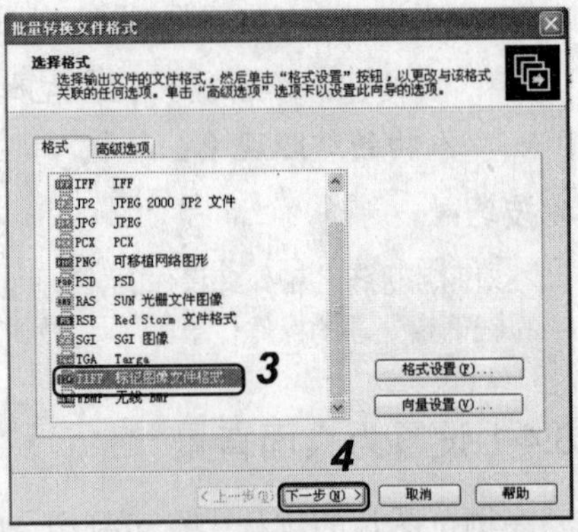

图 9-44 选择转换的格式

（4）在打开的“设置输出选项”对话框的“目标位置”栏中选中 将修改后的图像放入源文件夹(P) 单选按钮，单击 下一步(N) > 按钮，如图 9-45 所示。

（5）打开“设置多页选项”对话框，直接单击 开始转换 按钮，如图 9-46 所示。

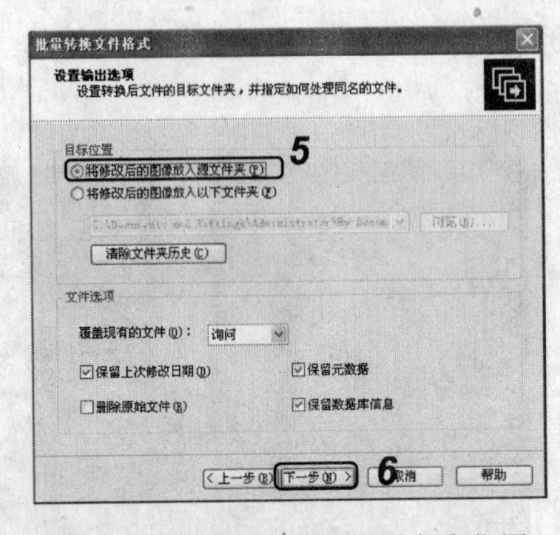

图 9-45 设置转换后图片的保存位置

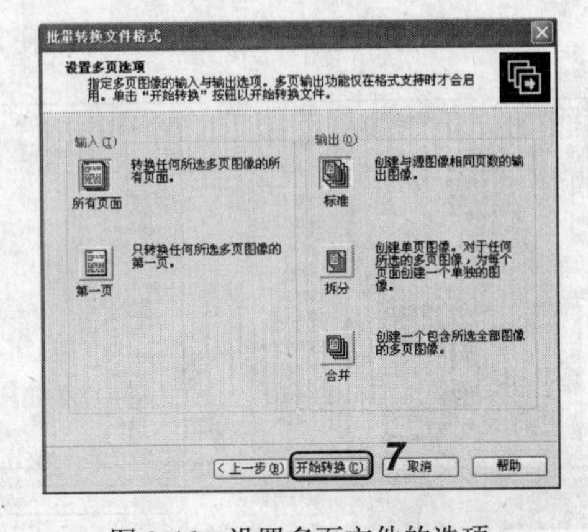

图 9-46 设置多页文件的选项

（6）打开“转换文件”界面，并显示转换进度，完成转换后单击 完成 按钮，如图 9-47 所示，完成图片格式的转换操作。在“素材”文件夹下出现了一个后缀名为“.tif”

的 TIFF 格式文件，如图 9-48 所示。

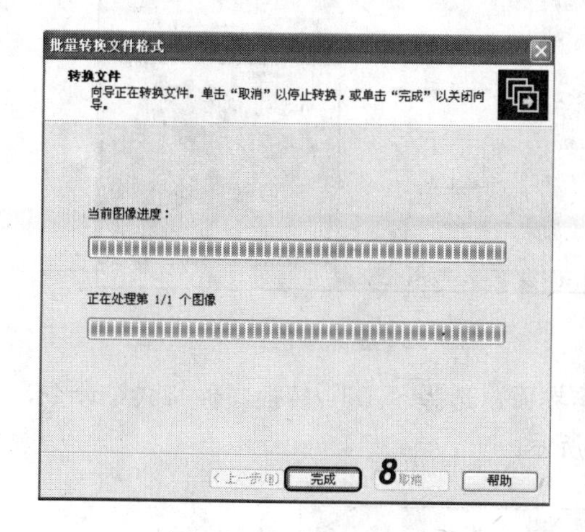

图 9-47　开始转换格式

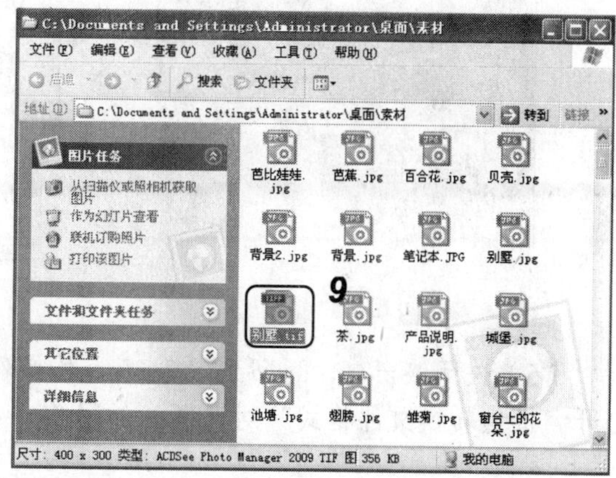

图 9-48　转换后的文件

9.3.6　应用举例——使用 ACDSee 编辑图片

下面利用 ACDSee 相片管理器 2009 浏览并处理图片文件“雪景”，然后将其转换为.tif 格式。

操作步骤如下：

（1）启动 ACDSee 相片管理器 2009，在文件夹窗口中选择“素材”文件夹，在显示窗口中选择“雪景 5.jpg”文件，如图 9-49 所示。

（2）在其上单击鼠标右键，在弹出的快捷菜单中选择“查看”命令，打开图片浏览窗口，如图 9-50 所示。

图 9-49　选择图片文件

图 9-50　浏览图片

（3）在浏览窗口左侧的工具栏中单击“色偏”按钮，将光标移至面板中，在蓝色位置单击，如图 9-51 所示。

（4）图片中的蓝色区域的颜色将被删除，如图 9-52 所示为显示的效果，在其中可查看到删除蓝色后所显示的效果。

图 9-51　选择颜色

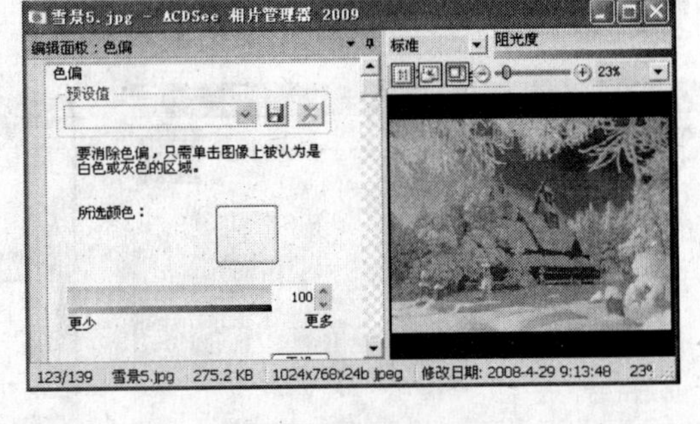

图 9-52　删除颜色

（5）关闭该窗口，返回到 ACDSee 的操作界面，选择“工具/转换文件格式”命令，打开“批量转换文件格式”对话框，如图 9-53 所示。

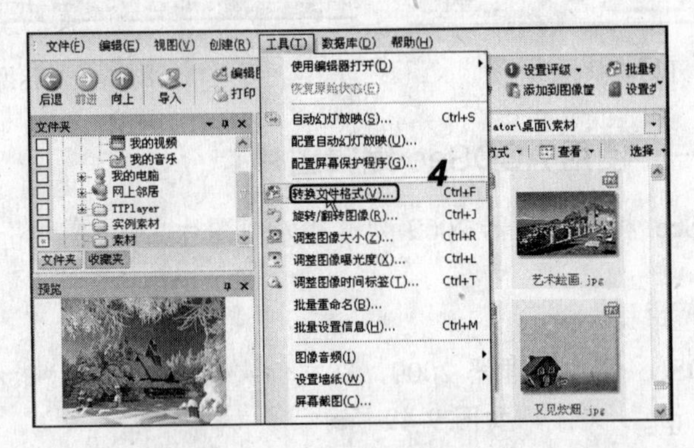

图 9-53　选择转换格式的命令

（6）在打开对话框的“格式”选项卡的列表框中选择“TIFF 标注图像文件格式”选项，然后单击下一步(N) >按钮，如图 9-54 所示。

（7）打开“设置输出选项”对话框，单击下一步(N) >按钮。打开“设置多页选项” 对话框，单击开始转换按钮，开始转换文件。

（8）完成转换后单击完成按钮，得到的效果如图 9-55 所示。

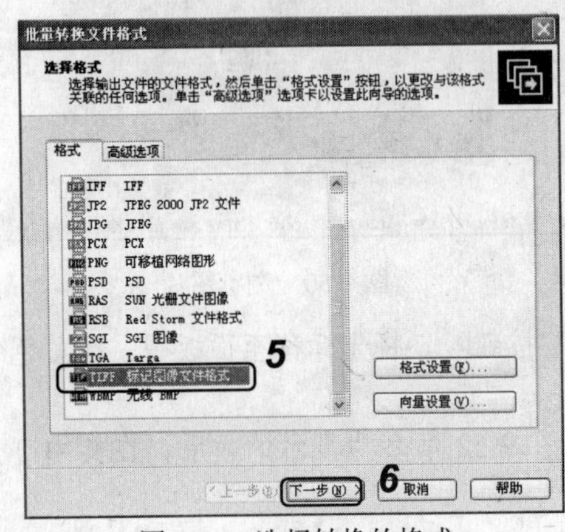

图 9-54　选择转换的格式

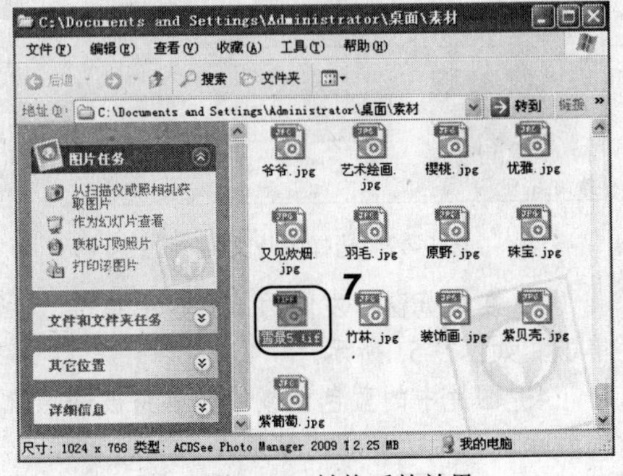

图 9-55　转换后的效果

9.4 有道词典

有道词典是目前使用最广泛的英汉查询词典之一，它具有完善的功能，并链接了网页查询，用户可以使用其进行联网查询，使得到的信息更为准确。

9.4.1 有道词典的工作界面

将有道词典正确安装到计算机上，然后依次选择“开始/所有程序/有道/有道词典/启动有道词典”命令启动该软件，并打开如图 9-56 所示的工作界面，它是由目录选项卡、输入栏、功能按钮区和显示窗口组成。

图 9-56　有道词典的操作界面

下面将分别对有道词典的各组成部分进行介绍。

1. 目录选项卡

目录选项卡中提供了多个选项卡功能，选择不同的选项卡，可进入相应的界面，各选项卡的功能如下。

- “词典”选项卡：在其中可以查询词汇的意思或相关联词汇，如图 9-57 所示，左侧窗格中显示的是相关联的词汇，右侧显示其含义及解释。
- “例句”选项卡：在其中可以查询例句及其英文翻译，如图 9-58 所示，左侧窗格中列举出了各种不同用途的选项，用户可根据需要进行查询。

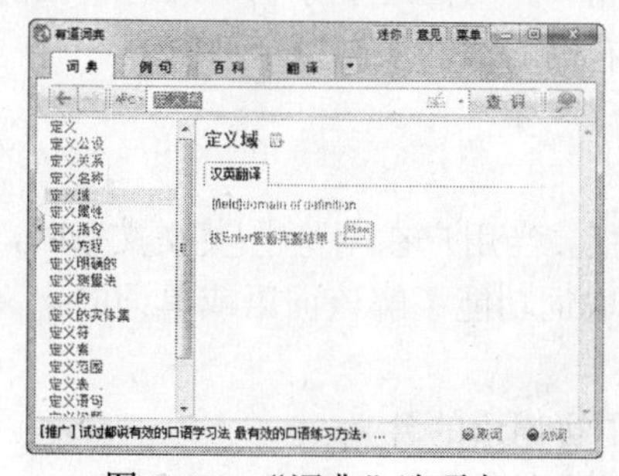

图 9-57　“词典”选项卡

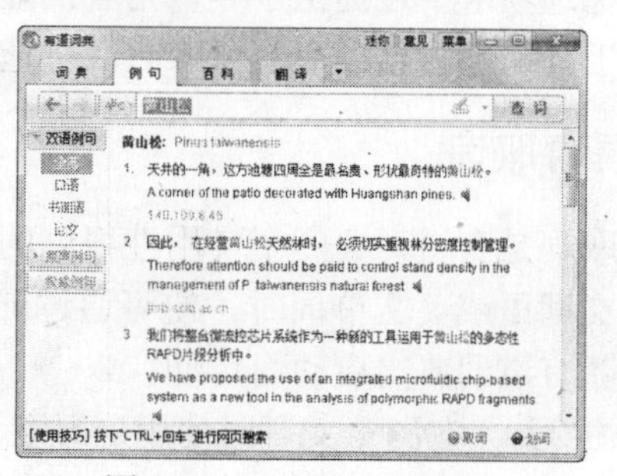

图 9-58　“例句”选项卡

- **“百科”选项卡**：在其中可查询生活、历史和科技等方面的相关词汇，获得其具体定义、来历以及一些相关内容，比较全面的知识供用户了解，如图9-59所示。
- **“翻译”选项卡**：在其中可进行不同种类语言的翻译，能够快速并且准确地翻译出输入的内容，如图9-60所示。

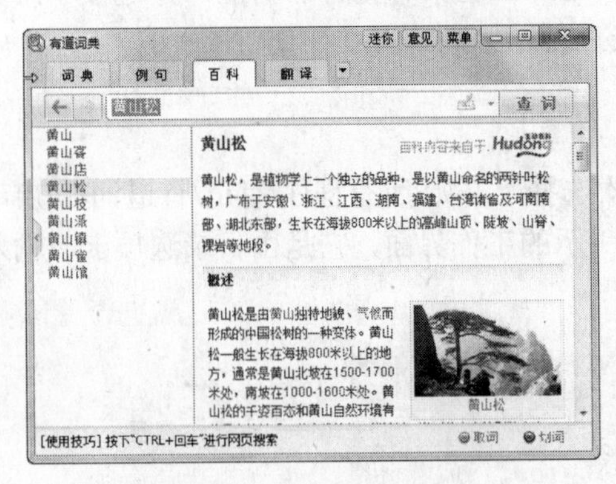

图9-59 “百科”选项卡

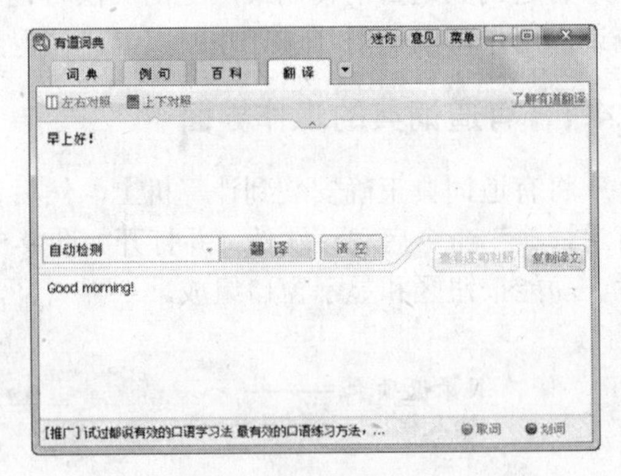

图9-60 “翻译”选项卡

2．输入栏

在不同的目录选项卡中，都提供了输入栏，用户可将要进行查询的内容输入其中，即可进行查询，同时在这些输入栏中还提供了手写功能，对于不认识的字还可以通过书写输入其中。

3．功能按钮区

下面将对有道词典的部分按钮的作用进行介绍。

- 按钮：单击该按钮可进行下一个单词的查询。
- 按钮：单击该按钮可选择进行翻译的类型。
- 按钮：单击该按钮可使用手写输入汉字。
- 按钮：单击该按钮可进行网页搜索。
- 取词 按钮：单击该按钮可使用鼠标取词功能。
- 划词 按钮：单击该按钮可展示划词图标。

4．显示窗口

在目标选项卡中还提供了查询内容的显示窗口，可通过显示窗口对查询到的内容进行浏览，对于查询到内容较多的对象时，可拖动右侧的滚动条浏览全部内容。

9.4.2 屏幕取词

屏幕取词是有道词典一个实用性很强的功能，当用户在浏览中/英文文章时，如遇到不认识的中文词语或英文单词时，便可通过屏幕取词功能了解该词语或单词的含义，屏幕取词功能会随有道词典的启动而启动。

【例9-9】 在浏览文章时使用屏幕取词了解词语的含义。

（1）启动有道词典，程序自动启动屏幕取词功能。

（2）将鼠标光标移动到屏幕任意位置的词语上停留片刻。

（3）稍后将出现浮动窗口，从中将显示该词语的中、英文详细解释，如图 9-61 所示。

技巧：

在有道词典操作界面中单击 取词 按钮可切换屏幕取词功能的使用和禁用状态。

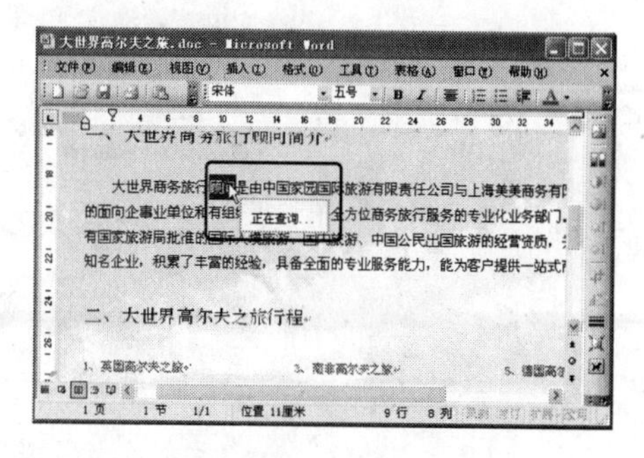

图 10-61 屏幕取词

9.4.3 词典查询功能

有道词典中收录了大量的中/英文词语或单词，用户可按照使用词典的方法进行查询。

【例 9-10】 使用有道词典进行英汉互译。

（1）启动有道词典，在“输入”栏中输入需查询的中文词语“蜘蛛”，然后单击 查词 按钮。

（2）程序将在显示窗口中显示该中文词语的英文解释，如图 9-62 所示。

（3）在“输入”栏中输入“room”，单击 查词 按钮在显示窗口中显示其中文解释，效果如图 9-63 所示。

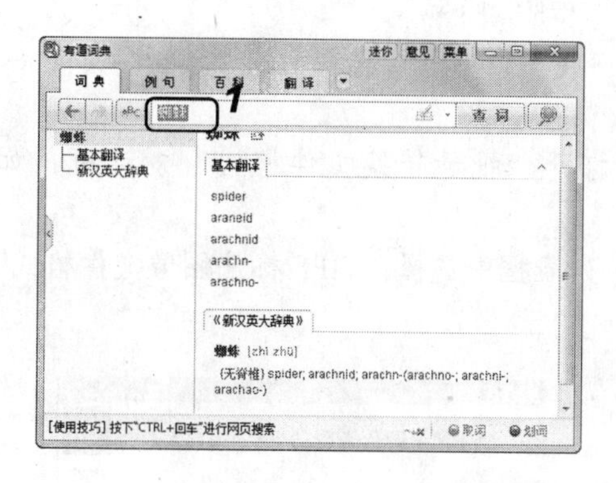

图 9-62 查询“蜘蛛”

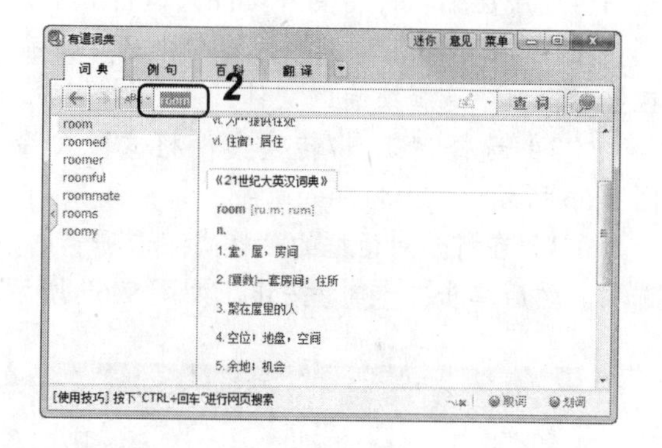

图 9-63 查询“room”

9.4.4 应用举例——有道词典的使用

利用有道词典的取词功能了解“后退”的英文解释，然后通过输入“黄山松”一词查找其英文解释。

操作步骤如下：

（1）启动有道词典，程序自动启动屏幕取词功能。

（2）打开“我的电脑”窗口，将鼠标光标移至 后退 按钮上停留，稍后即将显示该词语的英文解释，如图 9-64 所示。

（3）在有道词典操作界面的“输入”栏输入“黄山松”，单击 查词 按钮在显示窗口中显示该词组的英文解释，如图 9-65 所示。

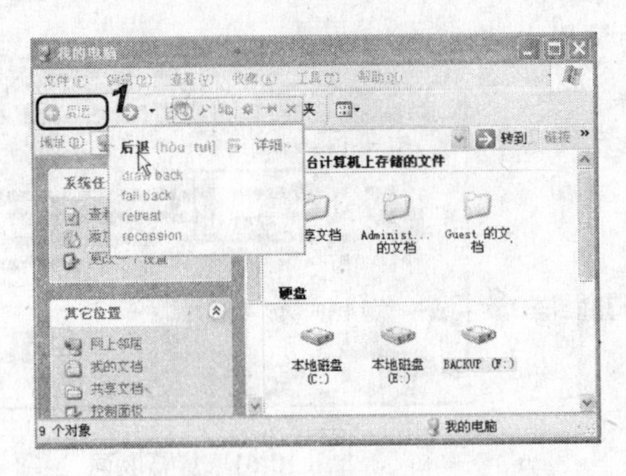

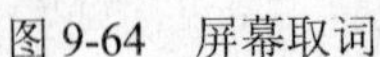

图 9-64　屏幕取词

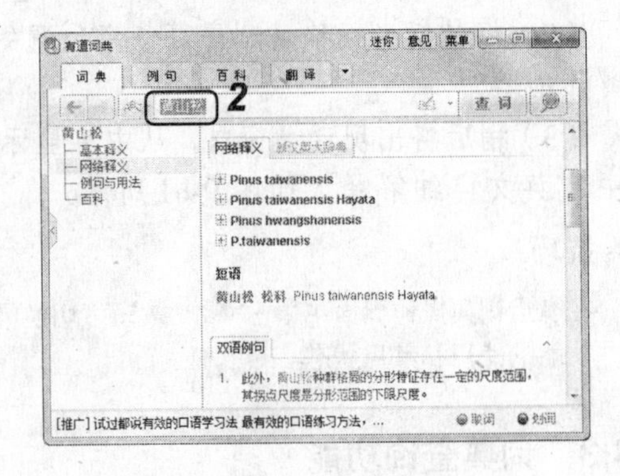

图 9-65　查询词组

9.5　上机及项目实训

9.5.1　转换图片格式并将其压缩

下面利用 ACDSee 相片管理器 2009 将“.jpg”格式的图片转换为“.tif”格式的文件，然后再使用压缩软件将图片文件夹进行压缩，操作步骤如下：

（1）启动 ACDSee 相片管理器 2009，在文件夹窗口中选择桌面上的“素材”文件夹，在显示窗口中选择所有的文件。

（2）选择“工具/转换文件格式”命令，打开“批量转换文件格式”对话框，如图 9-66 所示。

（3）在打开对话框的“格式”选项卡的下拉列表框中选择“TIFF 标注图像文件格式”选项，然后单击下一步(N) >按钮，如图 9-67 所示。

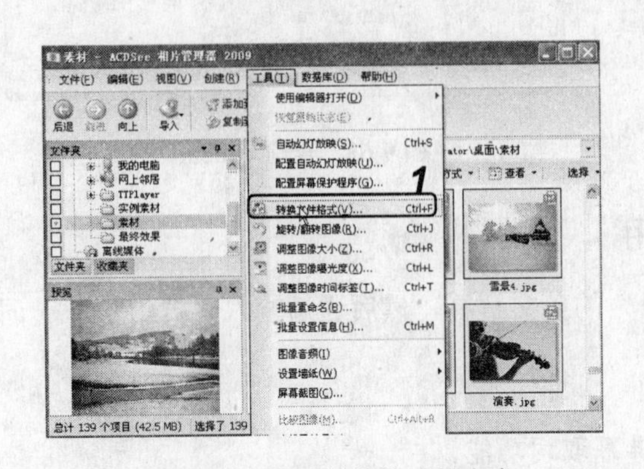

图 9-66　选择转换格式的命令

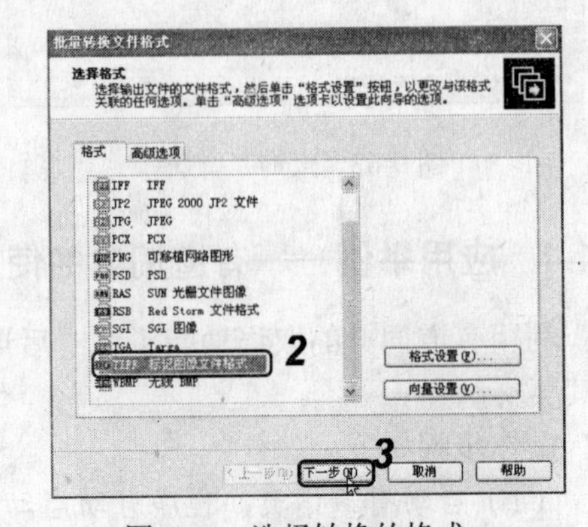

图 9-67　选择转换的格式

（4）在打开“设置输出选项”对话框的“目标位置”栏中选中将更改过的图像放在原始文件夹(P)单选按钮，单击下一步(N) >按钮，如图 9-68 所示。

（5）在打开的“设置多页选项”对话框中直接单击开始转换按钮，如图 9-69 所示。

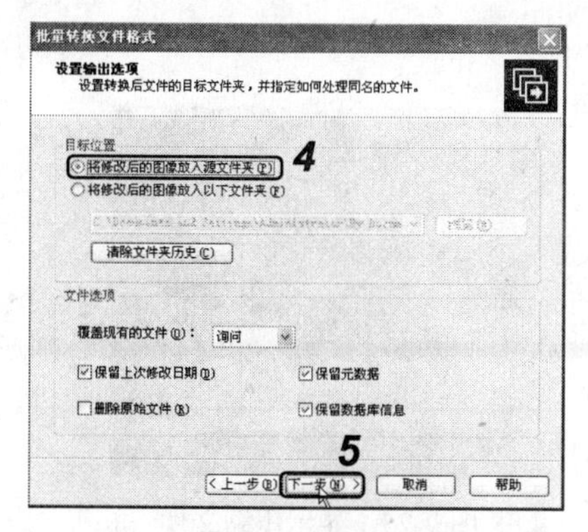

图 9-68　设置转换后图片的保存位置

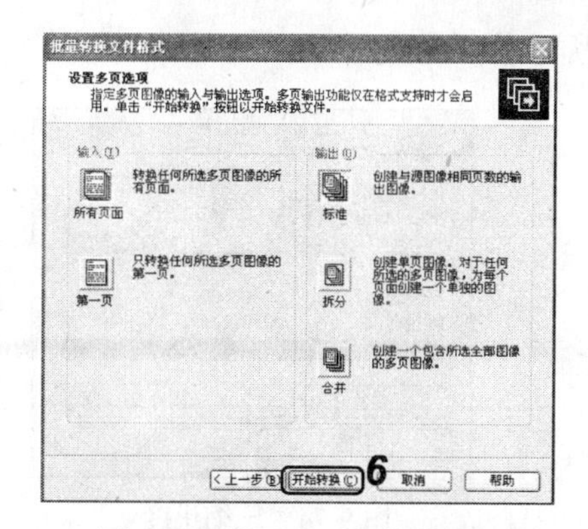

图 9-69　设置多页文件的情况

(6)打开“转换文件”界面，并显示转换进度，如图 9-70 所示，完成转换后单击完成按钮。完成图片格式的转换操作后，在“素材”文件夹中可查看到转换的“.tif”格式的文件，如图 9-71 所示。

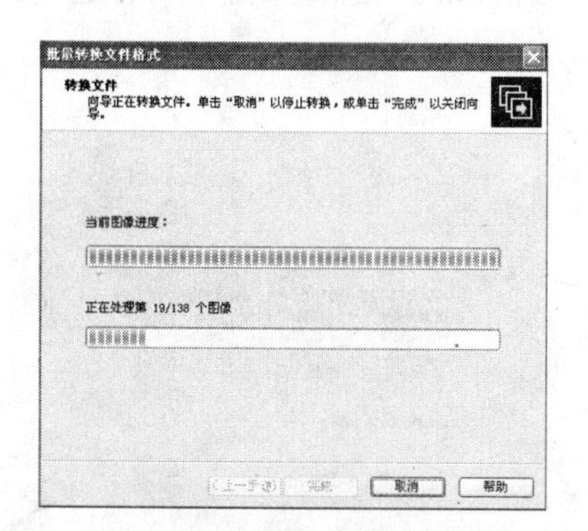

图 9-70　开始转换格式

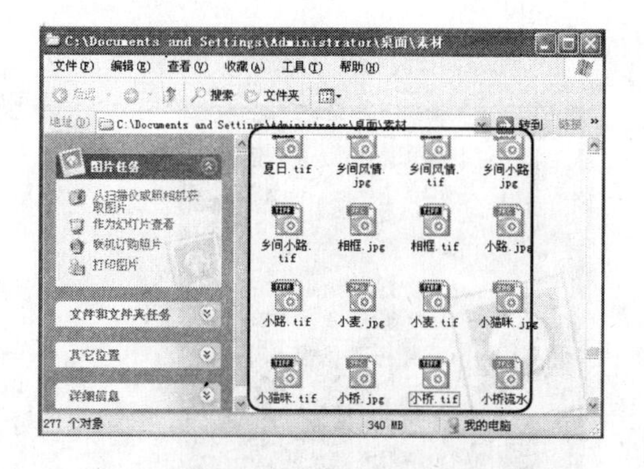

图 9-71　转换后的文件

(7) 依次选择“开始/所有程序/WinRAR/ WinRAR”命令，启动压缩软件，在其列表框中选择“素材”文件夹，单击按钮，如图 9-72 所示。

(8) 在打开的对话框中单击确定按钮即可开始压缩文件夹，如图 9-73 所示。

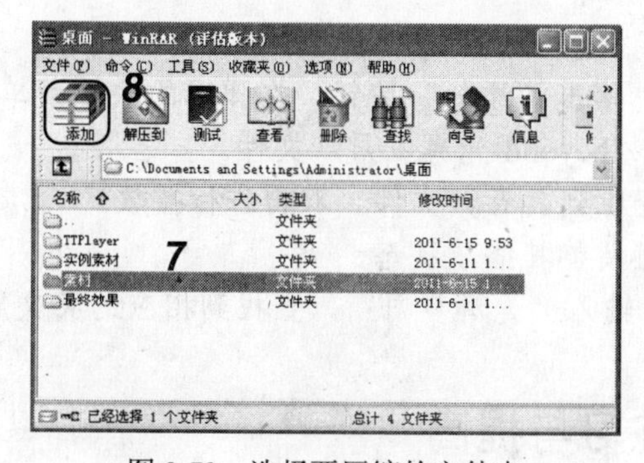

图 9-72　选择要压缩的文件夹

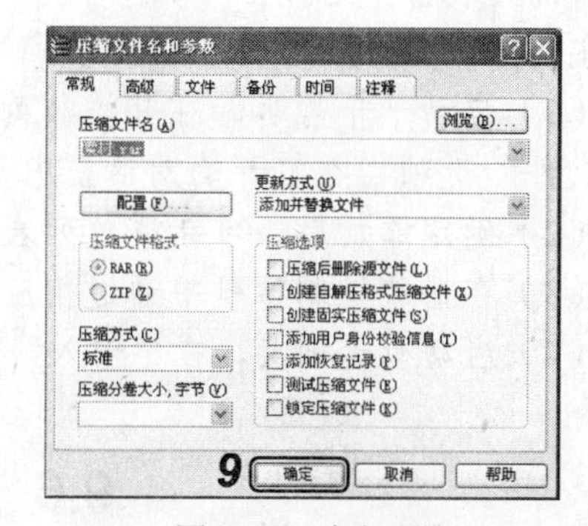

图 9-73　确定压缩

(9) 软件将显示压缩的进度，如图 9-74 所示，压缩完成后，在桌面上将出现如图

9-75 所示的压缩文件。

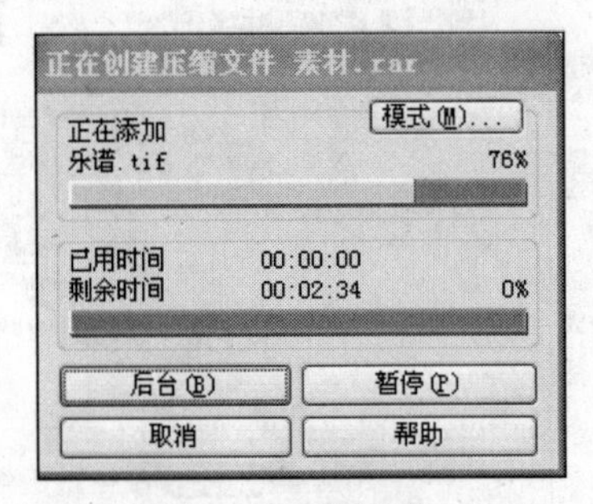

图 9-74　压缩进度

图 9-75　显示压缩文件

9.5.2　听音乐并查询其歌名含义

下面利用千千静听播放歌名为“beyond-光辉岁月”的音频文件，如图 9-76 所示，并使用有道词典查询歌名的英文拼写，如图 9-77 所示，通过练习熟悉千千静听和有道词典的使用方法。

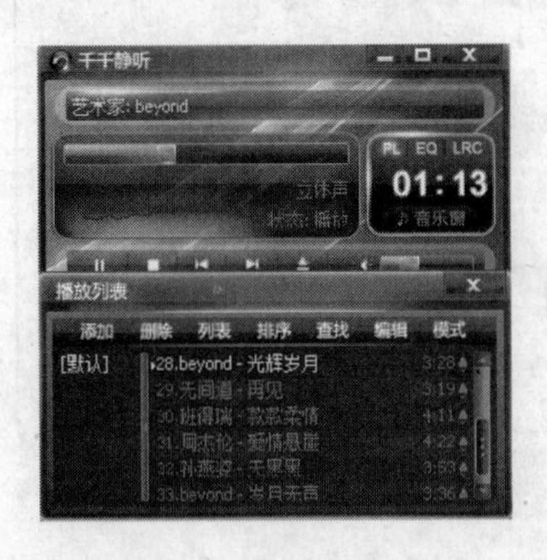

图 9-76　播放音频文件

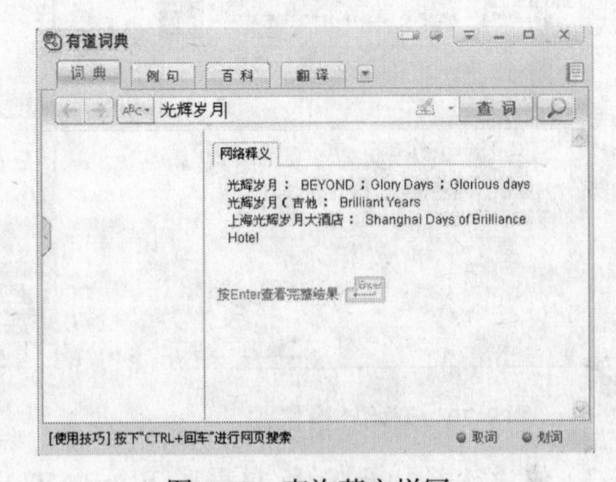

图 9-77　查询英文拼写

本练习可结合立体化教学中的视频演示进行学习（立体化教学:\视频演示\第 9 章\听音乐并查询其歌名含义.swf）。

主要操作步骤如下：

（1）启动千千静听，在其播放列表中单击“添加”按钮，在弹出的快捷菜单中选择“文件”选项，在打开的对话框中选择“beyond-光辉岁月”文件。

（2）确定添加后，可在播放列表中查看到其音频文件，双击进行播放。

（3）在播放控制窗口中通过相应按钮调整其播放状态。

（4）启动有道词典，在“输入”栏中输入“光辉岁月”，查找到相应的英文解释。

9.6　练习与提高

（1）将计算机中所有的音频文件保存在一个文件夹中，然后利用 WinRAR 压缩软件

对该文件夹进行压缩操作，如图 9-78 所示。

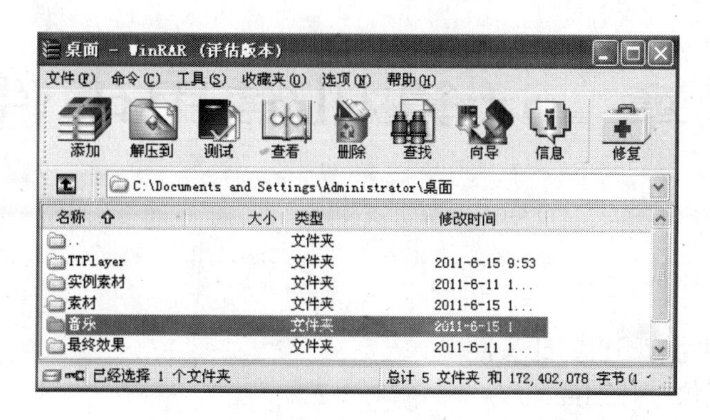

图 9-78　压缩文件夹

（2）利用千千静听播放和管理计算机中的歌曲。

（3）将计算机中效果不好的照片利用 ACDSee 软件进行效果处理，将计算机中的“TIFF”格式的图片利用 ACDSee 软件转换为“JPEG”格式。

本练习可结合立体化教学中的视频演示进行学习（立体化教学:\视频演示\第 9 章\转换图片格式.swf）

（4）在计算机中安装有道词典，并利用其屏幕取词功能和词典功能学习词语翻译。

通过本章的学习，了解到常见软件的使用方法，下面介绍几点注意事项。

- 利用压缩文件对文件进行压缩时，文件越大，压缩的效果越明显。
- ACDSee 相片管理器 2009 可用于对图片进行简单处理，对于要求对图片进行细微的改变时，则必须使用功能强大的软件处理，如 photoshop 等。
- 使用有道词典时，必须保持计算机连接到互联网中，否则很多功能将无法实现。

第 10 章　计算机常用硬件设备

学习目标

☑ 安装并使用打印机打印文件
☑ 安装扫描仪，并扫描图片
☑ 使用摄像头进行拍照
☑ 使用、移除和格式化 U 盘并认识移动硬盘

目标任务&项目案例

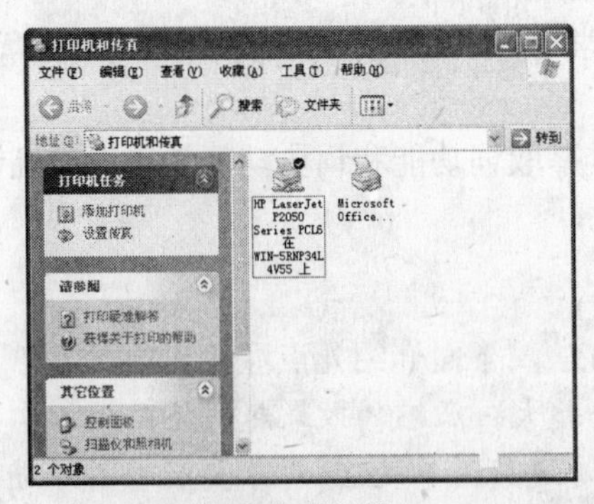

打印机的连接

使用扫描仪

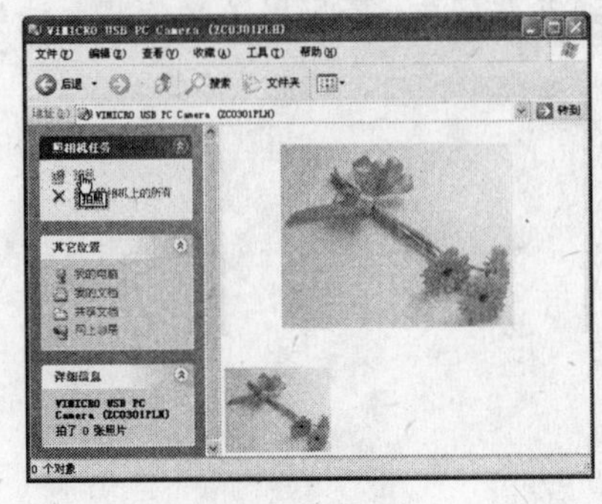

使用摄像头

移动存储设备

在利用计算机进行办公或学习的过程中，有时会使用一些办公设备，如打印文档和表格时需用到打印机；扫描图像或文字时需用到扫描仪等。本章主要对这些常用的硬件设备进行讲解，包括打印机、扫描仪、摄像头和移动存储设备等。

10.1　打印机的使用

打印机是常用的办公硬件设备之一，利用它可以快速打印文档、图片等文件，提高资源共享率，使学校教学、公司办公实现自动化。

10.1.1　打印机的种类

根据原理的不同打印机主要可分为针式打印机、喷墨打印机、激光打印机等几种类型。不同类型的打印机原理和打印技术也不尽相同，应用领域也不同。下面分别对这几种类型的打印机的原理进行介绍。

- **针式打印机**：此类打印机利用机械和电路驱动原理，以打印针撞击色带和打印介质的方式打印出点阵，然后由点阵组成字符或图形完成打印任务。它的机械结构与电路组织比其他类型的打印机简单，且耗材费用低、性价比好，但打印效果一般。
- **喷墨打印机**：此类打印机是一种经济型高品质彩色打印机，它有着接近激光打印机的输出质量，应用范围十分广泛，不仅能满足专业设计或出版公司的印刷色彩要求，还能胜任简单快捷的黑白文字和表格打印任务。只是这类打印机的打印速度较慢、耗材消耗高，适用于打印量不大、打印速度要求不高的家庭和规模不大的公司等，其外观如图 10-1 所示。

图 10-1　打印机外观

- **激光打印机**：此类是集复印机、计算机和激光技术于一体的综合产品，具有前两种打印机不能相比的高速度、高品质和高打印质量，目前越来越受到广大用户的青睐。

10.1.2　安装打印机

使用打印机之前首先应将其与计算机相连。打印机的安装过程包括安装打印机硬件和安装驱动程序，只有正确连接硬件并安装相应的驱动程序后，打印机才能正常工作。

1. 安装打印机硬件

安装打印机硬件的方法为：将打印机的数据线正确插入到计算机主机的插口中，然后将电源线连接到电源插口中，将电源线的 D 型头插入打印机的电源插口中。

2. 安装打印机驱动程序

将打印机硬件正确安装后，还需安装相应的驱动程序才能使其正常工作。

安装打印机驱动程序的方法为：启动计算机，将驱动光盘放入光驱中，选择“开始/打印机和传真”命令，打开“打印机和传真”窗口，单击“打印机任务”窗格中的“添加打印机”超链接，打开“添加打印机向导”对话框，如图 10-2 所示。按照提示在其中进行相应的操作，设置完成后系统会自动开始安装驱动程序。

安装完后，打开“打印机和传真”窗口即可看到安装好的打印机图标，如图 10-3 所示。

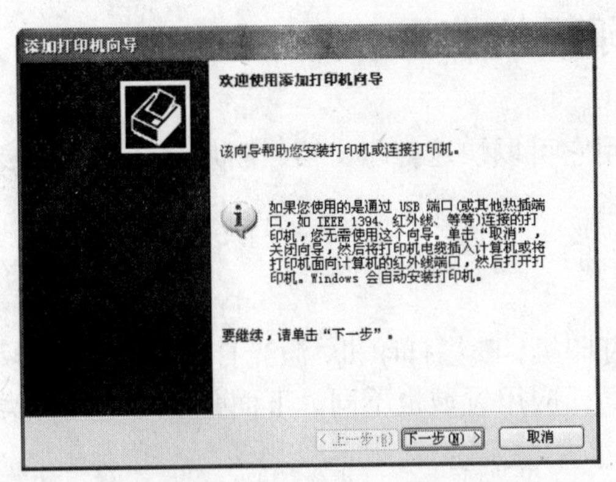

图 10-2 “添加打印机向导”对话框

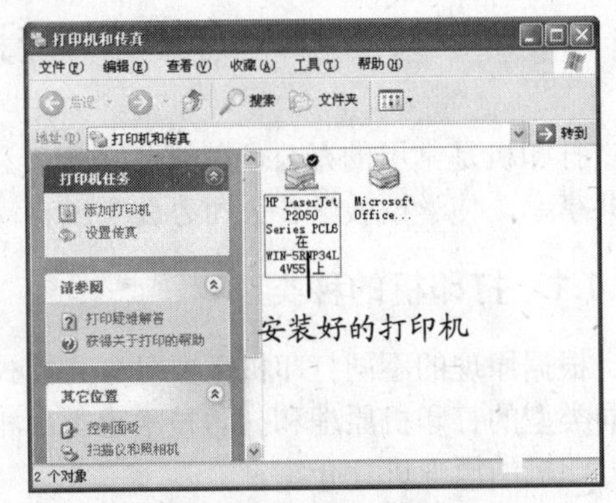

图 10-3 安装好的打印机图标

提示：

安装好打印机硬件和驱动程序后，只需在各种应用软件窗口中选择“文件/打印”命令或单击工具栏上的按钮即可进行打印操作。

10.1.3 使用打印机的注意事项及其维护保养

为了使打印机在工作时运行更为顺畅，使用寿命更长，在使用打印机时应讲究一些方法，并对打印机进行必要的日常维护。

1．使用打印机的注意事项

在使用打印机的过程中应主要注意以下几点。

- 打印机应放置在避免日光直射，且环境温度保持稳定或变化不大的地方。
- 打印机应安装在清洁、无腐蚀、无振动和远离热源的地方。
- 应使用与打印机型号匹配的墨水等耗材，且不能直接向墨盒中注入墨水。
- 墨盒在长期不使用时应放置于干燥位置，避免日光照射。
- 不要使墨盒完全倾斜，不要随意拆开墨盒。
- 在打印文档等文件时，当出现打印机卡纸的情况后，应及时将卡住的纸张取出，以避免打印机温度过高。
- 清洁打印机时，若发现打印机内部有灰尘，应使用真空吸尘器清除废物，而不应用纸或其他工具擦拭。
- 不要过于追求打印速度而无故介入打印过程，且不能在打印机正在工作的情况下打开打印机前盖。
- 对于 USB 接口的打印机，当其在工作或启动状态下，不可将其连接线从计算机主机中拔出来，这样会损害打印机接头和 USB 接口。

注意：

对于喷墨打印机，在使用时还必须确保打印机在一个不易晃动的水平面上工作，以免墨水使用不均导致打印效果不理想。另外，打印机在工作时必须关闭前盖，以防灰尘等杂质进入打印机内部或其

他坚硬物品阻碍打印机运行，引起不必要的故障。

2．打印机常见故障排除

利用打印机打印文档时，不可避免地会遇到一些故障，如打印效果与预览效果不同、发出打印任务却无法打印等情况。下面讲解如何在使用打印机时排除常见的一些故障。

- **打印机卡纸**：出现这种故障的原因有很多，如纸张输出路径内有杂物、纸张褶皱、输纸辊等部件转动失灵、传感器故障等。当出现这种故障时，打印机操作面板上的红色指示灯会发亮，排除故障的方法十分简单：只需打开打印机盖，取下被卡住的纸即可。
- **打印模糊**：遇到这种故障时，可先对打印头进行清洗，若仍未排除，可试试用柔软的吸水性较强的纸擦拭靠近打印头的地方，如仍不能解决问题，可尝试重新安装打印机的驱动程序或更换墨盒。
- **打印效果与预览效果不一致**：出现这种故障的原因是在编辑时参数设置不当，此时改变打印文件“页面属性”中的纸张大小、纸张类型以及每行字数等参数后重新发送打印命令即可。
- **打印后出现乱码**：打印机出现打印乱码现象时，大多是由于打印接口电路损坏或主控单片机损坏所致，一般只需更换接口芯片即可排除该类故障。另外，字库没有正确载入打印机时也会出现这种现象。
- **无法打印大文件**：此类故障经常出现在激光打印机中，解决的方法是查看硬盘上的剩余空间，并删除一些垃圾文件。对于打印内容较长的 Word 文档，可分成几次进行打印。

10.1.4　应用举例——使用打印机打印 Word 文档

打印机在使用方法上大同小异，但每种打印机都有各自的特点和使用范围。下面将对使用打印机打印 Word 文档的方法进行讲解。

主要操作步骤如下：

（1）安装打印机后，将其电源打开，将白纸放入打印机的导纸器中，如图 10-4 所示。

（2）打开要打印的 Word 文档，如图 10-5 所示，选择“文件/打印”命令。

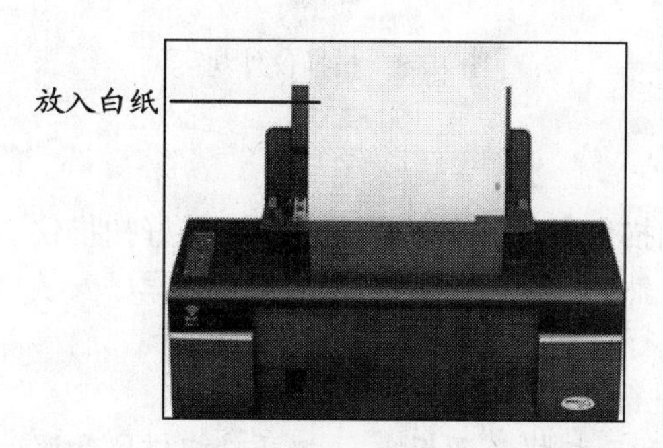

图 10-4　放入白纸

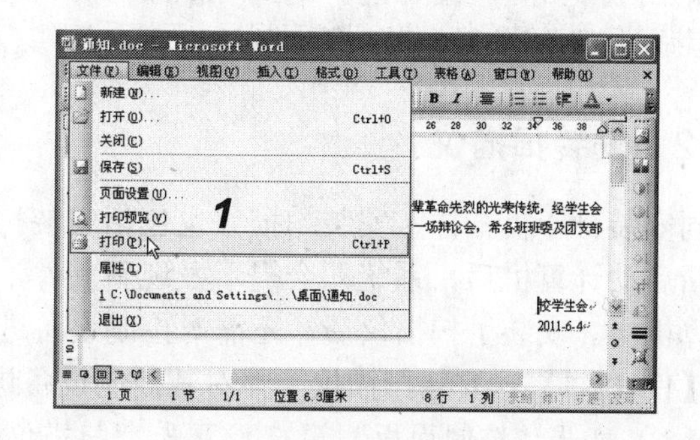

图 10-5　选择“打印”选项

（3）在打开的对话框中设置打印选项，保持默认设置，单击 确定 按钮即可开始打印，如图 10-6 所示。

（4）此时在任务栏通知区域中将显示图标，双击该图标，打开显示打印机名称的窗口，如图 10-7 所示，其中显示有打印文档名、状态、所有者和页数等信息。

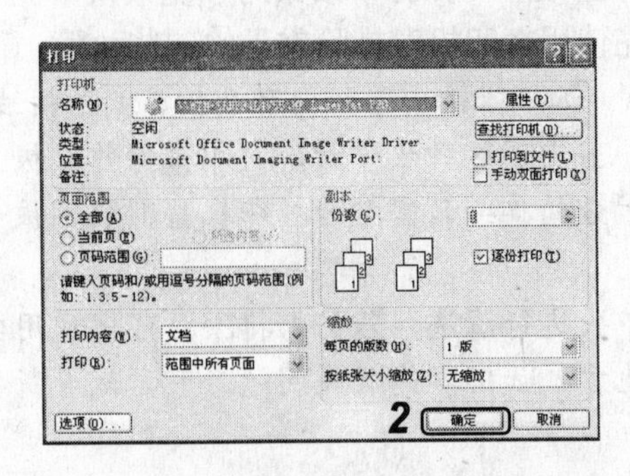

图 10-6　打印设置

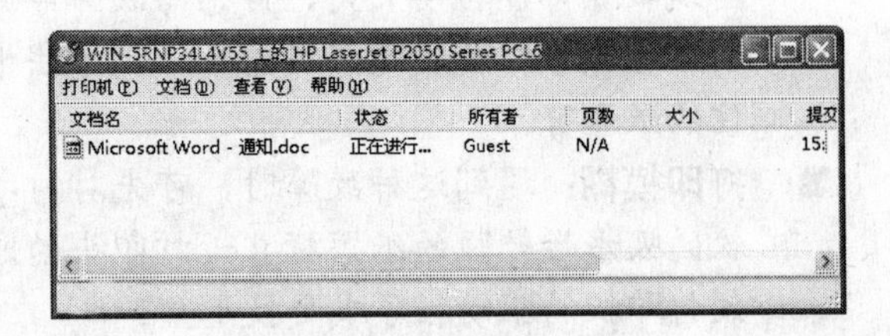

图 10-7　显示打印信息

10.2　扫描仪的使用

扫描仪可以将各种文字、图片、照片、图表等文件转化为计算机能够识别的数字图像，以方便在工作或学习时对这些文件进行编辑和处理。

10.2.1　扫描仪的作用

在办公领域中，扫描仪主要用在图片处理和文字识别上，其外观如图 10-8 所示。其中文字识别是将书本、报纸、杂志等媒介上的资料信息扫描到计算机中，然后通过 OCR 等文字识别软件识别文本文件，并将其转换为文字，这样就避免了输入大量文字的烦琐工作。

提示：

按扫描原理可将扫描仪分为平板式扫描仪、手持式扫描仪和滚筒式扫描仪 3 类。其中，平板式扫描仪体积小、价格低；手持式扫描仪扫描面积大；滚筒式扫描仪分辨率高、扫描速度快，但价格昂贵。用户可根据实际情况选购。

图 10-8　扫描仪外观

10.2.2　安装扫描仪

同安装打印机一样，安装扫描仪也包括安装扫描仪硬件和驱动程序，当连接好扫描仪并重新启动计算机后，系统即会提示发现新硬件，然后按照提示将扫描仪的驱动程序安装到计算机中。安装了扫描仪后，还需对控制设备进行自检才能使用。

【例 10-1】　安装扫描仪，并对其控制设备进行自检。

（1）打开“控制面板”窗口，双击“扫描仪和照相机”图标，打开“扫描仪和照相机”窗口。

（2）选择已安装的扫描仪图标，在上面单击鼠标右键，然后在弹出的快捷菜单中选择

"属性"命令，打开相应的属性对话框。

（3）选择其中的"测试扫描仪或照相机"选项，此时控制设备进行自检。

（4）待自检通过后，程序将打开"测试成功"对话框进行提示，此后便可使用扫描仪进行文件的扫描操作了。

10.2.3 扫描图像

有些扫描仪在安装驱动程序的同时会自动安装 ScanWizard 5 扫描程序，利用该程序可进行扫描操作，若需扫描文字，则还应安装"尚书"等文字识别软件。

【例 10-2】 使用 ScanWizard 5 扫描图片。

（1）打开扫描仪的电源开关，揭开扫描仪的盖子，将要扫描的图片正面向下平铺到扫描仪的玻璃板上，然后合上盖子。

（2）依次选择"开始/所有程序/Microtek Scanwizard 5 for windows/Scanwizard 5"命令，启动 ScanWizard 5 扫描程序。

（3）单击预览按钮，扫描仪开始对玻璃板上的图片进行预览，并将预览效果显示在程序的窗口中，如图 10-9 所示。

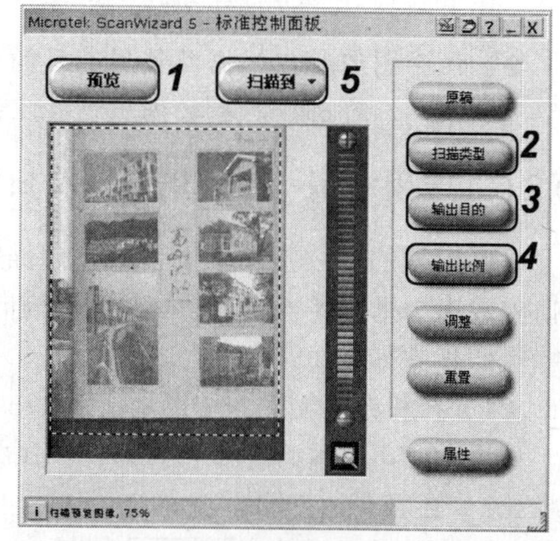

图 10-9 预览的效果

（4）将鼠标光标指向图像预览窗口的虚线框上，当其变成双向箭头形状时按住鼠标左键不放并拖动鼠标，框选需要扫描的图像区域。

（5）单击扫描类型按钮，在弹出的下拉列表框中设置扫描后的图片颜色为"真彩色"。

（6）单击输出目的按钮可设置图片的输出目的，扫描程序会根据输出目的自动确定图片扫描的精度。

（7）单击输出比例按钮可设置扫描图片的输出比例。

（8）设置好扫描效果后，单击扫描到按钮，在打开的"另存为"对话框中指定扫描图片的保存位置、文件格式以及文件名。

（9）单击保存(S)按钮，扫描仪开始对图像进行扫描并将扫描完成的图像文件保存在指定位置。

提示：

除了使用 Scanwizard 5 程序扫描程序外，还可以使用 Windows XP 的扫描仪向导进行扫描图片。

10.2.4 使用扫描仪的注意事项

在使用扫描仪扫描图像时，为确保扫描后的图像精度或文字满足实际需要，应注意以下几方面的问题。

- 扫描图像前，应根据图像的用途选择扫描精度。若用于计算机屏幕上显示的图片，扫描精度设置为"100 dpi"即可；若用于书报印刷的图片，扫描精度设置在"300 dpi"

以下即可；若用于普通激光或喷墨打印机打印的图片，扫描精度设置在“600 dpi”以下即可；若用于高级打印、印刷或照片复制的图片，扫描精度则需设置在“600 dpi”以上。选择的扫描精度越高，扫描的速度也就越慢，得到的图像文件也就越大。

- 扫描彩色图片时的颜色数量一般应设置为24位真彩色。
- 尽量选择较清晰的扫描素材，因为扫描后的图像无论怎样处理，其清晰度都不会超过原素材。
- 扫描图片时，如果其内容主要是文字，则放置图片时应尽量放正，以使文字的行或段在扫描图像上保持垂直或水平，否则会大大降低“尚书”等文字识别软件的文字识别率。
- 通过扫描得到的图像都要经过后期处理，因此在扫描图像时不必太讲究显示效果，对于并不专业的用户来讲，反而会使扫描得到的文件清晰度降低。
- 在处理图像时，每进行一次非垂直的旋转都会使图像的精度损失一点，因此最好在旋转时一次旋转到位。
- 保存图像时应根据其使用的目的选择适当的图像文件格式，如对图像的精度要求不高，可选择具有数据压缩特点的“.jpg”文件格式。

10.2.5 应用举例——使用扫描仪扫描图片

将要扫描的图片正面朝下平放在扫描仪中，将图片调整好后合上盖子，在“我的电脑”窗口中双击图标，使用Windows扫描向导扫描图片。

操作步骤如下：

（1）在打开的对话框中选择“Microsoft 扫描仪和照相机向导”选项，单击确定按钮，如图10-10所示，打开“扫描仪和照相机向导”对话框。

（2）在打开的对话框中单击下一步(N)>按钮，如图10-11所示，即可打开“扫描仪和照相机向导”对话框，单击下一步(N)>按钮。

图10-10 打开扫描向导

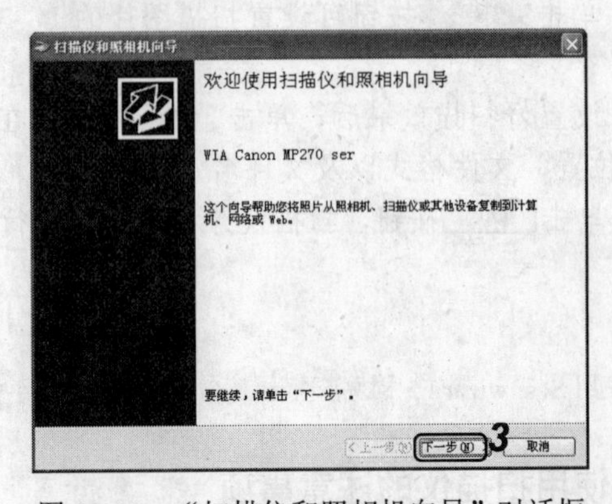

图10-11 “扫描仪和照相机向导”对话框

（3）在打开对话框的“图片类型”栏中选中彩色照片(C)单选按钮，单击下一步(N)>按钮，开始扫描图片，如图10-12所示。

（4）系统开始扫描图片并显示扫描进度，如图10-13所示，完成扫描后，将自动打开“照片名和目标”对话框。

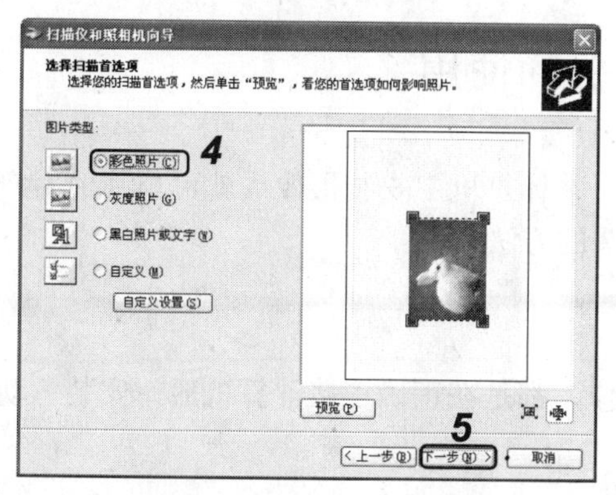

图 10-12　选择图片类型

图 10-13　扫描进度

（5）在打开的对话框中设置扫描文件的名称、格式和保存路径，如图 10-14 所示，单击[下一步(N) >]按钮。

（6）在打开的对话框中选中[什么都不做。我已处理完这些照片(G)]单选按钮。单击[下一步(N) >]按钮，如图 10-15 所示。

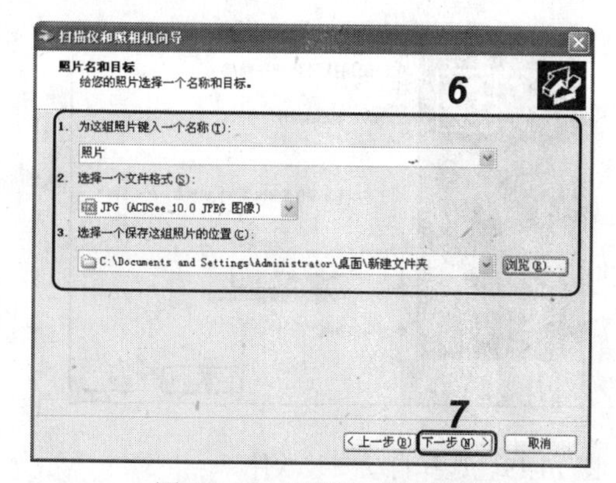

图 10-14　设置扫描的图片

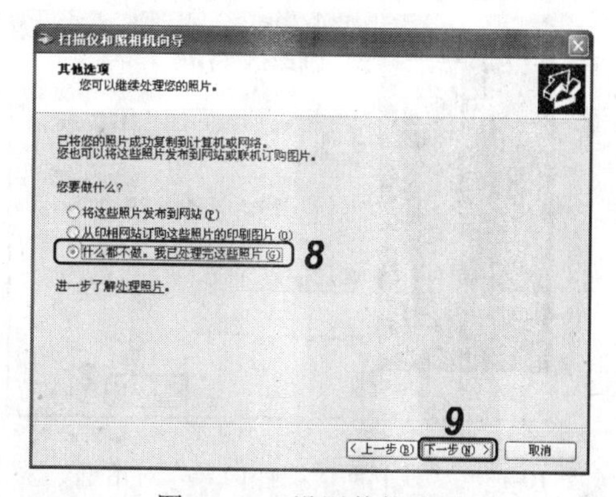

图 10-15　设置其他选项

（7）在打开的对话框中单击[完成]按钮，完成扫描，如图 10-16 所示。

（8）在打开的文件夹中可以查看扫描的目标图片文件，如图 10-17 所示。

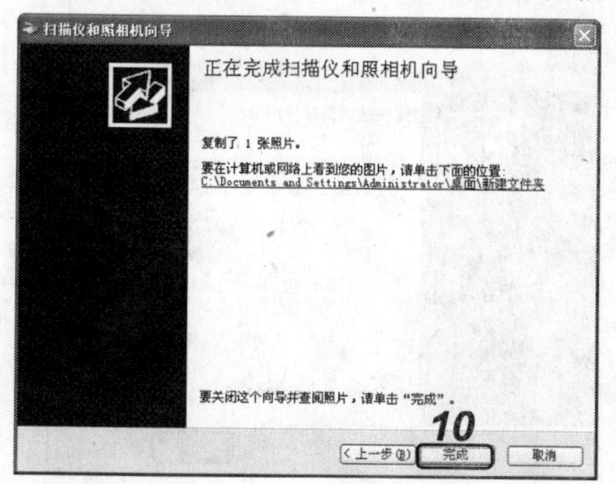

图 10-16　完成扫描

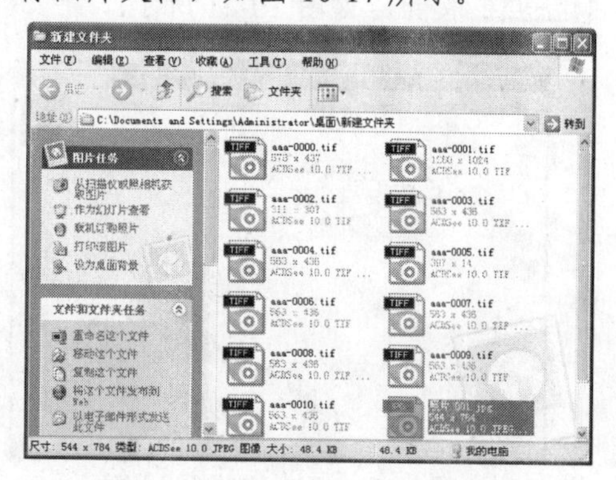

图 10-17　查看扫描图片

10.3 摄像头的使用

现在大部分聊天软件都具有视频通信功能，在计算机中安装摄像头就可与其他用户进行面对面的沟通。下面将介绍安装和使用摄像头的方法。

10.3.1 摄像头的安装

摄像头的安装和打印机及扫描仪的安装类似，都是在正确连接计算机后，安装驱动程序，才能使摄像头正常工作。

【例 10-3】 连接摄像头并安装其驱动程序。

（1）将摄像头的插头插入计算机的 USB 接口中。系统将自动打开“找到新的硬件向导”对话框，在对话框中选中 ◎否，暂时不(T) 单选按钮，单击 下一步(N) > 按钮，如图 10-18 所示。

（2）在打开的对话框中选中 ◎自动安装软件(推荐)(I) 单选按钮，将摄像头的驱动光盘放入光驱中，单击 下一步(N) > 按钮，如图 10-19 所示。

图 10-18 “找到新的硬件向导”对话框

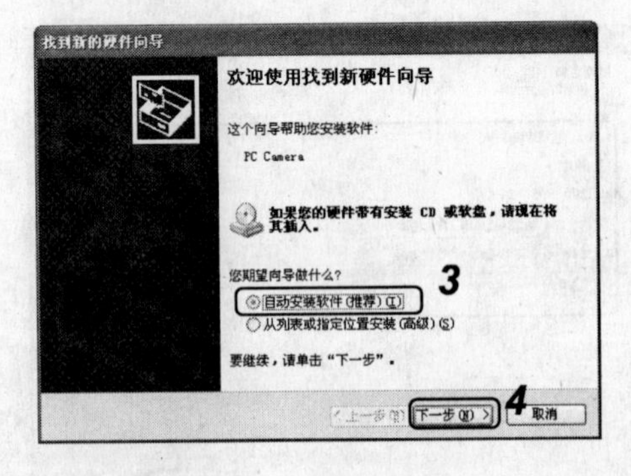

图 10-19 选择自动安装软件

（3）系统将自动安装驱动程序，并显示安装的进度，如图 10-20 所示。

（4）安装完成后系统将打开“完成找到新硬件向导”对话框，提示完成摄像头的安装，单击 完成 按钮，如图 10-21 所示。

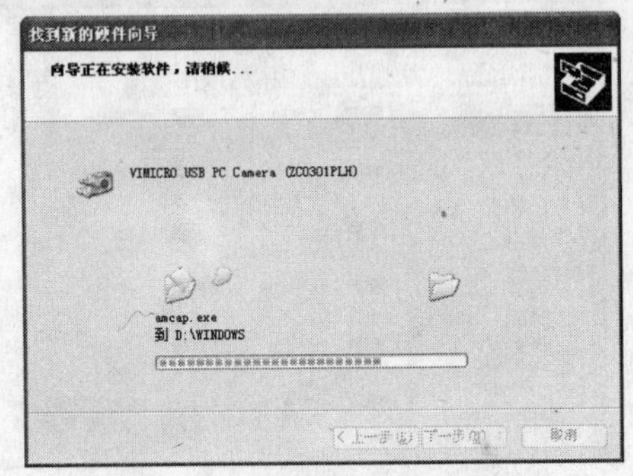

图 10-20 正在安装驱动程序

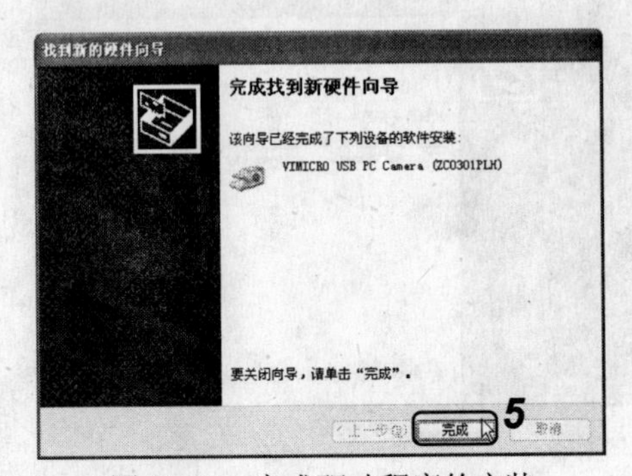

图 10-21 完成驱动程序的安装

提示：

在日常生活中，摄像头的使用非常频繁，主要用于聊天时的视频对话和使用摄像头拍照。

10.3.2　使用摄像头的注意事项

日常使用过程中应注意摄像头的维护和保养，从而延长摄像头的使用寿命，使用摄像头需注意操作的正确及外界条件的影响，下面分别对它们进行介绍。

- **维护操作**：不能使用刺激性的清洁剂或有机溶剂擦拭摄像头，最好使用干燥、不含麻质的布或者专业镜头纸进行擦拭并且在擦拭时不可在镜头上施压，避免损伤镜头，同时使用摄像头的环境中光线不要太弱，否则可能影响成像的质量。
- **外界条件**：摄像头不能直指阳光，否则会损害摄像头的图像感应器件，避免摄像头和油、蒸汽、水汽、湿气和灰尘等接触，在没有适当保护的情况下，最好不要暴露在户外条件下；温度、湿度过高或者过低都会对摄像头产生损害，平时应当将摄像头存放在干净、干燥的地方。

10.3.3　应用举例——使用摄像头拍照

安装好摄像头后，即可开始体验摄像头给计算机生活增添的无穷乐趣。

操作步骤如下：

（1）在计算机桌面上双击“我的电脑”图标，在打开的窗口中双击摄像头图标 VIMICRO USB PC Camera (ZC0301PLH)，如图 10-22 所示。

（2）调整好摄像头的位置后，单击窗口左侧窗格中的“拍照”超链接，如图 10-23 所示。

（3）在窗口下方显示所有拍摄的照片，双击任意一个，即可打开图像查看照片效果。

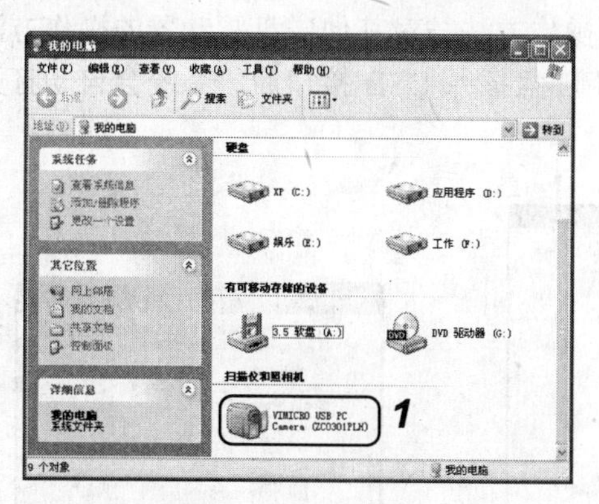

图 10-22　摄像头图标

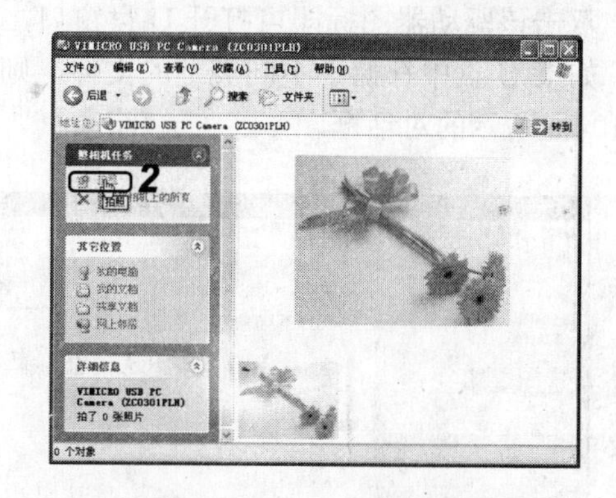

图 10-23　使用摄像头拍照

10.4　移动存储设备的使用

移动存储设备主要用于存储数据文件和在不同的计算机之间实现数据的交流，其具有携带方便等优点，常见的移动存储设备有 U 盘、移动硬盘等。

10.4.1 U 盘的使用

U 盘又称闪存盘，它是一种新型的即插即用的移动存储设备，即支持在不关闭计算机的情况下进行插入或拔出操作，可以在计算机之间方便地交换文件。U 盘以其体积小巧、外观别致、易于携带等特点广受用户青睐。如图 10-24 所示即为两款不同样式的 U 盘。

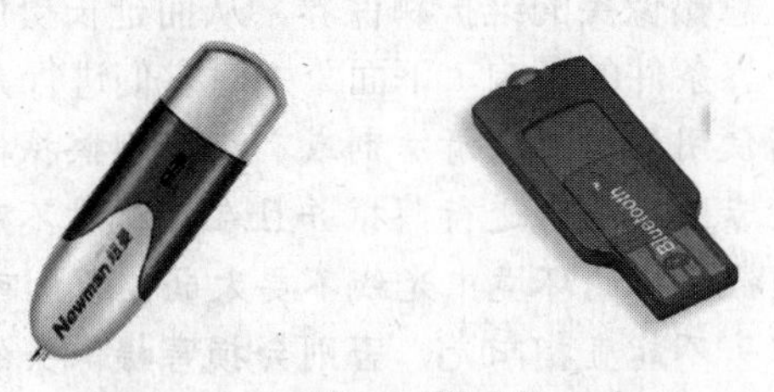

图 10-24　两款不同样式的 U 盘

提示：

> U 盘虽然体积小巧，但存储容量较大，目前常见的 U 盘有 2GB、4GB 等容量。U 盘的接口一般为 USB 接口，目前几乎所有主机机箱都有 USB 接口，因此 U 盘可以轻松地在各台计算机上实现数据的传输。如今，U 盘已成为移动存储设备的主流。

在 Windows XP 操作系统中使用 U 盘的方法非常简单，只需打开 U 盘的盖帽，将其插入机箱上的 USB 接口中，系统即可自动识别 U 盘并安装其驱动程序。

1．插入 U 盘

将 U 盘插入到计算机主机箱上的 USB 接口后，在任务栏的通知区域将出现图标，表示此时可使用 U 盘了。打开“我的电脑”窗口，从中可看到 U 盘的盘符出现在“有可移动存储的设备”栏中，如图 10-25 所示。

双击该驱动器图标即可打开 U 盘窗口，其操作方法与对其他磁盘驱动器的操作方法相同。如果 U 盘中存储了不同类型的文件，则将 U 盘插入 USB 接口后，系统会自动打开如图 10-26 所示的对话框。

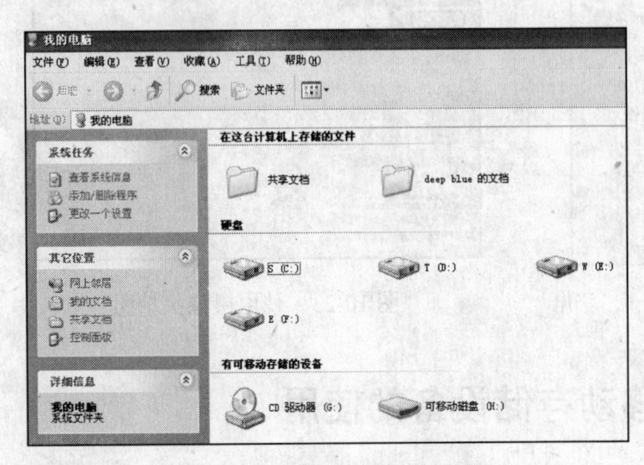

图 10-25　显示 U 盘驱动器图标

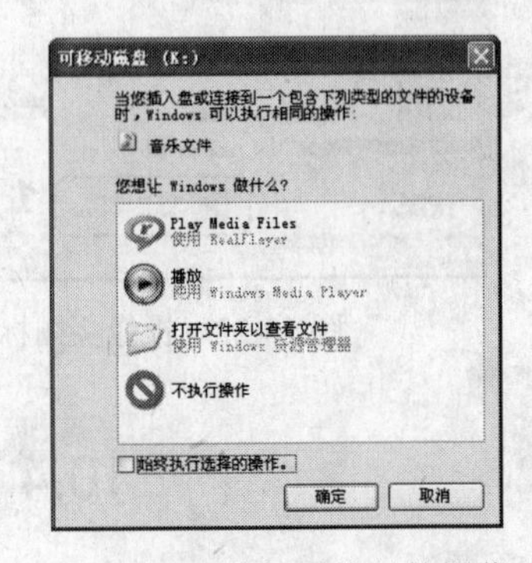

图 10-26　选择需执行的操作

2．拔出 U 盘

虽然 U 盘是即插即用设备，但当使用完 U 盘后，也应遵循一定的规则将其从计算机主机箱上拔出，以避免对 U 盘造成损坏。

【例 10-4】　停止 U 盘工作状态，将 U 盘设备从计算机中删除，最后将其拔出。

（1）单击任务栏通知区域中的图标，在弹出的菜单中选择如图 10-27 所示的命令。

（2）此时系统将打开如图 10-28 所示的提示框，表示此时可将 U 盘从计算机上安全拔出，然后直接从 USB 接口中拔出 U 盘即可。

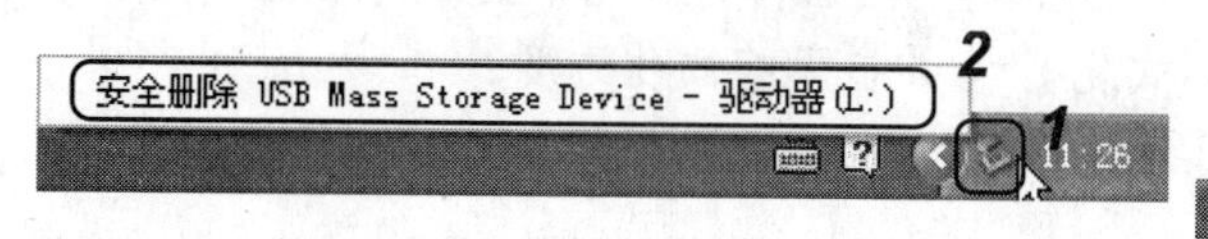

图 10-27　选择“安全删除”命令

图 10-28　安全移除 U 盘提示框

注意：

若 U 盘中的文件正在被使用执行删除操作将打开如图 10-29 所示的对话框，若此时将 U 盘拔出有可能会破坏其中的数据，可先关闭所有与 U 盘有关的窗口，然后再执行删除 U 盘的操作。

图 10-29　无法删除 U 盘时的提示信息

10.4.2　移动硬盘的使用

除了 U 盘以外，目前还有一种使用较广泛的移动存储设备，即移动硬盘，它是一种存储量可与计算机中的硬盘相媲美的大容量移动存储设备，目前常用的移动硬盘的容量包括 320GB、500GB 和 1TB 等。

移动硬盘的出现使大容量数据的交换也变得简单易行，在这一点上是 U 盘所无法比拟的。使用移动硬盘传输数据的方法与使用 U 盘的方法相同。如图 10-30 所示为两款不同外观的移动硬盘。

现在的移动硬盘普遍使用 USB 接口，其中又分为 USB 1.1 和 USB 2.0 两种。USB 1.1 接口的传输速度为 12Mbps，USB 2.0 接口的传输速度为 480Mbps，是 USB 1.1 的 40 倍。现在 USB 2.0 接口技术已被广泛采用。

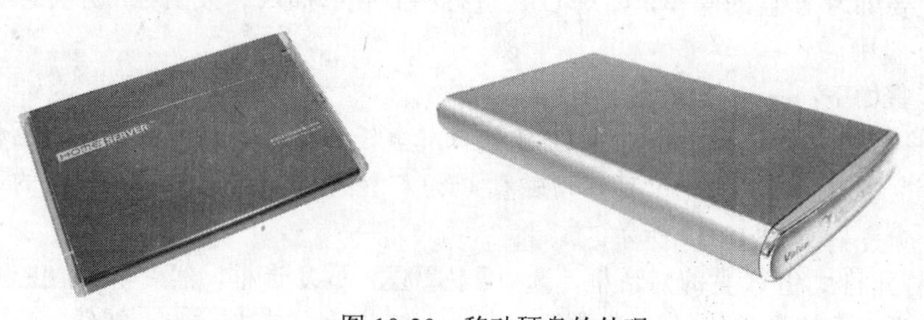

图 10-30　移动硬盘的外观

10.4.3 应用举例——格式化 U 盘

U 盘在使用一段时间后，有可能会出现逻辑错误导致可用空间减少，或者受计算机病毒入侵而无法传输数据，此时可以对 U 盘进行格式化操作。

操作步骤如下：

（1）在“我的电脑”窗口中的 U 盘驱动器图标上右击，在弹出的快捷菜单中选择“格式化”命令，打开格式化 U 盘对话框，如图 10-31 所示。

（2）从中选中☑快速格式化(Q)复选框，单击开始(S)按钮将打开一个提示对话框，然后单击该对话框中的确定按钮，即可开始格式化 U 盘并显示格式化进度。

（3）稍后将打开一个提示完成的对话框，如图 10-32 所示，单击确定按钮即可。

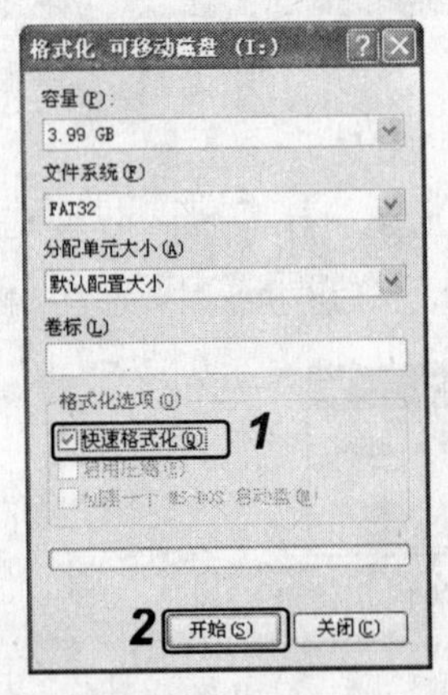

图 10-31　格式化 U 盘对话框

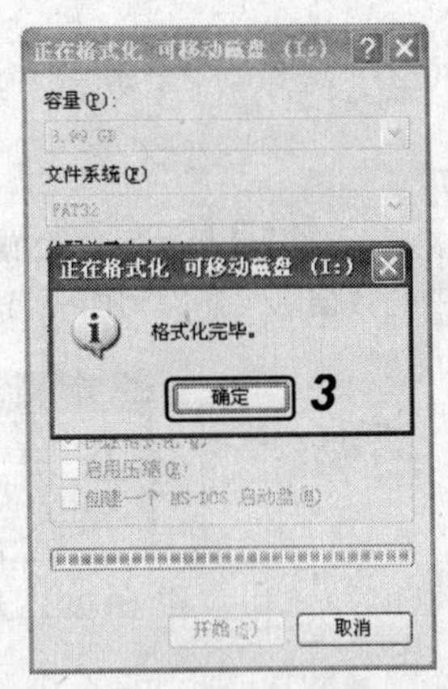

图 10-32　格式化完毕对话框

🔔注意：

由于格式化操作会删除 U 盘上的所有数据，所以在格式化操作之前要将 U 盘中的重要文件复制到计算机的其他磁盘中。

10.5　上机及项目实训

10.5.1 使用 U 盘储存文件

本例主要练习 U 盘的操作，如对 U 盘进行格式化、插入和拔出等，并将计算机中的文件存储在 U 盘中。

操作步骤如下：

（1）将 U 盘插入计算机主机的 USB 接口，当任务栏的提示区中出现图标时，打开“我的电脑”窗口。在其中的“可移动磁盘（I:）”上单击鼠标右键，在弹出的菜单中选择“格式化”命令，如图 10-33 所示。

（2）打开格式化 U 盘的对话框，选中☑快速格式化(Q)复选框，然后单击开始(S)按钮，如图 10-34 所示。系统将开始对 U 盘进行格式化，完毕后，单击关闭(C)按钮。

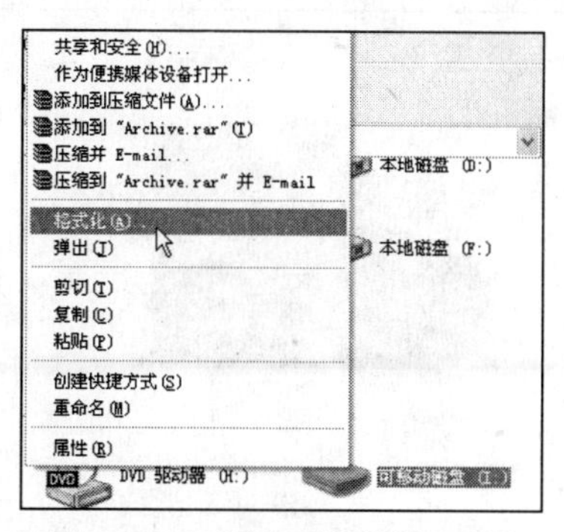

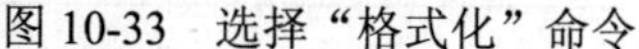

图 10-33　选择“格式化”命令

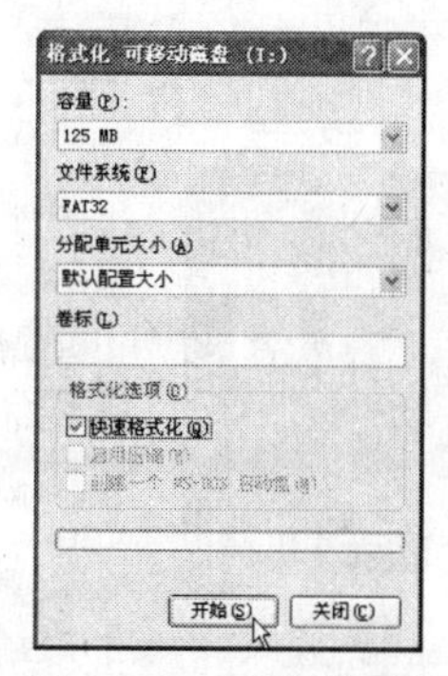

图 10-34　开始格式化

（3）在桌面上选择文件夹，按 Ctrl+C 键执行复制操作。

（4）双击 U 盘的图标，打开“可移动磁盘（I:）”窗口，按 Ctrl+V 键执行粘贴操作，系统开始将选择的内容向 U 盘中复制，并显示复制进度，如图 10-35 所示。

（5）复制完成后，单击任务栏提示区中的图标，再单击弹出的如图 10-36 所示的命令，安全移除 U 盘。

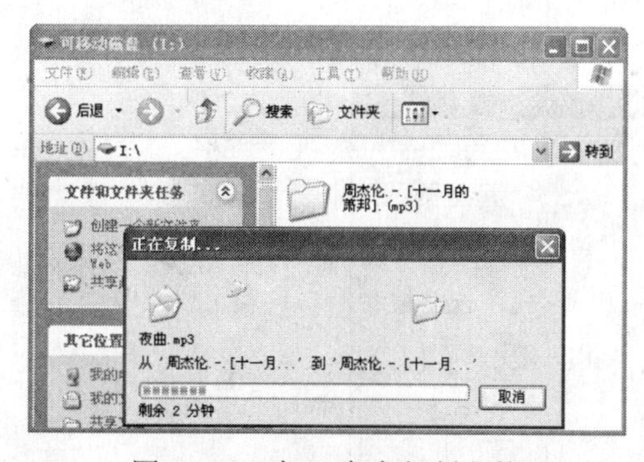

图 10-35　向 U 盘中复制文件

图 10-36　选择安全移除硬件命令

10.5.2　扫描并打印文件

本例将练习使用扫描仪将照片扫描并保存在计算机中，然后再将其打印出来。通过练习更加熟练地掌握扫描仪和打印机的使用方法。

主要操作步骤如下：

（1）将要扫描的图片放入扫描仪中，依次选择“开始/所有程序/Microtek Scanwizard 5 for windows/Scanwizard 5”命令，启动 ScanWizard 5 扫描程序，如图 10-37 所示。

（2）选择要扫描的图像区域，设置扫描选项，然后扫描图像。

（3）打开扫描到的图片，选择“打印”选项打印图片，如图 10-38 所示。

注意：

打印图片的方法与打印文件的方法相似，打印图片时，在图片上单击鼠标右键，在弹出的快捷菜单中选择“打印”命令即可。

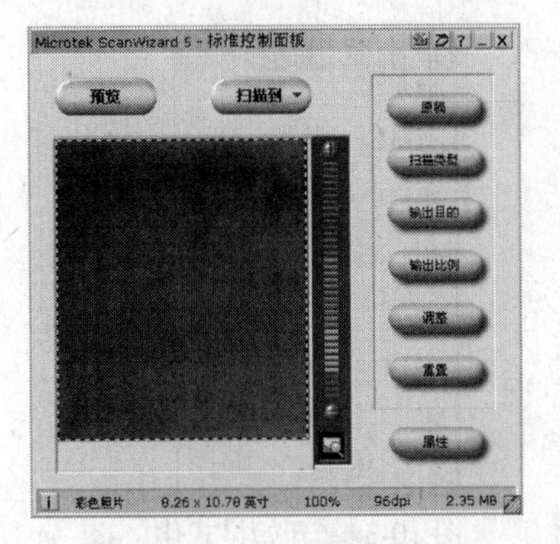

图 10-37 扫描图像

图 10-38 打印扫描的图像

10.6 练习与提高

（1）将打印机正确连接到计算机上，打印需要打印的文档，根据需要设置打印选项，如图 10-39 所示。

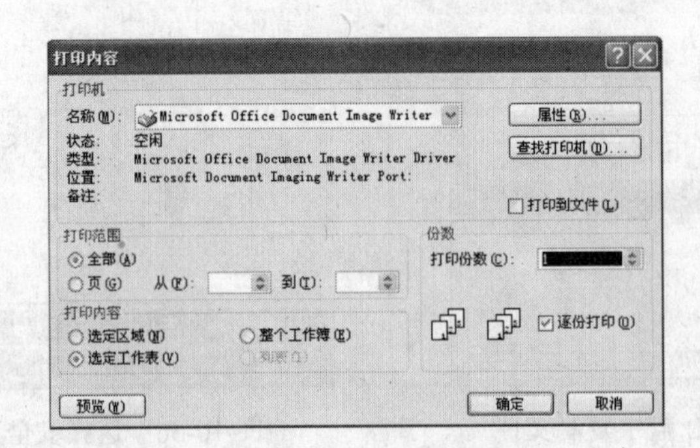

图 10-39 打印文档

（2）使用扫描仪将一些证件扫描到计算机中，并根据需要打印相关的证件文档。

（3）连接摄像头，使用其进行简单的拍摄，且在进行网络聊天时应用其进行视频聊天。

经验技巧

通过本章的学习，了解常见外部硬件设备的使用。下面将介绍几点使用这些硬件设备的注意事项。

- 在使用打印机打印文件时，如果计算机添加了多个打印机选项，那么在打印时应选择能正常运行的打印机选项进行打印。
- 使用扫描仪时，既可以运用系统自带的向导进行扫描操作，也可以安装 ScanWizard 5 扫描程序，但使用 ScanWizard 5 扫描程序更加方便、快捷。

第 11 章　网络基础与应用

学习目标

☑　了解计算机连接 Internet 的方法以及认识 IE 浏览器
☑　搜索并下载网络上的资源
☑　网络资源的应用，如进行聊天、收发邮件等

目标任务&项目案例

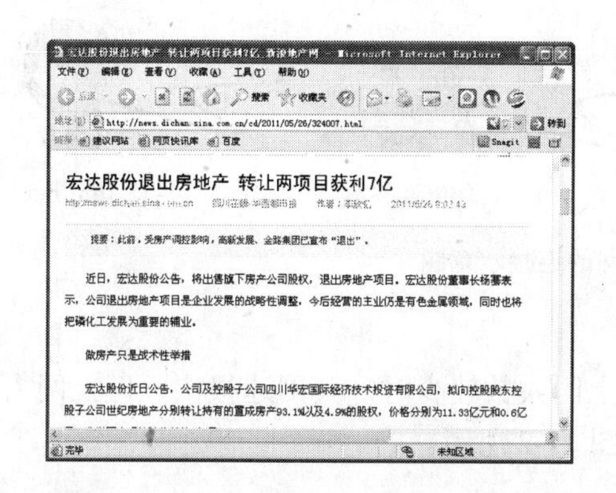

访问网页

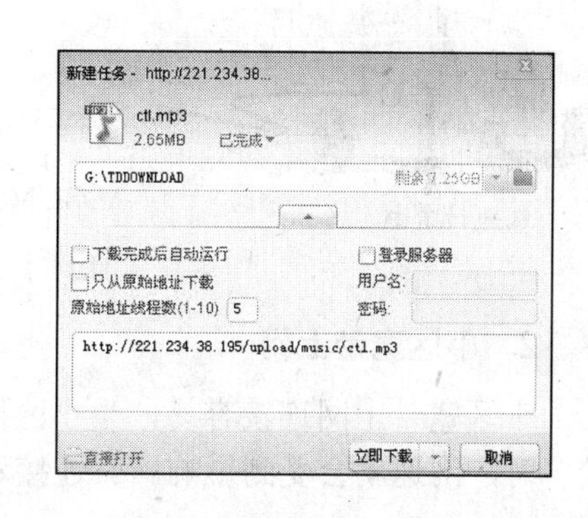

下载歌曲

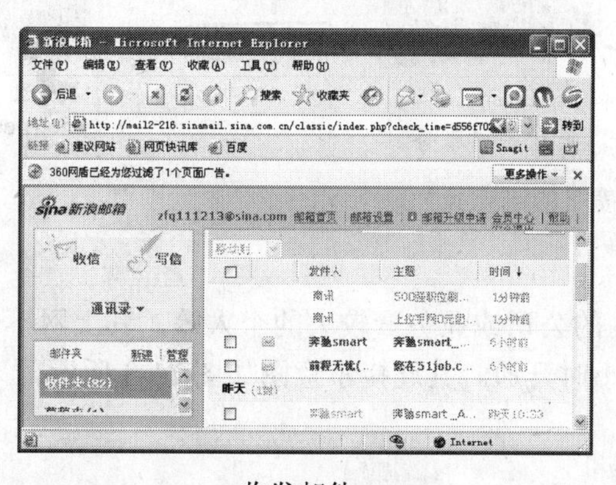

收发邮件

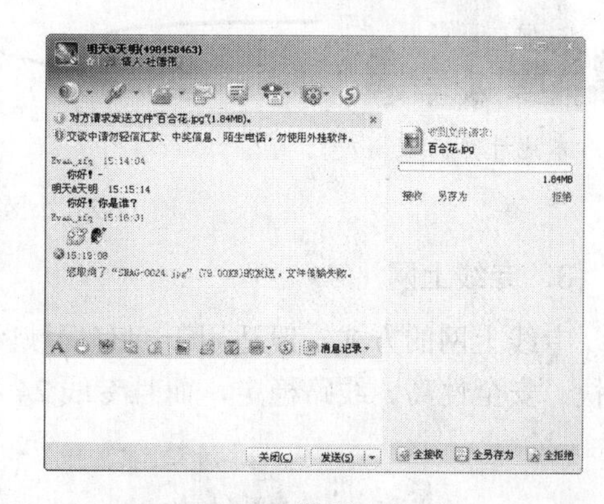

QQ 聊天

Internet 的全称为国际信息互联网，简称因特网，它是全球性计算机网络的集合。由于目前越来越多人的参与，Internet 的规模也越来越大，它在人们生活中扮演的角色也越来越重要。本章将对如何上网、IE 浏览器的使用及网络资源的下载和应用等知识进行详细介绍，让读者能够轻松使用 Internet 中的资源。

11.1　连接 Internet

随着计算机网络的诞生和不断发展，丰富的网上资源也使人们受益匪浅，但并不是所有的计算机都能在 Internet 中使用这些资源，只有将计算机连入 Internet 后才能实现。

11.1.1　计算机连入 Internet 的方法

连入 Internet 的方式有多种，目前较常用的有拨号上网、ADSL 上网和专线上网等。下面将分别对它们进行介绍。

1．ADSL 上网

ADSL 上网是目前使用最广泛的上网方式，它具有独享带宽、安装方便、速度快和费用低廉等特点，深受用户青睐。其连接示意图如图 11-1 所示。

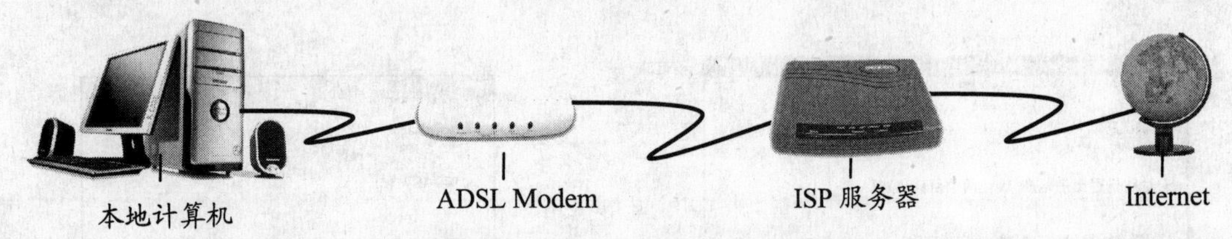

图 11-1　ADSL 上网的连接示意图

2．小区宽带上网

小区宽带上网连接容易，当小区同一时段上网人数较少时，其网速很快，但上网人数较多时，网速就会受到影响。其连接示意图如图 11-2 所示。

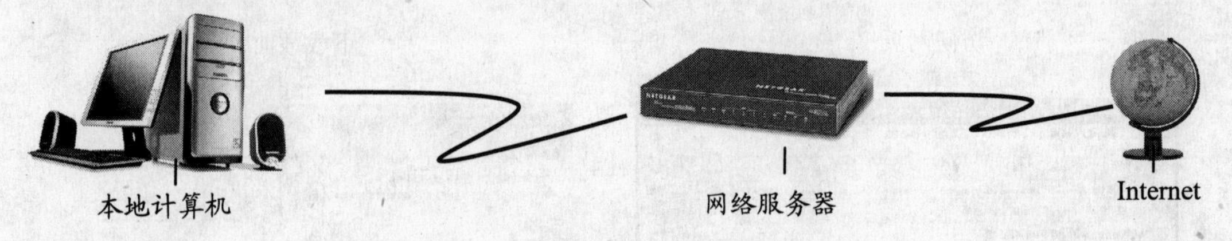

图 11-2　小区宽带的连接示意图

3．专线上网

专线上网的方式一般适用于拥有局域网的公司或业务量较大的个人等，其上网不仅速度快、安全性高、线路稳定，而且专线 24 小时开通。其连接示意图如图 11-3 所示。

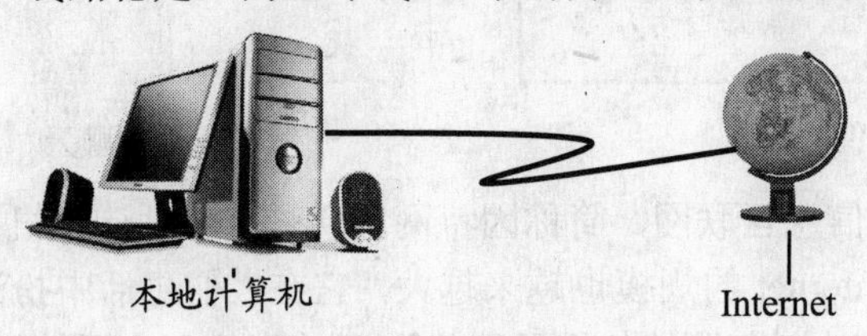

图 11-3　专线上网的连接示意图

11.1.2　认识 Internet Explorer 浏览器

在 Internet 中浏览或使用资源等操作就必须用到浏览器。Microsoft 公司的 Internet Explorer（简称 IE），是目前最为流行的浏览器之一。下面以 Internet Explorer 6.0 为例介绍其工作窗口。

依次选择“开始/所有程序/Internet Explorer”命令启动 IE 浏览器，其工作窗口如图 11-4 所示。其窗口中的标题栏、地址栏、菜单栏、工具栏、工作区和状态栏等组成部分的作用与前面章节中介绍的应用程序的窗口类似。

图 11-4　IE 浏览器窗口

在工具栏中，可查看到它由按钮组成，且每个按钮都有各自的作用，下面将对这些按钮进行简单介绍。

- “后退”按钮：单击该按钮可返回到前一个访问过的网页；单击该按钮右侧的▾按钮，在弹出的下拉列表中可选择已访问过的网页中的一个页面。
- “前进”按钮：与按钮的作用相反，只有在单击按钮后才能使用该按钮，用于撤销“后退”操作。
- “停止”按钮：单击该按钮可停止加载当前网页，主要用于因服务器繁忙或通信线路故障而导致网页长时间不能完全加载的情况。
- “刷新”按钮：单击该按钮可使浏览器重新加载当前网页，主要用于因网络故障而导致加载中断的情况。
- “主页”按钮：单击该按钮可快速打开浏览器默认的启动首页。

11.2　访问 Internet 中的网页

通过在 IE 浏览器的地址栏直接输入网站的网址或利用超链接都可打开需访问的网页。下面将对这两种访问网页的方式分别进行介绍。

11.2.1 输入网站的网址访问网页

在地址栏中输入网站的网址后按 Enter 键便可进入该网站。

【例 11-1】 通过在地址栏中输入网页地址访问新浪网。

（1）启动 IE 浏览器，在地址栏输入新浪网的网址 “http://www.sina.com.cn”。

（2）单击地址栏右侧的 “转到” 按钮，打开相应的网页窗口，如图 11-5 所示。

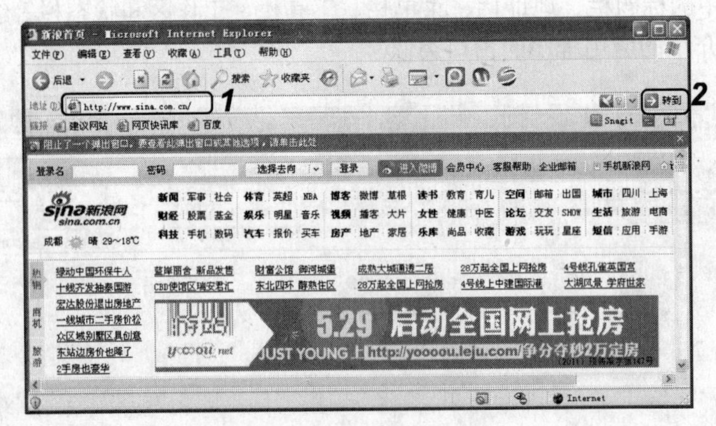

图 11-5 打开 “新浪” 网页

技巧：

地址栏的下拉列表框中将以列表的形式自动保存输入过的网站网址。当需要访问已经访问过的网站时，只需在地址栏的下拉列表框中选择相应的网址选项即可。

11.2.2 利用超链接访问网页

利用超链接访问网站是指对网页中的一段文字或一幅图片进行超链接处理后，当鼠标光标移至文字或图片上，鼠标光标变成形状时单击可跳转至另一网页，如图 11-6 所示。

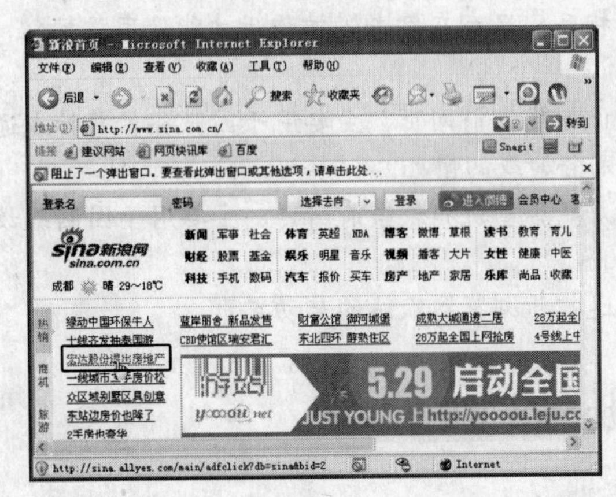

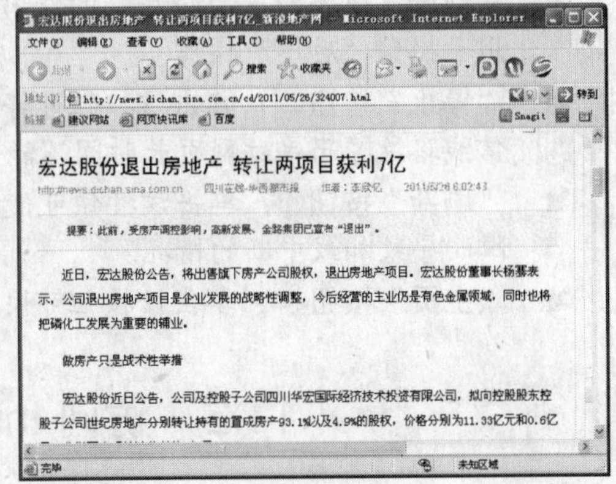

图 11-6 单击超链接访问网页

注意：

大多数网页中的文字超链接下都有条下划线，且被浏览过的超链接通常会以蓝紫色或红色显示，可根据其判断链接是否被读取。

11.2.3　应用举例——访问“股票”专题网页

下面利用在地址栏中输入网址打开新浪网，并访问其中的“股票”专题网页。

操作步骤如下：

（1）启动 IE 浏览器，在地址栏中输入“http://www.sina.com.cn”，然后按 Enter 键打开新浪网的首页，如图 11-7 所示。

（2）单击“股票”超链接，打开如图 11-8 所示的“股票”专题网页页面，在其中单击相应的超链接，访问该超链接的具体内容。

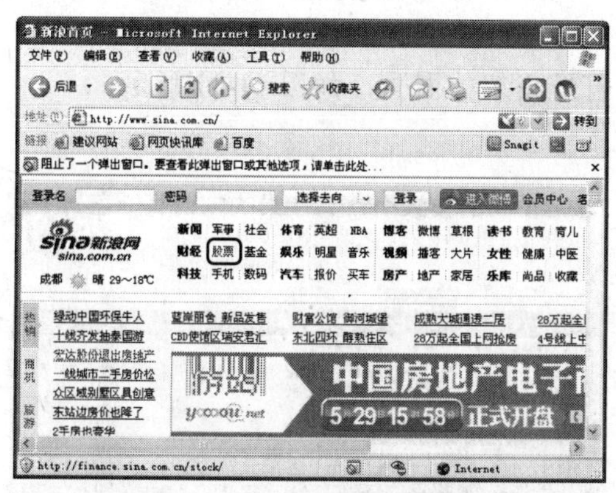

图 11-7　新浪网首页

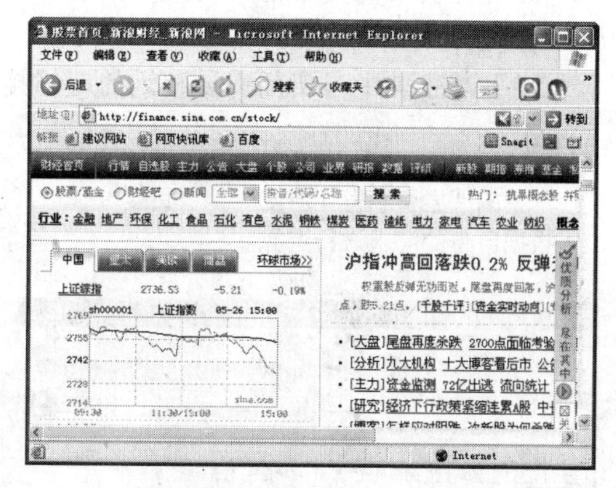

图 11-8　“股票”专题网页

（3）在打开的网页中拖动滚动条浏览其内容，如图 11-9 所示。

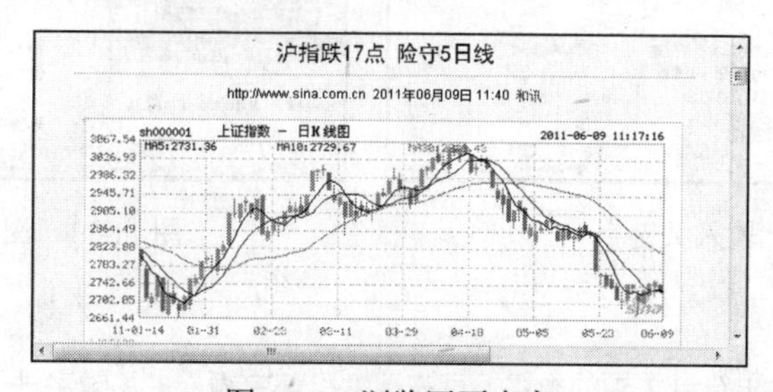

图 11-9　浏览网页内容

11.3　搜索与下载网上资源

Internet 中的信息量非常大，因此在寻找需要的资源时，若按照逐个网站进行浏览的方法来查找，无异于大海捞针。因此，掌握在网络中快速查找资源的方法显得尤为重要，这样才可准确地找到需要的信息。

11.3.1 搜索网上资源

在 Internet 中搜索需要的资源时，可通过专业的搜索引擎或网络实名功能进行，下面将分别对这两种方式进行讲解。

1．使用搜索引擎搜索

搜索引擎强大的功能，可帮助人们轻松完成资源的搜索。目前，常用的搜索引擎包括百度、雅虎等。使用搜索引擎搜索资源的方法很简单，只需在搜索引擎的首页文本框中输入需搜索资源的关键字，然后进行搜索即可。

【例 11-2】 下面在百度网站中搜索关键字为“黑客入侵”的相关网页。

（1）启动 IE 浏览器，在地址栏输入“http://www.baidu.com”，然后按 Enter 键打开百度网站的首页。

（2）在其中的文本框中输入“黑客入侵”，然后单击 百度一下 按钮，将打开如图 11-10 所示的搜索结果。

（3）单击其中与实际需要相近的超链接，打开相应的网页，如图 11-11 所示。

注意：

常见的搜索引擎有“雅虎”、“百度”和“搜搜”等，不同的搜索引擎其搜索的内容有所差异，可根据自身的需求进行选择。

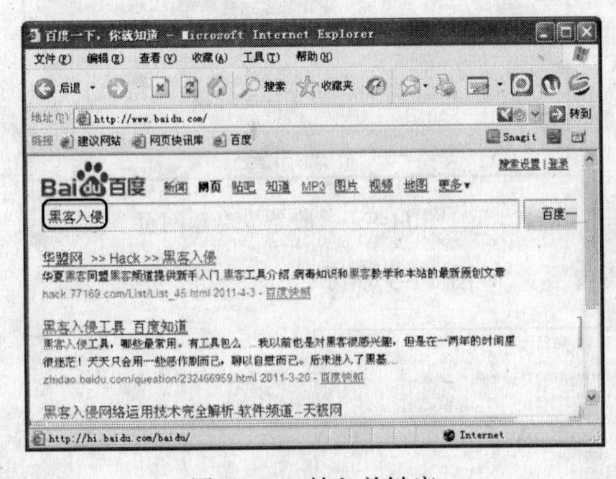

图 11-10 输入关键字

图 11-11 浏览需求页面

技巧：

为了更加准确地搜索出符合需求的内容，可在搜索引擎中输入多关键字进行搜索。

2．通过网络实名功能搜索

网络实名功能是指只在浏览器的地址栏中输入需搜索资源的关键字后，按 Enter 键即可打开搜索结果的网页。

【例 11-3】 下面利用网络实名功能搜索关键字为“酒店”的相关资源。

（1）启动 IE 浏览器，在地址栏中直接输入“酒店”，然后按 Enter 键打开搜索结果的页面，如图 11-12 所示。

（2）在搜索的结果中单击的“酒店预订艺龙网返 20%房价，首晚无房赔付”超链接，打开相应的网页，如图 11-13 所示。

图 11-12　搜索结果页面

图 11-13　打开网页

11.3.2　下载网上资源

当需要 Internet 上的资源时，可将其下载到本地计算机中以供使用。Internet 中的许多资源都提供了下载，可通过直接下载或使用专用下载软件的方法得到这些资源。

1．保存网页

当浏览到制作非常精美的网页时，可将它保存在计算机中，这样可在以后随时浏览。其方法为：在要进行保存的网页中选择“文件/另存为”命令，打开“保存网页”对话框，如图 11-14 所示。然后在“保存在”下拉列表框中选择网页的保存路径；在“文件名”下拉列表框中设置保存后的网页名称；在“保存类型”下拉列表框中选择文件的保存类型为默认的“网页，全部”类型。单击 保存(S) 按钮，将其保存在计算机中。

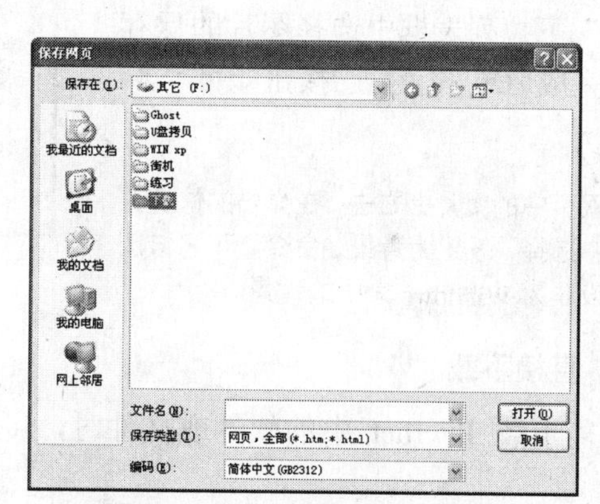

图 11-14　“保存网页”对话框

2．保存文字

当在网页中看到自己喜欢的文字时，可将其保存到计算机的文本程序中以供以后浏览或参考。

【例 11-4】　打开新浪网中的超链接网页，并将其中将文字保存记事本中。

（1）在新浪网中打开的需访问页面，选择其中的文字，按 Ctrl+C 键复制文本，如图 11-15 所示。

（2）依次选择“开始/所有程序/附件/记事本”命令，打开记事本程序，然后选择“编辑/粘贴”命令将选择的文本粘贴到其中，如图 11-16 所示。

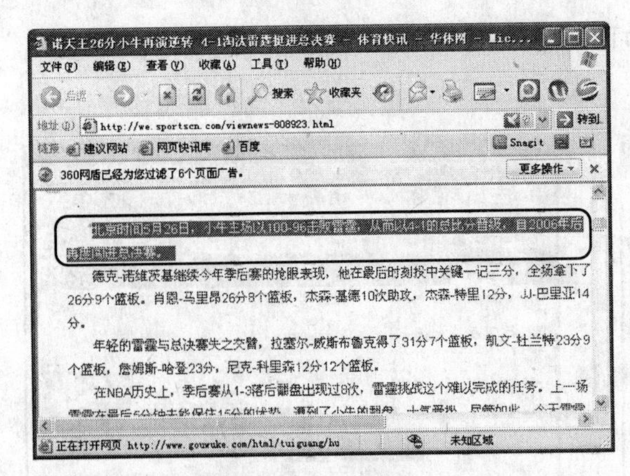

图 11-15　复制文本

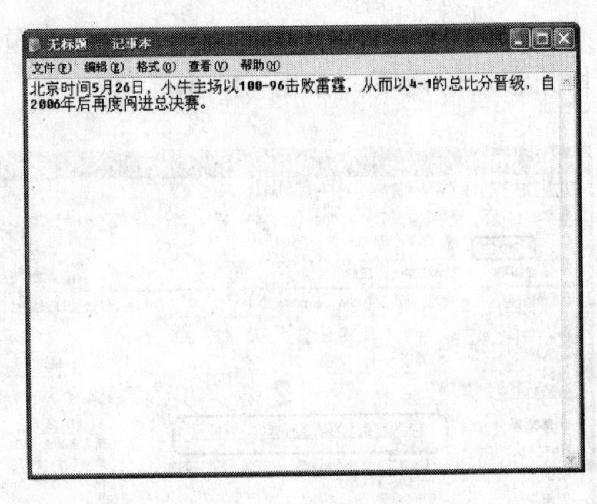

图 11-16　粘贴文字

3. 保存图片

Internet 中有许多制作精美的图片，可将其保存到本地计算机中欣赏。其方法为：在网页中需保存的图片上单击鼠标右键，在弹出的快捷菜单中选择“图片另存为”命令，打开“保存图片”对话框，如图 11-17 所示。在“保存在”下拉列表框中选择图片保存的位置，在“文件名”下拉列表框中设置图片保存的名称，在“保存类型”下拉列表框中选择图片的保存类型，完成后单击保存(S)按钮即可。

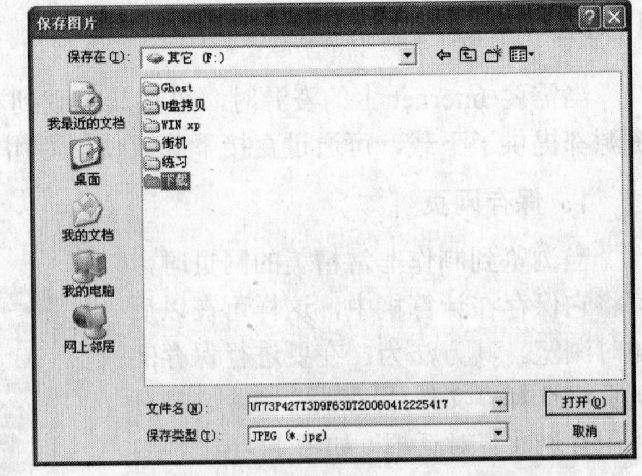

图 11-17　“保存图片”对话框

技巧：

在网页中的图片上右击，在弹出的快捷菜单中选择“设置为背景”命令，可将该图片设置为 Windows 桌面的背景。

4. 直接下载

当需下载 Internet 中的软件或文件时，可利用直接下载的方法将其保存在本地计算机中。

【例 11-5】　在天空软件网中下载迅雷软件。

（1）在地址栏输入“http://www.skycn.com”，然后按 Enter 键打开天空软件站的首页，在其文本框中输入“迅雷”，单击软件搜索按钮，如图 11-18 所示。

（2）在打开的网页中单击“迅雷（Thunder）7.1.8.2300[下载工具]”超链接，如图 11-19 所示。

技巧：

如果在计算机中没有安装下载软件，可直接在网站中找到需要下载的文件，在网页中进行下载即可。

图 11-18　天空软件站首页

图 11-19　单击软件超链接

（3）打开软件的介绍与下载网页，单击其中一个下载超链接，如图 11-20 所示。

（4）打开“文件下载－安全警告”对话框，单击 保存(S) 按钮，如图 11-21 所示。

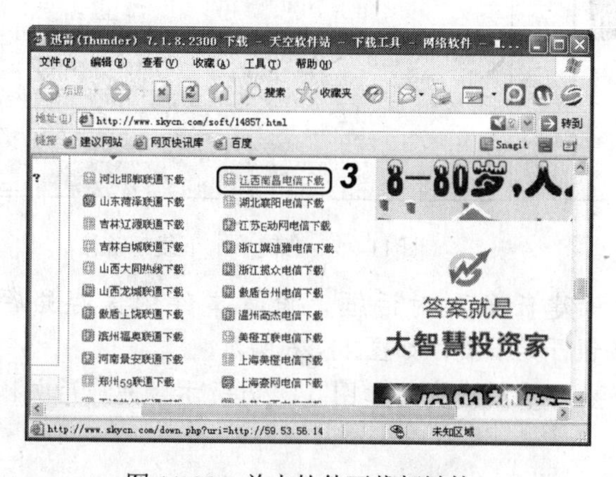

图 11-20　单击软件下载超链接

图 11-21　安全警告对话框

（5）打开“另存为”对话框，在“保存在”下拉列表框中选择“桌面”选项，在“文件名”下拉列表框中输入“迅雷”，如图 11-22 所示。

（6）然后单击 保存(S) 按钮，打开下载进度对话框，如图 11-23 所示，选中 ☑下载完毕后关闭该对话框(C) 复选框，当该对话框自动关闭后即表示软件已下载完成。

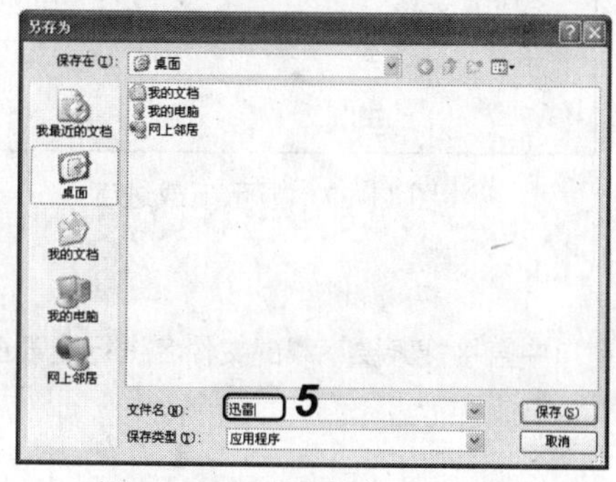

图 11-22　“另存为”对话框

图 11-23　下载进度

5. 使用下载软件下载

使用专业的下载软件下载 Internet 中的文件，可更加方便且快速地完成下载，在计算机中安装迅雷下载软件后使用其进行下载文件。

【例 11-6】 使用迅雷软件下载名为“春天里”的音乐文件。

（1）在计算机中安装迅雷软件，然后打开网址为“mp3.baidu.com”的网页，并搜索“春天里”音乐，打开如图 11-24 所示的页面。

（2）在打开的对话框的超链接上右击，在弹出的快捷菜单中选择“使用迅雷下载”命令，如图 11-25 所示。

图 11-24 搜索结果页面

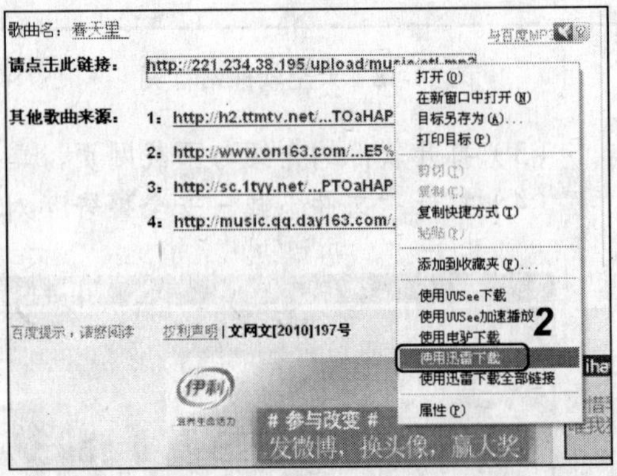

图 11-25 右键单击下载超链接

（3）启动迅雷软件，并打开“新建任务”对话框，设置文件的保存路径为“G:\TDDOWNLOAD”，单击立即下载按钮开始下载，如图 11-26 所示。

（4）打开“迅雷 7”窗口，从中将显示下载进度，如图 11-27 所示。完成后关闭该窗口。

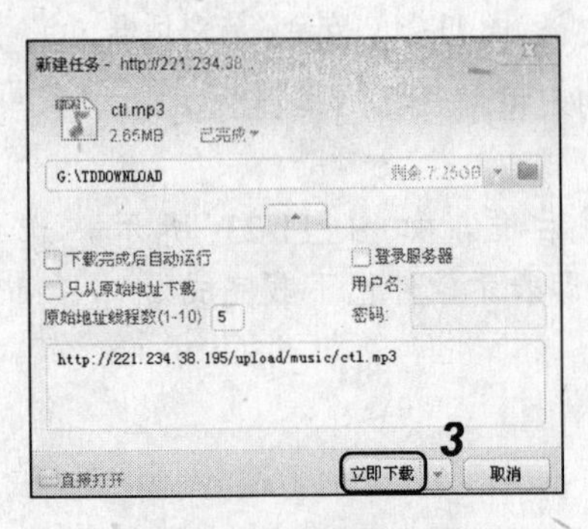

图 11-26 设置保存信息

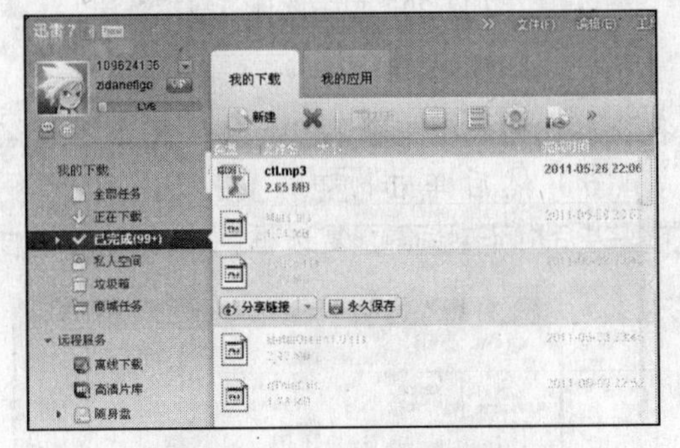

图 11-27 显示下载进度

技巧：

使用迅雷软件下载文件时，可以在其“迅雷 7”窗口中直接搜索要下载的文件名进行搜索查找，这样更方便、直接。

11.3.3　应用举例——搜索并下载暴风影音播放器

下面将利用“百度”搜索引擎在网上搜索并下载暴风影音播放器，主要练习网上资源的搜索和下载的方法。

操作步骤如下：

（1）启动 IE 浏览器，在地址栏中输入“http://www.baidu.com”，然后按 Enter 键打开百度首页。在其中的文本框中输入“暴风影音下载”，然后单击[百度一下]按钮，打开如图 11-28 所示的页面。

（2）单击其中的[官方下载]按钮，打开迅雷的“新建任务”对话框，如图 11-29 所示，在其中设置下载选项，完成后单击按钮[立即下载]开始下载。

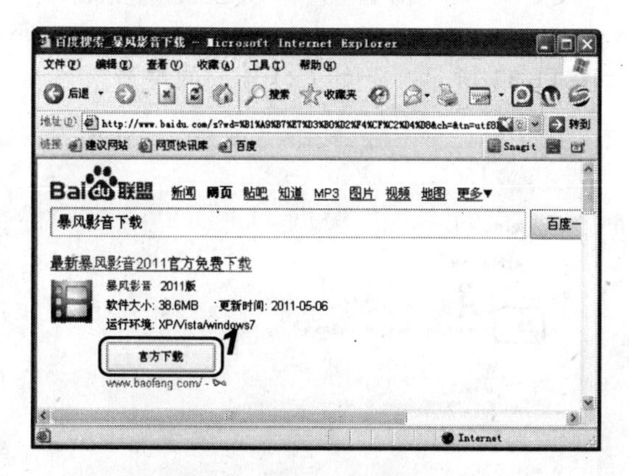

图 11-28　输入关键字

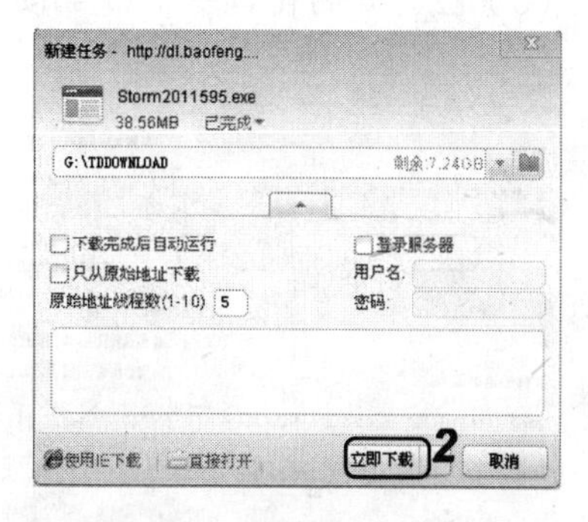

图 11-29　“新建任务”对话框

（3）在打开的“迅雷 7”窗口中将显示软件的大小和下载的进度，如图 11-30 所示。下载完成后，可在相应的位置找到下载的软件。

图 11-30　下载软件的进度

11.4　网络资源的应用

闲暇时在 Internet 上可进行聊天、视听以及游戏等适当的娱乐活动调节心情，缓解压力。

11.4.1　QQ 号的申请和使用

随着 Internet 的发展，网上聊天已逐渐成为人们生活娱乐中的一个重要组成部分，通过它可以使身处各地的人实现交流。要实现网上聊天，就需用到聊天软件，目前流行的聊天软件有 QQ 和 MSN 等，这里将以 QQ 聊天为例进行讲解。

使用 QQ 软件聊天的前提是本地计算机中安装有 QQ 软件，用户可直接到腾讯网站“http://www.qq.com”中下载免费的 QQ 安装程序，然后将其安装在计算机中。

1. 申请 QQ 号码

安装好 QQ 软件后，还需申请 QQ 号码才可以使用该软件。

图 11-31 “QQ2011”登录窗口

【例 11-7】 申请 QQ 号码。

（1）启动 QQ 软件，打开“QQ2011”窗口，单击其中的“注册”超链接，如图 11-31 所示。

（2）打开申请 QQ 账号窗口，单击左侧的 立即申请 按钮，打开如图 11-32 所示的“I'M QQ”窗口。

（3）在打开的窗口中单击 按钮，如图 11-33 所示，开始 QQ 号码的申请。

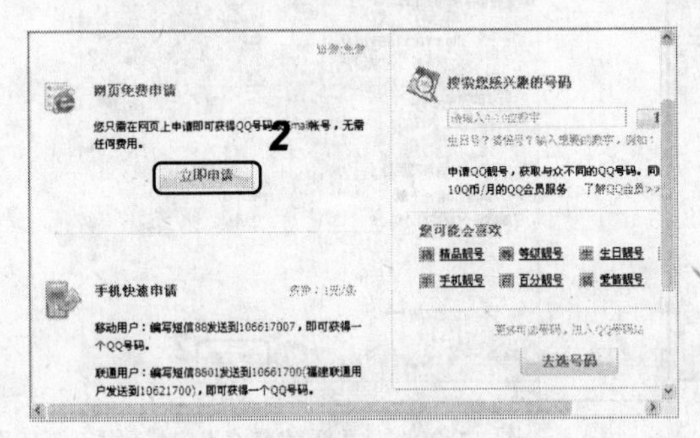

图 11-32 选择申请方式

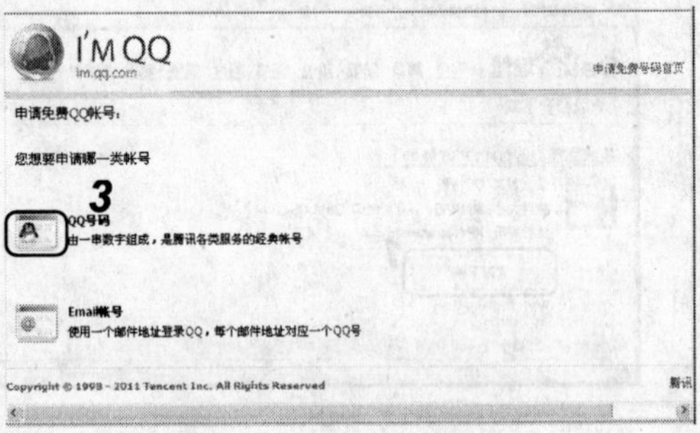

图 11-33 阅读申请条款

（4）在打开的窗口中按提示填写信息，完成后单击 确定 并同意以下条款 按钮，如图 11-34 所示。

（5）打开申请成功的窗口，并在其中显示刚申请的 QQ 号码，如图 11-35 所示，该号码即为 QQ 账号，用于 QQ 的登录。

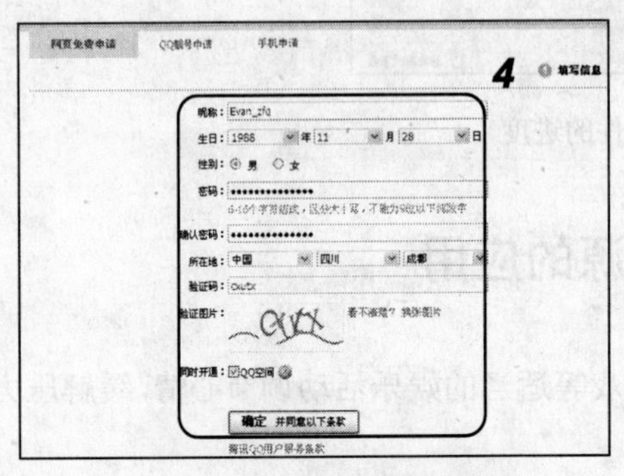

图 11-34 必填的基本资料

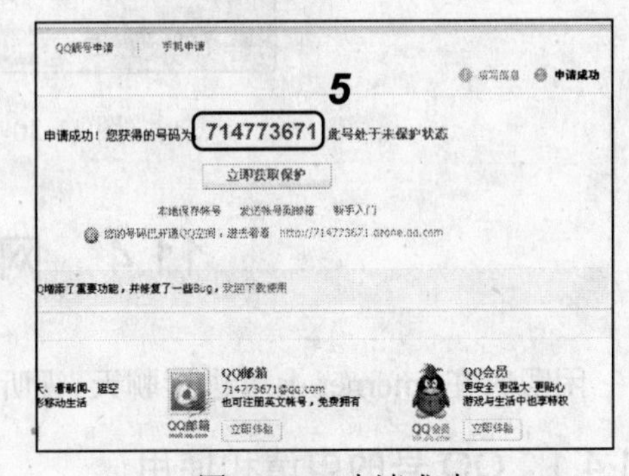

图 11-35 申请成功

2. 登录 QQ 并添加好友

申请完 QQ 号码后，在“QQ 用户登录”对话框中输入相应的号码和密码登录 QQ，然后添加好友进行聊天。

【例 11-8】　登录 QQ 添加好友。

（1）启动 QQ 程序，打开“QQ2011” 用户登录对话框，在其中的“QQ 账号”下拉列表框中输入申请的 QQ 号码，在“QQ 密码”文本框中输入申请号码时设置的密码，然后单击 安全登录 按钮，如图 11-36 所示。

（2）如输入的信息正确，经验证后 QQ 将成功登录，如图 11-37 所示。

（3）第一次成功登录 QQ 后，将打开如图 11-38 所示的“皮肤自定义界面”对话框，在其中选择相应的选项，单击 确定 按钮。

技巧：

在登录 QQ 时，可在登录界面设置其登录方式，如隐身、忙碌、请勿打扰等，系统默认的是在线登录。

图 11-36　输入登录信息

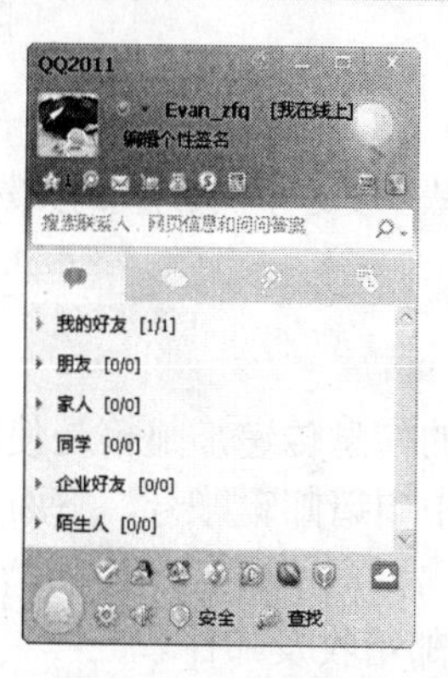

图 11-37　成功登录

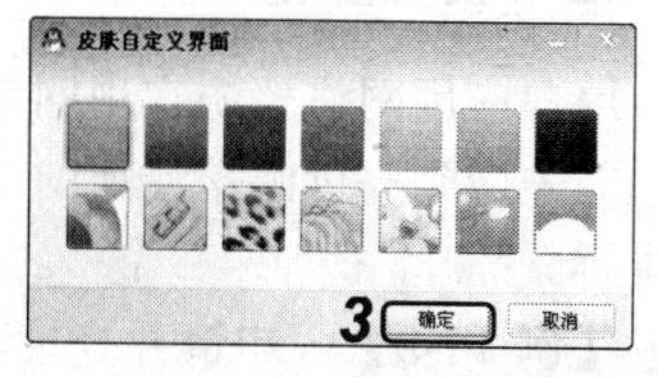

图 11-38　皮肤自定义界面

（4）在窗口中单击 查找 按钮，打开“查找联系人/群/企业”窗口的“查找联系人”选项卡，选中 精确查找 单选按钮，然后在下方的“账号”文本框中输入需添加为好友的 QQ 号，单击 查找 按钮，如图 11-39 所示。

（5）打开查找到好友的对话框，其中显示了符合条件的 QQ 信息。选择该选项，然后单击 添加好友 按钮，如图 11-40 所示。

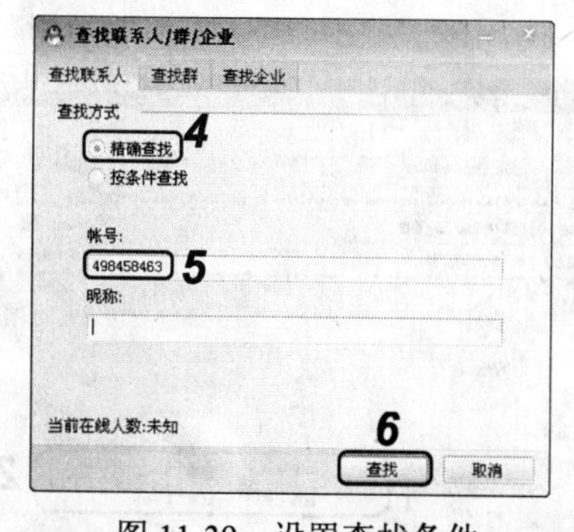

图 11-39　设置查找条件

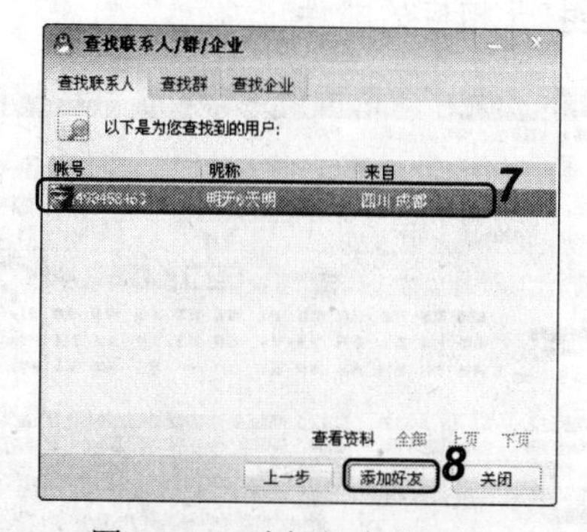

图 11-40　选择好友并添加

（6）在打开的“添加好友”对话框中设置好友的备注姓名和分组，完成后单击 确定 按钮，如图 11-41 所示。完成添加后便可在 QQ 窗口的“我的好友”栏中看到该好友的头像，如图 11-42 所示。

图 11-41　设置备注

图 11-42　添加的好友

提示：

用户添加好友后双击“我的好友”列表中要进行聊天好友的头像，在打开的窗口中即可开始进行聊天。

11.4.2　收发邮件

用户应用网络资源实现网络上的信息传递，邮箱是使用最广泛的方式之一，要使用邮箱，首先应到提供邮箱注册的网站中申请邮箱账号。下面将以新浪邮箱为例对收发邮件进行讲解。

【例 11-9】　申请并登录新浪邮箱收发邮件。

（1）启动浏览器，在地址栏输入“mail.sina.com.cn”，打开新浪邮箱界面，单击 注册免费邮箱 按钮，进入申请界面。与QQ号码的申请类似，申请邮箱同样只需根据提示填入相关内容即可申请成功。

（2）邮箱申请成功后，打开“www.sina.com”网页，在页面中输入邮箱的登录名和密码，单击 登录 按钮，如图 11-43 所示。

（3）在打开的页面中可查看最新接收到的邮件，如图 11-44 所示，在右侧的窗格中单击超链接打开相应的邮件。

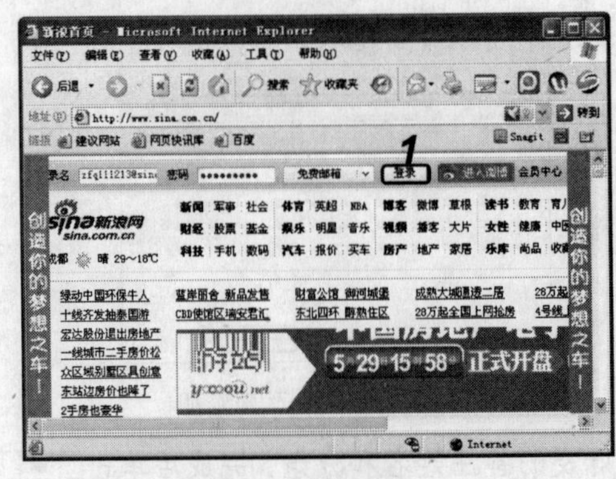

图 11-43　登录邮箱

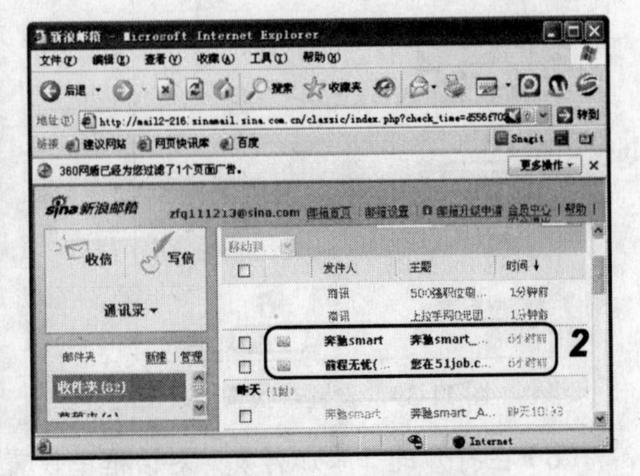

图 11-44　查看邮件

（4）单击 写信 按钮，打开邮件发送界面，在其中填写收件人地址、主题和发送内容，如图 11-45 所示。

（5）邮件的内容确定后，单击页面中的发送按钮发送邮件，如图 11-46 所示。当发送完成后将接收到发送成功的提示。

图 11-45　填写邮件内容

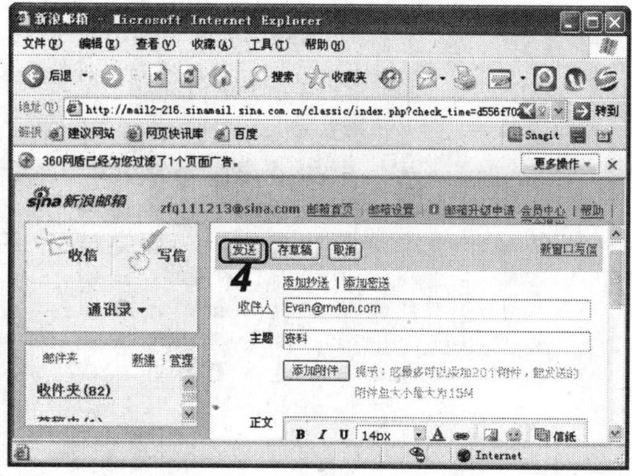

图 11-46　发送邮件

技巧：

除此之外，还可以利用网络听歌或看电影，丰富业余生活。

11.4.3　应用举例——网上聊天

在为 QQ 添加好友后，与添加的好友进行聊天，其内容主要有发送信息、接受和回复消息、发送 QQ 表情和发送及接收文件等。

操作步骤如下：

（1）在 QQ 窗口中双击需发送消息的好友头像，打开相应的聊天窗口，在下方的文本框中输入“你好！”文本，单击发送(S)按钮发送消息，如图 11-47 所示。

（2）当 QQ 窗口中的好友头像不停地闪动时，双击好友头像即可在打开的聊天窗口中看到消息的内容，用相同的方法可回复消息，如图 11-48 所示。

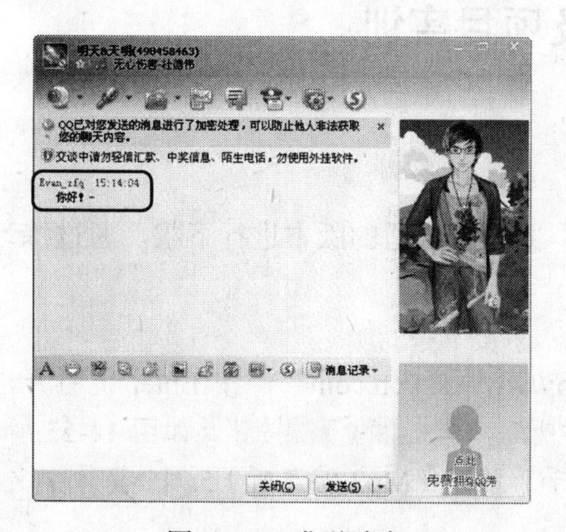

图 11-47　发送消息

图 11-48　接收并回复消息

（3）单击聊天窗口之间的表情按钮😀，在打开的列表框中选择所需表情图标，如图 11-49 所示。然后按照发送消息的方法发送，如图 11-50 所示。

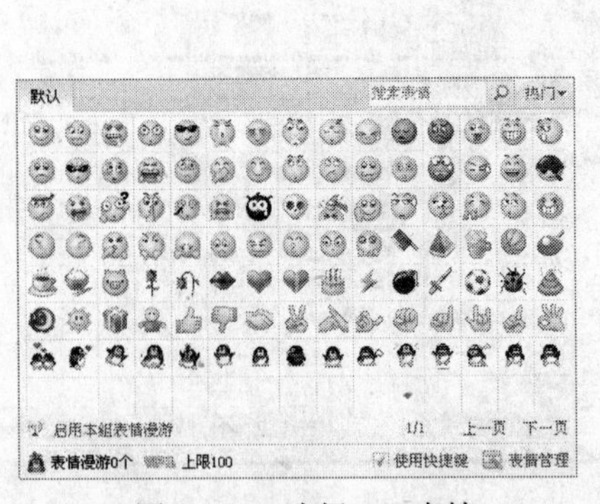

图 11-49　选择 QQ 表情

图 11-50　发送 QQ 表情

（4）在聊天窗口中单击📎按钮，然后在弹出的子菜单中选择“发送文件”命令，如图 11-51 所示。在打开的“打开”对话框中选择需发送的文件，然后单击 打开(O) 按钮。

（5）在聊天窗口中可看见文件的接收提示，单击“接收”超链接，如图 11-52 所示，文件将保存在默认的位置。

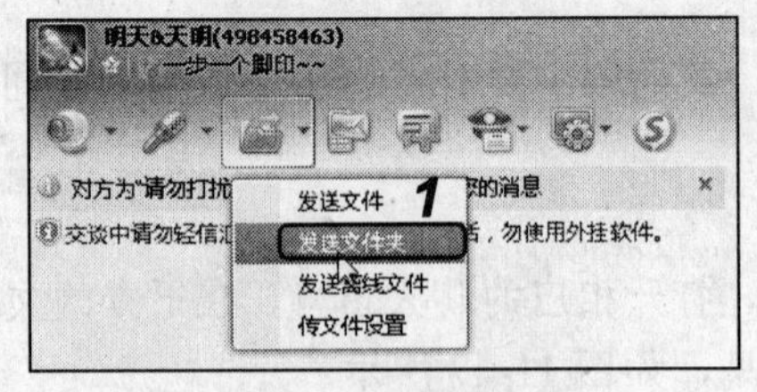

图 11-51　发送文件

图 11-52　接收文件

11.5　上机及项目实训

11.5.1　搜索并下载千千静听

下面将在天空软件网中搜索千千静听软件，并选择合适的版本进行下载，通过练习熟悉直接在网上下载文件的方法。

操作步骤如下：

（1）启动 IE 浏览器，在地址栏输入“http://www.skycn.com”，按 Enter 键打开“天空软件站”的首页，在其文本框中输入“千千静听”，单击 软件搜索 按钮，如图 11-53 所示。

（2）在打开的“搜索结果”网页中单击“千千静听（Mp3 随身听）5.711 简体中文版”超链接，如图 11-54 所示。

图 11-53　“天空软件站”首页

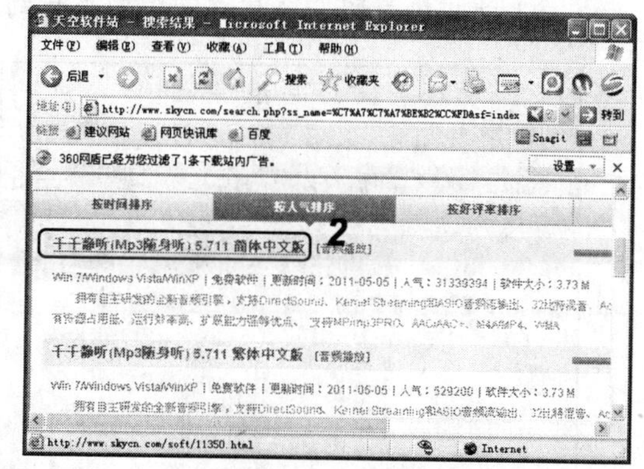

图 11-54　搜索软件

（3）在打开的网页中将显示下载该软件的通道，单击“山西大同热线下载”超级链接，如图 11-55 所示。系统将打开“文件下载-安全警告”对话框，单击保存(S)按钮。

（4）打开“另存为”对话框，在“保存在”下拉列表框中选择“桌面”选项，在“文件名”下拉列表框中输入“千千静听”，然后单击保存(S)按钮，如图 11-56 所示。

（5）打开显示下载进度的对话框，待该对话框关闭后表示下载完成。

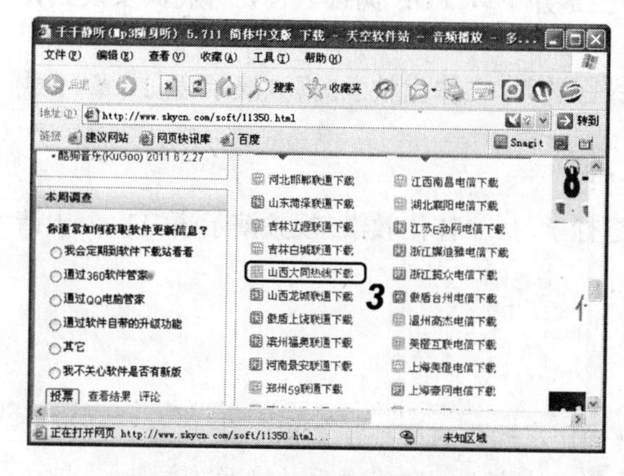

图 11-55　单击软件下载超链接

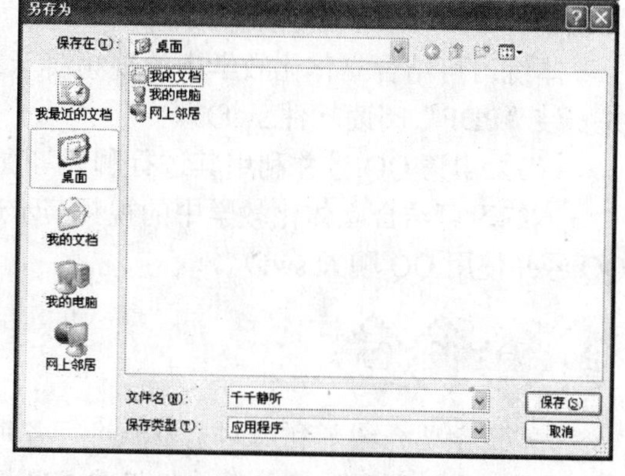

图 11-56　保存软件

11.5.2　在线听歌并下载歌曲

本例将通过在百度中收听在线歌曲，并对其进行下载，通过练习进一步熟悉网页的浏览和下载网络资源的方法。

本练习可结合立体化教学中的视频演示进行学习(立体化教学:\视频演示\第 11 章\在线听歌并下载歌曲.swf）。

主要操作步骤如下：

（1）打开浏览器，在地址栏中输入“www.baidu.com”进入百度首页，在其中单击“MP3”超链接，如图 11-57 所示。

（2）在其中选择曲目进行在线收听，如图 11-58 所示为在线收听歌曲的页面。

（3）通过迅雷软件将喜欢的歌曲下载到本地磁盘中。

图 11-57　歌曲列表

图 11-58　在线听歌

11.6　练习与提高

（1）使用 IE 浏览器访问新浪网中的体育网页，并将其进行保存。

（2）利用迅雷下载软件在天空软件网中搜索并下载 PDF 阅读软件，并将其安装到计算机中。

本练习可结合立体化教学中的视频演示进行学习（立体化教学:\视频演示\第 11 章\下载并安装“PDF”阅读软件.swf）。

（3）申请 QQ 号并利用其进行聊天等操作。

本练习可结合立体化教学中的视频演示进行学习（立体化教学:\视频演示\第 11 章\申请 QQ 号并使用 QQ 聊天.swf）。

本章主要介绍了利用网上资源进行各种操作，操作时需要注意以下几点。

- 在进行网络连接时需根据需求选择合理的方式，防止资源的浪费。
- 使用迅雷软件时会使计算机在进行的其他网络操作速度变慢。

第 12 章　系统安全与维护

学习目标

☑ 了解电脑的注意事项和常见故障处理方法

☑ 使用系统自带工具进行磁盘维护

☑ 使用 Windows XP 维护系统

☑ 使用 360 杀毒软件杀毒和安全设置

目标任务&项目案例

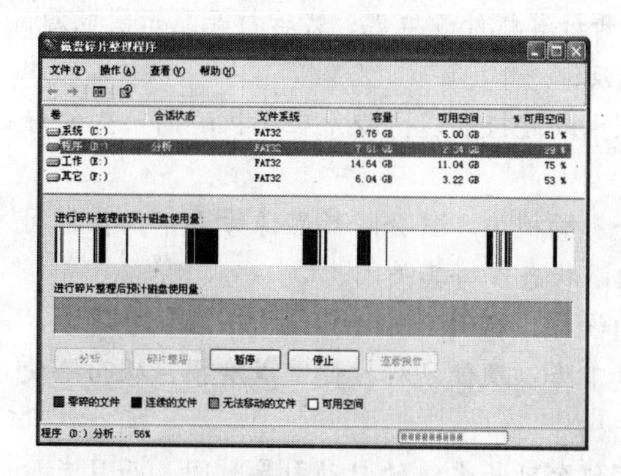

整理磁盘碎片

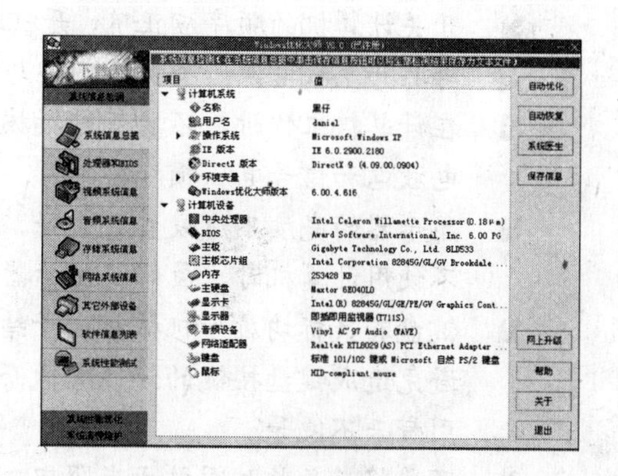

Windows 优化大师

360 杀毒软件

Internet 安全级别设置

在使用计算机的过程中，为了使其能更加顺畅地运行，需对计算机的性能和安全进行相应的优化和保护。本章将对计算机使用时的注意事项、常见的故障处理、磁盘维护以及计算机病毒进行系统讲解，使读者掌握相关知识。

12.1 计算机的注意事项与故障处理

无论计算机的作用有多大，也需要人工定期对其进行维护和优化操作，以避免出现故障使计算机无法使用。本节将对使用计算机的注意事项和出现故障时的处理方法进行介绍。

12.1.1 使用计算机的注意事项

计算机由硬件和软件两大部分组成，在使用计算机时也应对这两部分有所注意，下面将分别对它们进行讲解。

1．硬件注意事项

使用计算机硬件时应主要注意以下几点。

- 在计算机的使用过程中，应尽量避免频繁开关机，否则将损坏计算机的硬件。即使关闭后又重新开启，也至少应等待半分钟才能执行操作。
- 开关计算机的顺序应正确，开机时先打开计算机外设电源，然后打开显示器电源，再打开主机电源；关机的顺序与开机相反。
- 在计算机工作时，不要带电插拔各种板卡或连接电缆。避免在插拔瞬间产生的静电放电和信号电压损坏芯片。
- 显示器的亮度不应设置得太强，否则会影响视力，且会降低显像管寿命。长时间不使用计算机时，最好使显示器进入睡眠状态或将其关闭。
- 键盘和鼠标均属于机械和电子结合型的设备，在使用时对其敲击不应过分用力，避免造成键盘按键的弹性降低而灵敏度下降以及使鼠标按键造成磨损，从而给使用带来不便等。
- 不要将光盘长时间放于光驱中，这样不仅会延长系统的启动引导时间，而且光盘盘片也容易吸附灰尘。
- 不应将计算机放在附近有较强磁场的地方，否则会使显示屏幕的荧光物质被磁化，从而导致显示器产生局部变化和发黑等现象。
- 避免用清水擦拭机箱表面、键盘、鼠标或显示器等设备，以免清水流入硬件的内部造成短路或使计算机产生锈蚀，用专用的计算机清洁膏或用棉花沾少量的酒精可代替清水擦拭。
- 避免在光驱运行时取出光盘，否则容易损伤光盘表面，甚至降低光驱的使用寿命。

2．软件注意事项

使用计算机软件时应主要注意以下几点。

- 应管理好计算机中的各种文件，避免需要时找不到。对于不再使用的文件应及时将其删除，并定期清空回收站，释放磁盘空间。
- 计算机中的软件不宜安装过多，有针对性地安装所需软件，否则会使计算机的运行速度下降。
- 定期清理磁盘空间，包括磁盘清理、磁盘碎片整理等。

- 合理使用压缩软件将部分文件进行压缩操作，以减少磁盘占用量。
- 不应轻易修改 BIOS、注册表或其他配置信息，以避免造成电脑不能正常使用。
- 避免安装或使用来历不明的软件，防止病毒入侵。
- 应对电脑中的重要数据进行备份。

12.1.2　计算机常见故障处理

在使用计算机的过程中，难免会遇到一些故障，当出现故障时也不必手足无措，下面介绍一些常见故障的处理方法，用户可根据实际情况对照处理。

1. 计算机死机

在使用计算机的过程中，有时会遇到计算机突然无法运行，鼠标键盘不起作用，屏幕出现蓝色提示信息的情况，称之为计算机死机。死机通常是由于计算机中内存不够造成，这包括打开的文件及程序太多、执行了误操作或文件错误等，死机后常见的处理方法如下。

- 重新启动计算机，系统会自动检测并修复被破坏的文件。
- 删除计算机中的临时文件，这样可以大大提高计算机运行速度。
- 在桌面“回收站”图标上单击鼠标右键，在弹出的快捷菜单中选择“清空回收站”命令，删除回收站内容以提高计算机的运行速度。
- 利用杀毒软件查杀病毒。
- 修复或重新安装操作系统。

2. 显示器黑屏

当显示器中没有显示任何信息时，称这种情况为显示器黑屏，发生黑屏现象后，可通过以下方法进行处理。

- 查看显示器视频电缆是否连接正确。
- 查看显示器电源线是否连接好。
- 关闭显示器电源开关，拔掉电源线，查看视频电缆插针是否弯曲。如果弯曲，小心将其扳直。
- 查看显卡的金手指是否接触不良。
- 查看亮度和对比度是否合适。

3. 鼠标失灵

当操作系统启动完毕后，鼠标光标仍然不能控制时，可通过以下方法进行处理。

- 如果是无线鼠标，检查电池是否没电，如果电池没电换一副新电池；若是有线鼠标，检查是否连接不正确。
- 检查是否死机，若死机则重新启动计算机；若没有死机，重新拔插鼠标与主机的接口插头，然后重新启动计算机。
- 检查“设备管理器”中鼠标的驱动程序是否与所安装的鼠标类型匹配。
- 机械鼠标可拆开鼠标底盖，检查是否灰尘堆积过多，也可检查鼠标滚球、X 轴、Y 轴和光电接收电路，如有问题，则采取相应措施。

4．打印机无法打印

当执行了打印命令后，打印机无任何反应，且操作系统没有提示任何有关打印信息，可通过以下方法进行处理。

- 查看打印机电源线是否正确连接。
- 查看打印机的电源开关是否打开。
- 查看打印机进纸口是否卡纸。
- 查看所使用的打印机电缆是否正确。
- 查看在Windows中打印机的设置和应用程序中的“打印设置”菜单是否设置正确。
- 查看打印机驱动是否正确安装。

5．计算机无法正常开机

若遇到计算机无法正常开机的情况，可通过以下方式进行处理。

- 检查主机电源线是否脱落，电源开关是否打开。
- 检查主机中如硬盘、内存条和电源等硬件设备是否毁坏，若有则换其他相关配件进行测试。
- 检查电脑系统是否崩溃，如崩溃则重装系统。

6．光驱不能正常读盘

光驱不能正常读盘通常有多种情况，其处理方法如下。

- 将光盘放到光驱中后，在“我的电脑”窗口中双击光驱图标，如果打开“设备尚未准备好”对话框，则可能是由于光盘磨损或光盘不清洁造成，可用光盘刷将光盘表面擦拭后再试。
- 光驱不能读取盘片信息，并在每一次读盘前听到“嚓嚓”的摩擦声，然后指示灯熄灭。出现这种情况说明是机械故障。只需取下光驱中的弹力钢片并将其弯度加大，增加压在磁力片上的弹力。
- 光驱处于读盘状态却无法读取光盘内容。这可能是由于光驱激光头染上灰尘或老化的原因造成，此时可对其进行擦拭、清洗或更换操作。

12.2 磁盘维护

磁盘是计算机存储文件的重要设备，在对计算机进行操作的过程中，磁盘都在反复地被读写，因此需要对其进行专门的维护，包括磁盘清理和磁盘碎片整理等操作。

12.2.1 磁盘清理

通过对磁盘进行清理操作，可将使用计算机时所产生的垃圾文件和临时文件删除，从而释放磁盘空间。

【例12-1】 对C盘进行清理操作。

（1）依次选择“开始/所有程序/附件/系统工具/磁盘清理”命令。

（2）打开“选择驱动器”对话框，在“驱动器”下拉列表框中选择“系统（C:）”选

项，如图 12-1 所示。

（3）单击确定按钮，打开“磁盘清理”对话框，此时计算清理所选磁盘后可释放出的空间，如图 12-2 所示。

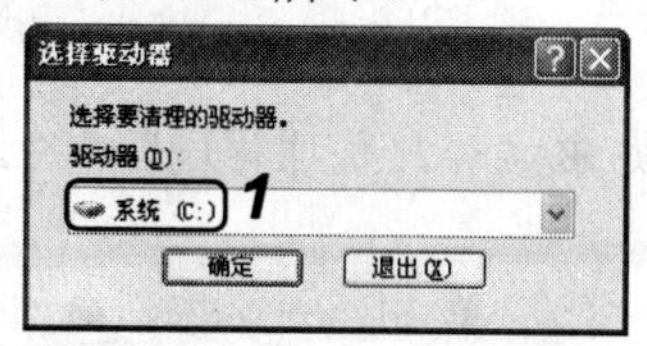

图 12-1　选择清理的磁盘

图 12-2　计算释放的空间

（4）扫描完成后，打开“系统（C:）的磁盘清理”对话框，在“要删除的文件”列表框中默认系统选中的复选框，然后单击确定按钮，如图 12-3 所示。

（5）打开提示对话框，提示是否执行此操作，如图 12-4 所示，单击是(Y)按钮开始磁盘清理操作。

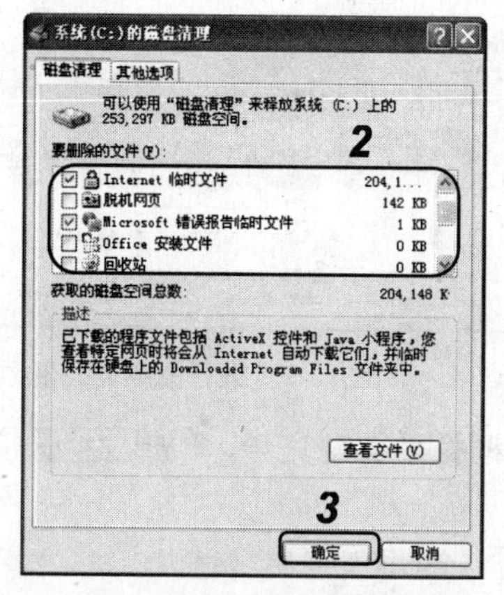

图 12-3　选择清理的项目

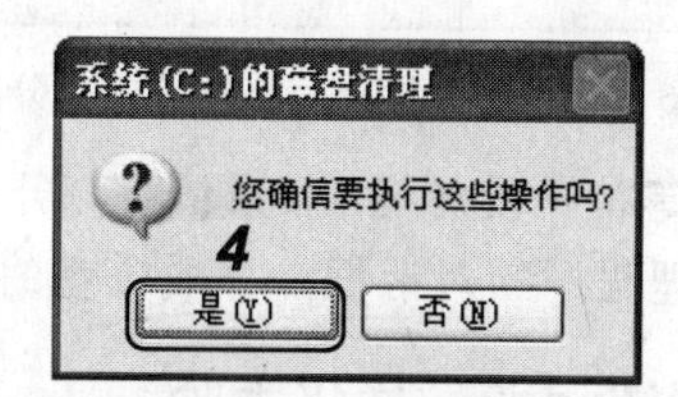

图 12-4　确认操作

（6）开始清理时打开如图 12-5 所示的对话框，其中将显示磁盘清理的进度，待该对话框自动关闭时表示磁盘清理操作完成。

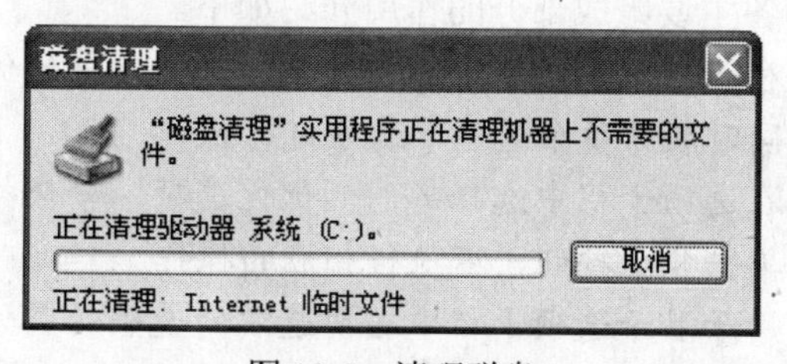

图 12-5　清理磁盘

提示：

系统在磁盘清理之前将扫描出可删除的文件或程序，包括临时文件、回收站文件等。

12.2.2　整理磁盘碎片

在对文件进行复制、移动与删除等操作时，存储在磁盘上的信息会变成不连续的存储碎片，这样有可能造成同一个文件的数据没有连续存放，不利于磁盘的读写，且过多的无用碎片还会占用磁盘空间。利用磁盘碎片整理程序对这些碎片进行调整，可使其变成连续的存储单元，从而延长硬盘的使用寿命。

【例 12-2】 对 E 盘进行碎片整理。

(1) 依次选择“开始/所有程序/附件/系统工具/磁盘碎片整理程序”命令，打开“磁盘碎片整理程序”对话框。

(2) 在上方的列表框中选择“(E:)”选项，然后单击 分析 按钮，如图 12-6 所示。

(3) 系统开始对选择的磁盘进行分析，然后自动进行碎片整理，并在对话框中显示整理前后的磁盘使用量及进度，如图 12-7 所示。

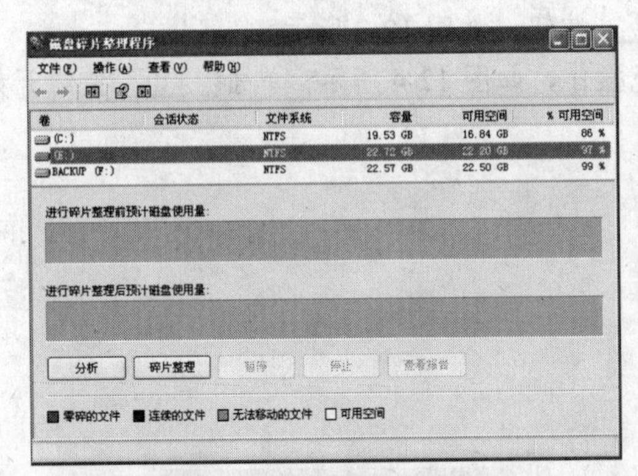

图 12-6 选择要进行碎片整理的磁盘分区

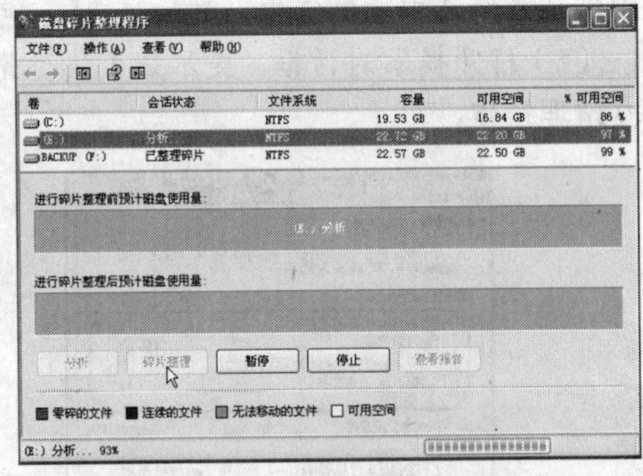

图 12-7 进行磁盘碎片整理

(4) 等待一段时间后，系统将打开提示对话框提示整理完毕，单击 关闭(C) 按钮返回“磁盘碎片整理程序”对话框，完成磁盘的整理。

12.2.3 Windows 优化大师

Windows 优化大师可有效地进行磁盘维护、系统检查和优化，其操作界面主要包括选项卡栏、命令按钮区以及信息显示区，如图 12-8 所示。

Windows 优化大师各主要组成部分的作用介绍如下。

- **选项卡栏**：与对话框中的选项卡选项相似，选择其中的优化项目，可切换至相应的设置页面，同时展开多个选项卡选项进行操作。
- **命令按钮区**：在选项卡栏中选择不同的优化选项，命令按钮区显示的按钮与选项卡栏不一样，单击命令按钮，可执行相应的操作。
- **信息显示区**：用于显示选项卡栏中当前选中的选项的具体信息和设置内容，了解其具体操作情况。

提示：

Windows 优化大师提供了全面的系统优化选项，通过其优化系统，将使系统的性能得到大幅度提高，同时，使用 Windows 优化大师还能准确地检测出计算机硬件的详细信息、清理注册表冗余信息等。

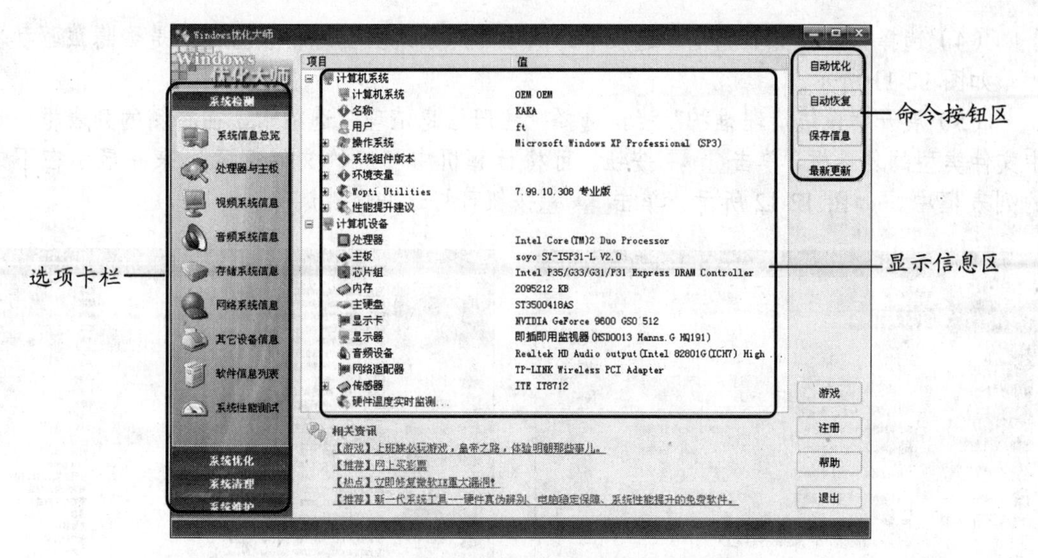

图 12-8 Windows 优化大师的操作界面

12.2.4 应用举例——使用 Windows 优化大师

本例将使用 Windows 优化大师进行检测电脑信息、优化开机速度、对系统进行安全优化并清理和维护磁盘等操作，熟悉优化大师的功能。

操作步骤如下：

（1）在计算机上安装优化大师后，依次选择“开始/所有程序/Windows 优化大师/Windows 优化大师”命令，启动 Windows 优化大师。

（2）系统将默认打开“系统信息检测”栏的“系统信息总览”选项卡所对应的窗口，如图 12-9 所示。其中显示了计算机名称、用户名、操作系统版本以及硬件等一系列计算机基本信息。

（3）选择“开机速度优化”选项卡，在“启动信息停留时间”栏中拖动滑块设置选择进入系统菜单所等待的时间，在下方的列表框中选中相应程序的复选框可在开机时不启动这些程序，完成后单击 优化 按钮，如图 12-10 所示。

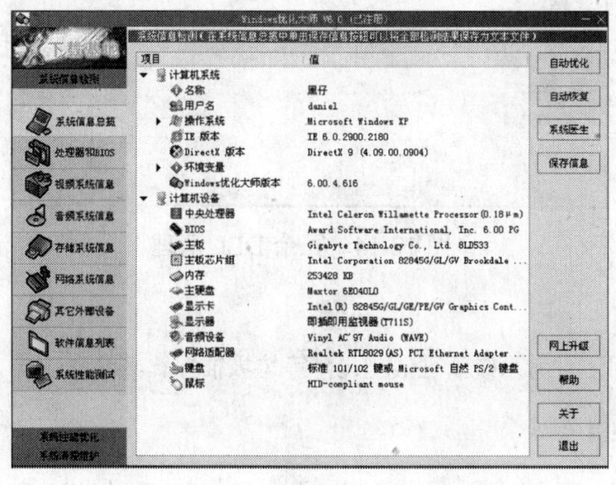

图 12-9 显示计算机的基本信息

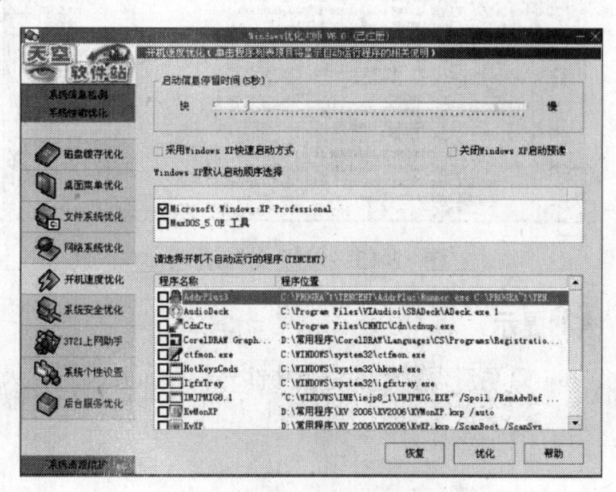

图 12-10 开机速度优化

（4）选择“系统安全优化”选项卡，从中可对系统安全进行设置，如是否隐藏驱动器等，如图12-11所示。

（5）展开“系统清理维护”栏，选择“注册信息清理”选项卡，在右侧的列表框中选中文件类型的复选框，单击 扫描 按钮，可将计算机中相应的文件搜索出来并显示在下方的列表框中，如图12-12所示。单击 全部删除 按钮可将这些文件删除。

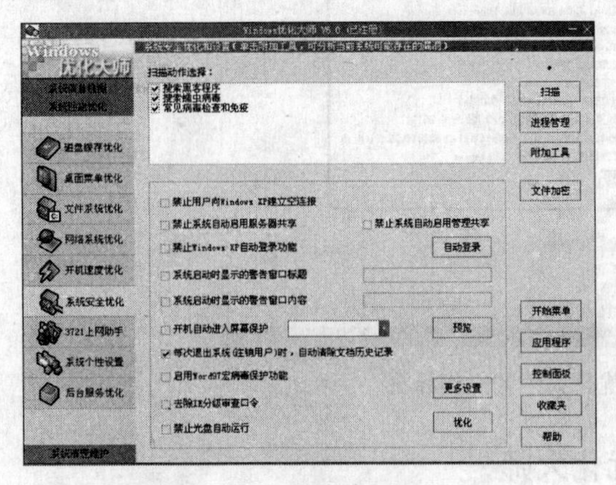

图12-11　系统安全优化

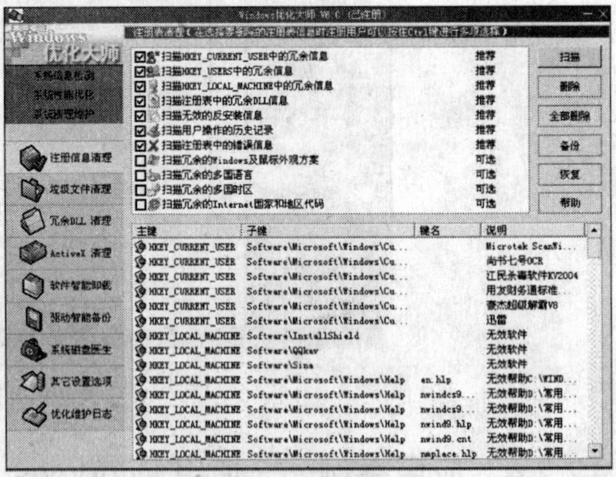

图12-12　注册信息清理

（6）选择“垃圾文件清理”选项卡，在右侧的列表框中选择清理的范围，然后单击 扫描 按钮，可将计算机中相应的文件搜索出来并显示在下方的列表框中，如图12-13所示。单击 全部删除 按钮将这些文件删除。其中“全部删除”按钮功能，需要对该软件注册后才能使用。

（7）选择“冗余DLL清理”选项卡，可按照清理垃圾文件的方法对DLL文件进行清理操作，如图12-14所示。

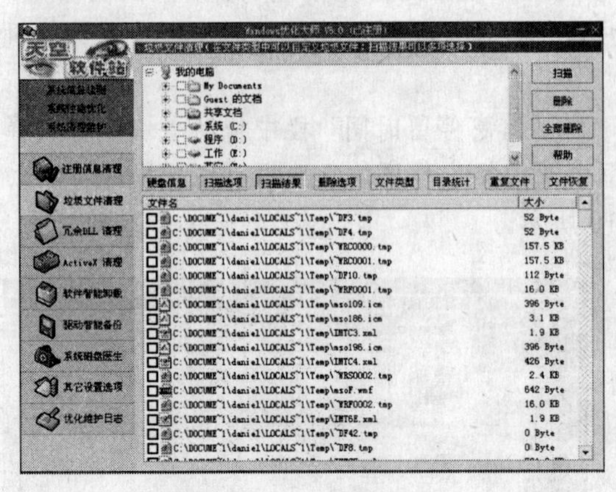

图12-13　垃圾文件清理

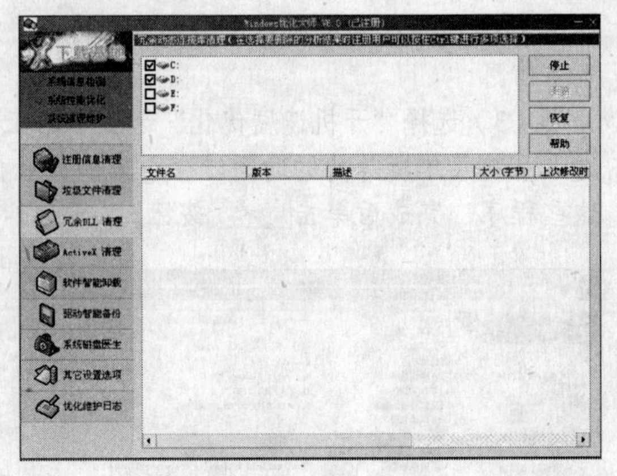

图12-14　冗余DLL清理

提示：

除了清理以上的垃圾文件外，Windows优化大师还可为系统清理ActiveX等垃圾插件，其清理功能十分全面。

12.3　计算机病毒防御

病毒是目前通过网络或其他移动设备对计算机造成危害的最主要威胁，下面对其进行简要介绍。

12.3.1　病毒的防御与查杀

病毒是指编制或者在计算机程序中插入的破坏计算机功能或数据、影响计算机使用并且能够自我复制的指令或者程序代码。计算机病毒通常寄生在系统启动区、设备驱动程序或者可执行文件中，以破坏计算机系统为目的。

1. 计算机病毒分类

按计算机病毒寄生场所的不同，可将其分为引导型病毒和文件型病毒两大类。下面将对这两类分别进行讲解。

- **引导型病毒**：这类病毒寄生在硬盘引导扇区中，当系统启动时就会使这些病毒进入内存，当满足病毒的特定条件时，它们就会开始破坏程序或数据。
- **文件型病毒**：这类病毒寄生在可执行程序中，当该类程序被执行时，也将使程序中的病毒运行。

按对计算机的破坏程度来看，可将其分为良性病毒和恶性病毒两大类。下面将对这两类分别进行讲解。

- **良性病毒**：这类病毒只会对屏幕产生干扰或降低计算机的运行速度，不会对磁盘数据或用户程序造成破坏，如毛毛虫病毒、欢乐时光病毒等。
- **恶性病毒**：这类病毒大多在产生破坏后才会被发现，它们会破坏磁盘信息、用户数据等，产生不可挽救的破坏，如“CIH 病毒”、“大麻病毒”等。

2. 计算机病毒的特征

虽然计算机病毒的种类繁多，但是病毒都具有一些共同的特征，下面列举了一些病毒的特性。

- **破坏性**：计算机病毒会占用系统资源、破坏数据、干扰程序正常运行以及造成系统瘫痪等，对计算机具有极大的破坏性。
- **传染性**：计算机病毒与大多数生物病毒一样，具有极强的传染性。它会自动复制到被读写的磁盘或其他正在执行的程序中，快速扩散，感染其他的数据。
- **隐蔽性**：病毒的发作是具有固定时间的，只有当其周围的环境满足病毒发作的条件时才会对计算机进行干扰或破坏，因此它们的隐蔽性很强。

3. 计算机病毒的防治

虽然病毒的存在严重危害计算机，不过做好正确的防毒准备，或者在计算机感染了病毒后采取正确的方法杀除，都会使计算机处于安全的状态。

1）防毒措施

计算机病毒的传染性和隐蔽性较强，因此在计算机未感染到病毒时，应做好以下几方面的防毒措施。

- 安装杀毒软件，如360杀毒软件、瑞星杀毒软件等，并定期升级病毒库，避免病毒有可乘之机。
- 将硬盘的主引导记录和引导扇区备份，即使计算机感染了病毒，也不会使系统瘫痪。
- 不要接收和打开来源不明的邮件或其他文件。
- 提前备份系统文件，并定期保存系统的注册表数据库。
- 不要轻易使用移动存储设备中来源不明的文件。
- 不要随便打开或下载不知名的网站和软件。

2）杀毒处理

当计算机感染了病毒后，应及时将其杀除，防止病毒的扩散，一般的处理方法有以下几种。

- 利用杀毒软件判断病毒的类型，对于一般的文件型病毒利用杀毒软件即可清除；若是恶性病毒，应根据具体情况进行处理或向相关的技术人员咨询。
- 避免用带病毒的硬盘启动电脑，因为这些引导型病毒引导的次数越多，破坏的范围也越大。正确的方法是用软盘或U盘制作启动盘进行启动。
- 若感染病毒的计算机位于局域网中，应及时断开网络，以免病毒通过局域网传播到其他计算机中。

4．360安全卫士和360杀毒软件

目前，360安全卫士和360杀毒软件是保护系统不受病毒的破坏使用比较广泛的防御软件，下面将分别对它们进行简单介绍。

1）360安全卫士

360安全卫士是维护系统的工具软件，它提供了较全面的系统优化设置，且能在一定程度上防御木马和病毒的侵扰，下面将对其防御功能进行简单的介绍。

- **木马查杀**：使用360的木马查杀功能可以联网进行木马的扫描，能全面且有效地扫描系统中存在的木马程序，保护系统安全，如图12-15所示。
- **漏洞修复**：使用该功能可下载并安装系统补丁程序，修复系统的漏洞，防止病毒或黑客利用漏洞攻击计算机，从而达到保护系统安全的目的，如图12-16所示为漏洞修复的页面。

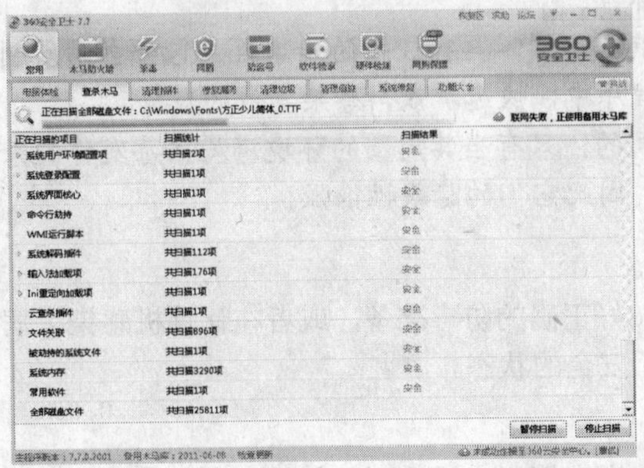

图12-15　木马查杀

图12-16　漏洞修复

提示：

使用木马防火墙能有效地防止来自互联网或移动存储设备传播的木马感染计算机。

2）360 杀毒软件

360 杀毒软件是一款免费且查杀病毒十分有效的杀毒软件，它具有操作简单、杀毒效率高等优点，下面将简单介绍其基本功能。

- **病毒查杀**：使用 360 杀毒软件进行病毒查杀时，可使用快速扫描、全盘扫描和指定位置扫描 3 个选项，如图 12-17 所示，用户可根据不同的情况选择进行使用。
- **实时防护**：实时防护可对文件系统、聊天软件、下载软件和 U 盘等进行监控防护，如图 12-18 所示。

图 12-17　病毒查杀

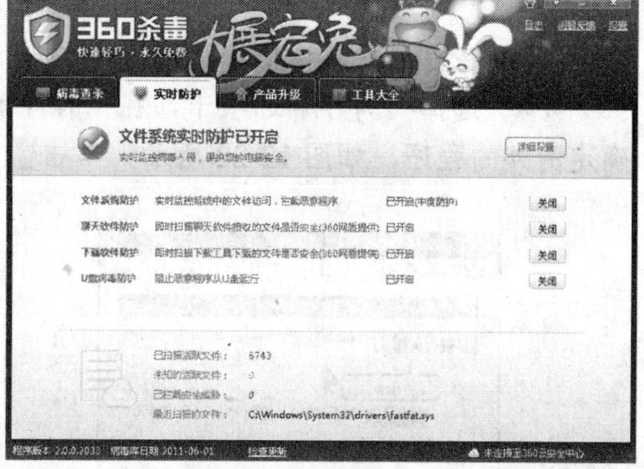

图 12-18　实时防护

12.3.2　黑客

"黑客（Hacker）"是指对计算机系统非法入侵的计算机用户。从信息安全角度来说，黑客会非法闯入计算机的信息禁区或者重要网站，以窃取重要的信息资源、篡改网站信息或删除内容为目的，给网络和个人计算机造成了巨大危害和损失。从计算机发展的角度来说，黑客也为推动计算机技术的不断完善发挥了重要作用。

12.3.3　系统安全设置

病毒的传播和黑客的攻击主要是通过网络进行，因此，网络安全的设置是非常有必要的，这样能减少病毒和黑客对电脑的侵犯，下面将分别介绍系统的安全设置。

1. 开启系统防火墙

开启系统自带的防火墙有利于计算机使用安全的防护，可有效地防御网络中的病毒侵入对系统造成破坏。

【例 12-3】　开启系统自带的防火墙。

（1）选择"开始/控制面板"命令，打开"控制面板"窗口，如图 12-19 所示。

（2）在打开的窗口中双击图标，打开"Windows 防火墙"对话框，如图 12-20 所示。

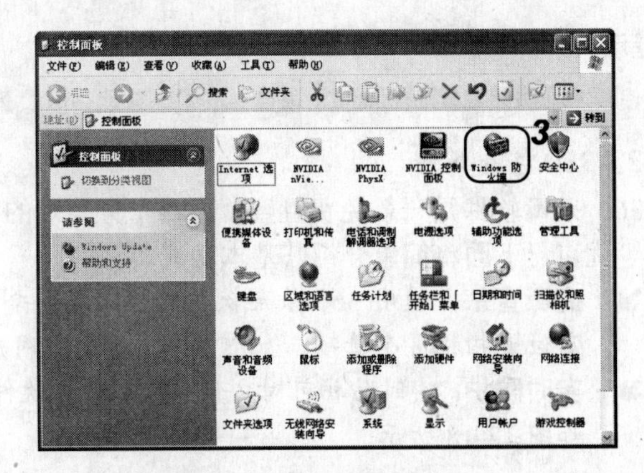

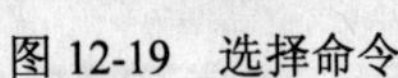

图 12-19　选择命令　　　　图 12-20　“控制面板”对话框

（3）在打开的对话框中选中 ⦿启用(推荐)(O) 单选按钮，如图 12-21 所示。

（4）选择“例外”选项卡，在“程序和服务”栏的文本框中选中相应的选项复选框，确定例外的程序，如图 12-22 所示，单击 确定 按钮即可完成。

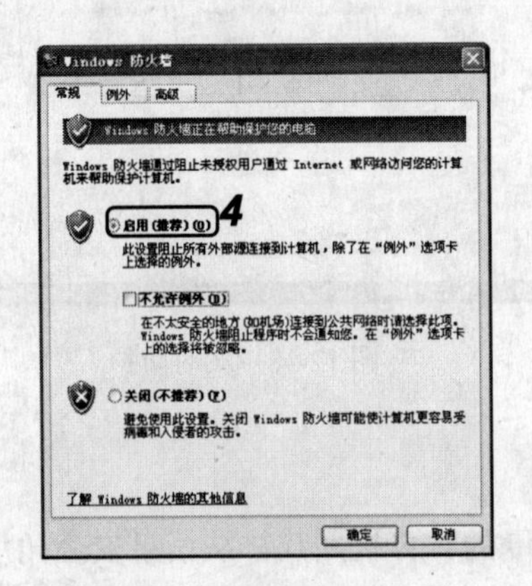

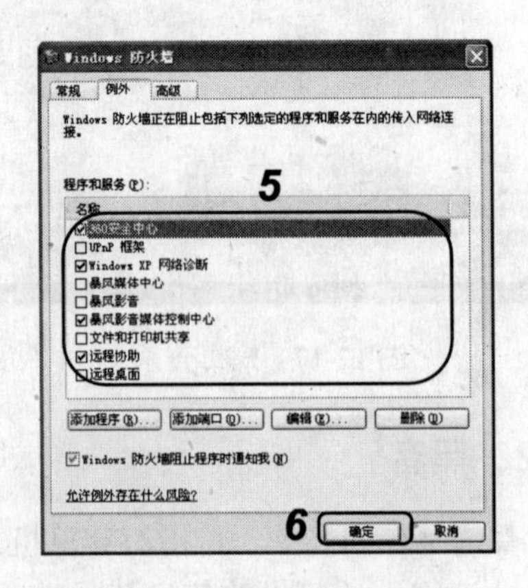

图 12-21　开启防火墙　　　　图 12-22　“例外”选项卡

2．设置 Internet 安全级别

在 Internet 中，可自定义某个区域中 Web 内容的安全级别，安全级别越高就越安全。

【例 12-4】　设置 Internet 安全级别。

（1）打开 IE 浏览器，选择“工具/Internet 选项”命令，在打开的“Internet 选项”对话框中选择“安全”选项卡，如图 12-23 所示。

（2）选择“Internet 选项”后，单击 自定义级别(C)... 按钮，打开“安全设置”对话框，如图 12-24 所示。

（3）在“设置”列表框中选择要定义安全级别的选项，在“重置为”下拉列表框中选择“安全级-中”选项，然后依次单击 确定 按钮即可完成设置。

提示：

在“安全设置”对话框中每个选项都有其固定的功能，如不了解其作用，不能随意地禁用，否则会无法正常浏览网页。

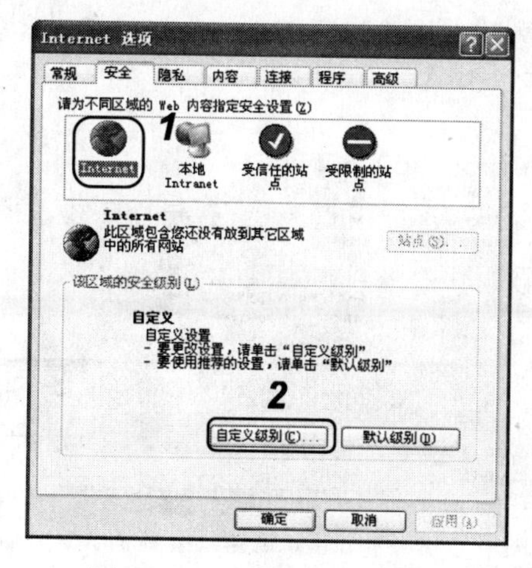

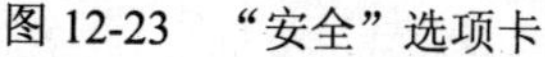
图 12-23　“安全”选项卡

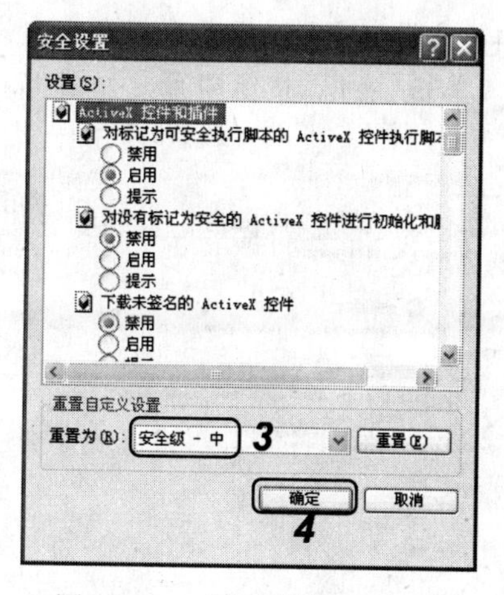

图 12-24　“安全设置”对话框

12.3.4　应用举例——使用 360 安全卫士的木马防火墙

使用 360 安全卫士设置系统防护功能，并开启木马防火墙，达到增强系统安全性、防御木马的目的。

操作步骤如下：

（1）在 360 官方网站中下载 360 安全卫士的安装程序并将其安装。安装完成后启动 360 安全卫士，在桌面右下角单击其活动图标，打开主界面，如图 12-25 所示。

（2）单击“木马防火墙”按钮，在打开的“360 木马防火墙”主界面中选择“系统防护”选项卡，在下方选择开启需要的各种网络防火墙，如图 12-26 所示。

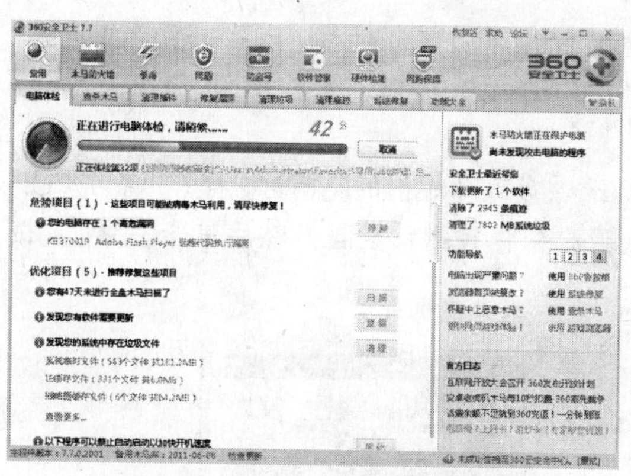

图 12-25　启动 360 安全卫士

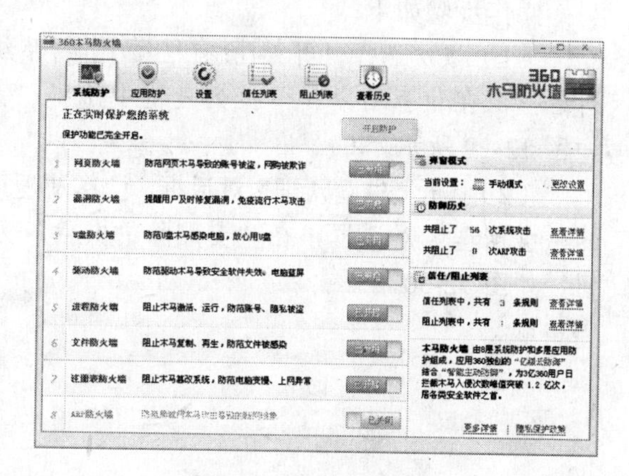

图 12-26　设置系统防护

（3）选择“应用防护”选项卡，在“功能设置”栏中选择不同的选项卡，在右侧设置桌面图标、输入法和浏览器的防护选项，如图 12-27 所示。

提示：

使用 360 安全卫士除了为系统启动开启防护墙外，还可为系统修复漏洞，防止系统漏洞被病毒利用而破坏系统。

（4）选择“设置”选项卡，在其中设置木马防火墙的弹窗模式、免打扰模式和驱动拦截修复，单击 保存 按钮即可，如图 12-28 所示。

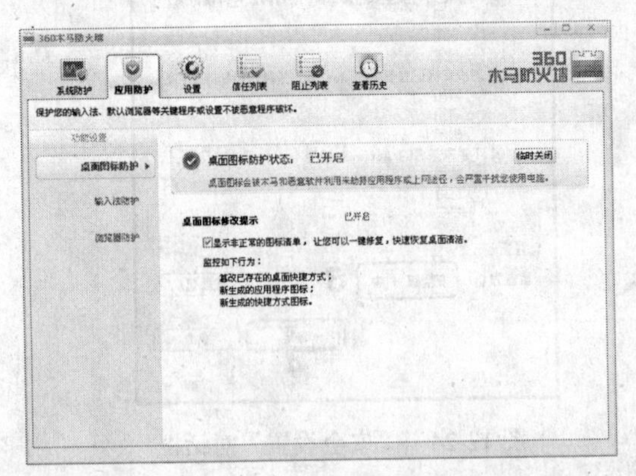

图 12-27 设置应用防护

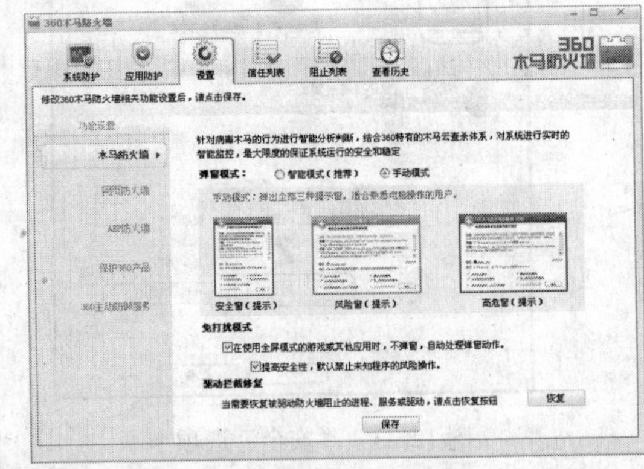

图 12-28 设置木马防火墙

12.4 上机及项目实训

12.4.1 清理系统垃圾

本次上机练习将对 C 盘进行清理，然后利用 Windows 优化大师将计算机中的注册信息文件删除，通过本次练习，使读者掌握维护系统性能的一般方法。

操作步骤如下：

（1）依次选择“开始/所有程序/附件/系统工具/磁盘清理”命令，打开“选择驱动器”对话框，在“驱动器”下拉列表框中选择“系统（C:）”选项，然后单击 确定 按钮，如图 12-29 所示。

（2）打开“磁盘清理”对话框，计算清理所选磁盘可释放出的空间后，打开“系统（C:）的磁盘清理”对话框，在“要删除的文件”列表框中保持默认设置，然后单击 确定 按钮，如图 12-30 所示。

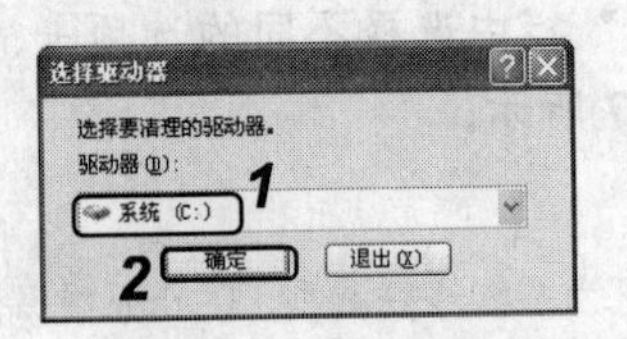

图 12-29 选择清理的磁盘

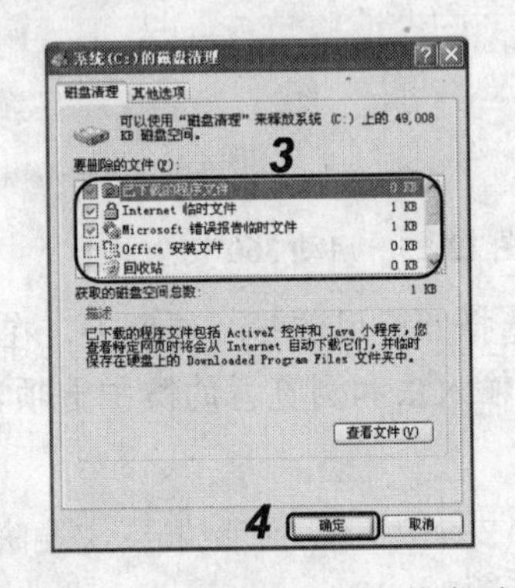

图 12-30 选择清理的文件类型

（3）打开提示对话框，单击 是(Y) 按钮，如图 12-31 所示。

（4）打开如图 12-32 所示的对话框，显示磁盘清理的进度，完成操作后该对话框自动关闭。

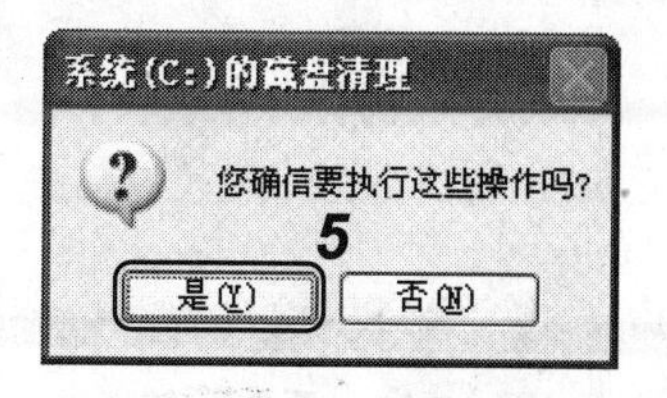

图 12-31　确认操作

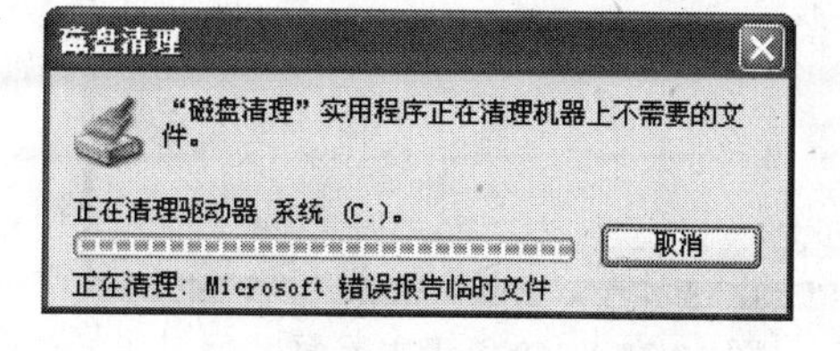

图 12-32　磁盘清理

（5）依次选择“开始/所有程序/Windows 优化大师/Windows 优化大师”命令，启动 Windows 优化大师，展开“系统清理维护”栏，选择“注册信息清理”选项卡。单击 扫描 按钮，程序将搜索出来的文件显示在下方的列表框中，如图 12-33 所示。

（6）单击 全部删除 按钮，在打开的对话框中单击确认按钮，将搜索出的注册文件全部删除，效果如图 12-34 所示。

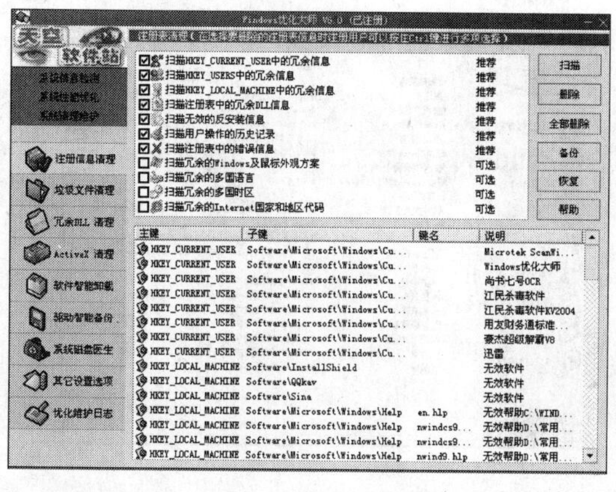

图 12-33　扫描注册信息

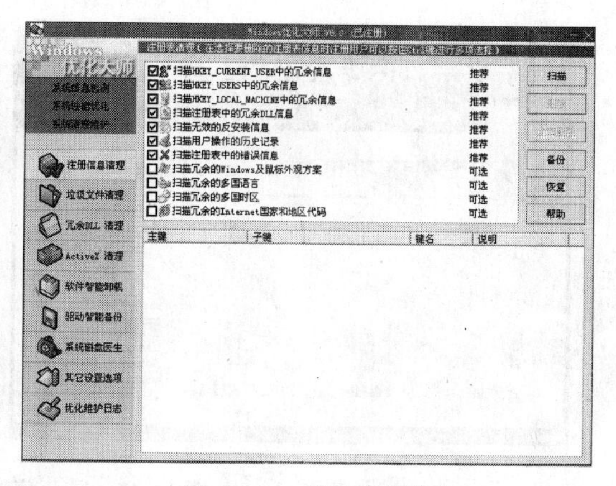

图 12-34　删除注册信息

12.4.2　使用 360 杀毒软件

在计算机中使用 360 杀毒软件扫描系统盘查杀病毒，并开启系统实时防护功能，以提高系统的安全性，保护电脑免受病毒的侵犯。

本练习可结合立体化教学中的视频演示进行学习（立体化教学:\视频演示\第 12 章\使用 360 杀毒软件.swf）。主要操作步骤如下：

（1）在 360 官网上下载并安装 360 杀毒软件，安装后双击桌面上的 360 杀毒软件图标启动软件进行病毒扫描，如图 12-35 所示。

（2）扫描完成后，在对话框中会显示扫描的结果，如发现病毒，可根据提示对病毒进行清除或隔离。

（3）在“实时防护”选项卡中开启如图 12-36 所示的防护功能。

图 12-35　360 杀毒主界面

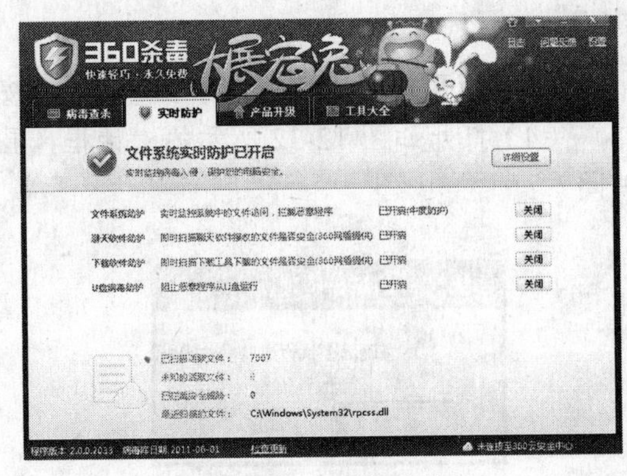

图 12-36　系统防护

12.5　练习与提高

（1）使用 360 安全卫士与 360 杀毒软件来保护计算机系统不受病毒的侵犯。

（2）使用 Windows 优化大师来优化系统。

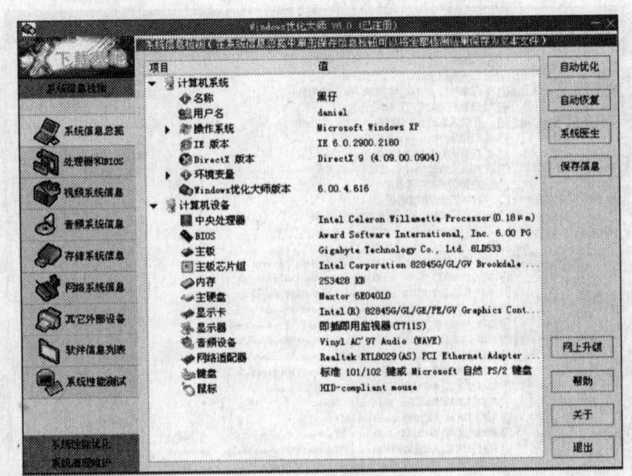

图 12-37　防范病毒及优化系统

（3）对计算机的系统盘进行碎片整理。

（4）使用 Windows 优化大师优化文件系统，加快操作系统访问文件的速度。

本章总结了计算机的常见故障、维护系统安全以及优化系统的方法。

- 在使用软件对计算机病毒进行防御时，要经常对软件进行升级，以适应最新病毒的特征并将其检测出来。
- Windows 优化大师是一款非常全面且适用的计算机优化软件，使用其能有效清除系统垃圾和优化系统。